D0794784

Guide familial

DES SYMPTÔMES

Avis au lecteur

Ce livre ne prétend pas être un traité médical ou un manuel d'autotraitement. Si vous souffrez d'un problème de santé, vous devez consulter votre médecin.

L'information que vous trouverez dans cet ouvrage, bien que confirmée par des spécialistes, reste limitée. Elle a pour objectif de préciser les signes et les symptômes de maladie qui vous affectent. Mais seul un médecin est en mesure de prescrire un traitement approprié.

Il faut également noter que les médicaments cités dans ce livre peuvent porter un nom différent selon les pays. Pour plus de précision à ce sujet, vous devrez consulter un pharmacien ou un médecin.

Rédaction des textes

Colette Pellerin
Caroline Baril
Véronique Robert

Jacqueline Bousquet
Suzanne Champoux
Aline Charest
Lucie Chartrand
Marc Thibodeau

Directrice de l'édition

Annika Parance

Directeur scientifique

Dr André-H. Dandavino

Comité scientifique

Dr Jacques E. Des Marchais
Dr Wilhelm B. Pellemans
Dr André G. Trahan

Remerciements à M. André de Sève, directeur général de l'AMLFC,
et à Mme Diane Bircher, adjointe administrative, pour leur précieux soutien.

Guide familial

DES SYMPTÔMES

Deuxième édition entièrement revue et augmentée
Mise à jour par Colette Pellerin

Sous la direction du Dr André-H. Dandavino

Rogers Media

Catalogage avant publication de la Bibliothèque nationale du Canada

Vedette principale au titre :

Guide familial des symptômes

2e éd. rev. et augm.

Comprend un index.

ISBN 2-922260-11-9

1. Signes et symptômes - Ouvrages de vulgarisation.
2. Maladies - Ouvrages de vulgarisation.
3. Diagnostics - Ouvrages de vulgarisation.
4. Thérapeutique - Ouvrages vulgarisation.

I. Dandavino, André-H., 1950- . II. Pellerin, Colette, 1966- .
RC69.G84 2003 616'.047 C2003-941834-0

Photo de la couverture : Superstock

Photo de la 4e de couverture : Pierre Longtin

Conception graphique : Dino Peressini

1200, McGill College, bureau 800
Montréal (Québec) H3B 4G7
Tél. : (514) 845-5141
Fax : (514) 843-2183

Dépôt légal : 4e trimestre
Bibliothèque nationale du Québec, 2003
Bibliothèque nationale du Canada, 2003

La publication de cet ouvrage a été rendue possible grâce à une contribution inconditionnelle à visée éducative de Pfizer Canada Inc.

Imprimé au Canada

Préface

La santé est une réalité tellement présente dans notre vie qu'il nous paraît important qu'un livre médical de référence puisse avoir sa place dans toute bibliothèque.

C'est pourquoi nous avons décidé de nous remettre à l'œuvre pour présenter une nouvelle édition du *Guide familial des symptômes* entièrement mise à jour et qui tient compte des plus récentes découvertes médicales et des progrès technologiques. Nous avons également ajouté de nouveaux symptômes afin de couvrir un domaine plus vaste.

Lorsque des malaises surviennent, chaque signe et chaque symptôme vous interpellent et deviennent autant de questions auxquelles vous cherchez des réponses. Non seulement vous voulez en comprendre la signification, mais vous cherchez à en mesurer l'importance et les conséquences.

Une centaine de médecins ont contribué à cet ouvrage pour vous aider à bien interpréter ces signes et ces symptômes, à les comprendre et à intervenir pour régler votre problème par une action efficace et sans risque pour votre santé. D'ailleurs, quand la situation l'exige, on vous incite à consulter un médecin pour éviter qu'un problème bénin n'évolue vers une pathologie plus grave.

Nous avons gardé exactement la même présentation que dans la précédente édition, avec le même souci de clarté et d'accessibilité à l'information: description des symptômes, principales causes, conseils pratiques, cas nécessitant une consultation chez le médecin, examen et traitement par le médecin. Quant à l'index, il sera votre principal outil pour effectuer vos recherches et faire le lien entre les différents symptômes.

Cette réédition du *Guide familial des symptômes,* revue et augmentée, correspond à une demande du public et nous avons voulu y répondre de façon scientifique et néanmoins accessible.

Les auteurs

CHEZ LE MÊME ÉDITEUR

Dr André-H. Dandavino et coll.

The Family Guide to Symptoms (2003)

(English version of *Guide familial des symptômes*)

Dr Michael McCormack et coll.

La santé sexuelle de l'homme (2003)

Male Sexual Health (2003)

(English version)

Dr Jean-Louis Chiasson et coll.

Connaître son diabète... pour mieux vivre !

3e édition (2001)

Understand your Diabetes... and Live a Healthy Life (2001)

(English version)

Dr Jacques Boulay

Guide bilingue des abréviations médicales (1998)

Table des matières

Acouphène

L'acouphène est une sensation auditive non provoquée par un son extérieur. Généralement, il s'agit d'un son aigu et modéré qui se produit de façon régulière et que la personne est seule à entendre. Le bruit de la voix le couvre facilement, mais il peut devenir incommodant dans un silence complet, au coucher par exemple. En outre, les bruits intenses l'amplifient.

On entend deux sortes de sons : les sons subjectifs et les sons objectifs. Les premiers sont des impressions, des bruits qui ne sont pas réels. Les seconds sont des bruits véritables, produits par le corps lui-même.

Le son peut être perçu dans une seule oreille ou dans les deux. Parfois, le patient ne peut préciser le côté atteint et il a l'impression que la sensation auditive provient du milieu du crâne.

Il semble que les problèmes d'acouphène résultent d'une mauvaise réaction des neurotransmetteurs. Ces « messagers » qui véhiculent les ondes nerveuses tout le long du nerf auditif peuvent, pour une raison ou pour une autre, devenir déficients et mal faire leur travail.

Même si elle est rarement insupportable, cette affection diminue la qualité de vie, en se répercutant directement sur l'humeur. L'acouphène peut, par conséquent, nuire aux relations avec autrui. De plus, il s'accompagne parfois de vertiges, de pertes d'équilibre ou de baisse de l'audition.

Une personne sur deux connaît ce problème à un moment donné de son existence et 5 % des personnes âgées en sont affectées en permanence.

Les bruits entendus en cas d'acouphène peuvent avoir différentes sonorités :

Sons subjectifs :

- un tintement de cloche ;
- une voix humaine ;
- un murmure ;
- un grésillement ;

- un bourdonnement ;
- un sifflement.

Sons objectifs :

- un bruit de circulation sanguine ou de contraction musculaire.

QUELLES SONT LES CAUSES ?

Troubles de l'oreille interne

- ***Âge.*** Avec le vieillissement et le durcissement des artères, il apparaît souvent une modification de l'ouïe appelée presbyacousie, qui entraîne une perte auditive sur les hautes fréquences, souvent accompagnée de problèmes d'acouphène ;
- ***Athérosclérose.*** Le rétrécissement des artères est dû à un dépôt de plaques riches en cholestérol ;
- ***Maladie de Ménière.*** Ce syndrome se manifeste par des accès brusques et réguliers de vertiges, accompagnés de bourdonnements d'oreille et de surdité. Il résulte d'une augmentation de pression de l'endolymphe, le liquide naturel contenu dans l'oreille interne ;
- ***Traumatisme sonore.*** L'exposition à des bruits intenses, comme l'écoute d'un baladeur (walkman) à l'intensité maximale, ou le travail quotidien en milieu très bruyant peuvent endommager l'oreille interne ;
- ***Médicaments.*** Certains produits, surtout l'aspirine, sensibilisent le nerf auditif ;
- ***Accident vasculaire cérébral ;***
- ***Tumeur du nerf auditif ;***
- ***Fracture du crâne.***

Troubles de l'oreille moyenne

- ***Otite de l'oreille moyenne.*** Cette inflammation bouche en partie le conduit auditif ;
- ***Perforation du tympan.*** Un bruit très fort, une otite de l'oreille moyenne ou encore un coup porté sur l'oreille peuvent rompre le tympan ;
- ***Otospongiose.*** Aussi appelée otosclérose, l'otospongiose est une maladie héréditaire qui réduit la mobilité d'un des petits os de l'oreille

moyenne (l'étrier) servant à transmettre les vibrations sonores à l'oreille interne. Non traitée, cette maladie peut mener à la surdité.

Troubles de l'oreille externe

- ***Bouchons de cérumen.*** Ils peuvent obstruer le conduit auditif externe.

CONSEILS PRATIQUES

Se méfier des bruits excessifs. Il faut absolument vous protéger des bruits trop forts, qui pourraient causer ou amplifier l'acouphène. Écoutez votre baladeur à une intensité raisonnable. Si vous travaillez dans le bruit ou si vous allez chasser, portez des bouchons ou des protecteurs auditifs.

Protéger son sommeil. Dans le silence, les sensations auditives sont plus perceptibles. Si elles nuisent à votre sommeil, une musique douce et relaxante aidera à les masquer.

Essayer les techniques de relaxation. Bien que le stress ne soit pas une cause d'acouphène, il semble qu'il y ait tout de même une relation entre les deux. En apprenant à vous détendre, la relaxation peut contribuer à diminuer les sensations auditives désagréables. Des capteurs électroniques sont installés sur le corps pour mesurer les réactions au stress du cœur, des muscles et de la respiration. Ensuite, le thérapeute vous enseigne des techniques de relaxation adaptées à vos besoins. Votre médecin peut vous recommander un spécialiste en relaxation.

Expérimenter les masqueurs électroniques. Les audioprothésistes vendent des appareils qui produisent un bruit blanc (bruit couvrant une large gamme de fréquences). Portés le plus souvent possible et à faible intensité, ils peuvent dissimuler l'acouphène. Toutefois, ce procédé n'est efficace que chez un petit nombre de personnes. Parlez-en à votre médecin.

Changer de médicaments. Évitez l'aspirine, qui sensibilise le nerf auditif. L'acouphène devrait diminuer ou même cesser si l'aspirine en est la cause. Prenez plutôt de l'acétaminophène ou des anti-inflammatoires non stéroïdiens.

Prévenir les bouchons de cérumen. Sachez que les cotons-tiges ne font que pousser la cire plus loin dans le conduit auditif externe, favorisant ainsi la formation de bouchons. Pour vous nettoyer les oreilles, utilisez plutôt le coin d'une débarbouillette humide et ne pénétrez jamais à l'intérieur de l'oreille. Si vos glandes sécrètent beaucoup de cérumen, placez de temps en temps une bouillotte remplie d'eau chaude, mais non bouillante, sur vos oreilles. Cela ramollira la cire, qui s'écoulera alors plus facilement. Vous trouverez aussi en pharmacie des gouttes spécialement conçues pour ramollir la cire, vendues sans ordonnance.

Chercher de l'aide. Le Regroupement québécois pour personnes avec acouphènes, l'Institut Raymond-Dewar, à Montréal, et l'Institut de réadaptation en déficience physique de Québec (Centre Dominique-Tremblay) pourront vous apporter soutien, informations et conseils. Éviter les stimulants. La nicotine, l'alcool et la caféine excitent le nerf auditif de l'oreille interne. Ils augmentent l'acouphène.

QUAND CONSULTER ?

- Vous entendez souvent des bruits dans vos oreilles en l'absence de sons extérieurs.

QUE SE PASSE-T-IL LORS DE L'EXAMEN ?

Le médecin prendra note des informations importantes et procédera à un examen clinique complet. S'il le juge nécessaire, il demandera une épreuve d'audition (audiométrie) pour évaluer le potentiel auditif. Dans la majorité des cas, ce premier bilan suffit à poser le diagnostic.

QUEL EST LE TRAITEMENT ?

Troubles de l'oreille interne

L'acouphène est souvent chronique dans les cas de vieillissement, de traumatisme sonore, d'accident vasculaire cérébral, de tumeur et de fracture du crâne. La personne devra donc s'y habituer en apprenant à se détendre (musique douce, relaxation). Des médicaments, tels que les vasodilatateurs périphériques, qui augmentent le calibre des vaisseaux, peuvent aussi aider à maîtriser les symptômes. Leur efficacité reste néanmoins limitée. Dans certains cas très graves, le médecin prescrira de la cortisone, qui viendra diminuer la congestion au niveau de l'oreille interne.

Le traitement d'un taux de cholestérol élevé, par un changement de certaines habitudes alimentaires et par la prise de médicaments, peut aider à diminuer les symptômes d'acouphène.

Pour la maladie de Ménière, également chronique, quelques traitements parviennent quelquefois à limiter les sensations auditives. Un régime faible en sel et des diurétiques peuvent être recommandés pour régulariser la pression de l'endolymphe. Si ces moyens ne suffisent pas, le médecin pourra pratiquer une injection de gentamycine à travers la membrane du tympan. En drainant l'endolymphe, cet antibiotique réussit parfois à diminuer les symptômes. Ce traitement, qui est très courant, se fait sous anesthésie locale. Il est bien toléré par les patients.

Troubles de l'oreille moyenne

L'acouphène disparait avec un traitement adéquat. L'otite de l'oreille moyenne se soigne bien et rapidement avec des antibiotiques.

Les perforations du tympan se guérissent seules la plupart du temps, mais il arrive qu'une intervention chirurgicale soit nécessaire. L'opération consiste à coller sur la perforation un papier stérile (qui ressemble un peu à un papier de cigarette) qui permet à la peau de se refermer et de former un nouveau tympan.

L'otospongiose se traite également par la chirurgie. Il s'agit d'une intervention mineure qui consiste à couper le ligament de l'étrier afin de lui redonner toute sa mobilité.

Troubles de l'oreille externe

Le médecin enlèvera tout simplement le bouchon de cérumen qui obstrue le conduit auditif externe. Il procédera soit par curetage (en utilisant une curette pour enlever la cire), soit par lavage de l'oreille avec une seringue remplie d'eau.

Affections cutanées du pied

Les affections cutanées du pied sont très rarement graves. Elles n'en sont pas moins désagréables pour autant !

Les principaux symptômes sont les suivants :

- odeurs fortes et persistantes ;
- peau fissurée entre les orteils et macérée (peau blanche et un peu boursouflée, comme lorsqu'on reste longtemps dans l'eau), démangeaisons, rougeurs ;
- démangeaisons, irritations, plaques rouges ;
- ampoules, cors, callosités et durillons.

QUELLES SONT LES CAUSES ?

Odeurs fortes et persistantes

- hygiène insuffisante ;
- activités physiques intenses ;
- bactérie nommée *Corynebacterium minutissimum* transformant les molécules de la sueur en odeurs fortes et persistantes ;
- réactions à certaines chaussures et chaussettes.

Peau fissurée entre les orteils et macérée, démangeaisons, rougeurs

- ***Pied d'athlète*** causé par une infection à champignons contagieuse. Les milieux humides et la transpiration favorisent la multiplication des champignons.

Démangeaisons, irritations, plaques rouges

- ***Allergies*** aux produits de fabrication des chaussures, chaussettes de couleur, bas nylon, crèmes pour le corps parfumées, etc. ;
- ***Infection à champignons, eczéma, urticaire et autres dermatites.*** Si les symptômes se présentent sur le dessus du pied, il s'agit plus probablement d'une dermatite, car cette surface ne transpire pas vraiment. Par contre, si l'éruption se manifeste sous le pied, il y a de forts risques qu'il s'agisse d'une infection à champignons.

Ampoules, cors, callosités et durillons

- ***Obésité***, car le poids entraîne un écrasement des tissus sous le pied;
- ***Chaussures trop étroites ou à talons hauts*** provoquant une pression qui entraîne un frottement répété, donc un épaississement de la peau sur les orteils (cors), sous le pied (callosités) ou entre les orteils (durillons). Ces lésions ressemblent quelquefois à des verrues.

CONSEILS PRATIQUES

Odeurs fortes et persistantes, peau fissurée entre les orteils et macérée, démangeaisons, rougeurs

Surveiller son hygiène corporelle. Les régions humides favorisent le développement des bactéries et des champignons. Veillez à bien vous laver les pieds et les orteils avec un savon antibactérien. Séchez-les bien. Coupez vos ongles d'orteil tous les deux ou trois jours (sans toutefois les couper trop court afin d'éviter les ongles incarnés).

Éviter la contamination. Comme le pied d'athlète est contagieux, certaines précautions s'imposent. Nettoyez bien la baignoire. Ne partagez avec personne vos serviettes, chaussettes, chaussures. Ne marchez pas pieds nus. Portez des sandales dans les douches et les vestiaires publics.

Une fois l'infection soignée. Après avoir suivi le traitement médical, une certaine prévention s'impose pour que le pied d'athlète ne récidive pas. Appliquez une teinture : du mercurochrome à 1 % ou de la teinture d'iode une ou deux fois par jour entre les orteils ce qui contribuera à les assécher. Il faut le faire jusqu'à ce qu'il n'y ait plus d'humidité entre les orteils. Enlevez les squames de peau. Elles abritent encore le champignon, risquant ainsi de vous réinfecter. Pour bien les enlever, frottez vos pieds et vos orteils à l'aide d'une petite brosse.

Prendre soin de ses pieds. Avant de mettre vos chaussettes, saupoudrez-vous les pieds et les orteils de fécule de maïs ou de poudre antifongique non parfumée. Vous pouvez également appliquer un antisudorifique à base de chlorhydrate d'aluminium sous les pieds (à éviter en cas de pied d'athlète, car cela pourrait provoquer une sensation de brûlure).

Les chaussettes. Ce sont celles en coton à 100 % qui absorbent le mieux la transpiration. Vous pouvez saupoudrer l'intérieur de vos chaussettes avec les poudres mentionnées plus haut. Si possible, changez de chaussettes deux ou trois fois par jour.

Les chaussures. Dans la mesure du possible, portez des chaussures à bout ouvert ou des sandales, en cuir de préférence. Évitez de porter des bottes ou des chaussures de sport du genre tennis (elles «respirent» moins et il s'y crée plus d'humidité) à longueur de journée. Ne les portez pas pieds nus. Procurez-vous des semelles au charbon de bois activé en pharmacie ou chez certains cordonniers. Elles sont très efficaces contre les odeurs. Aérez bien vos chaussures en enlevant les lacets et en tirant la languette vers l'extérieur. Certaines personnes ont réglé leurs problèmes en évitant de porter les mêmes chaussures deux jours de suite ou en saupoudrant leurs chaussures avant de les porter. Vous pouvez également vaporiser vos chaussures d'un désinfectant qui tuera les spores de champignons du pied d'athlète. Renseignez-vous auprès de votre pharmacien sur ce genre de produit.

Rester calme. Certaines personnes transpirent abondamment lorsqu'elles sont stressées. Ayez des moments de détente et prenez soin de vous.

Diminuer la consommation de certains aliments. Les grands consommateurs de plats épicés, d'oignons et d'autres aliments très odorants risquent de voir l'essence de ces odeurs s'échapper par les glandes sudoripares des pieds.

Démangeaisons, irritations, plaques rouges

Vérifier si c'est un cas d'allergie. Même si c'est très rare, vous pouvez être allergique à l'un des produits de fabrication de vos chaussures, aux bas nylon, chaussettes, crèmes pour le corps, etc. Évitez l'élément suspect pendant quelques jours et vous verrez si les plaques rouges disparaissent et si les démangeaisons cessent. Si c'est le cas, vous devrez sans doute cesser de les porter ou de les utiliser.

Mettre de la crème. Si vous êtes absolument certain qu'il ne s'agit pas d'une infection à champignons, vous pouvez appliquer une crème à base de cortisone en vente libre dans les pharmacies. Il est important de faire la différence, car cette crème affecte un peu le système immunitaire et si vous avez des champignons, l'infection se propagera. En cas de doute, n'hésitez pas à consulter votre médecin.

Éviter les produits parfumés. Les poudres et les antisudorifiques parfumés risquent d'irriter la peau entre les orteils, entraînant de l'irritation et de l'eczéma.

Ampoules, cors, callosités et durillons

Agir le plus tôt possible. Dès que la peau commence à épaissir, massez-la avec de la lanoline afin de la ramollir et de la rendre moins sensible à la pression.

Mettre un pansement et isoler les orteils les uns des autres. Pour les ampoules, les cors, les durillons et les callosités, des diachylons ou des pansements éviteront les frictions. Mettre de la ouate, du coton ou de la gaze entre les orteils est également conseillé.

Élargir les chaussures. Cela peut contribuer à réduire la pression et la friction entre les orteils. Voyez votre cordonnier.

Abstenez-vous d'être pieds nus dans vos chaussures. Cela augmenterait encore la friction.

Enlever cors et durillons. Commencez par faire ramollir la lésion. Conçus à cet effet, les pansements médicamenteux à base d'acide salicylique sont efficaces. Ils doivent être utilisés selon les instructions; les diabétiques doivent les éviter. Vous pouvez également laisser tremper le pied dans l'eau chaude. Avec une lime ou une pierre ponce, frottez doucement le cor ou le durillon (frotter trop fort ou trop souvent aura l'effet contraire: la peau épaissira davantage; ne le faire qu'une fois par semaine) et enlevez les couches superficielles de la lésion. Appliquez ensuite une crème d'urée à 20 % (Urémol 20 %), une substance qui aide à ramollir les tissus. L'émondage des cors à l'aide d'une lame de rasoir est une technique efficace, mais qui doit être exécutée avec beaucoup de prudence pour ne pas vous blesser et créer une source d'infection. Le podiatre ou le médecin vous enseignera la bonne technique.

Ne pas crever les ampoules. Il est préférable d'attendre l'absorption du liquide lymphatique. Tant qu'elles ne sont pas perforées, il ne peut y avoir d'infection, car l'ampoule est un milieu stérile (c'est en fait la meilleure protection qui soit pour la peau). Cela permet aussi à la peau de se cicatriser, de devenir moins sensible. Si elles sont crevées, appliquez un onguent antibiotique et un diachylon.

QUAND CONSULTER ?

- Les odeurs persistent malgré tous vos efforts.
- Le pied d'athlète récidive et s'accompagne d'autres symptômes tels que : gonflement du pied, fièvre et apparition de pus dans les fissures.
- Vous soupçonnez la présence d'une infection à champignons.
- La dermatite ne guérit pas.
- Les cors et durillons persistent.

QUE SE PASSE-T-IL LORS DE L'EXAMEN ?

Le médecin procédera à un examen dermatologique complet de vos pieds.

QUEL EST LE TRAITEMENT ?

Odeurs fortes et persistantes

Le médecin prescrira un antibiotique sous forme de lotion à base d'érythromycine pour éliminer les bactéries responsables des odeurs.

Pied d'athlète

Un antifongique sous forme de comprimés ou de crème sera efficace.

Infection à champignons et dermatites

Un traitement antifongique sera utilisé contre l'infection à champignons, alors que des crèmes à plus forte teneur en cortisone pourront être prescrites pour les dermatites.

Cors et durillons

Le médecin pourra émonder les cors et les durillons avec une lame de rasoir ou un bistouri. On utilisera également des orthèses dans les cas rebelles.

Affections de l'oreille

L'oreille se divise en trois parties, l'oreille externe (pavillon et conduit auditif), l'oreille moyenne (tympan, osselets et trompe d'Eustache) et l'oreille interne (appareil de l'équilibre et de l'audition). Sauf en ce qui concerne cette dernière, qui est dépourvue de fibres sensitives, des douleurs peuvent se manifester dans toute l'oreille.

Il arrive parfois que l'on ressente une douleur aux oreilles lorsqu'on est en avion ou que l'on rentre du froid. Il s'agit d'un ajustement de pression banal et transitoire. Toutefois, certains problèmes peuvent nécessiter une consultation médicale.

QUELLES SONT LES CAUSES ?

Oreille externe

- ***Infections.*** La majorité des infections de l'oreille externe (p. ex. : otite du baigneur, eczéma et psoriasis surinfectés) sont causées par des bactéries. En outre, la chaleur et l'humidité au niveau du conduit auditif favorisent le développement de champignons ; également, l'administration à répétition d'antibiotiques en gouttes peut finir par détruire la flore bactérienne normale du conduit et causer des infections à champignons. La douleur s'accompagne d'une rougeur, d'un écoulement purulent et nauséabond (souvent brunâtre), de démangeaisons ;
- ***Maladies inflammatoires.*** De l'eczéma, de l'acné ou du psoriasis peuvent se développer dans le conduit auditif externe. Il peut aussi s'agir d'une inflammation du cartilage appelée « périchondrite ». La douleur s'accompagne de démangeaisons, d'une rougeur, d'œdème ;
- ***Engelure du pavillon.*** Une agression par le froid entraîne la contraction des vaisseaux sanguins. Parce que c'est une zone peu vascularisée (il n'y pas beaucoup de circulation sanguine), les engelures surviennent rapidement et sont douloureuses. La douleur s'accompagne d'une rougeur, d'œdème ;
- ***Traumatisme du pavillon.*** Un violent coup sur l'oreille peut endommager le cartilage et entraîner une déformation communément appe-

lée «oreille en chou-fleur». Un nettoyage trop en profondeur peut causer une légère blessure, tout comme les corps étrangers. La douleur s'accompagne d'œdème, d'ecchymoses, de saignements;

- ***Bouchon de cérumen.*** Se curer les oreilles avec un coton-tige est non seulement inutile (le conduit se nettoie tout seul), mais cela cause parfois une accumulation permanente de cérumen dans le fond du conduit auditif externe. La douleur s'accompagne d'une baisse de l'acuité auditive;
- ***Sensibilité ou allergie aux métaux.*** Le métal des boucles d'oreilles peut être à l'origine d'une infection ou d'une allergie au niveau du lobe de l'oreille. Dans les deux cas, la douleur s'accompagne d'une rougeur, d'œdème, d'écoulement purulent du lobe;
- ***Douleurs irradiantes.*** La cause est ailleurs, mais la douleur irradie jusque dans l'oreille: mal de dent, sinusite, trouble de l'articulation temporo-mandibulaire (mâchoire), parotidite (inflammation de la glande parotide, glande salivaire située sous l'oreille), névralgie des nerfs cervicaux (inflammation des nerfs au pourtour des oreilles), lésion tumorale des amygdales, de la base de la langue ou du rhinopharynx;
- ***Tumeurs du pavillon.*** Paradoxalement, l'oreille est l'un des organes les plus exposés au soleil, mais c'est aussi l'un des moins bien protégés. L'ulcère ou la tuméfaction peut s'accompagner d'une douleur.

Oreille moyenne

- ***Otite.*** Lorsque la trompe d'Eustache, canal qui relie la bouche et l'oreille moyenne, n'est pas parfaitement perméable, il se crée une pression négative dans l'oreille moyenne. Cette pression entraîne une irritation et une sécrétion de la muqueuse, qui devient alors un milieu de culture propice aux bactéries avoisinantes. C'est une otite de l'oreille moyenne. La douleur peut s'accompagner d'un saignement, d'une baisse de l'acuité auditive, d'un écoulement purulent et nauséabond, notamment dans le cas d'une perforation du tympan;
- ***Mastoïdite.*** C'est une grave complication de l'otite de l'oreille moyenne qui se caractérise par une douleur intense, une rougeur derrière l'oreille et une sensibilité au toucher;

- ***Perforation du tympan.*** L'otite de l'oreille moyenne est la principale responsable de la perforation du tympan (l'accumulation de liquide peut le faire éclater). La perforation peut guérir spontanément, mais il y a des cas où le tympan ne se referme pas, notamment chez les sujets qui ont fait des otites de l'oreille moyenne à répétition. Le tympan est trop endommagé et les bactéries entrent librement. Un traumatisme sur l'oreille peut également faire éclater le tympan (à cause de la pression). On ressent de la douleur au moment de la perforation, mais elle disparaît ensuite du fait de la baisse de pression, qui est suivie d'une baisse de l'acuité auditive ;
- ***Barotraumatisme.*** À la suite d'une décompression rapide en avion ou en plongée sous-marine, le tympan peut se perforer et un saignement peut alors se produire. Il s'agit d'un phénomène bénin, qui rentre habituellement dans l'ordre de lui-même ;
- ***Otospongiose.*** Aussi appelée otosclérose, l'otospongiose est une maladie héréditaire qui réduit la mobilité d'un des petits os de l'oreille moyenne (l'étrier) servant à transmettre les vibrations sonores à l'oreille interne. Non traitée, cette maladie peut mener à la surdité.

Oreille interne

- ***Infections, telles que la labyrinthite et la neuronite vestibulaire.*** Sauf dans le cas de la labyrinthite, elles sont plutôt rares, souvent virales, et peuvent atteindre l'appareil de l'équilibre ou de l'audition. Elles s'accompagnent généralement de vertiges ou d'une baisse de l'acuité auditive ainsi que d'acouphènes ;
- ***Maladie de Ménière.*** Il s'agit d'une maladie incapacitante et encore méconnue, mais relativement fréquente, qui est caractérisée par des vertiges, des acouphènes et une baisse de l'acuité auditive. Elle est causée par une congestion et une rétention d'eau au niveau de l'oreille interne ;
- ***Traumatismes chez les personnes exposées à des niveaux de bruit trop élevés.*** Ils entraînent une baisse de l'acuité auditive et des acouphènes ;
- ***Tumeurs***, tel un neurinome du nerf auditif. Elles s'accompagnent de vertiges, d'acouphènes et d'une baisse de l'acuité auditive.

CONSEILS PRATIQUES

Éviter de se gratter l'intérieur des oreilles. Cela ne fera qu'augmenter l'irritation ou l'infection.

Ne jamais utiliser de coton-tige pour se curer les oreilles. Il faut s'abstenir de nettoyer le conduit auditif externe. Ce dernier est formé d'une muqueuse garnie de cils vibratiles qui ont pour fonction d'éliminer les corps étrangers. Il est donc toujours propre. Le coton-tige ne fait qu'endommager les cils et repousser le cérumen plus profondément dans le conduit. Utilisez plutôt une débarbouillette ou un coin de serviette humide. À retenir: il ne faut jamais mettre dans l'oreille quelque chose de plus petit que l'extrémité de l'auriculaire.

Prendre un analgésique. Un ou deux comprimés d'acétaminophène (325 mg ou 500 mg) quatre fois par jour, jusqu'à un maximum de 4 g par jour, aideront à soulager la douleur. Des anti-inflammatoires peuvent aussi être utilisés, selon la dose recommandée par le fabricant. Vous pouvez prendre un des deux médicaments ou les deux si la douleur est difficile à maîtriser.

Pour soulager la démangeaison dans les cas d'eczéma, d'acné ou de psoriasis du conduit auditif externe. Les gouttes d'acétate d'aluminium (Buro-Sol) ou de cortisone à 1 % – en vente libre dans les pharmacies – peuvent vous soulager. Mais, comme elles ne contiennent pas d'antibiotique, leur effet est très limité. Attention: ces gouttes sont déconseillées en cas d'infection, car elles risquent d'aggraver la situation. Avant d'utiliser ces produits, il est préférable de consulter un médecin.

En cas d'engelure. Appliquez des compresses d'eau à température ambiante durant environ une heure. À répéter trois ou quatre fois par jour. Attention: n'utilisez ni eau chaude ni glace, cela brûlerait la peau. Si la douleur n'a pas disparu après 12 heures, consultez un médecin.

S'il y a un corps étranger dans l'oreille. S'il s'agit d'un insecte vivant, penchez la tête du côté opposé et versez lentement de l'eau tiède dans l'oreille. Cela noiera l'insecte qui devrait remonter à la surface. S'il s'agit d'un objet enfoncé dans l'oreille, inclinez la tête du côté atteint: l'objet sortira peut-être de lui-même. S'il ne se déloge pas, allez immédiatement voir un médecin.

Précautions lors de la baignade. Si vous êtes sujet à l'otite du baigneur, si vous souffrez d'eczéma ou de psoriasis dans le conduit auditif, sachez que l'exposition aux bactéries ou au chlore contenu dans l'eau peut déclencher une crise d'otite. Vous pouvez prévenir ces crises en mettant des bouchons spécialement conçus pour la baignade. Votre médecin peut aussi vous prescrire des gouttes de Buro-Sol ou des gouttes à base d'antibiotiques et de cortisone, à appliquer dans les oreilles en sortant de l'eau.

Bien se sécher les oreilles. Les milieux humides sont propices aux bactéries, aux champignons, au psoriasis et à l'eczéma. Après une douche ou une baignade, essuyez-vous toujours les oreilles avec une débarbouillette ou un coin de serviette.

L'hiver comme l'été, se protéger les oreilles du soleil. Ne les oubliez pas lorsque vous appliquez l'écran solaire! On recommande une crème d'au moins 15 FPS pour les adultes et de 30 FPS pour les enfants.

Retirer ses boucles d'oreilles en cas d'infection. Enlevez-les pour quelques jours. Pendant cette période, désinfectez les lobes avec un antiseptique pour la peau, une crème antibiotique ou un savon antibactérien. Demandez conseil à votre pharmacien. Notez que l'alcool à frictionner n'est pas recommandé; il brûle la peau et peut même causer des lésions.

Si les symptômes persistent, consulter un médecin. Par contre, s'ils disparaissent, vous pouvez recommencer à porter vos boucles d'oreilles, que vous aurez nettoyées avec un antiseptique. Si les symptômes réapparaissent, il s'agit probablement d'une allergie. Choisissez alors un autre métal.

Porter des boucles d'oreilles de qualité. L'or (14 carats minimum) et l'argent de première qualité constituent le meilleur moyen d'éviter les infections et les allergies. Mais sachez qu'il n'existe aucun métal totalement antiallergique.

Le perçage d'oreilles récent. Un entretien quotidien est nécessaire pour éviter les infections. Pendant deux semaines (le temps que votre corps assimile bien ce corps étranger), enlevez les boucles d'oreilles une fois par jour et nettoyez la tige avec un désinfectant. Désinfectez aussi vos lobes.

Attention à la teinture à cheveux. C'est un produit extrêmement irritant pour l'intérieur des oreilles. Assurez-vous que la teinture n'y coule pas.

Se protéger du bruit. Les personnes qui sont fréquemment exposées au bruit (travailleurs en usine bruyante, chasseurs, etc.) doivent toujours porter des protecteurs sonores. Les enfants et les adolescents ne devraient jamais écouter leur baladeur avec le volume au maximum.

QUAND CONSULTER ?

- La douleur ou la démangeaison est insupportable.
- Vous avez mal aux oreilles depuis plus de 12 heures.
- Vous remarquez une rougeur derrière l'oreille.
- Vous avez reçu un coup sur l'oreille.
- Votre oreille saigne.
- Votre audition diminue.
- Vous entendez des bruits dans vos oreilles.
- Vous avez des vertiges.
- L'infection au niveau du lobe de l'oreille ne disparaît pas.
- Vous ne pouvez pas déloger un corps étranger du conduit auditif externe.

QUE SE PASSE-T-IL LORS DE L'EXAMEN ?

Le médecin procédera à un examen approfondi de l'oreille. S'il le juge nécessaire, il demandera une consultation à un spécialiste en oto-rhino-laryngologie.

QUEL EST LE TRAITEMENT ?

Oreille externe

Les infections de l'oreille externe se traitent avec des gouttes à base d'antibiotiques et de cortisone. On prescrit également des analgésiques pour soulager la douleur. Un antifongique sera utilisé pour traiter une infection à champignons. Une infection persistante au niveau du lobe de l'oreille réagit favorablement aux antibiotiques.

En cas de traumatisme sur l'oreille qui a laissé un hématome, il faut parfois drainer le sang qui s'est accumulé entre la peau et le cartilage.

Il existe plusieurs techniques pour enlever un bouchon de cérumen. La plus courante, c'est le nettoyage à l'eau ou à l'aide d'une petite curette. Si une infection s'est installée, un nettoyage par succion sera nécessaire.

La tumeur du pavillon de l'oreille pourra facilement être traitée et le traitement requis sera immédiatement entrepris.

L'engelure peut parfois se compliquer d'une infection ou même de nécrose. En cas d'infection, des gouttes antibiotiques seront prescrites.

Oreille moyenne

Les infections de l'oreille moyenne sont généralement traitées à l'aide d'antibiotiques, de décongestifs et, en cas de douleur, d'analgésiques.

Si le tympan reste perforé à la suite d'otites à répétition, une opération chirurgicale mineure pourra quelquefois s'avérer nécessaire. L'opération consiste à coller sur la perforation un papier stérile (qui ressemble un peu à du papier à cigarettes), qui permet à la peau de se refermer et de former un nouveau tympan.

L'otospongiose nécessite généralement un traitement chirurgical. Il s'agit d'une intervention mineure qui consiste à couper le ligament de l'étrier afin de lui redonner toute sa mobilité.

La mastoïdite sera traitée à l'aide d'antibiotiques. Il s'agit d'une urgence médicale qui nécessite parfois une hospitalisation afin de s'assurer que l'inflammation n'atteint pas les méninges.

Oreille interne

Toutes les affections de l'oreille interne (surdité, vertiges, acouphènes) nécessitent un traitement spécialisé selon le cas.

Les tumeurs seront traitées chirurgicalement ou par radiothérapie.

Affections de la région anale

Parmi les symptômes les plus fréquents de la région anale, il y a la douleur, les saignements, les masses et les démangeaisons. Contrairement à ce que bien des gens pensent, les hémorroïdes ne sont pas toujours en cause. Il peut également s'agir d'une fissure, d'un abcès, d'un ulcère, d'une marisque, d'un condylome ou d'autres causes plus rares.

QUELLES SONT LES CAUSES ?

Douleur avec ou sans saignement

- ***Thrombose hémorroïdaire.*** Il s'agit de la formation d'un caillot dans une hémorroïde externe qui provoque une douleur aiguë s'intensifiant rapidement. Sous l'effet de la pression – celle de la défécation notamment –, le caillot peut éclater, ce qui entraînera des saignements, mais soulagera la douleur;
- ***Fissure anale.*** Une douleur qui survient au moment de la défécation, ou immédiatement après, est caractéristique de la fissure anale. Cette petite déchirure de la muqueuse dans le canal anal survient souvent au moment du passage d'une selle dure. Dans bien des cas, on peut voir une légère trace de sang sur le papier hygiénique ou à la surface des selles;
- ***Abcès anal.*** De petites glandes situées au pourtour de l'anus et dont le rôle est incertain se vident par un canal très étroit, à l'intérieur de l'anus. Si ce canal est obstrué, pour une raison inconnue, la glande s'infecte et un abcès se forme. La douleur constante augmente lentement et n'est pas liée à l'évacuation de la selle. Habituellement, il n'y a pas de saignement;
- ***Ulcère anal.*** Petite excavation (trou) qui cause parfois de la douleur, mais sans saignement. L'ulcère peut signaler la présence d'un herpès, d'un cancer ou être le résultat de pratiques sexuelles anales.

Saignements sans douleur

- ***Hémorroïdes internes.*** Les hémorroïdes sont des veines situées près de l'anus et du rectum qui se sont progressivement dilatées à cause d'efforts intenses et répétés (efforts pour déféquer, accoucher, etc.). Cette dilatation indolore survient d'abord à l'intérieur du rectum. Un sang rouge clair tache les sous-vêtements, le papier hygiénique et colore l'eau de la cuvette ;

- ***Tumeur bénigne (polype) ou maligne au niveau du rectum ou du côlon.*** Un polype doit toujours faire l'objet d'un examen, car le traitement précoce d'un polype malin peut être curatif et éviter des complications graves, voire mortelles. Il arrive que du sang soit mêlé aux selles ou invisible (saignement occulte, dont la présence peut alors être soupçonnée à cause d'une anémie ou lors d'un examen de dépistage). On remarque parfois un changement d'aspect des selles (forme ou calibre).

Masses, enflures

- ***Hémorroïdes externes.*** Les efforts physiques peuvent parfois faire « sortir » les hémorroïdes près de l'ouverture de l'anus. On constate alors leur présence au toucher (elles peuvent être grosses comme un petit pois ou même comme un œuf). Habituellement indolores, elles peuvent toutefois entraîner un certain inconfort et de la démangeaison. Elles ne saignent généralement pas ;
- ***Marisques.*** Ces petites languettes de peau étirée au niveau de l'anus ne provoquent ni douleur ni saignement et constituent la majorité des masses anales. Les marisques s'observent après la résorption du caillot d'une thrombose hémorroïdaire ou en présence d'une fissure anale chronique ;
- ***Condylomes.*** Presque toujours transmis sexuellement, ils sont causés par un virus contenu dans les sécrétions du partenaire atteint. Ces petites bosses peuvent se retrouver dans la région de l'anus, même en l'absence de contact anal, parce que les plis et l'humidité favorisent la croissance du virus ;
- ***Masse anale qui ne guérit pas.*** Il peut s'agir d'un cancer de l'anus rare ;
- ***Thrombose hémorroïdaire.***

Démangeaisons

- ***Hygiène insuffisante ;***
- ***Hygiène excessive ;***

- ***Excès de café.*** La caféine augmente la sensibilité des terminaisons nerveuses ;
- ***Usage prolongé de crèmes et d'onguents à base de corticostéroïdes.*** Ces produits, utilisés pour soulager la démangeaison, entraînent un cercle vicieux. En effet, le fait d'appliquer des crèmes à base de corticostéroïdes entre les fesses augmente la force du médicament (car le médicament ne s'évapore pas comme il le ferait ailleurs sur la peau). Cela entraîne la détérioration des tissus, l'aggravation des lésions causées par le grattage, encore de la démangeaison et, enfin, l'apparition d'un nodule nommé granulome gluétal. Cette petite bosse sous la peau s'accompagne elle-même d'inflammation et de démangeaison. Donc, la démangeaison ne cesse pas, on remet de la crème et le problème se poursuit ;
- ***Diverses affections*** telles que le diabète, une infection à champignons, des parasites (vers), des hémorroïdes.

CONSEILS PRATIQUES

Douleur

Prendre des bains de siège tièdes ou chauds. En cas de thrombose hémorroïdaire, ces bains permettront au caillot de se résorber et, en cas de fissure anale, de soulager la douleur, souvent causée par les spasmes du sphincter anal.

Prendre un analgésique. Un ou deux comprimés d'acétaminophène (325 mg ou 500 mg) quatre fois par jour, jusqu'à un maximum de 4 g par jour, aideront à soulager la douleur. Des anti-inflammatoires peuvent aussi être utilisés selon la dose recommandée par le fabricant. Vous pouvez prendre un des deux médicaments ou les deux ensemble si la douleur est difficile à maîtriser.

Contrer la douleur hémorroïdaire. Pour les hémorroïdes et les thromboses hémorroïdaires, il existe un suppositoire qui provoque une vasoconstriction locale (cela fait diminuer l'inflammation de la veine) et qui a un effet anesthésiant. Le produit s'appelle Anurex ; il est en vente libre en pharmacie et on le conserve au réfrigérateur. Vous pouvez aussi vous procurer des Tucks (lingettes imbibées de médicaments à base de calamine et d'hamamélis), qui ont des propriétés analgésiques. Ronds et de petits formats, elles sont faciles à appliquer sur les zones douloureuses. On les trouve en pharmacie ; elles sont vendues sans ordonnance.

Appliquer de la pâte d'ihle. Bien que les crèmes et onguents agissent relativement peu sur le problème de base, la pâte d'ihle (pâte d'oxyde de zinc que l'on utilise pour les fesses de bébés) est un bon agent protecteur et émollient pour soulager et prévenir la douleur dans tous les types de problèmes. Évitez en général les produits à base de corticostéroïdes, car ils entraînent la détérioration des tissus de l'anus et une démangeaison tenace.

Faciliter la défécation en rendant les selles plus molles. Mangez davantage d'aliments riches en fibres, tels que des légumes, des fruits, des produits céréaliers à grains entiers, des légumineuses, des noix. Buvez de six à huit verres d'eau par jour. Si nécessaire, prenez un supplément de fibres.

Ne pas rester longtemps sur le siège des toilettes. Si vous ne parvenez pas à évacuer les selles, levez-vous au bout de quelques minutes, faites autre chose et revenez plus tard. Évitez de rester longtemps assis (à lire, par exemple) puisque cette position prolongée et les efforts répétés entraînent une congestion des veines hémorroïdaires qui peut aggraver les symptômes.

Mettre des compresses chaudes sur un abcès. Si vous pensez avoir un abcès, consultez un médecin. En attendant, des compresses chaudes peuvent soulager partiellement la douleur en attendant le drainage qui sera fait par le médecin.

Démangeaisons

Éviter de se gratter. Même si c'est difficile.

Bien s'essuyer, mais sans frotter. Après une selle, épongez l'anus avec du papier mouillé, sans frotter, puis séchez bien en épongeant ou avec un séchoir.

Porter des sous-vêtements de coton. Choisissez-les blancs de préférence et lavez-les avec un savon à lessive non parfumé. La teinture des vêtements de couleur peut en effet provoquer ou augmenter la démangeaison.

Éviter l'utilisation à long terme de crèmes et d'onguents à base de corticostéroïdes. Bien que ces produits apportent un soulagement temporaire, un usage prolongé entraîne des démangeaisons anales chroniques et tenaces. Utilisez plutôt de la pâte d'ihle.

Prendre des bains de siège. (*Voir plus haut.*)

Ne pas utiliser de savon. Un excès de savon ou un frottage trop vigoureux quand vous vous lavez peuvent irriter la peau.

Ne pas porter de vêtements qui serrent. On parle ici, par exemple, des jeans et des strings, dont la couture ou la bande élastique vient se placer entre les fesses.

QUAND CONSULTER ?

- Vous remarquez la présence de sang dans vos selles. Ce signe doit être vérifié par un médecin et ne doit pas être traité sans que sa cause soit clairement identifiée.
- Vous remarquez des changements dans le volume ou la fréquence de vos selles ou encore dans la difficulté d'évacuation.
- Vous sentez la présence d'une masse ou d'une blessure anale qui ne guérit pas ou une douleur qui persiste.
- Vous avez un abcès ou un ulcère anal.
- Vous continuez à ressentir de la douleur au moment de la défécation ou encore les saignements se poursuivent malgré la disparition de la constipation.
- Vous soupçonnez la présence de parasites (vers).

QUE SE PASSE-T-IL LORS DE L'EXAMEN ?

Le médecin posera des questions détaillées concernant les symptômes et les habitudes intestinales. Il fera un examen clinique qui doit comprendre un toucher rectal et, généralement, une anuscopie ou une rectoscopie. Une coloscopie ou un lavement baryté sont parfois nécessaires. L'anuscopie, la rectoscopie et la coloscopie se font à l'aide d'instruments rigides ou à fibres optiques qu'on insère dans l'intestin (par l'anus) pour l'examiner et, si nécessaire, en prélever de petits fragments. Si on soupçonne la présence d'un cancer de l'anus ou d'herpès, une biopsie sera pratiquée.

QUEL EST LE TRAITEMENT ?

Thrombose hémorroïdaire et hémorroïdes

La majorité des thromboses hémorroïdaires se résorbent d'elles-mêmes, entraînant une disparition de la douleur et de l'enflure en l'espace de quelques jours. Dans certains cas, des analgésiques comme l'ibuprofène à forte dose ou des crèmes à base d'analgésiques ou de cortisone seront nécessaires pour soulager la douleur. Il arrive parfois que le médecin doive percer la thrombose avec un bistouri pour faire diminuer la pression. Cela fait disparaître la douleur et enclenche le processus de guérison.

Les hémorroïdes internes qui saignent sont souvent ligaturées avec des bandes élastiques. Un appareil permet de visualiser l'hémorroïde interne, de l'agripper et de l'entourer d'un élastique très serré qui empêche le sang de circuler dans l'hémorroïde, de sorte qu'elle s'atrophie, sèche et tombe après quelques jours. Ce traitement, sans douleur dans le cas d'hémorroïdes internes, ne peut être appliqué aux hémorroïdes externes, car il serait trop douloureux. Quant aux hémorroïdes externes, on peut les soigner à l'aide de certaines crèmes prescrites par le médecin. Elles ne sont traitées par la chirurgie que lorsqu'elles sont très importantes.

Fissure anale

Dans la majorité des cas, la fissure guérit spontanément, en l'espace de quelques jours avec une alimentation riche en fibres et en eau. Pour une raison inconnue, elle devient parfois chronique. Si elle persiste ou revient trop fréquemment, cela peut nécessiter un traitement médicamenteux ou chirurgical.

Abcès anal
L'abcès anal doit être drainé ; cela peut survenir spontanément, mais généralement une intervention mineure sous anesthésie locale est nécessaire. Par la suite, la douleur disparaît.

Ulcère anal
Le traitement adéquat sera immédiatement entrepris selon la cause. Si l'ulcère résulte de pratiques sexuelles anales, il guérira tout seul. Le médecin suggérera également au patient d'utiliser des crèmes lubrifiantes.

Tumeur bénigne (polype) ou maligne
Une chirurgie mineure sera pratiquée pour enlever les polypes anaux qui causent des symptômes. Les polypes du rectum peuvent généralement être enlevés. Si le polype est une tumeur maligne, le traitement adéquat sera immédiatement entrepris.

Marisques
Aucun traitement n'est requis. Si les marisques causent vraiment des symptômes excessifs, on pourra procéder à une chirurgie pour les enlever.

Condylomes
Le traitement consiste à détruire localement les cellules infectées qui contiennent le virus, soit par des produits chimiques, soit par cautérisation électrique, soit par le froid (cryothérapie) ou le laser. Plusieurs séances sont nécessaires pour les faire disparaître complètement et un suivi est nécessaire pendant plusieurs mois. Les relations sexuelles doivent continuer d'être protégées pendant quelque temps, car les condylomes sont transmissibles sexuellement.

Diverses affections qui causent de la démangeaison
Le traitement du diabète, des infections à champignons, des parasites (vers), etc., vient généralement à bout de la démangeaison. Souvent, aucune cause spécifique n'est trouvée et ce sont les conseils décrits plus haut qui constitueront la base du traitement.

Affections des gencives

Il existe de nombreux problèmes qui peuvent entraîner des affections des gencives. Dans les cas les plus graves, ceux-ci risquent de causer la destruction du parodonte (l'ensemble des tissus de soutien reliant la dent au maxillaire). Cette destruction se fait de façon subtile et commence d'habitude par une gingivite qui n'a pas été soignée. D'une façon générale, les affections des gencives peuvent se traduire par des saignements des gencives, une mauvaise haleine, un mauvais goût dans la bouche et, parfois, de la douleur. Voici les différents types d'affections des gencives :

Gingivite

- atteinte légère des gencives ;
- peut entraîner une irritation de la gencive qui se manifeste par une inflammation, un gonflement et une rougeur, un suintement et une mauvaise haleine ;

Blessures causées par le port de prothèses dentaires

- irritation de la gencive ;
- s'accompagne parfois de douleurs et de saignements.

Infection à champignons

- rougeur du palais accompagnée de plaques blanchâtres ;
- mauvaise haleine.

Parodontite

- destruction progressive de l'os qui soutient les dents ;
- se traduit par un déplacement des dents vers l'avant ou vers l'arrière, créant un espace entre les dents qui n'existait pas auparavant ;
- peut entraîner une augmentation de la sensibilité des dents et des gencives.

Aphtes (ulcères)

- petites ulcérations douloureuses, souvent récidivantes.

QUELLES SONT LES CAUSES ?

Gingivite

- ***Mauvaise hygiène dentaire.*** Elle entraîne une accumulation de bactéries formant une pellicule invisible, appelée plaque microbienne (ou plaque dentaire), qui s'installe autour des dents et de la gencive et qui s'épaissit au fil du temps si elle n'est pas délogée ;
- ***Hérédité*** ;
- ***Tabagisme.*** La nicotine attaque les tissus et augmente les risques de maladie des gencives ;
- ***Changements hormonaux associés à la grossesse*** ;
- ***Diminution de la résistance favorisant l'invasion bactérienne.*** Le stress, la fatigue ou toute maladie affectant le système immunitaire se manifestera généralement par une évolution des affections parodontales.

Blessures causées par le port de prothèses dentaires

- ***Mauvais ajustement de prothèse ;***
- ***Fragment de nourriture*** ou noyau coincé sous la prothèse.

Infection à champignons

- ***Prothèses portées de façon permanente.***

Parodontite

- ***Hygiène dentaire déficiente qui a causé une gingivite.*** Non traitée, la gingivite risque d'entraîner une parodontite.

Aphtes (ulcères)

- ***Cause inconnue dans 80 % des cas.*** Elle pourrait être d'origine virale (donc contagieuse) ou bactérienne avec une prédisposition familiale. Parmi les éléments qui popurraient la déclencher : la fatigue et le stress. On sait aussi que la carence en fer, en acide folique, en vitamine B_{12} ou en zinc peut quelquefois causer des ulcères. Tout comme les traumatismes buccaux (après une visite chez le dentiste), les maladies inflammatoires du système digestif (la maladie de Crohn, par exemple), certains médicaments (barbituriques, antiépileptiques) et les variations du cycle menstruel.

CONSEILS PRATIQUES

Avoir une bonne hygiène buccale. Assurez-vous de déloger quotidiennement la plaque microbienne. Pour ce faire, brossez-vous les dents soigneusement après chaque repas et avant de vous coucher. Utilisez la soie dentaire ainsi qu'un rince-bouche antibactérien au moins une fois par jour, de préférence avant d'aller dormir.

Ne pas cesser de se brosser les dents si les gencives saignent. Au contraire, brossez-les davantage, mais faites-le plus délicatement. Les saignements sont le signe d'une inflammation causée par la plaque microbienne. Ils peuvent aussi indiquer que vous vous brossez les dents trop vigoureusement.

Prendre un analgésique. Un ou deux comprimés d'acétaminophène (325 mg ou 500 mg) quatre fois par jour jusqu'à un maximum de 4 g par jour aideront à soulager la douleur. Des anti-inflammatoires peuvent aussi être utilisés, selon la dose recommandée par le fabricant. Vous pouvez prendre un des deux médicaments ou les deux ensemble si la douleur est difficile à maîtriser.

Ne pas appliquer d'aspirine écrasée directement sur les muqueuses pour soulager la douleur. L'acide contenu dans l'aspirine risque de brûler vos tissus gingivaux.

Ne pas tenter de déloger le tartre soi-même. Vous risquez de vous blesser. Consultez plutôt un dentiste pour un nettoyage.

Utiliser une brosse à dents souple et un dentifrice au fluor. N'oubliez pas de remplacer votre brosse à dents tous les trois ou quatre mois.

Brosser la région sensible à l'eau tiède. Le déchaussement des dents expose les racines qui sont alors privées de protection.

Attendre que l'ulcère guérisse. Les ulcères disparaissent d'eux-mêmes au bout de 7 à 10 jours. En attendant, n'appliquez jamais de sel directement dessus. Le sel augmente la sensation de brûlure et risque d'aggraver votre problème. Vous pouvez toutefois vous rincer la bouche à l'eau salée. Le fait de prendre un analgésique, surtout avant les repas, atténuera la douleur et vous permettra de mieux manger. Un anesthésique en vente libre en pharmacie (Orabase ou Amosan) pourra aussi vous soulager. Cependant, évitez la xylocaïne visqueuse (de type Oragel). Cet analgésique topique engourdit les réflexes. Vous risquez de vous étouffer si vous mangez dans les heures qui suivent ! Évitez les aliments trop chauds, très épicés ou salés, qui peuvent exacerber la douleur.

Comme les ulcères sont parfois contagieux, ne prenez pas de risque : si vous avez des doutes, ne partagez pas votre verre, votre tasse, vos couverts ou votre brosse à dents. Et évitez d'embrasser les gens.

Voir son dentiste régulièrement. Faites-vous faire un nettoyage dentaire au moins tous les six mois.

Ne pas attendre d'éprouver de la douleur pour consulter un dentiste. La douleur est souvent le signe d'une parodontite avancée.

QUAND CONSULTER ?

- Vous présentez un ou plusieurs des symptômes suivants : saignement des gencives, mauvaise haleine, mauvais goût dans la bouche, douleur.
- L'aphte (ulcère) dure plus de 10 jours.

Recettes maison

Rince-bouche : le peroxyde d'hydrogène (à 3 % de H_2O_2 pour 10 volumes) est un antibactérien qui peut être utilisé comme rince-bouche. Il doit cependant être dilué à parts égales avec de l'eau.
Dentifrice : mélangez du bicarbonate de soude, du peroxyde d'hydrogène et de l'eau de façon à obtenir une pâte. On attribue des vertus antibactériennes à cette recette ancienne.

QUE SE PASSE-T-IL LORS DE L'EXAMEN ?

Le dentiste procédera à l'examen des gencives. Il vérifiera si elles présentent un changement de forme ou de couleur et si elles saignent au contact des instruments. Il mesurera ensuite plusieurs points localisés autour de la dent à l'aide d'une sonde parodontale graduée en millimètres. Cet instrument permet une mesure précise des espaces qui ont pu se créer entre la gencive et la dent. Plus cet espace est grand, plus il témoigne d'une perte de soutien de la dent. Enfin, le dentiste prandra des clichés radiographiques afin de vérifier le degré de destruction de l'os.

QUEL EST LE TRAITEMENT ?

Gingivite

Un bon détartrage et une hygiène dentaire rigoureuse suffisent.

Blessure causée par le port de prothèses dentaires

Il s'agit, dans un tel cas, d'éliminer la cause : prothèse, fragment de nourriture, pépin, etc. Si la prothèse est irritante, le dentiste pourra la corriger en modifiant la zone qui cause l'irritation. Une fois la cause éliminée, la blessure guérira d'elle-même.

Infection à champignons

Les prothèses dentaires, telles que les dentiers, ne doivent pas être portées la nuit, car elles empêchent le tissu gingival de respirer. Ce type d'infection se soigne à l'aide de médicaments spécifiques, soit un antifongique (topique ou par voie orale). Les lésions guérissent généralement au bout de 7 à 10 jours.

Parodontite

Il s'agit d'une infection qui doit être traitée de façon spécifique. Le parodontiste doit déloger la plaque microbienne et les facteurs d'irritation. Il peut aussi utiliser des antibiotiques. Selon le cas et l'état du parodonte, une intervention chirurgicale peut s'avérer nécessaire pour le reconstruire. Le processus de destruction étant irréversible, la parodontite doit être traitée immédiatement afin d'en arrêter l'évolution.

Aphtes (ulcères)

Il s'agira d'identifier et de régler la cause. En outre, des médicaments à base de cortisone pour supprimer l'inflammation (Kenalog-Orabase) pourront être prescrits. Il arrive aussi que les médecins demandent au pharmacien de préparer des gargarismes médicamentés (antihistaminiques, antifongiques, cortisone et antibiotiques).

Affections des ongles

Si certains négligent leurs ongles, d'autres en prennent grand soin, comme en témoigne le secteur de l'esthétique et de la manucure. Mais il faut garder à l'esprit que la fonction première des ongles est de protéger les doigts et les orteils. De plus, ils sont un reflet de la santé générale du corps.

Les affections des ongles peuvent prendre diverses formes :

Déformations

- apparition de sillons (stries parallèles en ligne droite) ; c'est la déformation la plus fréquente ;
- déformations en forme de marche d'escalier ;
- petits creux à la surface des ongles ;
- ongles bombés.

Épaississement et aspect crayeux

- épaississement de la couche supérieure de l'ongle et effritement des couches inférieures à la manière de la craie ;
- problème fréquent et insidieux, affectant surtout les ongles des orteils ;
- coloration vaguement jaunâtre ;
- peut être douloureux, en particulier dans le cas d'une infection ;
- risque plus élevé chez les personnes âgées.

Fragilité ou dédoublement

- ongles qui se cassent facilement.

Décoloration ou modification de la couleur

- coloration bleutée sous l'ongle, avec ou sans douleur ; c'est le cas le plus fréquent ;
- petites taches rougeâtres sous l'ongle, parfois accompagnées de fatigue ;
- coloration anormalement pâle sous l'ongle.

Douleur

- douleur souvent pulsative (qui suit le pouls) au pourtour de l'ongle ; lorsqu'elle se situe aux orteils, la douleur s'intensifie en marchant et évolue rapidement ;

- s'accompagne généralement de rougeur, d'une sensation de chaleur, d'un gonflement et, parfois, d'un écoulement de pus.

Habitude de se ronger les ongles (onychophagie)

- l'individu se ronge les ongles de manière compulsive.

QUELLES SONT LES CAUSES ?

Déformations

- ***Inflammation de la racine de l'ongle.*** C'est la cause des déformations de type «sillon» et «en marche d'escalier». L'inflammation peut résulter d'une trop grande humidité (avoir souvent les mains dans l'eau), de traumatismes chimiques (travailler avec des détergents et des produits chimiques) ou de traumatismes physiques. L'exemple classique: le coup de marteau qui frappe la racine de l'ongle. Il est fréquent que le traumatisme, un pincement du doigt par exemple, passe inaperçu;
- ***Certaines maladies généralisées***, telles que le psoriasis, causeront de petits creux à la surface de l'ongle;
- ***Maladies auto-immunes ou maladies respiratoires chroniques.*** Ce sont des cas rares. Ces maladies peuvent être responsables des ongles bombés: ainsi, l'insuffisance respiratoire entraînera une hypertrophie des vaisseaux sanguins pour compenser le manque d'oxygène. Dans de très rares cas, les ongles bombés seront un signe de cancer du poumon.

Épaississement et aspect crayeux

- ***Infection à champignons ou onychomycose.*** L'humidité est un facteur déclenchant. La transpiration excessive ou le fait de marcher pieds nus au bord d'une piscine ou dans les bains publics augmentent les risques d'infection;
- ***Maladies prédisposantes***, telles que le diabète, ou une mauvaise circulation sanguine;
- ***Traumatismes***;
- ***Déficiences du système immunitaire.***

Fragilité ou dédoublement

- ***Exposition répétée à l'humidité***;

- ***Exposition à une sécheresse excessive, surtout par temps froid.*** Les ongles sont composés d'eau à 75 % et ils se comportent comme la peau : la sécheresse leur donne une apparence craquelée.

Décoloration ou modification de la couleur

- ***Coloration bleutée.*** Une coloration bleutée localisée résulte habituellement d'un hématome causé par un traumatisme ; dans le cas d'un traumatisme léger, il y a parfois absence de douleur. Une coloration bleutée diffuse est parfois un signe d'insuffisance respiratoire. Dans de très rares cas, une tache foncée sous l'ongle qui ne se modifie pas avec la croissance de l'ongle peut indiquer la présence d'un mélanome ;
- ***Petites taches rougeâtres.*** Elles peuvent être un signe d'endocardite (infection des valves du cœur). Elles apparaissent habituellement chez les personnes souffrant d'anomalies cardiaques ou qui utilisent des seringues contaminées par des bactéries pour des injections intraveineuses ;
- ***Coloration plus pâle que la normale.*** Ce signe est généralement le reflet d'une maladie généralisée comme l'anémie, des maladies circulatoires, des maladies des reins ou du foie ou encore, ce qui est rarissime dans les pays développés, d'une déficience en vitamines, notamment en vitamine C.

Douleur

- ***Ongle incarné et infecté.*** C'est la cause la plus fréquente. Dans de rares cas, il n'y aura pas d'infection. Le plus souvent, l'ongle s'incarne et s'infecte parce qu'on le coupe trop court, à la suite d'un traumatisme, de la présence d'un corps étranger, tel qu'un grain de sable, ou encore à cause de chaussures trop serrées qui, en écrasant une partie de la peau contre l'ongle, font en sorte que ce dernier pénètre dans la chair ;
- ***Panaris.*** Il s'agit d'une infection des tissus mous autour de l'ongle, mais ce dernier n'est pas incarné. Une légère blessure cutanée favorisant l'entrée de bactéries ou un petit corps étranger sont habituellement à l'origine de l'infection.

Habitude de se ronger les ongles (onycophagie)

- ***Stress ou anxiété*** ;
- ***Mauvaise habitude*** ;
- ***Hygiène déficiente.*** Il est fréquent que les gens se rongent les ongles parce qu'ils sont agacés par leur contour irrégulier : cela devient une mauvaise habitude qui aggrave le problème.

CONSEILS PRATIQUES

Garder ses ongles à une longueur raisonnable. Si vos ongles s'accrochent dans les objets, c'est qu'ils sont trop longs.

Se couper les ongles plus ou moins en ligne droite. Si vous les coupez trop court et en demi-cercle, vous risquez de provoquer un ongle incarné.

Ne pas manipuler ses ongles avec brutalité. Ne tentez pas de corriger vous-même une déformation.

Ne pas se ronger les ongles. L'onychophagie peut devenir rapidement une mauvaise habitude dont il est ensuite difficile de se défaire (*voir encadré*).

Utiliser un coupe-ongles propre. Désinfectez-le avec de l'alcool à frictionner avant usage. Si vous soupçonnez une infection fongique, désinfectez le coupe-ongles avant de couper l'ongle suivant.

Bien se sécher les mains. Chaque fois que vous vous lavez les mains, veillez à sécher vos ongles aussi bien que vos mains.

Utiliser régulièrement une lotion hydratante. Cela permet de garder les ongles souples. Pour vos mains et vos ongles, utilisez des produits de qualité.

Protéger ses ongles contre les agressions extérieures. Protégez-les contre le froid, la chaleur excessive ainsi que l'humidité et les produits chimiques irritants. Si vous avez souvent les mains dans l'eau ou si vous devez travailler avec des produits chimiques, portez une bonne paire de gants.

Porter des chaussures adéquates. Choisissez de préférence des chaussures qui «respirent» (pour éviter les infections fongiques) et qui sont suffisamment larges. Ne portez pas les souliers de quelqu'un d'autre. Vous réduirez ainsi le risque de contracter une infection fongique, un pied d'athlète ou une verrue plantaire.

Comment soigner un ongle incarné ou un panaris

Vous pouvez suivre les consignes suivantes avant de consulter un médecin:

- **faire tremper le pied ou la main pendant 20 minutes, quatre à six fois par jour, dans le mélange suivant: 1 litre d'eau bouillie tiède, 1 c. à soupe d'eau de Javel non concentrée et 1 c. à thé de sel de table. Cela favorise la circulation, ramollit l'ongle et le nettoie du pus et des débris. Cette mesure simple peut suffire à guérir un ongle incarné en 48 heures;**
- **tailler, à l'aide de ciseaux propres, un petit V ou un petit triangle au bout et au milieu de l'ongle pour relâcher la pression;**
- **appliquer un diachylon sur l'ongle, sans onguent antibiotique, ce qui garderait l'ongle humide;**
- **mettre un petit bout de ouate sous le coin de l'ongle jusqu'à ce que celui-ci ait repoussé par-dessus.**

  Si ces mesures ne règlent pas le problème, consultez un médecin sans tarder.

Comment venir à bout de l'onychophagie

- **se regarder dans le miroir quand on se ronge les ongles;**
- **tenir un journal de bord et l'analyser: on se rendra peut-être compte qu'on se ronge les ongles dans des situations précises (devant la télévision, à l'école, etc.);**
- **surveiller son hygiène: on est davantage porté à se ronger les ongles s'ils sont mal soignés;**
- **recouvrir ses ongles d'un produit qui a mauvais goût (jus de citron, vernis spécifique vendu en pharmacie, etc.);**
- **En dernier recours, porter des gants... et consulter un psychothérapeute!**

Ne pas marcher pieds nus dans les endroits publics. Portez toujours des sandales de bain dans les douches publiques ou au bord des piscines publiques.

Boire beaucoup. Une bonne hydratation générale contribue à la santé de l'ongle, qui se comporte comme la peau.

QUAND CONSULTER ?

- Vous remarquez une déformation d'un ou de plusieurs de vos ongles sans cause apparente (un traumatisme, par exemple).
- Vous remarquez une déformation progressive s'accompagnant ou non de douleur.
- La couche supérieure de l'ongle est très épaisse et les couches inférieures s'effritent comme de la craie, le tout s'accompagnant d'une coloration jaunâtre et, parfois, de douleur.
- Vos ongles prennent une couleur inhabituelle : bleutée, rougeâtre ou très pâle.
- Vous ressentez, au pourtour de l'ongle, une douleur, souvent pulsative, qui augmente lorsque vous marchez et s'accompagne de chaleur et d'un gonflement.
- Vous vous rongez les ongles de façon compulsive.

QUE SE PASSE-T-IL LORS DE L'EXAMEN ?

Le médecin procédera essentiellement à un examen clinique visuel, mais il demandera des examens supplémentaires (radiographies ou analyse du sang) s'il soupçonne une maladie respiratoire ou généralisée. Si l'ongle présente des signes d'infection fongique, le médecin prélèvera une partie de l'ongle par frottage ; l'analyse en laboratoire confirmera le diagnostic.

QUEL EST LE TRAITEMENT ?

Déformations

Dans les rares cas où il s'agit d'une maladie généralisée, on en traitera la cause. Il n'existe aucun traitement pour les traumatismes. La déformation disparaîtra au fur et à mesure que l'ongle poussera ; cela prend de six à neuf mois. Dans le cas d'un traumatisme important

(p. ex. : coupure profonde), il peut arriver que la déformation soit permanente.

Épaississement et aspect crayeux

Les infections peuvent être persistantes et difficiles à traiter. Les lotions topiques ne sont pas très utiles, car elles ne peuvent atteindre la racine de l'ongle où se situe souvent l'infection. Le médecin prescrira alors des médicaments par voie orale (comme le kétoconazole ou la terbinafine), à prendre pendant une période de quatre à six mois. Si l'ongle est très déformé par l'infection, il arrive qu'on doive l'enlever chirurgicalement. Il sera sain quand il repoussera.

Fragilité ou dédoublement

Il n'existe aucun traitement particulier. Cela ne constitue pas un signe de maladie grave.

Décoloration ou modification de la couleur

S'il s'agit du cas le plus fréquent, à savoir une coloration bleutée causée par un traumatisme, on laissera tout simplement pousser l'ongle, car il n'existe pas de traitement. En cas de douleur importante, le médecin peut procéder à la perforation de l'ongle afin de libérer le sang et de diminuer la pression, ce qui soulage de façon instantanée et évite le décollement de l'ongle. Les maladies qui entraînent une décoloration de l'ongle seront traitées à la source.

Douleur

Si les traitements maison de l'ongle incarné sont restés sans effet, il peut arriver que le médecin doive pratiquer une intervention chirurgicale mineure afin de retirer l'ongle en partie ou en totalité.

Onycophagie

Si le problème n'est pas résolu par les remèdes maison, une psychothérapie peut être indiquée.

Affections des organes génitaux chez l'homme

Nous le savons, il peut être embarrassant de consulter un médecin pour des problèmes concernant les organes génitaux. Pourtant, certaines manifestations peuvent être ennuyeuses et méritent qu'on y prête attention.

Région cutanée du pénis, de la région inguinale (de l'aine) et du scrotum

- Démangeaisons;
- Rougeur;
- Sécrétions;
- Inconfort ou douleur lors de l'érection;
- Verrues ou boutons.

Testicules et masses au scrotum

- Masses de consistance molle ou modérément dures;
- Douleur;
- Fièvre;
- Augmentation du volume des testicules et difficulté à uriner.

QUELLES SONT LES CAUSES ?

Région cutanée du pénis, de la région inguinale (de l'aine) et du scrotum

- ***Irritation de la peau du scrotum (sac qui contient les testicules).*** Chez les sportifs ou les obèses, ou encore pendant les grandes chaleurs estivales, la transpiration abondante peut finir par causer de l'irritation, entraînant rougeur et démangeaisons. Les produits parfumés, savons et assouplissants, peuvent également en être responsables;
- ***Poux du pubis.*** Ces parasites, communément appelés « morpions », s'attrapent par contact sexuel (la relation sexuelle n'est pas nécessaire) et se logent surtout dans les poils pubiens, provoquant de très fortes démangeaisons. Ils sont visibles à l'œil nu et peuvent être facilement détectés. En général, ils apparaissent entre 10 et 14 jours après le contact sexuel;

- ***Mycose*** (*Tinea cruris*). Les champignons prolifèrent dans les milieux humides. On en retrouve donc souvent à l'aine et sous le prépuce des hommes non circoncis ou chez les diabétiques (l'urine sucrée, qui peut être présente dans les sous-vêtements, est particulièrement favorable au développement des champignons). Ils se manifestent par une rougeur, des démangeaisons, des sécrétions et, dans de rares cas, une odeur forte ;
- ***Condylomes.*** Ce sont des verrues siégeant dans la région génitale, parfois difficiles à identifier, car elles peuvent être microscopiques ou ressembler à de simples boutons rosés. Il s'agit d'une infection transmissible sexuellement (ITS) ayant une période de latence pouvant aller jusqu'à plusieurs mois. On les appelle aussi « crêtes de coq », « choux-fleurs », « verrues-figues ». Chez les femmes, les condylomes sont associés au cancer du col de l'utérus ;
- ***Kystes sébacés.*** Boutons de consistance modérément dure et d'aspect blanchâtre ou jaunâtre sur le scrotum. Ils sont causés par un blocage des glandes sébacées, qui continuent de sécréter, et ils peuvent être accompagnés d'écoulements jaunâtres. C'est surtout un problème esthétique ;
- ***Rétrécissement du prépuce (phimosis).*** Pour différentes raisons, la peau du prépuce peut perdre son élasticité. Cela peut entraîner de l'inconfort ou de la douleur lors de l'érection ;
- ***Herpès.*** Infection virale transmissible sexuellement (ITS) qui entraîne l'apparition de lésions bulleuses (comme des bulles) qui finissent par rupturer et sécher, laissant une rougeur et des croûtes ;
- ***Cancer du pénis.*** Heureusement très rare, ce cancer de la peau est très grave. Il se présente au début comme une plaie rougeâtre sur le pénis. Une plaie qui ne guérit pas devrait être examinée par un médecin.

Testicules et masses au scrotum

- ***Kystes de sperme (spermatocèle).*** Il s'agit d'une accumulation de sperme dans un kyste, causée par une fuite de sperme hors du canal déférent. Ces masses, de consistance plutôt molle (parfois aussi grosses que des balles de golf), se logent habituellement au-dessus des testicules. Même si ces kystes sont douloureux dans certains cas, ils n'ont rien d'alarmant et il ne s'agit pas d'un cancer (consulter un médecin en cas de doute) ;

- ***Inflammation de l'épididyme (épididymite).*** Chez les hommes de moins de 35 ans, l'inflammation de cet organe situé sur le bord des testicules est habituellement causée par la gonorrhée ou une infection à *Chlamydia*. Chez les sujets plus âgés, il s'agit généralement d'une infection urinaire (on constatera alors une difficulté à uriner). L'inflammation se traduit par une augmentation considérable du volume des bourses (pouvant atteindre la grosseur d'une orange), de la douleur, de la fièvre et une rougeur ;
- ***Abcès.*** C'est un amas de pus qui ressemble à un gros bouton et se situe à l'intérieur du scrotum ou dessus, plus particulièrement chez les hommes qui ont subi une intervention chirurgicale au niveau de cette région (une vasectomie, par exemple) et qui ont développé une infection. On peut parfois faire de la fièvre ;
- ***Douleur inguinale.*** Les testicules étant reliés aux muscles abdominaux, lorsque ces derniers sont tendus, souvent du fait d'une obésité abdominale ou d'un effort, il se produit une douleur dans la région de l'aine ;
- ***Granulomes post-vasectomie.*** La vasectomie consiste à couper le canal déférent. Même après plusieurs années, il peut y avoir de

Autoexamen des testicules

Le cancer des testicules apparaît le plus souvent chez les hommes de 20 à 35 ans. Il touche 4 hommes sur 100 000. Comme l'autoexamen des testicules peut permettre de le dépister, les hommes devraient le faire une fois par mois.

Palpez les testicules entre le pouce (placé sur le testicule) et l'index et le majeur (placés sous le testicule).

Une masse dure n'est pas nécessairement cancéreuse, mais il faut quand même consulter un médecin. Le cancer des testicules est facile à traiter s'il est décelé assez tôt.

petites fuites de spermatozoïdes, qui sont alors perçus par l'organisme comme un corps étranger, ce qui entraîne une douleur forte et intermittente au niveau du scrotum ;

- ***Hernie.*** Une partie de la paroi abdominale peut déborder dans le scrotum, ce qui donne lieu à une augmentation du volume des bourses ;
- ***Varice dans le scrotum (varicocèle).*** Il s'agit de la dilatation de veines à l'intérieur du scrotum. Cela se présente comme une masse mal définie et plutôt molle, le plus souvent située en haut du testicule gauche. Elle entraîne parfois une impression de pesanteur dans les testicules et peut parfois être associée à un problème de fertilité.

CONSEILS PRATIQUES

Soulager la douleur. Un ou deux comprimés d'acétaminophène (325 mg ou 500 mg) quatre fois par jour, jusqu'à un maximum de 4 g par jour, aideront à soulager la douleur. Des anti-inflammatoires peuvent aussi être utilisés selon la dose recommandée par le fabricant. Vous pouvez prendre un des deux médicaments ou les deux si la douleur est difficile à maitriser.

Vous pouvez également appliquer de la glace (enroulée dans une serviette) sur la région douloureuse.

S'abstenir de toucher aux verrues et de tâter les masses fréquemment. Cela risquerait de provoquer une infection et de la douleur.

Diminuer l'irritation. Lavez-vous sans tarder après une forte transpiration. Adoptez des savons non parfumés et séchez-vous correctement. Vous pouvez saupoudrer vos sous-vêtements de poudre pour bébé ou appliquer du Zincofax sur les parties concernées.

Prendre certaines précautions vestimentaires. Si vous avez la peau sensible, bannissez les assouplissants liquides ou en feuilles. Rincez vos vêtements deux fois plutôt qu'une. Ne portez pas de sous-vêtements trop serrés et n'en mettez pas pour dormir. Si vous pratiquez un sport régulièrement, n'oubliez pas de laver vos vêtements tout aussi régulièrement.

Pour les poux du pubis. Afin de vous débarrasser de ces parasites, procurez-vous des shampooings et des savons spéciaux, en vente libre dans les pharmacies (et lavez tous vos sous-vêtements à l'eau chaude). Mais avant d'entreprendre ce traitement, assurez-vous du diagnostic.

Dans les cas de champignons, laisser la peau à l'air libre. Le meilleur traitement consiste à laisser respirer la peau quelques heures par jour, car les champignons ne survivent pas au contact de l'air. Cela permet également d'empêcher les récidives. L'application de crèmes antifongiques en complément accélère la guérison.

S'assurer qu'il s'agit bien de condylomes. Appliquez une débarbouillette mouillée de vinaigre sur la région infectée. Laissez-la au moins deux minutes. Si la lésion a blanchi, il s'agit fort probablement de condylomes, le vinaigre ayant la propriété de blanchir les verrues. Voyez alors votre médecin. Adoptez un comportement sexuel prudent : mettez des préservatifs et prévenez votre partenaire.

Se garder en forme. La perte de poids fait diminuer le frottement entre les cuisses et, de ce fait, contribue à éviter l'apparition de champignons et de douleurs inguinales (dans la région de l'aine). Pour les douleurs testiculaires, portez un support scrotal. Il s'agit d'un sous-vêtement qui procure un support particulier aux testicules. On en trouve en pharmacie. Vous pouvez également porter un sous-vêtement en tissu solide qui soutient bien.

Pour nettoyer le pénis du bébé. L'hygiène voudrait qu'on rétracte délicatement la peau du prépuce de bébé pour bien nettoyer cette région. Mais la peau n'a pas la même élasticité chez tous les garçons et certaines sont difficilement rétractables. La forcer peut causer des fissures douloureuses. Si vous n'arrivez pas à la rétracter, n'y touchez tout simplement pas ; l'hygiène ne s'en portera pas plus mal. Si on doit recourir à la circoncision, mieux vaut le faire avant la puberté ou avant le début de l'activité sexuelle.

QUAND CONSULTER ?

- Les démangeaisons persistent malgré tous vos efforts.
- Les champignons réapparaissent régulièrement.
- Vous avez des condylomes.
- Vous avez une ou plusieurs masses à l'intérieur du scrotum.
- Vous constatez une augmentation du volume des testicules.
- Vous avez des douleurs intenses et de la fièvre.

QUE SE PASSE-T-IL LORS DE L'EXAMEN ?

Votre médecin procédera à un examen complet. Si nécessaire, il aura recours à divers tests, comme une analyse d'urine et une échographie des testicules

QUEL EST LE TRAITEMENT ?

Mycose

Si les champignons sur le prépuce réapparaissent malgré toutes les tentatives de traitement telles que les crèmes antifongiques, le médecin s'assurera que les mycoses ne sont pas secondaires au diabète et pourra envisager la circoncision.

Condylomes

On peut les traiter de plusieurs façons. On peut d'abord appliquer de la podophylline, un liquide qui brûle les verrues. En cas d'échec, le médecin pourra appliquer de l'azote liquide ou de l'acide trichloroacétique à l'aide d'un coton-tige. Il faut toutefois prévoir plusieurs séances. Et, au besoin, il faudra anesthésier la peau et brûler les condylomes à l'aide d'un courant électrique ou d'un rayon laser. C'est une méthode radicale, qui se pratique dans le cabinet du médecin. Enfin, comme les condylomes ont une période de latence assez longue, l'usage du préservatif est recommandé pendant au moins six mois après la disparition des dernières verrues.

Kystes sébacés

Il est chirurgicalement possible d'enlever les kystes sébacés, mais uniquement pour des raisons esthétiques, car ils ne sont aucunement dommageables pour la santé.

Rétrécissement du prépuce (phimosis)

Dans la plupart des cas, la circoncision est le seul traitement. Le prépuce est enlevé sous anesthésie locale ou générale. Cela permet de dégager le gland.

Herpès

On prescrit des antiviraux en crème. Il s'agit d'une maladie récurrente dont il est très difficile de se débarrasser.

Cancer du pénis

Le traitement consiste à pratiquer une opération pour enlever la lésion. La radiothérapie est parfois aussi une option. Dans des cas extrêmement rares, on pratiquera l'amputation du pénis.

Kystes de sperme

Les chirurgiens les excisent seulement s'ils sont très douloureux.

Inflammation de l'épididyme

Elle est traitée à l'aide d'antibiotiques. Si elle est due à une infection transmissible sexuellement (ITS), il faudra également entreprendre un traitement approprié du ou de la partenaire.

Abcès

Ils sont soignés par drainage chirurgical.

Douleur inguinale

Il n'y a pas vraiment de traitement médical, si ce n'est perdre du poids pour ne pas trop tendre les muscles et suivre un programme de musculation pour les raffermir.

Granulomes post-vasectomie

En général, ils disparaissent après quelques jours sans aucune complication.

Hernie

Elle nécessite une opération mineure.

Varice dans le scrotum (varicocèle)

Lorsqu'un varicocèle devient une source d'inconfort importante et que cela nuit au patient dans ses activités de tous les jours, on procède à une chirurgie pour le ligaturer. Par ailleurs, après un an d'infertilité et trois spermogrammes indiquant des résultats de diminution de la mobilité des spermatozoïdes, il peut être nécessaire de ligaturer le varicocèle pour corriger le problème.

Affections des seins

Les seins sont composés de graisse et de glandes constituées en alvéoles qui forment des grappes autour de minuscules canaux. Ceux-ci s'unissent pour former de plus gros canaux, les canaux galactophores (il y en a entre 15 et 20 dans chaque sein). Chacun de ces conduits, qui sécrètent le lait, débouche sur un minuscule orifice à la surface du mamelon.

Avec les années, le sein se transforme et les tissus perdent de leur tonicité. À la ménopause, les glandes s'atrophient, car elles ne sont plus stimulées par les hormones du cycle menstruel, et la graisse devient le principal constituant.

Tout au long de la vie, les seins peuvent présenter certains problèmes:

- masses;
- sensibilité;
- rougeur avec ou sans sensibilité;
- écoulement.

QUELLES SONT LES CAUSES ?

Masses

- ***Kyste mammaire.*** Masse bénigne, bien définie, mobile, pouvant être de la grosseur d'une bille et sensible ou non au toucher. Elle apparaît habituellement quelques jours avant les menstruations et peut disparaître avec la fin des règles. Il s'agit de colostrum qui s'est accumulé dans une glande dont le canal s'est obstrué. Ce sont surtout les adolescentes et les femmes en préménopause qui y sont sujettes. Certaines présentent des kystes à chaque menstruation. Si la masse ne disparaît pas ou persiste après deux cycles menstruels, il faut consulter un médecin;
- ***Fibroadénome (ou adénofibrome).*** Masse bien définie, mobile, de taille variable. Elle ne disparaît pas et peut augmenter de volume ou devenir plus sensible à l'approche des menstruations. Il s'agit d'une masse de chair, résultat de la stimulation des cellules fibro-épithéliales (des tissus fibreux du sein). La masse est bénigne et

ne se transforme pas en cancer. Toute nouvelle masse doit cependant être évaluée par un médecin ;

- ***Placard de dysplasie.*** Masse mal définie (difficile à saisir entre les doigts), sensible au toucher, qui apparaît surtout sur les parties supérieures et externes des seins. Souvent, elle augmente en volume et en sensibilité deux semaines avant les menstruations ; ces phénomènes bénins diminuent et peuvent même disparaître à la fin des règles. Cela est dû à des changements fibreux (formation de tissu cicatriciel) à l'intérieur du sein. Les femmes de plus de 35 ans en sont davantage atteintes ;
- ***Galactocèle.*** Masse dure, peu mobile, quelquefois sensible, qui apparaît pendant la période de l'allaitement et qui peut persister après le sevrage. Il s'agit d'une accumulation de lait dans un canal obstrué. C'est tout à fait bénin ;
- ***Tumeur cancéreuse.*** Masse dure, souvent mal définie, rarement douloureuse et plus ou moins mobile. Elle se manifeste aussi par une texture différente du reste du sein. Elle augmente de volume sans suivre le cycle menstruel. Les femmes de 50 à 69 ans y sont plus sujettes : plus de 70 % des cancers du sein surviennent à cet âge. La prise d'hormones pendant plus de 10 ans pourrait comporter des risques pour certaines patientes. Par ailleurs, il faut savoir que la prise d'hormones pendant plus de cinq ans après 50 ans augmente le risque de cancer du sein. C'est pourquoi, après 55 ans, les médecins évitent de prescrire une hormonothérapie, à moins que la patiente ne présente des symptômes très incommodants, comme des bouffées de chaleur. Dans ce cas, elle sera régulièrement suivie afin que le traitement soit le plus court possible.

La mammographie : un examen important

Le ministère de la Santé et des Services sociaux a instauré un programme québécois de dépistage du cancer du sein pour les femmes de 50 à 69 ans.

Il consiste à passer une mammographie tous les deux ans. C'est facile, rapide et indolore.

Par contre, les contraceptifs oraux ne semblent pas augmenter le risque de développer un cancer du sein. Toute nouvelle masse persistante doit être évaluée par un médecin.

Sensibilité

- ***Facteur hormonal.*** Chez de nombreuses femmes, surtout après 35 ans, les seins deviennent plus douloureux et plus gonflés pendant la période de prémenstruelle. Cela n'a rien d'alarmant. La sensibilité peut aussi apparaître sans relation avec le cycle menstruel. C'est généralement ennuyeux, mais non dangereux. On n'en connaît pas la cause.

Rougeur avec sensibilité

- ***Abcès mammaire.*** Rougeur, sensibilité, avec ou sans fièvre, chaleur avec ou sans écoulement verdâtre ou jaunâtre par le mamelon. Cela indique qu'un canal est obstrué et qu'il est devenu un site de prolifération de bactéries. Il faut consulter un médecin.

Rougeur sans sensibilité

- ***Cancer superficiel*** (on dit «superficiel» parce qu'il se situe près de la surface de la peau) présentant des signes inflammatoires. La rougeur peut occuper la moitié du sein et l'épiderme prend l'apparence de la peau d'orange. Il faut rapidement consulter un médecin.

Écoulement

- ***Prolactinome.*** Écoulement spontané et abondant, inodore, jaunâtre et séreux (qui ressemble à du sérum) par plusieurs orifices des deux mamelons. Il s'agit d'une trop grande production de prolactine (hormone qui déclenche la lactation). Le problème provient du cerveau, qui est affecté d'une petite tumeur bénigne de l'hypophyse (prolactinome). Cela peut arriver à tout âge, que l'on ait eu ou non des enfants;
- ***Papillome.*** Écoulement non douloureux et spontané de sang ou de sérosité au niveau du mamelon d'un des deux seins. Il s'agit d'une tumeur logée dans un canal, appelée papillome. C'est en général bénin, mais il faut consulter un médecin sans tarder. Cela survient surtout chez les femmes de plus de 40 ans;

- ***Stimulation hormonale.*** Après une relation sexuelle, une douche ou lors d'émotions fortes, il arrive qu'un liquide blanchâtre et inodore se mette à couler de plusieurs orifices des mamelons. Il s'agit de colostrum. De plus, les femmes qui allaitent continuent souvent de perdre du lait dans les minutes qui suivent l'allaitement. Il s'agit d'un phénomène normal dans un cas comme dans l'autre et il ne faut pas s'en inquiéter.

CONSEILS PRATIQUES

Ne pas faire l'autruche. Les affections des seins sont très souvent mineures, mais si vous avez le moindre doute, consultez un médecin.

Masses

Attendre le prochain cycle menstruel. Dans bien des cas, les masses disparaissent au cours du cycle menstruel. Attendez le prochain cycle pour voir ce qu'il en est.

Sensibilité

Prendre des médicaments. Un ou deux comprimés d'acétaminophène (325 mg ou 500 mg) quatre fois par jour, jusqu'à un maximum de 4 g par jour, aideront à soulager la sensibilité. Des anti-inflammatoires peuvent aussi être utilisés selon la dose recommandée par le fabricant. Vous pouvez prendre un des deux médicaments ou les deux si la sensibilité est difficile à maîtriser.

Essayer la médecine douce. Des massages en douceur sur les seins peuvent également s'avérer efficaces, tout comme des compresses ou une douche froide ou tiède.

Modifier son alimentation. Les produits contenant de la méthylxanthine (vin, fromage, chocolat, thé et café) peuvent, chez certaines femmes, stimuler la douleur. Consommez-les avec modération.

Prendre des suppléments vitaminiques. Toutefois, selon plusieurs études, la prise de vitamine E s'est révélée inefficace en ce qui concerne la sensibilité des seins.

Porter un bon soutien-gorge. Les soutiens-gorge à maintien ferme ou conçus pour le sport peuvent contribuer à réduire la sensibilité des seins. Le port du soutien-gorge la nuit peut aussi soulager les douleurs.

Rougeur

Mettre des compresses. Des compresses d'eau tiède, appliquées plusieurs fois par jour à raison de 15 minutes chaque fois, peuvent être efficaces.

Écoulement

Rester vigilante. D'habitude, l'écoulement des deux seins est sans conséquence et il n'y a pas lieu de s'inquiéter. Il faut simplement éviter de masser les seins ou de trop les manipuler afin de ne pas stimuler davantage l'écoulement. Par contre, s'il n'y a qu'un sein qui coule, mieux vaut consulter un médecin. De toute façon, il faut consulter en cas de doute. Essayez de remarquer si le ou les seins coulent d'un ou de plusieurs orifices, car le médecin vous posera la question.

QUAND CONSULTER ?

- La masse ne disparaît pas à la fin des menstruations.
- La masse apparue pendant la période d'allaitement persiste.
- Vous avez une rougeur persistante, accompagnée ou non de sensibilité.
- Vous constatez un écoulement d'un des seins.
- L'écoulement des seins vous inquiète.
- Vous remarquez un écoulement de sang par le mamelon.
- La sensibilité est devenue intolérable.

QUE SE PASSE-T-IL LORS DE L'EXAMEN ?

Le médecin prendra note des informations importantes et procédera à un examen physique complet. Il pourra demander une échographie des seins ou une mammographie (radiographie des seins).

La mammographie s'adresse davantage aux femmes de plus de 50 ans, car le tissu mammaire est alors beaucoup moins dense, donc plus facile à examiner par mammographie.

Lorsqu'il y a une masse, le médecin pourra procéder à une ponction. C'est une intervention rapide, peu douloureuse et nécessaire pour établir le diagnostic de placards de dysplasie, de fibroadénome ou de cancer du sein. La ponction fait aussi partie du traitement des kystes mammaires et des galactocèles. Toute rougeur sans sensibilité devra être évaluée par une biopsie pour éliminer la présence d'un cancer superficiel.

QUEL EST LE TRAITEMENT ?

Masse

Kyste mammaire

Il est sans danger et, habituellement, ne nécessite pas d'ablation chirurgicale. Le traitement par ponction suffit, bien qu'il ne soit pas toujours nécessaire.

Fibroadénome

Il s'agit d'une lésion bénigne, mais le médecin peut décider de la faire enlever par chirurgie si elle augmente de volume, cause de la douleur ou inquiète la patiente.

Placards de dysplasie

Ils disparaissent souvent avec le temps. Il n'y a donc pas lieu de les enlever chirurgicalement, sauf en cas de doute sur le plan diagnostique.

Galactocèle

Pour faire disparaître un galactocèle, il suffit de le ponctionner afin de faire sortir le lait. Cette intervention mineure est rapide et sans douleur et se pratique dans le cabinet du médecin.

Tumeur cancéreuse

Dans un tel cas, il faudra sans doute procéder à une mastectomie partielle (ou tumorectomie). Il s'agit d'enlever la masse avec un peu de tissu au pourtour et d'enlever ou non les ganglions lymphatiques, situés sous les aisselles. C'est une intervention chirurgicale pratiquée sous anesthésie générale qui donne de très bons résultats. Il faut souvent compléter ce traitement par de la radiothérapie ou de la chimiothérapie afin de minimiser les risques de récidive et de métastases à distance. De nos jours, les médecins ont rarement recours à la mastectomie totale (ablation du sein entier).

Sensibilité

Certains médicaments, comme les anti-inflammatoires, les contraceptifs oraux ou le Danazol (nom commercial d'un produit qui empêche les fluctuations hormonales) peuvent être prescrits pour soulager une sensibilité excessive.

Rougeur avec sensibilité

Abcès mammaire

Il devra être traité par drainage, avec ou sans antibiotiques.

Rougeur sans sensibilité

Cancer superficiel

Le traitement adéquat sera immédiatement entrepris (chirurgie, chimiothérapie ou radiothérapie, selon le cas).

Écoulement

Prolactinome

Il disparaît grâce à un traitement médical adéquat, c'est-à-dire des médicaments à base d'hormones (mais il ne s'agit pas ici de l'hormonothérapie substitutive pour les femmes ménopausées).

Papillome

Il se traite par ablation chirurgicale sous anesthésie générale ou locale. Il s'agit d'enlever le canal situé derrière le mamelon, tout en préservant celui-ci.

Affections du pénis

Les affections du pénis peuvent prendre trois formes différentes: douleur, écoulement anormal ou érection prolongée sans désir sexuel (priapisme). Contrairement à l'opinion populaire assez répandue, le priapisme n'est pas la manifestation d'une vitalité sexuelle excessive, mais plutôt un trouble de l'érection.

Symptômes liés à la maladie de La Peyronie

- douleur à l'érection ou, dans de rares cas, sans érection;
- région fibreuse palpable qui provoque une courbure du pénis et, par la suite, une diminution de la douleur;
- dans certains cas, la courbure peut empêcher la pénétration.

Symptômes liés à un traumatisme

- douleur intense;
- parfois accompagnée d'un craquement ou d'un gonflement du pénis à l'endroit du traumatisme, d'une coloration bleutée ou de déchirures internes ou externes;
- écoulement de sang possible au bout de la verge s'il y a eu rupture de l'urètre. L'écoulement sera intermittent, selon que la vessie est pleine ou vide. S'il s'agit d'une rupture partielle de l'urètre, l'homme pourra continuer à uriner, bien qu'il lui sera plus difficile de maîtriser le jet. Si la rupture est nette et franche, il ne pourra plus uriner et il aura des douleurs abdominales.

Écoulement anormal

- peut être transparent, jaunâtre, sanglant, verdâtre, très épais (gonorrhée) et même collant ou clair (*Chlamydia*);
- peut s'accompagner ou non de douleur à l'urètre et de douleur en urinant.

Priapisme

- érection prolongée (plus de quatre heures), non provoquée par le désir sexuel, due au fait que le sang ne s'évacue pas;
- douleur qui s'installe et persiste en l'absence d'activité sexuelle;

- douleur qui peut se produire spontanément ou à la suite d'une relation sexuelle.

QUELLES SONT LES CAUSES ?

Maladie de La Peyronie

- ***Légers traumatismes répétés lors des relations sexuelles.*** Ils expliqueraient la présence d'une zone cicatricielle fibreuse à l'intérieur du pénis, qui l'empêche de se dilater lors de l'érection et provoque une courbure; il s'agit de la cause la plus fréquente de douleur au pénis.

Traumatisme

- ***«Fracture du pénis».*** Il s'agit de la rupture de la tunique rigide qui recouvre le pénis sous la peau et qui permet l'érection. Ce traumatisme fait suite à des efforts trop vigoureux ou à une mauvaise position du pénis pendant une relation sexuelle;
- rupture ou lacération de l'urètre.

Écoulement anormal

- ***Infections transmissibles sexuellement (ITS).*** Elles sont la première cause d'écoulements anormaux du pénis (l'infection à *Chlamydia* étant la principale responsable). La transmission de certaines ITS peut se faire par d'autres contacts: oraux, anogénitaux. La gorge ou l'anus peuvent héberger la source d'infection. On peut être porteur de la *Chlamydia* sans présenter de symptômes et incuber l'infection de deux semaines à un mois et plus après le contact. La gonorrhée, par contre, se manifeste généralement de deux à cinq jours après le contact;
- ***Écoulement persistant de la prostate.*** Ce cas est très rare et n'est habituellement lié à aucune maladie.

Priapisme

- ***Médicaments contre le dysfonctionnement érectile (impuissance)*** en injections directes dans le pénis, comme la papavérine ou la prostaglandine E_1, injectées par le patient lui-même pour traiter un trouble érectile;

- ***Traumatismes internes ou externes du pénis avec rupture d'une artère du pénis.*** Cela augmente le flux sanguin et le pénis n'a plus la capacité de résorber le sang;
- ***Certains médicaments administrés par voie orale***, dont quelques psychotropes, neuroleptiques et anticoagulants;
- ***Facteurs prédisposants, comme le diabète, le fait d'être de race noire ou d'être originaire du bassin méditerranéen.***

CONSEILS PRATIQUES

Maladie de La Peyronie

Ne pas s'isoler et consulter un médecin. Parlez-en à votre médecin avant de renoncer à vos activités sexuelles. Une fois rassuré par le médecin, vous pouvez reprendre toute activité sexuelle normale.

Traumatisme

Consulter un médecin sans délai. Si le traumatisme est mineur, faites des applications locales de glace enveloppée dans une serviette, évitez les relations sexuelles et utilisez vos analgésiques habituels.

Ne pas traiter ses organes génitaux avec brutalité. Ne pas considérer les relations sexuelles comme des olympiades.

Écoulement anormal

S'abstenir d'avoir des relations sexuelles, même protégées par un préservatif. Le préservatif peut se déchirer et vous pourriez contaminer votre partenaire.

Suivre fidèlement son traitement. Ne tentez pas de vous traiter vous-même. Continuez à prendre vos médicaments jusqu'à la fin du traitement même si les symptômes ont disparu: vous risqueriez une récidive à court terme.

Adopter des mesures d'hygiène. Pendant le traitement, maintenez une bonne hygiène en utilisant fréquemment de l'eau savonneuse (quatre fois par jour jusqu'à ce que l'écoulement cesse). Pour prévenir les récidives, on peut se protéger en tout temps en portant un préservatif lors des relations sexuelles.

Priapisme

Décongestionner le pénis. Vous pouvez appliquer un sac de glace enveloppé dans une serviette. L'éjaculation peut également soulager, si elle est possible. Si ces tentatives ne donnent pas de résultats dans l'heure qui suit, rendez-vous sans tarder à l'urgence, car ce type d'érection endommage le tissu érectile.

QUAND CONSULTER ?

- Vous vous êtes infligé une blessure ou avez subi un traumatisme au pénis, quelles qu'en soient la cause ou l'origine.
- Vous ressentez une douleur à l'érection.
- Votre pénis se courbe pendant l'érection.
- Vous avez de la difficulté à uriner ou vous n'êtes plus capable d'uriner.
- Vous présentez un écoulement anormal, peu importe la couleur ou la consistance.

QUE SE PASSE-T-IL LORS DE L'EXAMEN ?

Le médecin procédera à l'évaluation de tout traumatisme, même mineur. S'il soupçonne la maladie de La Peyronie, il procédera à un examen physique et posera des questions détaillées afin d'établir le diagnostic.

Le dépistage des ITS exige de faire une culture des sécrétions. Cela peut être désagréable : il faut insérer une petite tige dans l'urètre et (ou) collecter la première urine du matin (en cas d'infection à *Chlamydia,* par exemple). Tous les partenaires doivent être avisés et examinés. La collaboration du patient à cet égard est primordiale. Dans les cas d'écoulement de la prostate, on procédera à des analyses d'urine, même si cette affection est très rarement associée à des infections.

QUEL EST LE TRAITEMENT?

Maladie de La Peyronie

Dans la plupart des cas, si la courbure est mineure et si l'activité sexuelle est possible, aucun traitement ne sera nécessaire et le problème se résoudra de lui-même en moins d'un an, c'est-à-dire que la zone cicatricielle s'estompera et les tissus retrouveront leur élasticité. En cas d'aggravation, on pourra essayer la vitamine E (un antioxydant) à fortes doses et les ultrasons, qui donnent parfois de bons résultats. Si la courbure est importante, l'intervention chirurgicale permettra de retirer les tissus atteints et de redresser le pénis. La maladie est le plus souvent bénigne.

Traumatisme

Certains traumatismes importants, comme une rupture d'artère, une grande déchirure de la tunique interne ou une fracture, nécessiteront une intervention rapide. Si on attend trop pour consulter un médecin, la chirurgie peut ne rien donner de bon, car la blessure peut s'être cicatrisée et les tissus du pénis auront définitivement perdu de leur élasticité. Les séquelles possibles sont des cicatrices disgracieuses ou une déviation du pénis assez importante pour empêcher la pénétration et, enfin, le dysfonctionnement érectile (quoique rare).

Écoulement anormal

Le traitement des ITS est toujours à base d'antibiotiques. Au Québec, les médicaments utilisés pour les traiter sont gratuits. En ce qui concerne l'écoulement de la prostate, c'est un trouble bénin, qui ne nécessite habituellement aucun traitement.

Priapisme

Si on le traite en moins de quatre heures, on a 100 % de chances d'éviter des dommages qui peuvent entraîner le dysfonctionnement érectile. Sans traitement, le risque de nécrose des tissus est de l'ordre de 25 % à 75 %, selon le délai de consultation. Le médecin pourra décider d'aspirer du sang hors du pénis, puis d'injecter des médicaments facilitant le désengorgement. En cas d'échec, il pourra avoir recours à une intervention chirurgicale afin d'assurer une meilleure circulation sanguine. Selon les cas, il peut malgré tout y avoir des récidives. Évidemment, si ce sont des médicaments qui sont responsables du priapisme, il faudra cesser de les prendre.

Affections du prépuce

Le prépuce est l'enveloppe de peau recouvrant le gland de la verge chez les hommes non circoncis (la circoncision est l'opération qui consiste à pratiquer l'ablation totale ou partielle du prépuce – pour des raisons médicales peu fréquentes, rituelles ou personnelles).

Il y a encore une controverse sur les avantages et les inconvénients de la circoncision, que ce soit au sujet des infections urinaires, des infections transmissibles sexuellement (ITS), du cancer du pénis ou de la qualité du plaisir sexuel. Il ne faut pas hésiter à en parler à son médecin.

Infection du prépuce

- caractérisée par une rougeur et des démangeaisons du gland et du prépuce.

Phimosis

- étroitesse anormale du prépuce ;
- la peau se referme et enserre le gland ;
- souvent déjà présent à la naissance ;
- peut causer une douleur lors de l'érection ou une difficulté à uriner.

Paraphimosis ou étranglement du gland

- le prépuce reste coincé à la base ou à l'arrière du gland et ne revient pas à sa place initiale ;
- il y a constriction et œdème du gland ;
- état très douloureux qui nécessite une consultation d'urgence à l'hôpital, car il y a risque de cyanose et de nécrose des tissus.

QUELLES SONT LES CAUSES ?

Infection du prépuce

- ***Hygiène déficiente.*** Il s'agit d'un milieu chaud et humide propice au développement des bactéries ;
- ***Diabète.*** L'excédent de sucre dans l'organisme est propice au développement des champignons, surtout dans les endroits chauds et humides comme le prépuce ;

- ***Antibiothérapie au long cours ou à répétition.*** Les antibiotiques détruisent les bactéries mais, à la longue, cela finit par laisser place à la prolifération de champignons qui, eux, ne répondent pas aux antibiotiques.

Phimosis et paraphimosis

- ***Absence de traitement.*** L'étranglement du gland est parfois dû à un phimosis non traité.
- ***Infections.*** Ils font suite, dans la plupart des cas, à des infections répétées ou à une déchirure du prépuce;
- ***Cause inconnue*** dans certains cas.

CONSEILS PRATIQUES

Infection du prépuce

Adopter une bonne hygiène. Découvrez doucement le prépuce, lavez délicatement avec un savon neutre non parfumé. Les savons trop forts accentuent le problème en brûlant la peau. Rincez à fond et séchez bien avant de rabattre la peau sur le gland. Remettez délicatement le prépuce en place sur le gland après la toilette.

Ne pas étirer ni forcer le prépuce. À éviter pendant le nettoyage et les relations sexuelles, que ce soit pour découvrir ou pour recouvrir le gland.

Ne jamais découvrir le prépuce d'un enfant en forçant. Vous pourriez causer des dommages permanents. Laissez le médecin évaluer la situation.

Phimosis et paraphimosis

Rester calme. Si vous notez de l'œdème, comprimez la région enflée pendant quelques minutes, repoussez-la derrière l'anneau du prépuce et tentez de ramener le prépuce par-dessus le gland. Si le prépuce est ramené à sa position initiale et s'y maintient, appliquez des compresses froides pendant 15 à 20 minutes toutes les deux heures.

QUAND CONSULTER ?

- Le gland et la peau du prépuce sont rouges et vous avez des démangeaisons.

- Le prépuce ne se rétracte plus et vous avez de la difficulté à uriner.
- Vous ne parvenez pas à remettre le prépuce en place sur le gland.
- Le gland est enflé, très douloureux et de couleur bleutée (cela constitue une urgence).

QUE SE PASSE-T-IL LORS DE L'EXAMEN ?

Infection du prépuce

Elle peut faire l'objet d'une analyse des sécrétions présentes sous le prépuce. Le prélèvement est indolore ; il est effectué par simple effleurement à l'aide d'un coton-tige stérile.

Phimosis

Son pronostic est évalué par un urologue au moment de l'interrogatoire et lors de l'examen clinique.

Paraphimosis

Le médecin procédera à un examen visuel et à une évaluation.

QUEL EST LE TRAITEMENT ?

Infection du prépuce

Elle est traitée par une hygiène rigoureuse et à l'aide d'une crème antibiotique contre les bactéries ou les champignons. En dernier recours, la circoncision peut être nécessaire.

Phimosis

Dans la plupart des cas, la circoncision est le seul traitement. Le prépuce est enlevé sous anesthésie locale ou générale. Cela permet de dégager le gland et d'enlever la partie sclérosée du prépuce.

Paraphimosis

Après une analgésie, on peut replacer le prépuce manuellement ; il faut parfois inciser la zone rétrécie pour permettre un glissement adéquat. Si ces mesures s'avèrent insuffisantes, on procède à la circoncision.

Affections fréquentes de la bouche

Parmi les affections fréquentes de la bouche, mentionnons la sécheresse, parfois associée à un mal de gorge, et la mauvaise haleine. Il y a également les aphtes (ulcères) qu'on retrouve parfois en grand nombre sur les gencives, sur la langue ou à l'intérieur des joues. D'aspect très variable, ils sont généralement bénins, bien que très douloureux. Ils sont parfois contagieux s'ils sont de source virale. Des dépôts blanchâtres dans la bouche, dans la gorge et jusque dans les bronches s'observent dans le cas d'une infection à champignons nommée *Candida albicans* ou muguet. Cette infection, peu fréquente chez les gens dont l'état de santé est normal, à l'exception des nourrissons et des personnes âgées et affaiblies, se rencontre plutôt chez des personnes malades, celles, par exemple, qui sont soumises à des traitements de chimiothérapie ou de radiothérapie. Enfin, la muqueuse buccale des fumeurs de longue date peut prendre un aspect blanchâtre par endroits. Cette lésion, qui se nomme leucoplasie, est précancéreuse.

QUELLES SONT LES CAUSES ?

Sécheresse de la bouche

- ***Stress***, qui diminue la production de la salive ;
- ***Hydratation insuffisante*** ;
- ***Vieillissement***, qui entraîne une diminution de la production de la salive ;
- ***Certains médicaments***, comme les antidépresseurs et les antihistaminiques ;
- ***Syndrome de Sjögren.*** Cette maladie entraîne une détérioration des glandes salivaires et rend la production de la salive à peu près inexistante.

Mauvaise haleine

- ***Stress***, qui modifie la composition de la salive ;
- ***Tabagisme***, qui rend l'haleine des fumeurs facilement reconnaissable ;

- ***Mauvaise hygiène buccale***, les caries dentaires, la gingivite (inflammation des gencives) ;
- ***Jeûne.*** Une odeur d'acétone se dégage de l'haleine en période de jeûne ;
- ***Amygdales «cryptiques».*** Les cryptes, ou cavités qui se trouvent à la surface des amygdales, sont élargies chez certaines personnes. Des débris alimentaires mêlés de salive s'y déposent, formant des points blancs sur les amygdales ;
- ***Fruit de votre imagination !*** Vous pensez avoir mauvaise haleine, alors que ce n'est pas le cas !

Aphtes (ulcères)

- ***Cause inconnue dans 80 % des cas.*** Elle pourrait être d'origine virale ou bactérienne avec une prédisposition familiale. Parmi les éléments qui pourraient les déclencher : la fatigue et le stress. On sait aussi que la carence en fer, en acide folique, en vitamine B_{12} ou en zinc peuvent quelquefois causer des ulcères. Tout comme les traumatismes buccaux (après une visite chez le dentiste), les maladies inflammatoires du système digestif (la maladie de Crohn, par exemple), certains médicaments (barbituriques, antiépileptiques) et les variations du cycle menstruel.

CONSEILS PRATIQUES

Sécheresse de la bouche, mauvaise haleine

Boire beaucoup. Buvez beaucoup d'eau mais aussi des jus de fruits. Ce conseil est encore plus important si vous prenez des médicaments tels que des antidépresseurs ou des antihistaminiques, qui dessèchent la bouche.

Avoir une saine alimentation. Choisissez des aliments variés, en accordant une place importante aux fruits et aux légumes.

Ne pas abuser du café ou du thé. Tout comme l'alcool, le café et le thé ont un effet déshydratant.

Ne pas abuser des gargarismes. Il est recommandé de se gargariser après les repas et avant de se coucher, après le brossage des dents. Sans plus. Les gargarismes sont en partie composés d'alcool (et d'arômes), lequel risque d'irriter les muqueuses de la bouche.

Pratiquer à la fois des exercices physiques et la relaxation. Cela permet de minimiser les effets du stress.

Utiliser de la salive artificielle. Ce conseil est surtout utile si vous êtes atteint du syndrome de Sjögren ou si vous avez été soumis à une radiothérapie. On en trouve en vente libre en pharmacie (en atomiseur).

Aphtes (ulcères)

Prendre un analgésique. De préférence avant le repas, il atténuera la douleur et vous permettra de mieux vous alimenter. Vous pouvez prendre un ou deux comprimés d'acétaminophène (325 mg ou 500 mg), jusqu'à un maximum de 4 g par jour. Des anti-inflammatoires peuvent aussi être utilisés, selon la dose recommandée par le fabricant. Prenez un des deux médicaments ou les deux ensemble si la douleur est difficile à maîtriser.

Éviter les aliments trop chauds, très épicés ou salés. Ces aliments peuvent exacerber la douleur.

Ne pas essayer les traitements censés hâter la guérison. L'efficacité de traitements tels que les gargarismes avec du peroxyde d'hydrogène dilué, un sachet de thé ou un cube de glace sur l'ulcère, du lait de magnésie, de la camomille, des vitamines C ou E, du yogourt, du citron, de la cortisone, etc., n'a jamais été prouvée.

Ne jamais appliquer de sel directement sur l'ulcère. Le sel augmentera la sensation de brûlure et il risque d'aggraver votre problème. Vous pouvez toutefois vous rincer la bouche à l'eau salée.

Ne pas brûler l'ulcère. N'appliquez pas d'aspirine ni de nitrate d'argent sur l'ulcère, ce qui vous ferait souffrir inutilement, sans hâter la guérison.

Utiliser des médicaments en vente libre. Vous trouverez en pharmacie de l'Orabase pour soulager la douleur; c'est une gélatine à appliquer sur l'ulcère qui empêche le contact avec l'air et les aliments. Il y a aussi l'Amosan, un gargarisme qui aide à contrer la douleur. Cependant, évitez la xylocaïne visqueuse (de type Oragel). Cet analgésique topique engourdit les réflexes. Vous risquez de vous étouffer si vous mangez dans les heures qui suivent!

Faire attention à la contagion. Votre ulcère est peut-être contagieux. Ne prenez pas de risques: si vous avez des doutes, ne partagez pas votre verre, votre tasse, vos couverts ou votre brosse à dents. Et évitez d'embrasser les gens.

Être patient. Vos ulcères ou vos aphtes guériront d'eux-mêmes au bout de 7 à 10 jours.

QUAND CONSULTER ?

- Votre état général se détériore, vous avez de la fièvre, vous êtes fatigué, vous perdez du poids et vous avez de la difficulté à manger.
- Vous constatez, au toucher, la présence de ganglions (bosses) au niveau du cou.
- Vous avez l'impression d'avoir un corps étranger dans la gorge.
- Votre bouche ou votre gorge est tapissée de nombreux points blancs ou d'une membrane blanchâtre.
- Vous avez un ulcère dans la bouche depuis plus de 10 jours.

QUE SE PASSE-T-IL LORS DE L'EXAMEN ?

La palpation de la région de la tête et du cou ainsi qu'une inspection visuelle permettent d'identifier la majorité des problèmes. Pour examiner la gorge, le médecin peut se servir d'un endoscope, tube souple ou rigide contenant un faisceau de fibres optiques. Si nécessaire, une analyse du sang, des épreuves de laboratoire et des examens radiologiques peuvent être demandés. En cas de lésion, telles une leucoplasie ou une tumeur, des biopsies s'imposeront.

QUEL EST LE TRAITEMENT ?

Une hydratation adéquate, une saine alimentation, du repos, de l'exercice pratiqué régulièrement, des séances de relaxation et l'abandon du tabac viendront à bout de la plupart des problèmes de mauvaise haleine, de sécheresse de la bouche et de maux de gorge passagers. Les amygdales cryptiques d'un patient qui souffre de maux de gorge chroniques, en plus d'avoir mauvaise haleine, peuvent être retirées chirurgicalement. Un antifongique sera prescrit pour éliminer le *Candida albicans*.

Caractéristiques normales et anomalies bénignes de la bouche

Certaines personnes s'inquiètent en s'examinant la bouche. Sachez que la couleur normale de la bouche varie dans les nuances de rouge et de rose. Les points surélevés qu'on aperçoit à la base de la langue sont les papilles gustatives, qui nous permettent de percevoir les saveurs. Enfin, les points rouges qui parsèment la langue sont des varicosités ou petites dilatations veineuses bénignes.

La langue « géographique » est une anomalie sans gravité, de cause inconnue. Des lignes blanches dessinent des régions où les papilles gustatives ont disparu, rendant la langue plus sensible. Au besoin, un analgésique léger peut soulager la douleur.

La langue velue s'observe lorsque les papilles gustatives deviennent un peu plus saillantes. Des bactéries normalement présentes dans la bouche peuvent alors produire un pigment et colorer la langue d'une teinte brunâtre. Cette anomalie est bénigne. On peut temporairement en modifier la couleur par un brossage de la langue.

Des marques à l'intérieur des joues s'observent chez ceux qui réagissent au stress en serrant fortement les mâchoires et en grinçant des dents, surtout la nuit. Ce phénomène, appelé bruxisme, peut être atténué par la relaxation. En cas de douleur, une prothèse dentaire mobile servant à maintenir un espace entre les dents de la mâchoire inférieure et de la mâchoire supérieure durant le sommeil peut être réalisée par un dentiste.

Pour les aphtes qui ne guérissent pas, il s'agira d'identifier et de traiter la cause. En outre, des médicaments à base de cortisone pour supprimer l'inflammation (Kenalog-Orabase) pourront être prescrits. Il arrive aussi que les médecins demandent au pharmacien de préparer des gargarismes médicamentés (antihistaminiques, antifongiques, cortisone et antibiotiques).

Angine de poitrine

Le cœur est un muscle qui pompe le sang afin de le distribuer dans tout l'organisme. Pour remplir cette fonction, il a lui-même besoin de sang et d'oxygène, qui lui sont apportés par trois artères principales. Si l'une d'elles est partiellement obstruée, le cœur manque d'oxygène et les efforts lui sont plus difficiles. Cela se traduit par des douleurs à la poitrine, que l'on désigne sous le nom d'angine de poitrine.

L'angine de poitrine se manifeste par les symptômes suivants:

- douleurs ou serrements à la poitrine lors d'efforts physiques;
- irradiation de la douleur vers les bras, le cou et les épaules;
- apparition d'un essoufflement ou essoufflement anormal à l'effort;
- disparition des symptômes au repos.

QUELLES SONT LES CAUSES ?

- ***Artériosclérose.*** Un taux de cholestérol trop élevé entraîne la formation de plaques de cholestérol sur les artères coronaires qui risquent de les boucher partiellement ou totalement;
- ***Tabagisme et diabète.*** Ils augmentent les risques d'artériosclérose;
- ***Hypertension artérielle et obésité.*** Le muscle cardiaque doit travailler plus fort pour faire circuler le sang lorsque les artères sont moins élastiques (hypertension artérielle) ou lorsqu'il y a surcharge pondérale (obésité);
- ***Facteur génétique.*** Les risques d'angine de poitrine sont plus élevés si certaines personnes dans la famille ont souffert de troubles cardiaques avant la soixantaine;
- ***Postménopause.*** Elle entraîne une chute de la production d'hormones (les œstrogènes) qui protègent des maladies du cœur.

CONSEILS PRATIQUES

Éviter de sortir par temps froid et venteux. De nombreux angineux se rendent compte que le froid, surtout lorsqu'il est accompagné de vent, déclenche leurs symptômes. De fait, le froid et le vent exigent un effort physique supplémentaire pour le cœur et les poumons.

Ne pas faire d'efforts physiques violents et intenses. Pelleter, soulever des charges trop lourdes, jouer au squash, etc. Ces types d'efforts risquent de provoquer une crise d'angine de poitrine.

Cesser de fumer. Le tabagisme entraîne un blocage progressif des artères. Qui plus est, chaque cigarette provoque une contraction immédiate des artères, diminuant ainsi leur capacité de transporter le sang, ce qui réduit la quantité d'oxygène qui se rend au cœur. Le risque de décéder d'un infarctus du myocarde diminue de façon importante dès que l'on cesse de fumer. En fait, deux ans après avoir cessé de fumer, le risque redevient semblable à celui d'un non-fumeur, et ce, même si l'on a fumé pendant plusieurs années.

Réduire sa consommation de matières grasses. La consommation excessive de matières grasses, surtout d'origine animale, fait grimper le taux de mauvais cholestérol. Celui-ci s'accumule à l'intérieur des artères qui irriguent le muscle cardiaque et finit par bloquer la circulation du sang vers le cœur. Réduisez au maximum votre consommation de matières grasses et privilégiez une alimentation variée et équilibrée. Cela prévient non seulement l'hypercholestérolémie, mais aussi l'obésité, le diabète et l'hypertension, qui sont d'autres causes de l'angine de poitrine.

Attention à la crise cardiaque

Bien traitée, l'angine de poitrine peut demeurer stable pendant plusieurs années. Il arrive toutefois qu'elle s'aggrave et devienne instable : les douleurs à la poitrine surviennent à tout moment, même au repos. C'est le signe qu'un caillot est en train de se former ; il finira par obstruer complètement l'artère.

Si vous ressentez ces symptômes, il s'agit peut-être d'un signe avant-coureur d'infarctus ou d'angine instable (la forme d'angine de poitrine la plus grave). Consultez immédiatement un médecin.

Se renseigner. Pour obtenir des renseignements sur un régime alimentaire approprié, consultez des sources reconnues, comme la Fondation québécoise des maladies du cœur ou le *Guide alimentaire canadien*.Vous pouvez aussi rencontrer une diététicienne ou en parler à votre médecin.

Bouger. Si vous souffrez d'angine de poitrine, ne pratiquez pas l'aérobique ou la course à pied. Des activités physiques faciles et accessibles, telles que la marche, le vélo et la natation, vous permettront de réduire le taux de mauvais cholestérol et de vous remettre en forme. L'exercice joue également un rôle dans la maîtrise du diabète en rendant les tissus plus réceptifs à l'action de l'insuline. Mais, attention ! Pour que l'activité soit bénéfique, elle doit être pratiquée pendant au moins 45 minutes, trois fois par semaine.

Réduire le stress et l'anxiété. Reposez-vous. Si vous parvenez à réduire votre niveau de stress et d'anxiété, vous pourrez davantage maîtriser votre angine de poitrine. Il existe diverses techniques de relaxation (yoga, méditation, musique douce, bain chaud, etc.).

QUAND CONSULTER ?

- Vous avez des douleurs ou des serrements à la poitrine.
- Vous constatez un essoufflement nouveau ou anormal à l'effort.

QUE SE PASSE-T-IL LORS DE L'EXAMEN ?

Un examen basé sur l'histoire clinique, l'examen physique, la prise en compte des facteurs de risque, l'électrocardiogramme et, au besoin, d'autres examens permettront au médecin de poser un diagnostic. Par exemple, il peut s'agir d'un électrocardiogramme à l'effort (l'épreuve du tapis roulant) ou d'une scintigraphie myocardique avec effort ou avec médication mimant un effort (il s'agit d'un examen de médecine nucléaire qui permet de savoir si le cœur manque d'oxygène pendant l'effort). Si nécessaire, une artériographie sera pratiquée. Cela consiste en une injection de liquides pour vérifier l'état des artères. Il n'est pas toujours nécessaire de recourir à la haute technologie : dans la majorité des cas, le médecin pourra poser un diagnostic précis.

QUEL EST LE TRAITEMENT ?

Les médicaments utilisés dans le traitement de l'angine de poitrine visent à améliorer la qualité de vie du patient et à prévenir l'infarctus du myocarde.

La nitroglycérine en vaporisateur sublingual ou en comprimés, les nitrates à longue durée d'action et les inhibiteurs calciques sont utilisés pour dilater les artères afin de laisser passer davantage d'oxygène. Le médecin pourra aussi prescrire des bêtabloquants, qui diminueront la consommation d'oxygène en ralentissant le rythme cardiaque.

De plus, le médecin recommandera de l'aspirine enrobée à raison de 80 mg à 325 mg par jour; c'est le médicament le moins cher et le plus efficace pour prévenir l'infarctus du myocarde. Mais il ne faut pas en prendre sans avoir reçu l'accord de son médecin, car l'aspirine peut augmenter les risques d'hémorragie au niveau du cerveau ou de l'estomac.

En cas d'échec du traitement ou d'aggravation de l'angine de poitrine, on peut avoir recours à deux techniques de revascularisation: l'angioplastie ou le pontage coronarien. L'angioplastie permet de remodeler l'artère obstruée. On utilise une sonde à ballonnet qui s'ouvre pour élargir le rétrécissement, dégageant ainsi l'artère. Le pontage coronarien permet de rétablir la circulation sanguine en contournant la plaque de cholestérol qui obstrue l'artère.

Aphasie

Pour bien comprendre l'aphasie, on doit connaître la structure du cerveau humain. Ce dernier est divisé en deux parties, l'hémisphère dominant et l'hémisphère mineur. C'est dans l'hémisphère dominant que se situe le centre du langage, responsable de l'expression et de la compréhension du langage. L'hémisphère mineur est le siège des fonctions de perception et d'orientation dans l'espace. Et, dans chacun des hémisphères, se trouvent la vision, la sensibilité et la motricité.

L'aphasie est un signe neurologique dû à un trouble de l'hémisphère dominant. Selon le type d'aphasie, le problème peut être de trouver les mots, de comprendre les mots, ou les deux. Ainsi, l'aphasique est incapable de comprendre ce qu'on lui dit ou de trouver les mots nécessaires pour terminer ses phrases. Il peut également éprouver certaines difficultés à lire et à écrire.

L'aphasie peut être subite ou progressive. Il en existe différents types, dont voici les principaux :

Aphasie de Broca (ou aphasie motrice)

- excellente compréhension du langage ;
- atteinte de l'expression ;
- difficulté ou incapacité à trouver les mots justes ;
- troncation des phrases (p. ex. : « Je suis allé à l'hôpital » deviendra « Allé hôpital »).

Aphasie de Wernicke (ou aphasie sensorielle)

- atteinte de la compréhension ;
- facilité d'expression ;
- production de longues phrases sans signification ;
- ajout de mots inappropriés (p. ex. : « Le chien mange du papier j'irai demain ») ;
- substitution d'un mot à un autre ou d'une syllabe à une autre, phénomène appelé « paraphasie ».

Aphasie globale

- atteinte à la fois de l'expression et de la compréhension.

QUELLES SONT LES CAUSES ?

- ***Accident vasculaire cérébral (AVC).*** C'est la cause la plus fréquente d'une aphasie d'apparition subite. Un caillot ou une thrombose peut obstruer les artères qui irriguent l'hémisphère dominant du cerveau. Une paralysie complète ou partielle d'une moitié du corps accompagne souvent l'aphasie lors d'un AVC. S'il se produit dans l'hémisphère mineur, l'AVC peut causer certains problèmes d'élocution, en raison de la paralysie de la bouche et des muscles de la phonation (dysarthrie). Dans un tel cas, toutefois, l'expression et la compréhension ne sont pas touchées ;
- ***Traumatismes, comme une grave blessure à la tête*** ;
- ***Tumeur cérébrale.*** La croissance d'une tumeur cérébrale peut entraîner une compression progressive du centre du langage ;
- ***Syndrome démentiel (p. ex. : maladie d'Alzheimer).*** Ce type de maladies détruit peu à peu les cellules cérébrales responsables du langage.

CONSEILS PRATIQUES

Ne pas prendre l'aphasie à la légère. Toute personne soucieuse ou particulièrement fatiguée peut perdre le fil de ses idées ou encore chercher ses mots. Il s'agit d'un phénomène normal et il ne faut pas s'en inquiéter. Toutefois, si cela se produit sans raison apparente, il vaut mieux consulter rapidement un médecin, la récupération n'en sera que facilitée.

Prévenir l'AVC. Le tabagisme, les troubles cardiaques, l'hypertension, le diabète, l'artériosclérose et le vieillissement sont tous des facteurs de risque d'accidents vasculaires cérébraux. Pour les prévenir, vous devez maintenir un poids santé, pratiquer une activité physique, avoir une saine alimentation, faire vérifier votre tension artérielle régulièrement et, surtout, cesser de fumer.

Si un proche souffre d'aphasie. Soyez patient, car la récupération est parfois longue et pénible. Vous pouvez l'aider à récupérer en ne terminant pas ses phrases pour lui, en l'incitant à faire des efforts et en utilisant un langage simple et de courtes phrases (sans toutefois adopter le «langage bébé»).

Demander de l'aide. Il existe des organismes et des groupes d'entraide, comme l'Association pour le rétablissement des cérébro-lésés du Québec, qui ont pour but d'offrir soutien et information aux aphasiques ainsi qu'à leur famille. Pour connaître les ressources dans votre région, informez-vous auprès de votre CLSC.

QUAND CONSULTER ?

- Vous croyez que vous êtes aphasique.
- Vous pensez qu'un de vos proches souffre d'aphasie.
- Quelqu'un de votre entourage vous fait remarquer que vous avez des troubles d'élocution.

QUE SE PASSE-T-IL LORS DE L'EXAMEN ?

Le médecin procédera à un examen médical complet, comprenant un interrogatoire et un examen neurologique. Il pourra avoir recours à l'électroencéphalogramme, à la tomodensitométrie cérébrale (*scanner*), à la tomographie isotopique du cerveau (SPECT) par résonance magnétique ainsi qu'à un examen orthophonique ou neuropsychologique.

QUEL EST LE TRAITEMENT ?

Il n'existe aucun traitement médicamenteux ou chirurgical de l'aphasie, quel qu'en soit le type. Seuls le temps et la rééducation orthophonique peuvent améliorer l'état du patient. Et il n'y a pratiquement rien à faire si l'aphasie est attribuable à une tumeur cérébrale ou à un syndrome démentiel.

Quand il s'agit d'un AVC ou d'un traumatisme, il est rare que l'aphasie demeure permanente. Le rétablissement peut être complet ou incomplet. Dans la majorité des cas, il y a récupération appréciable du langage, avec quelques séquelles (par exemple, le patient peut buter sur certains mots). Mais pour un rétablissement maximal, il est recommandé que la rééducation soit entreprise dès l'apparition des symptômes, car c'est à ce moment que la réponse du cerveau est à son meilleur.

La rééducation orthophonique commence souvent à l'hôpital, dans les jours qui suivent le diagnostic. La durée de la rééducation est habituellement de trois mois. Si l'aphasique se sent déprimé, une aide psychologique lui sera apportée. Lorsque l'état de santé du patient le permet, la rééducation se fait en externe, dans un centre de réadaptation. En outre, les proches seront mis à contribution afin de soutenir le patient et de l'aider dans ses exercices.

La vitesse d'amélioration varie selon l'importance des lésions, l'état de santé général de l'aphasique, sa motivation et son niveau d'éducation. En général, la récupération la plus rapide prend six semaines, mais elle peut s'étendre sur une année.

Augmentation de volume des ganglions

Les ganglions sont de petits renflements cellulaires du système lymphatique. Le système lymphatique est un réseau très complexe de vaisseaux dans lequel circule un liquide (la lymphe) qui sert à véhiculer les cellules du système immunitaire et à « nettoyer » l'organisme.

Les ganglions jouent un rôle important dans la défense de l'organisme. Il y en a partout dans l'organisme et on peut facilement palper ceux du cou, de l'aine et des aisselles. Les ganglions purifient la lymphe et agissent comme une barrière contre la maladie. De fait, lorsqu'ils filtrent un foyer infectieux, ils se mettent à fabriquer des anticorps afin de lutter contre l'envahisseur. C'est pourquoi ils gonflent rapidement. Ils deviennent douloureux lorsqu'ils doivent « travailler » particulièrement fort. C'est donc dire que la douleur est signe que l'infection est importante. Une augmentation graduelle et sans douleur peut parfois faire soupçonner la présence d'une tumeur maligne (cas très rare). Occasionnellement, une augmentation du volume des ganglions peut s'accompagner de chaleur et de rougeur.

QUELLES SONT LES CAUSES ?

- *Infections.* Il s'agit, et de loin, des causes les plus fréquentes. Par exemple, une mononucléose infectieuse ou une infection de l'oreille ou de la gorge affecteront les ganglions du cou. Une infection du bras (à cause, par exemple, d'une piqûre d'insecte qui s'est infectée) pourra entraîner un gonflement des ganglions de l'aisselle. Une infection transmissible sexuellement affectera les ganglions de l'aine. Le virus du VIH peut s'accompagner, selon le stade d'évolution, d'une hypertrophie ganglionnaire généralisée ;
- *Tumeurs cancéreuses.* Il peut s'agir soit d'un cancer prenant son origine dans un ganglion, comme dans la maladie de Hodgkin, soit d'un cancer qui a débuté dans un organe et qui a répandu des métastases. En effet, si le cancer a produit des métastases, les cellules cancéreuses vont circuler dans la lymphe et les ganglions essaieront automatiquement de les stopper. La métastase pourra

alors continuer de se développer dans les ganglions. C'est pourquoi, par exemple, les médecins qui traitent le cancer du sein prélèvent les ganglions de l'aisselle afin de savoir si la maladie s'est répandue. Dans tous les cas de cancer, les ganglions augmentent graduellement de volume sans qu'il y ait de douleur;

- ***Certains troubles immunitaires***, tels que les allergies, le lupus érythémateux disséminé, la polyarthrite rhumatoïde, etc.

CONSEILS PRATIQUES

Attendre et ne pas s'inquiéter. L'augmentation de volume des ganglions est le plus souvent due à une infection. Si l'organisme peut la combattre seul, le gonflement disparaîtra spontanément au bout de quelques jours ou de deux ou trois semaines. S'il ne disparaît pas après ce temps, un traitement médical sera nécessaire. Bien sûr, il ne faut pas attendre pour voir un médecin si l'infection vous inquiète.

Ne pas sous-estimer son état. Si aucune infection ne semble être responsable de l'hypertrophie ganglionnaire, soyez vigilant. N'hésitez pas à consulter votre médecin.

Prendre certains médicaments. Pour soulager la douleur, vous pouvez prendre des comprimés d'acétaminophène. Un ou deux comprimés (325 mg ou 500 mg) quatre fois par jour, jusqu'à un maximum de 4 g par jour, aideront à soulager la douleur. À noter que les anti-inflammatoires sont inutiles, car il s'agit d'une infection et non d'une inflammation.

QUAND CONSULTER ?

- Les ganglions n'ont pas diminué de volume après trois semaines.
- Les ganglions sont rouges, chauds et très sensibles.
- Vous constatez une augmentation du volume des ganglions derrière une oreille (en raison de la proximité des méninges).
- Un ou plusieurs ganglions sont apparus progressivement, sans raison apparente.
- L'infection vous inquiète.

QUE SE PASSE-T-IL LORS DE L'EXAMEN ?

Le médecin interrogera le patient afin de déceler une cause potentielle. Il fera un examen clinique complet comprenant l'observation de tous les ganglions palpables, une inspection de la gorge et des oreilles, une auscultation pulmonaire ainsi qu'un examen de l'abdomen. Des analyses sanguines et un prélèvement dans le ganglion malade sont parfois nécessaires pour préciser le diagnostic.

QUEL EST LE TRAITEMENT ?

Infections

On utilisera des antibiotiques pour lutter contre les infections. Si la cause est une infection virale, le gonflement disparaîtra spontanément après quelque temps.

Tumeurs cancéreuses

En cas de tumeur sous-jacente, un traitement approprié sera entrepris (chirurgie, radiothérapie, chimiothérapie).

Troubles immunitaires

Divers traitements en rapport avec le trouble s'appliqueront dans ces cas.

Ballonnement et flatulence

Le tube digestif est un conduit souple, pourvu d'un système musculaire lisse qui, d'une extrémité à l'autre de l'organisme, capte la nourriture, la digère et en rejette les déchets.

Les aliments mastiqués séjournent en moyenne deux à trois heures dans l'estomac, où ils sont préparés pour la digestion qui aura lieu dans le petit intestin (grêle). Ils passent ensuite dans le gros intestin (côlon). C'est là que se forment les gaz, par un processus de fermentation bactérienne tout à fait normal. Les deux principaux gaz produits sont l'hydrogène et le méthane.

L'accumulation de gaz intestinaux est habituellement responsable du ballonnement (augmentation du volume de l'abdomen) et de la flatulence (expulsion des gaz par l'anus). Toutefois, d'autres phénomènes peuvent également en être responsables.

QUELLES SONT LES CAUSES ?

- ***Certains aliments.*** Tous les aliments passent par la fermentation bactérienne, mais certains causent plus de ballonnements et de gaz que d'autres. En particulier ceux qui contiennent du sucre (naturel ou artificiel), des hydrates de carbone et des fibres alimentaires. De plus, les produits laitiers consommés en grande quantité sur une courte période (deux ou trois verres de lait au déjeuner, par exemple) produiront davantage de gaz.
- ***Intolérance au lactose.*** Il s'agit d'un déficit en lactase, enzyme qui sert à digérer le lactose (sucre naturel contenu dans les produits laitiers). Ce déficit, habituellement d'origine génétique, peut toutefois apparaître à la suite d'une gastroentérite qui a lavé toute la lactase de l'intestin et qui endommagé les cellules qui la produisent. Cette conséquence, qui peut être permanente, survient d'ordinaire dans les cas très graves de gastroentérite. L'intolérance au lactose peut aussi survenir chez une personne qui a complètement cessé de consommer des produits laitiers pendant quelques mois, l'intestin ne fabriquant alors plus l'enzyme. Lorsqu'il y a déficit en lactase, le lactose se retrouve non digéré dans le gros intestin ; il y

fermente donc davantage. En plus du ballonnement et de la flatulence, ce problème peut parfois s'accompagner de diarrhées ou de crampes intestinales après l'absorption de produits laitiers.

- ***Constipation.*** Après quelques jours de constipation, les selles se sont accumulées dans le gros intestin. Le processus de fermentation fonctionnant davantage, il y aura une plus grande production de gaz.
- ***Ralentissement des mouvements de l'intestin.*** Le travail de l'intestin peut se trouver ralenti après un repas copieux et gras, plus difficile à digérer. L'individu aura tendance à sentir de l'inconfort, mais sans qu'il y ait nécessairement plus de gaz intestinaux.
- ***Aérophagie.*** Mauvaise habitude ou tic qui consiste à avaler trop d'air en mangeant et en buvant. Une trop grande quantité d'air dans l'intestin entraînera une sensation de ballonnement, des gaz et des rots.
- ***Quelques maladies des intestins ou du foie.*** Certaines pathologies causent des ballonnements. Ainsi, un blocage de l'intestin par une masse cancéreuse ou par la maladie de Crohn (maladie chronique qui cause des ulcères intestinaux) peut entraîner une augmentation du volume de l'intestin, et donc de l'abdomen. Pour sa part, la cirrhose du foie risque d'entraîner une accumulation d'eau dans l'abdomen.

CONSEILS PRATIQUES

Tenir un journal. Si vos problèmes de ballonnement et de flatulence vous incommodent vraiment, tenez un journal alimentaire. Notez-y tout ce que vous mangez et vous arriverez sans doute, par élimination, à trouver l'aliment responsable, que vous devrez sans doute consommer en plus faible quantité.

Faire une promenade après le repas. Une promenade d'une quinzaine de minutes stimule la digestion, prévenant ainsi le ballonnement et la formation de gaz intestinaux.

Changer de boissons. Évitez les boissons gazeuses et la bière. Après un repas, prenez des tisanes de camomille, de menthe ou de fenouil plutôt que du café ou du thé. Elles ont des propriétés qui aident à prévenir le ballonnement et la flatulence. Il semble aussi que quelques gouttes d'extrait de menthe, de cannelle ou de gingembre dans un verre d'eau aient le même effet.

Manger moins gras. Pour une digestion facile et sans ballonnement, évitez les repas gras et copieux. Pour la même raison, prenez le temps de bien mastiquer votre nourriture.

Prendre plusieurs petits repas. Manger quatre ou cinq petits repas par jour favorise le travail continuel du système digestif, alors que de gros repas peuvent causer une sensation de ballonnement.

Se tourner vers les médicaments. Il existe des produits à base de siméthicone ou de charbon activé qui réduisent le ballonnement et les

Aliments à surveiller

Voici une liste des principaux aliments responsables des ballonnements et des flatulences :

- **aliments gras (bacon, croustilles, friture, chocolat, etc.) ;**
- **bière et boissons gazeuses ;**
- **bretzels (en grande quantité) ;**
- **céréales de blé, riz, avoine ou maïs raffinées et sucrées (Rice Krispies, Corn Flakes, Corn Pops, etc.) ;**
- **crudités ;**
- **fruits (la plupart, mais surtout l'abricot et la banane) ;**
- **légumes de la famille du chou (brocoli, chou vert, chou-fleur, chou chinois, choux de Bruxelles) ;**
- **légumineuses (haricots secs, lentilles, pois chiches, etc.) ;**
- **oignons ;**
- **pain blanc ;**
- **pommes de terre ;**
- **petits pois ;**
- **produits laitiers (en grande quantité, ingérés rapidement).**

gaz intestinaux, sans pratiquement aucun effet secondaire. Il suffit d'en prendre un comprimé avant le repas, au besoin. Ce sont des produits en vente libre ; demandez conseil à votre pharmacien.

Pour ceux qui souffrent d'intolérance au lactose. Certains produits laitiers contiennent moins de lactose que d'autres. S'il est conseillé d'éviter le lait, la crème glacée, le yogourt et les fromages blancs (cottage, ricotta), la plupart des autres fromages peuvent être consommés sans inquiétude. On parle ici de cheddar, gruyère, brie, camembert, mozzarella, brick, etc. Pour ceux qui veulent quand même consommer des produits laitiers, la prise de comprimés de Lactaid (enzyme artificielle pour digérer le lactose) avant la consommation prévient les réactions d'intolérance. Afin de s'assurer d'une quantité suffisante de calcium, les suppléments de calcium sont tout indiqués.

Pour prévenir ou traiter la constipation. Plutôt que d'utiliser des laxatifs en vente libre, augmentez l'apport en fibres alimentaires dans vos menus. Allez-y graduellement afin que vos intestins aient le temps de s'y habituer (parce que les fibres causent elles aussi de la flatulence).

Ne pas avaler trop d'air en mangeant. L'excédent d'air dans le système digestif entraîne des ballonnements, des gaz et des éructations (rots). Si vous y êtes sujet, évitez de mâcher de la gomme, de manger trop chaud ou trop froid (vous risquez de manger plus rapidement, donc d'avaler plus d'air que nécessaire). Et prenez le temps de mastiquer.

Comment neutraliser la flatulence causée par les légumineuses. Si vous êtes un amateur de fèves au lard, par exemple, mais que leurs effets vous désespèrent, essayez ceci : faites-les tremper toute une nuit dans l'eau, puis cuisez-les à petit feu. Il semble en effet que les légumineuses perdent leurs propriétés gazogènes dans l'eau et à la cuisson. Vous pouvez également prendre du Beano avec votre première bouchée de légumineuses. C'est une enzyme liquide qui aide à prévenir les gaz. On la trouve sen pharmacie ; suivez bien les instructions.

QUAND CONSULTER ?

- Le ballonnement est associé à une perte de poids, des diarrhées ou des crampes abdominales, en particulier après le repas.
- Le ballonnement s'accompagne de gonflement des jambes et d'une prise de poids.
- Vous avez l'impression d'avoir une masse dans le ventre.

QUE SE PASSE-T-IL LORS DE L'EXAMEN ?

Le médecin procédera à un intérrogatoire et à un examen physique complet. Une analyse sanguine, une échographie abdominale et d'autres examens radiologiques (radiographie des intestins, tomographie axiale [*scanner*], résonance magnétique, etc.) peuvent être requis.

QUEL EST LE TRAITEMENT ?

Certains aliments, intolérance au lactose, constipation, ralentissement des mouvements de l'intestin, aérophagie

Aucun traitement médical ne peut guérir ou régler définitivement le problème. Par contre, on peut aider à maîtriser les symptômes et à améliorer la qualité de vie. Dans le cas de la constipation, le médecin pourra ajouter des émollients et des laxatifs aux traitements usuels. Du Lactaid sera utilisé pour prévenir les réactions d'intolérance au lactose. Des médicaments pourront aider à régulariser les mouvements de l'intestin et à maîtriser l'aérophagie.

Quelques maladies des intestins ou du foie

Un cancer de l'intestin nécessitera une ablation chirurgicale et des traitements de chimiothérapie.

La maladie de Crohn nécessite un traitement médicamenteux pour prévenir les ulcères ou une chirurgie pour enlever la portion malade de l'intestin.

Quant à la cirrhose du foie, le médecin pourra prescrire des diurétiques pour diminuer l'accumulation d'eau dans l'abdomen. Bien sûr, si l'alcool est responsable de la cirrhose, il faudra en diminuer ou même en cesser la consommation.

Besoin fréquent d'uriner

Située dans le bassin, la vessie est un organe en forme de sac, composé de fibres musculo-membraneuses et tapissé d'une muqueuse. L'urine arrive par les uretères, des canaux qui relient la vessie aux reins. Durant la miction, la vessie se contracte (ce sont les contractions vésicales), le sphincter situé entre la vessie et l'urètre s'ouvre et l'urètre se dilate pour laisser passer l'urine.

L'envie d'aller aux toilettes survient d'habitude lorsque la vessie contient environ 250 à 300 millilitres de liquide (un peu plus d'une tasse). L'être humain élimine en moyenne un à deux litres d'urine quotidiennement. Il est normal d'uriner six à huit fois par jour et d'aller aux toilettes une fois durant la nuit. Cependant, beaucoup de gens n'y vont pas du tout la nuit. Si on y va plus souvent, c'est qu'il peut y avoir un problème (évidemment, si on boit beaucoup, il faut s'attendre à y aller plus fréquemment).

Le besoin fréquent d'uriner indique que la vessie a besoin de se vider souvent. Cela ne signifie pas nécessairement que la vessie se remplit au complet très vite. Il peut s'agir d'une vessie vieillissante, d'une vessie hyperactive (c'est-à-dire une vessie qui se contracte trop souvent ou d'une mauvaise façon), d'un problème d'inflammation ou d'irritation des tissus, d'un blocage ou d'un dysfonctionnement de l'urètre qui empêche la vessie de se vider complètement. Ce peut aussi être la conséquence d'une maladie. Il est bon de souligner que le besoin fréquent d'uriner n'est pas la même chose que l'incontinence urinaire.

Avoir de fréquents besoins d'uriner a un impact important sur la qualité de vie : mauvais sommeil, réduction de l'activité sexuelle, baisse de la confiance en soi, sentiment de honte, embarras, retrait des activités sociales, etc. Les personnes doivent toujours s'assurer de ne pas être trop loin des toilettes ; elles ont peur de ne pas pouvoir se retenir, craignent de mouiller ou de tacher leurs vêtements, de sentir l'urine, d'être embarrassées en public, de vieillir prématurément. En outre, la plupart des gens ne cherchent pas d'aide médicale, car ils sont gênés et ignorent qu'il existe des traitements.

Le besoin fréquent d'uriner peut se manifester par les symptômes suivants :

- besoin d'uriner plus de huit fois durant la journée et plus de deux fois la nuit ;
- sensation d'urgence ;
- difficulté à retenir les urines ;
- le jet urinaire peut être normal, diminué ou d'à peine quelques gouttes.

QUELLES SONT LES CAUSES ?

- ***Habitudes de vie.*** Il faut s'attendre à remplir plus vite sa vessie si on a l'habitude d'avoir en permanence un verre ou une bouteille d'eau à la main. Qui plus est, le café et le thé pris en grande quantité (plus de cinq tasses par jour) ont un effet diurétique (qui augmente la sécrétion urinaire) et irritant sur la vessie, ce qui l'amène à se vider souvent. L'alcool (la bière surtout) a aussi un effet diurétique, tout comme certains produits naturels : la glucosamine, les herbes qui « nettoient l'organisme » et les produits aux propriétés dites amaigrissantes.
- ***Cause inconnue.*** La plupart du temps, après un examen complet, le médecin ne trouve aucune raison au besoin fréquent d'uriner ;
- ***Vieillissement.*** De façon naturelle, chez les hommes et les femmes, la vessie perd avec l'âge de sa capacité à retenir l'urine longtemps (parce que les muscles comme le sphincter perdent de leur tonicité). Elle émet donc plus souvent au cerveau le signal qu'elle a besoin de se vider ;
- ***Diabète.*** Les diabétiques qui s'ignorent ou ceux dont la glycémie est mal maîtrisée ont souvent besoin d'uriner. En effet, ils boivent beaucoup, car ils éprouvent une soif intense du fait que leur taux de sucre dans le sang est trop élevé ;
- ***Infections urinaires.*** Causée par une bactérie ou un virus, l'infection urinaire entraîne une inflammation et une irritation de la paroi de la vessie, ce qui l'amène à vouloir se vider plus souvent. En plus du besoin fréquent d'uriner, l'infection urinaire peut s'accompagner de douleur, de sensation de brûlure à la miction, de sang dans l'urine et, plus rarement, de fièvre ;

Les enfants et le besoin fréquent d'uriner

Comme les jeunes enfants ont une petite vessie, elle se remplit plus vite. C'est pourquoi ils ont besoin d'aller aux toilettes plus souvent que les adultes. Ainsi, il est normal qu'un bambin de 18 mois aille «faire pipi» 10 fois par jour. Cela fait partie du processus normal de maturité de la vessie: plus l'enfant grandit, plus la capacité de la vessie augmente et plus le contrôle des sphincters se raffine.

La vessie de l'enfant devient mature vers l'âge de cinq ans. Jusqu'à cet âge, il est tout à fait normal que le système urinaire ne soit pas encore vraiment au point et que l'enfant n'en ait pas la totale maîtrise.

Voici quelques conseils pour aider les enfants à mieux maîtriser leur vessie:

- À la garderie, les règlements stipulent habituellement que les enfants peuvent aller aux toilettes à certains moments précis de la journée. Pourtant, comme leur petite vessie se remplit plus vite et qu'ils n'en n'ont pas encore la totale maîtrise, il faut qu'ils puissent aller aux toilettes quand ils en expriment le besoin. Il ne faut pas hésiter à l'exiger (et demander un mot au médecin, si nécessaire).
- Comme ils sont souvent très occupés à jouer, les enfants peuvent ignorer le message envoyé par le cerveau pour dire que la vessie est pleine. Ils n'y vont qu'à la dernière minute, laissant quelquefois échapper quelques gouttes dans leurs sous-vêtements. On doit donc leur rappeler régulièrement d'aller aux toilettes afin de les inciter à écouter leur corps.
- Il faut aussi veiller à éviter la constipation. Dans un bassin d'enfant, un intestin plein laisse peu de place à la vessie pour se remplir au complet. Une alimentation riche en fibres (céréales et pain complets, fruits et légumes) évitera les problèmes de constipation et le besoin fréquent d'uriner.
- Dans notre société nord-américaine, il est d'usage de chercher à ce qu'un enfant soit propre vers l'âge de deux ans et même avant si possible. C'est un peu trop tôt pour bien des petits. Rien ne presse avant l'âge de deux ans et demi ou trois ans, surtout pour la propreté de nuit. L'apprentissage se fait progressivement et est plus facile pour l'enfant à partir de cet âge.

- ***Infections transmissibles sexuellement (ITS).*** La gonorrhée, la chlamydiose, l'herpès et les condylomes provoquent une inflammation des muqueuses de la vessie. Outre le besoin fréquent et parfois urgent d'uriner, les symptômes suivants sont quelquefois présents : sensation de brûlure à la miction, démangeaisons, sang dans les urines ;
- ***Cystite interstitielle.*** De cause encore inconnue, la cystite interstitielle se décrit comme un manque de tissu pour tapisser l'intérieur de la vessie (ce tissu s'appelle le glycosaminoglycans). En fait, cela peut ressembler à un ulcère. Comme la muqueuse à vif supporte mal le contact de l'urine, elle doit se vider plus souvent. On reconnaît la cystite par des douleurs au bas-ventre qui sont soulagées par la miction. Cette maladie touche plus souvent les femmes (neuf femmes pour un homme) sans qu'on sache pourquoi ;
- ***Hypertrophie bénigne de la prostate.*** La prostate est un organe de la taille d'une noix situé sous la vessie des hommes et où passe l'urètre. À partir de la trentaine, elle commence à grossir (phénomène normal, mais encore non expliqué) et peut parfois, avec les années, gonfler jusqu'à obstruer l'urètre, empêchant la vessie de se vider normalement ;
- ***Blocage de l'urètre.*** Un traumatisme de l'appareil urinaire ou dans la région pelvienne (chirurgie qui guérit mal, installation d'une sonde, accidents de vélo ou de moto) ou un corps étranger dans la vessie (calculs ou objets entrés par le méat urinaire, c'est-à-dire l'ouverture par où est expulsée l'urine) risquent d'obstruer l'urètre. Ce qui se traduira par des besoins accrus d'uriner et une sensation d'urgence ;
- ***Hyperréflexibilité du détrusor.*** Le détrusor est le principal muscle de la vessie. Il a la propriété de s'étirer pour contenir l'urine et de se contracter lorsque vient le moment de l'expulser hors de la vessie. Certaines maladies neurologiques (comme la sclérose en plaques, le spina-bifida, les accidents vasculaires cérébraux et les traumatismes de la moelle épinière) détruisent ou endommagent le système nerveux qui contrôle la vessie, ce qui provoque des spasmes (contractions) du détrusor quand il ne devrait pas y en avoir (quand la vessie n'est pas encore pleine) ;

- ***Hyperactivité neurologique de l'urètre.*** Chez les quadraplégiques, les atteintes neurologiques peuvent faire en sorte que l'urètre se ferme plutôt que de se dilater au moment de la miction. L'urètre et la vessie ne sont donc plus coordonnés et la vessie devient « désordonnée », ce qui se traduit par des spasmes. La personne aura souvent envie d'uriner, sans nécessairement qu'il y ait un jet urinaire normal ;
- ***Hypersensibilité vésicale.*** Sans que l'on sache pourquoi, il arrive que certaines personnes soient très sensibles à leur urine (on le remarque surtout chez celles qui ne boivent pas beaucoup). La vessie supporte mal l'urine très concentrée et veut l'éliminer au fur et à mesure.

CONSEILS PRATIQUES

Modifier quelques habitudes. Buvez moins de liquides (cependant, pour bien s'hydrater, l'organisme a besoin tous les jours de huit verres d'eau de 250 mL chacun. C'est le minimum). Ne buvez pas le soir ni avant d'aller vous coucher. Si vous prenez des médicaments ou des produits naturels qui ont un effet diurétique, prenez-les le matin ou tôt dans la journée. Faites attention à votre consommation de café, de thé et d'alcool.

Essayer de reconditionner sa vessie. Il existe un exercice qui peut vous aider à rééduquer votre vessie. Il est tout simple. La première semaine, dès que l'envie d'uriner se fait sentir, cessez votre activité, concentrez vous et attendez une minute avant d'aller aux toilettes. Faites cela pendant une semaine. La deuxième semaine, attendez deux minutes. La troisième semaine, trois minutes. Et ainsi de suite, jusqu'à ce que la sensation de toujours vouloir uriner se fasse moins présente. Cela peut prendre quelques semaines.

Un autre exercice de reconditionnement. Vous pouvez aussi essayer de rééduquer votre vessie afin qu'elle se contracte au bon moment. C'est une forme de biofeedback. Pour ce faire, allez aux toilettes à heures fixes, toutes les trois heures, par exemple ; essayez de vous retenir dans l'intervalle. Urinez jusqu'à ce que vous ayez la sensation que votre vessie est vide. Pour vous en assurer, levez-vous, rasseyez-vous et essayez d'uriner une deuxième fois.

Prévoir les petits accidents. Les personnes âgées et les malades n'ont pas toujours toute la mobilité voulue pour se rendre aux toilettes souvent et rapidement. Un pot de chambre ou des couches pour adultes peuvent être très utiles.

Tenir son calendrier mictionnel. Avant d'aller voir votre médecin, préparez-vous. Une semaine à l'avance, notez quotidiennement le nombre de fois où vous allez uriner, de jour comme de nuit. Notez si le jet urinaire est normal ou diminué. Inscrivez aussi les pertes d'urine sur votre calendrier. Cela aidera grandement le médecin à avoir un portrait de la situation. De toute façon, c'est quelque chose que le médecin va vous demander de faire.

QUAND CONSULTER ?

- Vous allez aux toilettes plus de huit fois par jour, sans raison apparente.
- Votre envie d'uriner vous force à vous lever plus de deux fois durant la nuit.
- Vous avez des maux de ventre qui sont soulagés à la miction.
- Vous présentez des signes d'infection (fièvre, sang dans l'urine, sensation de brûlure).
- Vous souffrez d'incontinence urinaire.
- Vos symptômes nuisent à votre qualité de vie.

QUE SE PASSE-T-IL CHEZ LE MÉDECIN ?

En plus de noter les informations nécessaires et de faire l'examen physique, le médecin pourra procéder à une analyse d'urine (pour vérifier la présence de sang, de sucre, de protéines, etc.), à une culture d'urine (pour déceler la présence de bactéries), à une cytologie urinaire s'il y a du sang dans les urines (pour analyser les cellules de l'urine) et, selon le cas, à une évaluation endo-urologique (examen approfondi de la vessie). Chez l'homme, l'examen clinique comprend un toucher rectal pour évaluer la dimension de la prostate.

QUEL EST LE TRAITEMENT ?

Dans la plupart des cas, les anticholinergiques constituent le traitement de choix. Ces médicaments ont la propriété d'inhiber les contractions de la vessie, ce qui retardera l'envie d'uriner. Les principaux produits utilisés sont le Ditropan et Ditropan XL, le Détrol et l'Unidet). La plupart du temps, ils doivent être pris à long terme (pendant des mois et même des années).

Cause inconnue

Outre les conseils d'usage, le médecin peut prescrire un anticholinergique. Si ce médicament ne donne pas de résultats, on pourra recourir aux antidépresseurs tricycliques à petites doses, comme l'amitryptilline, qui ont aussi la propriété d'inhiber l'hyperactivité de la vessie. Eux aussi doivent être prescrits à long terme.

Vieillissement

Outre les conseils de base, les anticholinergiques sont souvent prescrits à long terme, voire à vie.

Diabète

Le diagnostic et la maîtrise adéquate de la maladie aident à régler le problème de soif intense.

Infections urinaires et infections transmissibles sexuellement (ITS)

Elles se traitent par des antibiotiques.

Cystite interstitielle

Le médecin prescrira des médicaments (comme l'Elmiron) qui ont la propriété de refaire le tissu qui tapisse l'intérieur de la vessie. Ils doivent être pris à long terme.

Hypertrophie bénigne de la prostate

Dans la moitié des cas, le traitement médicamenteux de l'hypertrophie suffit à régler le problème. Les alphabloquants (comme le Flomax) qui sont prescrits par le médecin font relâcher le muscle de la prostate, ce qui permet à la vessie de mieux se vider. Si cela ne donne pas les résultats escomptés, le médecin peut prescrire du Proscar, un médicament qui a la propriété d'empêcher la prostate de grossir. Ces deux types de produits doivent être prescrits à vie pour être efficaces. Les anticholinergiques peuvent être utilisés en même temps pour inhiber les contractions de la vessie. Dans certains cas, on peut recourir à une chirurgie pour enlever la partie gonflée de la prostate, ce qui diminuera l'obstruction de la vessie et de l'urètre.

Blocage de l'urètre
S'il y a un corps étranger dans la vessie, il faudra recourir à une chirurgie sous anesthésie locale ou générale pour l'enlever. Un traumatisme de l'appareil urinaire ou dans la zone pelvienne nécessitera une chirurgie endoscopique pour réparer le dommage ou une chirurgie plastique de l'urètre (pour reconstruire l'urètre). Dans tous ces cas, le problème du besoin fréquent d'uriner peut en général se régler.

Hyperréflexibilité du détrusor
Si c'est possible, le médecin prescrira une médication pour traiter la maladie qui en est responsable. Sinon, il utilisera les anticholinergiques afin de régler le problème de vessie hyperactive.

Hyperactivité neurologique de l'urètre
Des anticholinergiques seront prescrits. Une sonde urinaire pourra servir à vider artificiellement la vessie. Cette pathologie requiert un suivi médical régulier afin d'éviter les atteintes rénales, car une vessie abîmée peut laisser monter l'urine dans les reins.

Hypersensibilité vésicale
Une fois sur deux, le fait de boire davantage règle la situation. Autrement, le médecin prescrira des anticholinergiques.

Blocage du genou

Que ce soit lors de déplacements, d'activités de la vie quotidienne ou encore d'activités récréatives ou sportives, l'articulation du genou est constamment soumise à des contraintes. Pour cette raison, elle est probablement l'articulation la plus susceptible de présenter des troubles mécaniques en rapport avec la locomotion.

Ces troubles se manifestent généralement par un blocage de l'articulation du genou, soit une incapacité à mettre la jambe en extension complète. Lorsque le sujet atteint sa capacité maximale de mouvement, il ressent une douleur dont l'intensité peut varier en fonction de la cause. Ce blocage peut également être accompagné d'un gonflement et d'une difficulté à marcher.

Le blocage du genou peut revêtir deux formes :

Atteinte aiguë (secondaire à un traumatisme ou à un faux mouvement)

- blocage mécanique caractérisé par un gonflement, une douleur et l'incapacité à mettre la jambe en extension complète ;
- déchirure ligamentaire caractérisée par un gonflement, une douleur et l'incapacité à mettre la jambe en extension complète ;
- blocage antalgique caractérisé par une diminution de la mobilité du genou en raison d'une douleur intense accompagnée parfois d'un gonflement. Le corps, par réflexe, bloque le genou pour empêcher les mouvements qui provoquent de la douleur.

Atteinte chronique

- diminution du mouvement s'installant de façon progressive (arthrose).

QUELLES SONT LES CAUSES ?

Atteinte aiguë

Blocage mécanique

- ***Morceau de cartilage qui se détache et vient bloquer l'articulation***, empêchant ainsi le mouvement libre du genou ;

- ***Conséquence d'une déchirure du ménisque*** (cloison de cartilage de certaines articulations, le genou en particulier) qui peut également empêcher le mouvement libre du genou.

Déchirure ligamentaire

- ***La plus fréquente est celle du ligament latéral interne ou encore du ligament croisé antérieur***, qui peut se déchirer à sa portion proximale (au point d'attache du genou), empêchant ainsi l'extension;

Blocage antalgique

- ***Entorse ou traumatisme grave*** qui, du fait du gonflement ou de la douleur, empêche l'extension complète.

Atteinte chronique

- ***Généralement associée à des problèmes dégénératifs (les articulations ou les os se désagrègent)***: arthrose, âge, blessure sportive mal traitée.

CONSEILS PRATIQUES

Atteinte aiguë

Consulter un médecin de toute urgence. Tout blocage aigu du genou nécessite une consultation médicale.

Ne jamais porter d'attelle. Si vous désirez immobiliser votre genou, allongez la jambe et appuyez-la sur une chaise ou un fauteuil.

Ne pas mettre une pression sur le membre inférieur blessé. Si vous devez le faire – pour vous déplacer, par exemple –, utilisez des béquilles.

Contrer l'inflammation. Les trois premiers jours, il faut appliquer de la glace ou des compresses d'eau froide pour éviter que l'inflammation ne s'installe. Le froid a également un effet analgésique, car il gèle un peu les nerfs. Appliquez de la glace ou des compresses pendant une quinzaine de minutes quatre à six fois par jour.

Rétablir ensuite la circulation. Au bout de trois jours, après avoir contré l'inflammation, vous pouvez utiliser la chaleur pour rétablir la circulation sanguine. L'apport de sang supplémentaire aura lui aussi un effet anti-inflammatoire. Donc, prenez des bains chauds, utilisez des coussins chauffants (il faut absolument éviter de s'endormir avec ces coussins pour ne pas causer de brûlure au genou), des «sacs magiques» chauffés, etc.

Prendre un analgésique. Un ou deux comprimés d'acétaminophène (325 mg ou 500 mg) quatre fois par jour, jusqu'à un maximum de 4 g par jour, aideront à soulager la douleur. Des anti-inflammatoires peuvent aussi être utilisés selon la dose recommandée par le fabricant. Vous pouvez prendre un des deux médicaments ou les deux ensemble si la douleur est difficile à maîtriser.

Respecter ses limites. Ne forcez pas votre genou. Vous pourriez endommager le cartilage.

Atteinte chronique

Ne pas pratiquer de sports violents. Évitez ceux qui peuvent causer des microtraumatismes répétés, comme la course à pied. Faites plutôt du vélo ou de la natation.

Ne pas prendre de poids. Essayez de vous maintenir à un poids santé pour ne pas imposer une pression supplémentaire à vos genoux.

Prendre un bain chaud. La chaleur peut parfois favoriser la détente et aider à diminuer les raideurs musculaires.

Utiliser un «sac magique». Vous le trouverez en vente libre en pharmacie. Faites-le chauffer au four à micro-ondes et appliquez-le sur la région douloureuse.

Prendre de la glucosamine avec un anti-inflammatoire. C'est un produit naturel en vente libre utilisé pour les douleurs de l'arthrose. Lorsqu'elle est associée à la prise d'un anti-inflammatoire, la glucosamine peut aider à soulager la douleur. Elle se présente sous forme de comprimés à prendre trois fois par jour. Attention: la glucosamine est contre-indiquée chez les diabétiques, car elle fait grimper le taux de sucre.

Porter des supports d'arche absorbants. Surtout si vous êtes jeune et souffrez d'arthrose. L'usure étant progressive, vous éviterez ainsi une progression trop rapide de la dégénérescence.

Utiliser un bandage élastique (type Dr Gibaud). Il procure soutien et chaleur au genou. Faites cependant attention à ne pas trop le serrer et enlevez-le avant de vous coucher ou lorsque vous êtes en position assise. Lorsque la jambe est pliée, la circulation se fait mal, ce qui peut être à l'origine d'une phlébite ou d'autres complications.

QUAND CONSULTER ?

Dans tous les cas, il faut consulter un médecin. Il faut le faire le plus rapidement possible dans le cas d'un blocage aigu.

QUE SE PASSE-T-IL LORS DE L'EXAMEN ?

Atteinte aiguë

Le médecin cherchera à savoir comment le traumatisme s'est produit, dans quelle position se trouvait le sujet au moment du traumatisme, de quel côté s'est produit l'impact, à quel moment est apparu le gonflement (immédiatement après le traumatisme ou deux ou trois jours plus tard), etc. Il procédera ensuite à un examen physique et vérifiera l'état des ligaments et la présence possible d'inflammation. Il pourra ensuite, selon le cas, demander des radiographies et vérifier l'intégrité du ménisque.

Atteinte chronique

Le médecin retracera l'histoire du patient et l'interrogera sur ses blessures antérieures: comment elles ont été traitées, comment le problème s'est développé, ce qui a apporté un soulagement. Il vérifiera la présence et le site de la douleur par la palpation du genou. Il notera également s'il y a une déformation de la jambe (jambes arquées). Il fera ensuite des radiographies.

QUEL EST LE TRAITEMENT ?

Généralement, le blocage du genou peut guérir avec le traitement classique (anti-inflammatoires, béquilles, physiothérapie). Cependant, il en va autrement lorsqu'il s'agit du ligament croisé antérieur (placé en avant du genou), qui est responsable du mouvement de pivot du genou. C'est d'habitude ce ligament qui est touché dans les chutes en patin, au hockey et dans les accidents de ski. Une intervention chirurgicale est souvent nécessaire.

Atteinte aiguë

Blocage mécanique

Chirurgie mineure réalisée par arthroscopie, un examen de l'intérieur de l'articulation qui permet en même temps de procéder à la méniscectomie (enlèvement du ménisque) ou à l'extraction du morceau de cartilage qui a bloqué l'articulation.

Déchirure ligamentaire

Selon les activités sportives pratiquées par le sujet, le traitement ira du traitement classique à l'intervention chirurgicale. Si le sujet pratique un sport de façon intense et désire reprendre son activité sportive, une intervention chirurgicale s'imposera. Toutefois, le sujet peut vaquer à ses activités quotidiennes sans que l'on ait recours à une intervention chirurgicale.

Blocage antalgique

Il s'agira ici de régler le problème qui cause ce type de blocage.

Atteinte chronique

Afin de ralentir l'évolution de la maladie, le médecin pourra proposer un régime alimentaire visant à atteindre un poids idéal. Il pourra également suggérer une modification des activités sportives et une diminution de celles pouvant occasionner des traumatismes répétés.

Il prescrira des analgésiques et des anti-inflammatoires ainsi que des séances de physiothérapie pour permettre une meilleur maîtrise de la douleur.

Le médecin pourra aussi prescrire certaines orthèses pour replacer le genou dans son axe et éviter une détérioration importante. Selon le cas, il pourra prescrire du Synvisc, un lubrifiant que l'on injecte dans l'articulation ; ce produit augmente la qualité du liquide articulaire et permet une meilleure absorption des chocs. Les cas d'arthrose très avancée pourront nécessiter une intervention chirurgicale.

Bouffées de chaleur

Les bouffées de chaleur sont le résultat d'une dilatation des vaisseaux sanguins (vasodilatation) à la surface de la peau. Cela entraîne de temps à autre une augmentation subite de la température de l'épiderme, avec comme conséquence une sensation de chaleur intense.

Les bouffées de chaleur apparaissent instantanément et peuvent durer jusqu'à 30 minutes, ou même plus. Elles se manifestent par une impression de chaleur au niveau du thorax, du cou et du visage, habituellement accompagnée de rougeurs localisées. Des sueurs et des frissons se manifestent aussi parfois.

QUELLES SONT LES CAUSES ?

- ***Ménopause.*** La baisse graduelle d'hormones qui débute d'ordinaire vers la quarantaine entraîne une instabilité des vaisseaux sanguins. Les bouffées de chaleur, phénomène tout à fait normal dans ces conditions, sont souvent accompagnées de sueur et peuvent survenir plusieurs fois par jour. Entre 50 % et 75 % des femmes en ménopause en ont.
- ***Rosacée.*** Outre la ménopause, il s'agit de la cause la plus courante des bouffées de chaleur. D'origine encore inconnue, la rosacée est une maladie chronique de la peau qui se manifeste habituellement après l'âge de 30 ans, surtout chez les gens au teint pâle. On la reconnaît par des chaleurs intermittentes et des rougeurs sur les joues, le nez, le menton et le front. Des lésions semblables à de l'acné (pustules et boutons), des petites veines visibles à la surface de la peau (couperose), ainsi qu'un renflement du nez attribuable à un excès de tissus (rhinophyma) se manifestent aussi parfois. Dans certains cas, elle peut même causer une irritation et une rougeur des yeux.
- ***Hyperthyroïdie.*** La thyroïde est une petite glande située à la base du cou, qui sécrète des hormones essentielles au bon fonctionnement de l'organisme. L'hyperthyroïdie est le fonctionnement excessif de la thyroïde, pour des raisons diverses. Cette maladie provoque une augmentation du métabolisme et, par conséquent,

une surproduction de chaleur, laquelle s'élimine alors par la peau. En plus des bouffées de chaleur, on peut constater une perte de poids rapide, un appétit accru, des tremblements, une accélération du rythme cardiaque et l'apparition d'un goitre (bosse dans le cou due à l'augmentation de volume de la glande thyroïde);

- ***Mastocytose.*** Rare maladie des mastocytes (variété de cellules de la peau) qui entraîne la surproduction d'agents chimiques provoquant une vasodilatation à la surface de la peau. Diarrhée, palpitations cardiaques et crampes abdominales sont les principaux autres symptômes de la mastocytose ;
- ***Tumeurs des glandes surrénales (phéochromocytomes).*** Ces tumeurs localisées aux reins, bénignes dans 90 % des cas, activent la sécrétion d'agents chimiques qui provoquent une vasodilatation. D'autres symptômes peuvent se présenter : nausées, étourdissements, vomissements, palpitations cardiaques et hypertension artérielle ;
- ***Tumeurs carcinoïdes.*** Tumeur très rare de l'intestin, qui cause une surproduction de sérotonine, un autre agent chimique qui provoque une dilatation des vaisseaux à la surface de la peau. Ce type de cancer se manifeste par des bouffées de chaleur, des sueurs, des crampes abdominales, de la diarrhée et de la difficulté à respirer.

CONSEILS PRATIQUES

Éviter les éléments déclencheurs. Les gens atteints de rosacée et les femmes en ménopause doivent prendre quelques précautions. Ils doivent ainsi éviter le plus souvent possible les aliments brûlants et épicés, l'alcool, le café, le thé, les changements brusques de température (passer d'une pièce climatisée à la grosse chaleur, par exemple), les douches, les bains très chauds et le sauna. Tous ces éléments causent une vasodilatation à la surface de la peau et peuvent déclencher les bouffées de chaleur. L'émotion et le stress, ressentis lorsqu'on doit prendre la parole en public, par exemple, provoquent également des bouffées de chaleur chez ces personnes.

Porter des fibres naturelles. Les fibres synthétiques emprisonnent la chaleur et la transpiration pendant une bouffée de chaleur, ce qui empire les symptômes. Le coton, la laine et le lin permettent une meilleure ventilation du corps et laissent évaporer la sueur.

Se rafraîchir. Pour améliorer votre confort, ayez à votre disposition un éventail, un vaporisateur d'eau fraîche, des petites serviettes humides ou encore un petit ventilateur à piles que vous pourrez utiliser dès que se présentera la bouffée de chaleur.

Manger plus souvent. Cinq ou six casse-croûte par jour, plutôt que trois gros repas, permettront au métabolisme de conserver une vitesse régulière, ce qui évitera à l'organisme les augmentations de température.

Boire beaucoup d'eau. Six à huit verres d'eau fraîche par jour sont un autre bon moyen de garder votre corps à la bonne température, car ils lui évitent de produire trop de chaleur.

Attention au soleil. À la longue, les expositions au soleil ou aux lampes solaires occasionnent une dilatation des vaisseaux sanguins, ce qui augmente les symptômes de la rosacée et provoque la couperose. Oubliez le salon de bronzage et protégez-vous du soleil avec un écran solaire FPS 15 minimum.

Pour camoufler les rougeurs. Il existe des fonds de teint expressément conçus à cet effet. Renseignez-vous auprès d'une cosméticienne ou de votre pharmacien.

Supprimer les savons abrasifs et le gant de toilette. Si vous souffrez de rosacée, utilisez un savon doux, non parfumé, et de l'eau pour nettoyer votre visage. Rincez et essuyez avec une serviette douce. Appliquez ensuite une crème médicamentée (sur ordonnance) pour maîtriser les rougeurs et les lésions.

QUAND CONSULTER ?

- Même si la très grande majorité des cas de bouffées de chaleur sont bénins, ils peuvent cacher un problème plus grave. Ne prenez pas de risque et consultez votre médecin.

QUE SE PASSE-T-IL LORS DE L'EXAMEN ?

Le médecin notera les détails importants et procédera à un examen physique complet. Au besoin, d'autres examens seront envisagés, comme une prise de sang, une analyse d'urine et des tests radiologiques.

QUEL EST LE TRAITEMENT ?

Ménopause

Les bouffées de chaleur peuvent être contrôlées au moyen d'une hormonothérapie, pour remplacer les hormones naturelles.

Rosacée

Elle se maîtrise habituellement par des bêtabloquants qui diminueront considérablement les épisodes de rougeur et de bouffées de chaleur. De plus, une crème médicamentée servira à maîtriser les rougeurs, les pustules et les boutons. Comme la rosacée est une maladie chronique, ce sont des traitements à long terme.

S'il y a des vaisseaux sanguins à la surface de la peau (couperose), le médecin peut suggérer l'électrodessication pour les faire disparaître. C'est un traitement qui consiste à donner de petits chocs électriques qui iront brûler les vaisseaux dilatés. Ce traitement peut être fait directement dans le bureau du médecin. Les traitements au laser sont aussi très efficaces, mais, à la différence de l'électrodessication, ils ne sont pas pris en charge par le régime d'assurance-maladie et ils coûtent cher. Le rhinophyma (renflement du nez par un excès de tissu) nécessite une chirurgie esthétique pour remodeler le nez.

Hyperthyroïdie

Les causes de l'hyperthyroïdie sont très nombreuses et chacune nécessite un traitement spécifique. Lorsque la thyroïde retrouve un fonctionnement normal, les bouffées de chaleur disparaissent.

Mastocytose

Cette maladie nécessite un traitement médicamenteux ou chirurgical, selon le type d'atteinte. Les bouffées de chaleur disparaissent au terme du traitement.

Tumeur des glandes surrénales, tumeur carcinoïde

Ces tumeurs nécessitent une ablation chirurgicale et, selon le cas, de la chimiothérapie ou de la radiothérapie ainsi qu'un traitement médicamenteux pour faire disparaître ou pour maîtriser les symptômes.

Brûlure en urinant

Une sensation de brûlure lorsqu'on urine est un symptôme pénible que la plupart des femmes et plusieurs hommes expérimentent au moins une fois dans leur vie. Les mictions avec brûlure restent tout de même plus fréquentes chez la femme parce que son urètre (le conduit entre la vessie et l'extérieur) est beaucoup plus court (à peine 4 cm) que celui de l'homme (16 cm). Lors de diverses manipulations – caresses sexuelles, pénétration, examen gynécologique –, les bactéries dont la présence est normale à la sortie de l'urètre peuvent remonter à l'intérieur du système urinaire et créer une infection.

QUELLES SONT LES CAUSES ?

- ***Infection urinaire.*** On distingue l'infection urinaire basse de l'infection urinaire haute :
  - l'infection urinaire basse, à savoir l'infection de l'urètre (urétrite) et l'infection de la vessie (cystite), s'accompagne d'un besoin d'uriner plus fréquent et, parfois, d'un malaise au-dessus du pubis, car les muscles de la vessie se contractent lorsque l'urine est expulsée. Il peut y avoir du sang dans les urines. La sensation de brûlure est directement liée au fait que la paroi de la vessie est enflée à cause de l'infection. Ce type d'infection urinaire est sans gravité s'il est traité ;
  - l'infection urinaire haute, ou infection du rein (pyélonéphrite), est plus grave. Elle est associée à de la fièvre, des douleurs au dos, une urine brouillée ou laiteuse, nauséabonde et un état de malaise général. Il peut aussi y avoir du sang dans les urines ;
- ***Infection du vagin (vaginite) ou de la vulve (vulvite).*** Elle peut amener des douleurs au moment où l'urine entre en contact avec la partie irritée. Dans ce cas, on remarque des lésions sur la vulve ou au vagin ou, encore, un écoulement vaginal inhabituel et ce problème doit être traité différemment (*voir Problèmes du vagin*) ;
- ***Cystocèle, communément appelé « descente de vessie » et qui touche exclusivement les femmes.*** Il peut se produire chez la femme vieillissante, alors que la région qui soutient la vessie, c'est-à-dire le périnée, perd de son tonus et de son élasticité. Cet état peut

à l'occasion entraîner des infections et, par le fait même, des brûlures lors de l'évacuation de l'urine ;

- ***Infections transmissibles sexuellement (ITS).*** Chez les hommes, la sensation de brûlure peut s'accompagner d'écoulement du pénis. Chez les femmes, les ITS entraîneront le plus souvent une infection de l'urètre ;
- ***Infection de la prostate (prostatite).*** En plus de la sensation de brûlure en urinant, l'infection peut s'accompagner de fièvre, d'un besoin fréquent d'uriner, de difficulté à uriner, de sang dans les urines, d'écoulements du pénis et de douleur au périnée (entrejambe).

CONSEILS PRATIQUES

Boire beaucoup et uriner souvent. Avec une hydratation adéquate et une évacuation fréquente de l'urine, l'organisme fait un nettoyage naturel des bactéries qui permet d'éviter les infections. Il faut non seulement boire beaucoup, mais aussi vider sa vessie souvent. Une vessie vide se défend mieux contre les infections qu'une vessie pleine.

Adopter le jus de canneberge. Bu en grande quantité, ce jus rend aussi la vessie plus résistante aux infections.

Uriner pour évacuer les bactéries. Afin d'évacuer les bactéries qui auraient eu l'occasion de remonter dans la vessie, il est conseillé d'aller uriner après une relation sexuelle, un examen gynécologique ou toute autre manipulation des organes génitaux. Ce conseil est valable pour tous, mais il prend encore plus d'importance pour les femmes qui ont tendance à faire des infections à répétition.

Ne pas consommer d'aliments susceptibles d'irriter le système urinaire. Parmi les aliments qui peuvent aggraver la douleur lors de la miction, on note l'alcool, le café, le thé, le chocolat, les boissons gazeuses, les agrumes, les tomates, le chili, la nourriture épicée, le vinaigre, l'aspartame et le sucre. Lorsque la douleur a disparu, réintégrez ces aliments à votre alimentation, un à la fois, de façon à pouvoir identifier lequel ou lesquels d'entre eux sont en cause.

Pour uriner sans trop souffrir. Pour que la douleur soit moins vive au moment d'uriner, vous pouvez tenter d'uriner debout sous la douche ou dans un bain d'eau tiède.

S'essuyer de la bonne façon. Si vous êtes une femme, essuyez-vous de l'avant vers l'arrière après être allée à la selle. Faire le contraire peut transporter des bactéries du rectum à l'urètre.

Ne pas utiliser de savons irritants. Beaucoup de savons, gel-douche, mousses pour le bain et serviettes sanitaires contiennent des parfums ou d'autres produits qui peuvent irriter l'urètre et la peau fragile des organes génitaux. Même les savons réputés doux sont irritants. Quant aux douches vaginales, ou solutions pour hygiène interne, elles peuvent occasionner les mêmes problèmes. Préférez-leur des nettoyants très doux et non parfumés comme Cetaphil, SpectroJel ou tout simplement de l'eau.

Rester bien au sec. En été, ne gardez pas sur vous un maillot de bain trempé. L'humidité et le chlore peuvent stimuler une infection bactérienne. Ayez toujours avec vous un maillot de rechange.

QUAND CONSULTER ?

- La sensation de douleur en urinant dure plus de deux jours.
- Vous faites de la fièvre et vous éprouvez des douleurs au dos.
- Votre urine est brouillée, laiteuse, nauséabonde.
- Il y a du sang dans vos urines.
- Vous avez ou vous croyez avoir une infection transmissible sexuellement (ITS).
- Chez l'homme, la sensation de brûlure est accompagnée d'écoulements du pénis.

QUE SE PASSE-T-IL LORS DE L'EXAMEN ?

Le médecin procédera à un interrogatoire et à un examen clinique sommaire. Il vérifiera les signes vitaux. Il portera une attention particulière à la présence de sensibilité ou de douleur aux loges rénales (où se trouvent les reins, dans le dos, juste en bas des côtes) ainsi qu'à la région située au-dessus du pubis. La plupart du temps, il fera également une culture d'urine pour vérifier la présence d'une infection et pour connaître le genre de bactérie en cause. Après le traitement, le médecin devra refaire la culture d'urine pour vérifier que la bactérie a bel et bien disparu.

QUEL EST LE TRAITEMENT ?

Infection urinaire

- ***Infection urinaire basse (urétrite, cystite).*** À l'occasion, surtout si elle est limitée, cette invasion de bactéries se résorbe d'elle-même sans traitement et tout rentre dans l'ordre rapidement (le lendemain ou le surlendemain). Le plus souvent, un antibiotique en comprimés doit être prescrit.
- ***Infection urinaire haute (pyélonéphrite).*** La prise d'antibiotiques selon les recommandations du médecin est nécessaire dans le but d'éviter les complications.

Infection du vagin (vaginite) ou de la vulve (vulvite)

Le médecin prescrira un antibiotique topique ou par voie orale dirigé contre l'agent infectieux responsable.

Cystocèle (descente de vessie)

On peut procéder à une chirurgie correctrice ou utiliser des méthodes d'entraînement du périnée pour en augmenter le tonus, surtout si le cas n'est pas trop grave.

Infections transmissibles sexuellement (ITS)

Le traitement repose sur la prise d'antibiotiques.

Infection de la prostate (prostatite)

Le médecin prescrira un traitement par antibiotiques, souvent à long terme, surtout si l'infection est chronique.

Cellulite

Inconvénient esthétique plus que problème de santé, la cellulite touche 80 % à 90 % des femmes à des degrés divers. Un faible pourcentage d'hommes qui souffrent d'obésité dite « monstrueuse » en présentent sur le bas-ventre. Inexistante avant la puberté, la cellulite se localise surtout au niveau des fesses, des cuisses, du ventre ou de la face interne des genoux. Elle n'est pas douloureuse, sauf dans les cas extrêmes (sujets pesant plus de 110 kg).

Il importe de souligner qu'il n'est pas question ici de la cellulite « infectieuse », c'est-à-dire l'infection des tissus situés sous la peau. L'infection est généralement due à une blessure qui a permis à une bactérie de s'infiltrer et d'atteindre les tissus. Ce type de cellulite – fièvre, plaque rouge, chaude, enflée et sensible au toucher – constitue une urgence médicale.

La cellulite « ordinaire » se présente ainsi :

Cellulite légère

- Irrégularité du relief de la peau lorsqu'on la pince (peau d'orange).

Cellulite prononcée

- Irrégularité du relief de la peau sans qu'on l'ait pincée.

QUELLES SONT LES CAUSES ?

- ***Influence hormonale.*** De la puberté à la ménopause, les hormones féminines (œstrogènes, progestérone) favorisent le dépôt des cellules adipeuses et la rétention d'eau dans les régions vulnérables. La grossesse et les anovulants accentuent cette tendance. L'hormonothérapie de substitution après la ménopause prolonge le processus (sans hormonothérapie, la cellulite cesse d'évoluer).
- ***Anatomie.*** Chez la femme, les fibres reliant l'épiderme au tissu sous-cutané se présentent sous forme de bandelettes espacées entre lesquelles les cellules graisseuses s'accumulent, formant les capitons. (Chez l'homme, ces fibres sont entrecroisées, formant un treillis qui garde la peau lisse.) Ces capitons de graisse enclavée

nuisent à la circulation du sang. Mal oxygénés et mal drainés, les tissus retiennent l'eau et, à la longue, les capitons se sclérosent et se transforment en nodules durs et permanents.

- ***Obésité.*** Chaque kilo en trop accentue le problème, la cellulite étant essentiellement de la graisse.

CONSEILS PRATIQUES

Ne pas mener une vie sédentaire. Le manque d'exercice ralentit le métabolisme et la circulation.

Éviter le stress. On pense qu'il favorise la congestion.

Éviter le sel et l'alcool. Le sel retient l'eau et l'alcool congestionne les tissus.

Faire attention aux dépenses coûteuses. Certaines personnes vont succomber à l'attrait de machines sophistiquées et coûteuses. En fait, ces dernières ne sont pas forcément efficaces par rapport à leur coût. Pour ceux qui désirent faire un tel achat, il existe Cellesse, un appareil assez bon marché, qui, utilisé quotidiennement, agit sur la circulation en aspirant la peau entre ses rouleaux.

Se méfier de certains traitements. La liposuccion, par exemple, permet, en enlevant de la graisse, de faire diminuer le volume de la partie du corps que l'on traite, mais elle ne fait pas disparaître la cellulite, même si on la voit moins. Quant au traitement par le laser ou à base d'enveloppements (d'algues, etc.), qui ont pour but de faire éliminer de l'eau par la chaleur, ils vous feront perdre une faible quantité d'eau que vous reprendrez rapidement.

Adopter un régime alimentaire sain. Inspirez-vous du *Guide alimentaire canadien*. Préférez les protéines maigres (poisson, poulet, fruits de mer) et les sucres à assimilation lente (pâtes, riz) aux sucres à assimilation rapide (pâtisseries). Consommez beaucoup de légumes (crus et cuits) et de fruits.

Privilégier les fibres. Les crudités et les céréales au son ou à grains entiers favorisent l'élimination.

Boire deux à trois litres d'eau par jour. Plus on boit d'eau, plus on en élimine et mieux les tissus sont drainés. Ayez-en donc toujours un verre à portée de la main.

Maîtriser son poids. Même si on observe fréquemment une légère cellulite chez la plupart des femmes, plus elles sont minces, moins elles ont de cellulite.

Faire de l'exercice. Aucun exercice spécifique ne cible les sites cellulitiques. Mais vous devez faire bouger toute votre musculature en pratiquant régulièrement une ou deux activités physiques (vélo, patin à roues alignées, natation, ski de fond, etc.). Cela favorise la circulation et l'oxygénation des tissus. Choisissez un sport que vous aimez, vous y serez plus fidèle.

Se masser. Avec les mains ou un gant de crin, massez les régions atteintes afin de stimuler la circulation. À propos, que faut-il penser des crèmes anticellulite? Les massages avec les crèmes amincissantes de l'industrie cosmétique, qui sont à base de théophylline ou de caféine (et uniquement celles-ci) ont un effet décongestif réel. Par contre, la personne qui les utilise devra le faire quotidiennement et sans jamais arrêter, sans quoi elle perdra tout le bénéfice du traitement.

QUAND CONSULTER ?

- Vous souffrez d'obésité.
- Votre poids est normal, mais la cellulite vous préoccupe. (Ne tardez pas trop avant de consulter un médecin, car une fois sclérosés et durs, les capitons sont difficiles à déloger.)

QUE SE PASSE-T-IL LORS DE L'EXAMEN ?

Le médecin évaluera le degré d'envahissement et le stade d'évolution de la cellulite afin de déterminer quelles techniques conviennent le mieux à chaque cas.

QUEL EST LE TRAITEMENT ?

Obésité

Elle peut et doit être traitée à l'aide d'un régime alimentaire sous surveillance médicale.

Cellulite légère

Elle répond relativement bien au régime alimentaire, au massage (manuel ou à l'aide de l'appareil Celesse de Phillips), à l'exercice et aux crèmes amincissantes à base de xanthines (caféine, théophylline, etc.).

Cellulite prononcée

Il existe des crèmes traitantes à base de caféine, d'acide lactique et de rétinol (Prodermafiline) qui provoquent une lipolyse en libérant le contenu des cellules graisseuses. Ces médicaments sont très efficaces, mais leur effet sera proportionnel au degré d'envahissement et au stade d'évolution de la cellulite. De plus, il faut les utiliser longtemps, car la cellulite ne disparaît pas définitivement.

Il y a également le drainage lymphatique qui, pratiqué par un technicien expérimenté, aide l'organisme à se purifier de ses déchets.

Changement d'aspect des cheveux

Comme la peau et les ongles, les cheveux sont vivants et leur apparence changeante. Certains caractères comme la couleur et la texture sont héréditaires, mais d'autres réagissent à des facteurs internes ou externes. Cela rend les cheveux vulnérables à des changements parfois inesthétiques ou problématiques. Le cuir chevelu peut lui aussi être touché.

Voici les problèmes les plus fréquents pouvant affecter la texture et la couleur des cheveux, ou le cuir chevelu :

Texture

- Les cheveux sont fins, mous, plats ;
- Ils sont secs, cassants, avec des pointes fourchues ;
- Ils sont gras.

Couleur

- Ils grisonnent, puis blanchissent progressivement à partir de 30-40 ans ;
- Ils donnent l'impression de blanchir très vite (« du jour au lendemain ») ;
- Ils ont des reflets verdâtres ;
- Ils ont des reflets roux.

Cuir chevelu

- Pellicules :
  - desquamation excessive du cuir chevelu ;
  - peut s'accompagner de démangeaisons ;
  - affecte 20 % de la population.
- Démangeaisons très vives qui incitent à se gratter.

QUELLES SONT LES CAUSES ?

Texture

Cheveux fins

- ***Hérédité*** ;

- ***Carences nutritionnelles*** dans certains cas (p. ex. : les régimes très pauvres en protéines peuvent amincir les cheveux).

Cheveux secs et cassants

- ***Abus du séchoir à cheveux***, des rouleaux chauffants et des teintures chimiques ;
- ***Exposition excessive au soleil et au vent.***

Cheveux gras

- ***Influence hormonale*** (à l'adolescence et pendant la grossesse) ;
- ***Activité physique intense et régulière;*** cela stimule les glandes sébacées ;
- ***Chaleur, humidité, transpiration;*** cela stimule aussi les glandes sébacées ;
- ***Résidus de produits capillaires*** (shampooing, revitalisant, fixatif, mousse, gel, etc.).

Couleur

- ***Processus de vieillissement naturel.*** Les cheveux commencent à grisonner vers 30-40 ans puis deviennent blancs à un âge variable selon l'hérédité ;
- ***Stress intense.*** Le stress ne fait pas blanchir les cheveux, mais il peut faire tomber une grande quantité de cheveux colorés qui sont plus faciles à déloger, de sorte que la tête paraît plus blanche ;
- ***Le chlore des piscines*** peut donner des reflets verdâtres aux cheveux blonds ;
- ***La présence de fer dans l'eau*** (celle d'un puits, par exemple) peut donner aux cheveux des reflets roux.

Cuir chevelu

Pellicules

- ***Une infection à champignons*** crée de l'inflammation et augmente la vitesse de reproduction et d'élimination des cellules ;
- ***Le stress*** accentue ce processus ;
- ***Le psoriasis*** peut être en cause ;
- ***Confusion entre pellicules et résidus de produits capillaires.***

Démangeaisons

- ***Inflammation*** due à des soins capillaires inadéquats et à des abus de produits chimiques ;
- ***Pellicules ;***
- ***Eczéma***, maladie héréditaire caractérisée par des plaques rouges sur le cuir chevelu et ailleurs. Le stress est un facteur déclenchant ou aggravant ;
- ***Psoriasis***, maladie héréditaire et auto-immune (les maladies auto-immunes surviennent quand le système immunitaire ne distingue plus ses propres cellules des cellules étrangères) caractérisée par des lésions desquamantes sur le cuir chevelu et ailleurs. Le stress est également un facteur déclenchant ou aggravant.

CONSEILS PRATIQUES

Colorer les cheveux fins ou faire une permanente. Les deux procédés ont l'avantage de donner plus de corps et de volume aux cheveux.

Ne pas utiliser une teinture avant d'avoir fait un test au préalable. Vous éviterez ainsi une éventuelle réaction allergique, responsable des démangeaisons tenaces.

Éviter les permanentes à base d'ammoniaque. Elles contiennent des irritants auxquels l'eczéma est particulièrement sensible. Préférez-leur plutôt les permanentes à base de composants naturels.

Bien choisir son shampooing. Son degré d'acidité (pH) doit se situer entre 4,5 et 5,5.Vous pouvez le vérifier en vous procurant des bandelettes réactives chez le pharmacien.

Rincer à la bière. Elle constitue à la fois un excellent revitalisant (que vous n'avez pas à rincer) et une lotion de mise en plis qui donne du lustre et du corps. Et ce, sans laisser d'odeur.

Ne pas utiliser des revitalisants commerciaux trop riches et en trop grande quantité. Ils alourdissent les cheveux fins et les font paraître encore plus plats. La quantité joue aussi un rôle : une simple noix dans votre main suffit amplement.

Ajouter du volume. Utilisez un séchoir à température moyenne (que vous tiendrez à au moins 10 cm de la tête) et prenez soin de soulever les racines avec une brosse ronde.

Éviter la chaleur excessive du séchoir. Vous éviterez de rendre vos cheveux secs et cassants. Bannissez les rouleaux chauffants et maintenez le séchoir à une température très modérée.

Engraisser les cheveux secs et cassants à la mayonnaise. La mayonnaise constitue un des meilleurs revitalisants. Appliquez une cuillerée à soupe que vous laisserez agir de cinq minutes à une heure sur les cheveux avant le shampooing. L'œuf cru est un autre traitement nourrissant avant le shampooing.

Faire égaliser les cheveux ou les couper toutes les six semaines. Vous éliminerez ainsi les fourches.

Porter un chapeau quand le vent se lève ou que le soleil plombe. Ce sont deux facteurs asséchants.

Laver les cheveux gras tous les jours. Les shampooings clairs (transparents) de type Neutrogena sont plus efficaces et laissent moins de résidus. Faites chaque fois deux shampooings, en laissant agir le produit pendant quelques minutes avant de rincer. Le rinçage se fera avec une solution d'une cuillerée à thé de vinaigre de cidre dans un demi-litre d'eau. Rincez ensuite à l'eau claire. Le jus de deux citrons dans un demi-litre d'eau est une autre excellente solution de rinçage pour ce type de cheveux.

Éliminer les résidus de produits capillaires. Au moyen d'un shampooing clarifiant, débarrassez vos cheveux des résidus de fixatif, mousse, revitalisant, gel et autres produits qui altèrent leur couleur et s'accumulent sur le cuir chevelu. Faites-le une fois par semaine, en alternance avec votre shampooing régulier.

Recouvrir ses cheveux gris, si on le souhaite. Il existe pour cela une foule de teintures de plus en plus douces et faciles d'emploi.

Attendre la repousse. La majorité des gens dont les cheveux ont «blanchi» sous l'effet du stress voient une partie de leurs cheveux colorés repousser peu à peu.

Enduire les cheveux de revitalisant avant de nager en piscine. Vous créez ainsi une barrière protectrice contre le chlore, ce qui préservera votre chevelure blonde des reflets verdâtres.

Faire un shampooing chaque jour en cas de pellicules. Si vos pellicules sont peu nombreuses, cette mesure simple peut suffire. Sinon, utilisez pendant trois semaines un shampooing à base de sulfate de sélénium qui s'attaque directement à la levure, souche du champignon. Alternez chaque jour avec d'autres shampooings antipelliculaires, comme des shampooings à base de pyrithione de zinc, de goudron et d'acide salicylique. Quand vous utilisez un shampooing médicamenteux, laissez-le agir au moins cinq minutes avant de rincer. L'exposition à la lumière du soleil peut aussi aider (à cause de la chaleur locale qu'elle crée, la lumière a un effet antifongique).

Recourir aux propriétés médicinales du thym. Contre les pellicules, faites bouillir quatre cuillerées à thé de thym séché dans deux tasses d'eau pendant 10 minutes. Filtrez l'infusion au moyen d'une passoire et laissez tiédir pendant que vous faites votre shampooing. Massez ensuite le cuir chevelu humide avec cette infusion et ne rincez pas.

Calmer les démangeaisons. Massez le cuir chevelu avec de l'huile d'olive tiède et attendez 20 minutes avant de faire un shampooing.

Diminuer la desquamation. Un shampooing à base d'huile de goudron réduit la desquamation causée par le psoriasis.

Éviter le stress. Faites de l'exercice, ayez des passe-temps, prenez des vacances.

QUAND CONSULTER ?

- Vous avez des pellicules rebelles.
- Vous avez des démangeaisons persistantes du cuir chevelu.
- Vous avez des lésions (plaques rouges ou desquamantes) sur le cuir chevelu.

QUE SE PASSE-T-IL LORS DE L'EXAMEN ?

Le médecin évalue l'état du cuir chevelu et détermine la nature du problème (pellicules, eczéma, psoriasis).

QUEL EST LE TRAITEMENT ?

Les cas rebelles de pellicules sont traités au shampooing Nizoral et l'inflammation excessive avec une lotion contenant 1 % de cortisone.

Les démangeaisons peuvent nécessiter le recours à un antihistaminique.

Il n'existe pas de traitement radical pour l'eczéma et le psoriasis du cuir chevelu, qui connaissent des rémissions et des poussées évolutives. Mais on peut espérer effacer ou stabiliser les lésions avec des lotions et crèmes à base de cortisone.

Changement de couleur de l'urine

La couleur de l'urine est différente pour chacun. Elle peut être jaune clair pour les uns, jaune or pour les autres. Elle dégage habituellement un léger relent d'ammoniaque, particulièrement le matin, où elle émet une odeur plus prononcée, parce qu'elle est concentrée.

Il peut arriver que la coloration et l'odeur de l'urine changent. Elle peut pâlir, foncer ou dégager une odeur très forte et nettement désagréable. Dans la très grande majorité des cas, il n'y a pas lieu de s'inquiéter.

Les changements suivants peuvent survenir :

- urine de coloration orangée ;
- de coloration rougeâtre (mais sans présence de sang) ;
- de coloration brun-noir ;
- odeur forte et désagréable ;
- odeur sucrée.

QUELLES SONT LES CAUSES ?

- ***Déshydratation légère.*** Lorsque l'organisme ne s'hydrate pas suffisamment, l'urine produite par les reins s'en trouve moins diluée par l'eau ; elle est davantage concentrée, d'où une coloration orangée et une odeur plus marquée. C'est un phénomène tout à fait inoffensif ;
- ***Destruction des globules rouges.*** La testostérone, hormone masculine, produit beaucoup de globules rouges. Tous les 120 jours environ, ceux-ci sont devenus trop vieux et meurent ; ils passent alors dans l'urine. Les hommes – chez qui l'urine est d'une couleur très dorée au départ – remarquent alors une teinte orangée. Les femmes enceintes constatent quelquefois le même phénomène, principalement au troisième trimestre, alors que le fœtus (masculin ou féminin) produit davantage de globules rouges. C'est normal ;
- ***Aliments.*** La betterave rend l'urine très sombre, pratiquement rouge, et cela dure trois ou quatre mictions après le repas.

Les asperges et les légumes de la famille du chou donnent à l'urine une odeur désagréable. C'est passager, le temps que la digestion se fasse ;

- ***Médicaments.*** La très grande majorité des médicaments peuvent donner une teinte orangée et une odeur plus forte à l'urine, de même que certaines vitamines. Le phénomène est plus marqué avec la pénicilline et la phénazopyridine (c'est le Pyridium prescrit de façon temporaire pour la douleur lors d'infections urinaires) ;
- ***Problèmes de l'appareil urinaire.*** Une infection urinaire se traduira par une urine brouillée, malodorante et des douleurs à la miction. Un blocage à la vessie (qui peut, entre autres, être dû à une hypertrophie de la prostate, de la constipation, une maladie neurologique) se définit comme la difficulté à la vider complètement lors de la miction. Comme l'urine séjourne plus longtemps dans la vessie, elle prend une couleur orangée et une odeur très prononcée. Un ventre gonflé ainsi qu'une miction difficile (forcer pour uriner) sont d'autres symptômes de blocage à la vessie ;
- ***Troubles du foie.*** Les calculs de la vésicule biliaire et le cancer du pancréas peuvent obstruer le canal biliaire, de sorte que les sécrétions de la vésicule (la bile) ne peuvent plus passer dans les intestins. Elles passent alors dans le sang et sont filtrées par les reins pour ensuite être éliminées avec l'urine, ce qui lui donne une couleur brun-noir. Maux de ventre et selles blanchâtres sont d'autres symptômes des calculs biliaires. Teint jaune et démangeaisons sur tout le corps accompagnent parfois le cancer du pancréas (les acides biliaires dans le sang libèrent de l'histamine, qui provoque les démangeaisons) ;
- ***Diabète.*** C'est une maladie caractérisée par une défectuosité dans le processus d'utilisation du sucre. Le sucre non utilisé se retrouve alors en trop grande quantité dans le sang, puis dans l'urine. Celle-ci dégage donc une odeur sucrée, faisant penser un peu à de la sève d'érable ;
- ***Problèmes métaboliques.*** Une déficience de certaines enzymes du foie risque de donner une urine rouge ou brun-noir, mais sans odeur particulière. Ce sont toutefois des troubles extrêmement rares.

CONSEILS PRATIQUES

Vérifier d'abord son alimentation. C'est la principale cause des changements de couleur et d'odeur dans l'urine. Vérifiez si vous n'avez pas consommé un aliment nouveau.

S'informer sur les effets secondaires des médicaments. Afin de déterminer si vos médicaments modifient la nature de l'urine, informez-vous auprès de votre médecin, de votre pharmacien ou du service Info-Santé.

Boire beaucoup. Buvez au moins six verres d'eau par jour. En plus d'hydrater l'organisme, cela atténue la couleur et l'odeur de l'urine.

Si on est diabétique. Qu'il s'agisse du diabète de type 1 ou de type 2, il est essentiel d'avoir un régime équilibré, de faire régulièrement de l'exercice et de maintenir un poids santé.

QUAND CONSULTER ?

- Il y a du sang dans votre urine.
- La couleur ou l'odeur inhabituelles persistent.
- Vous vous inquiétez.

QUE SE PASSE-T-IL LORS DE L'EXAMEN ?

Le médecin notera les détails pertinents et procédera à un examen physique complet, dont une analyse sanguine et urinaire. Si nécessaire, des examens approfondis seront prescrits, comme un bilan du foie ou des reins.

QUEL EST LE TRAITEMENT ?

Il importe de savoir que la plupart des raisons qui ont entraîné un changement dans l'aspect de l'urine sont bénignes et ne requièrent aucun traitement. Il en est ainsi pour la déshydratation légère, la destruction des globules rouges, les aliments, les médicaments et les vitamines.

Problèmes de l'appareil urinaire

Une infection de la vessie se soigne à l'aide d'antibiotiques. Un blocage à la vessie, selon la cause, se traite soit par des médicaments, soit par l'insertion d'un cathéter (sonde pour vider la vessie) ou pour une intervention chirurgicale (s'il s'agit d'enlever la partie hypertrophiée de la prostate).

Troubles du foie

Une opération est nécessaire pour retirer les calculs biliaires. C'est une intervention qui ne nécessite habituellement pas d'hospitalisation (chirurgie d'un jour) et qui permet une guérison rapide. Quant au cancer du pancréas, il pourra nécessiter une ablation chirurgicale de la masse cancéreuse. D'autres traitements, comme la chimiothérapie ou la radiothérapie, peuvent être nécessaires.

Diabète

Le diabétique de type 1 se verra prescrire de l'insuline pour remplacer celle que le pancréas n'est plus capable de produire. Le diabète de type 2 nécessite, si les changements de régime de vie ne suffisent pas, une prescription d'hypoglycémiants par voie orale (pour diminuer le taux de sucre dans le sang). De l'insuline est parfois aussi requise.

Problèmes métaboliques

On ne connaît pas de traitement.

Changement de couleur de la peau

Il arrive que des plaques blanchâtres ou brunâtres apparaissent sur la peau. Cela est dû à des problèmes de la pigmentation de la peau. Il en existe deux types : l'hyperpigmentation (plaques foncées) et l'hypopigmentation (plaques claires).

L'hyperpigmentation est généralement causée par le chloasma (ou mélasma) ou le lentigo, tandis qu'il existe trois principales maladies qui causent de l'hypopigmentation : le vitiligo, le pityriasis versicolor et le pityriasis alba. Aucune de ces cinq maladies n'est contagieuse.

Voici comment elles se présentent :

Chloasma (ou mélasma)

- larges taches brunâtres localisées le plus souvent au visage (plus rarement sur les bras) ;
- devient plus apparent durant l'été, sous l'effet du soleil ;
- peut durer quelques mois ou plusieurs années ;
- peut disparaître spontanément ;
- s'observe surtout chez les femmes enceintes ou chez celles qui suivent une hormonothérapie.

Lentigo

- petites taches beiges ou brunes ;
- apparaît surtout aux zones souvent exposées au soleil (visage, épaules, bras, dos des mains, jambes) ;
- ne disparaît pas tout seul ;
- a tendance à augmenter en nombre et en dimension avec le temps ;
- aussi appelées « taches de vieillesse ».

Vitiligo

- plaques très blanches de taille variable sur le visage, les mains, la région génitale ;

- quelquefois sur tout le corps;
- a tendance à persister et même à augmenter au fil du temps;
- peut disparaître spontanément puis revenir, mais c'est plutôt rare.

Pityriasis versicolor

- petites taches souvent rosées et sèches au début, avec démangeaison;
- après quelques semaines, peut blanchir et la démangeaison disparaît;
- siège surtout au dos, à la poitrine, aux bras et aux épaules;
- peut disparaître spontanément, puis revenir;
- survient surtout pendant l'été.

Pityriasis alba

- petites plaques blanchâtres un peu sèches;
- disparaît en général à la puberté;
- localisé habituellement sur le haut du corps (visage, bras et épaules);
- s'accompagne rarement de démangeaisons;
- a tendance à apparaître et à disparaître;
- touche surtout les enfants de 6 à 12 ans.

Grains de beauté et salon de bronzage : attention !

Si vous constatez qu'un de vos grains de beauté a changé d'apparence (couleur, grosseur, texture), consultez un médecin.

Faites de même si vous constatez l'apparition de nouveaux grains de beauté. Surtout s'ils sont très noirs, s'ils ont plusieurs couleurs ou une forme irrégulière.

Pour la prévention du cancer de la peau, on recommande maintenant l'auto-examen mensuel de la peau. Cela aide à détecter la présence de nouveaux points.

Et le salon de bronzage? Sachez que les rayons UV des lits de bronzages sont tout aussi nocifs que ceux du soleil. Mieux vaut les éviter.

QUELLES SONT LES CAUSES ?

Chloasma (ou mélasma)

► ***Facteurs déclenchants.*** Les recherches médicales n'ont pas encore permis de déterminer avec certitude la cause réelle de cette maladie de la peau. Toutefois, certains facteurs risquent de déclencher les symptômes. Il s'agit des changements hormonaux associés à la grossesse (le chloasma est le fameux « masque de grossesse »), les contraceptifs oraux et l'hormonothérapie chez les femmes ménopausées. En outre, le soleil stimule aussi les cellules pigmentaires. Certains médicaments (surtout les antiépileptiques) influencent la réaction chimique des cellules de la peau.

Lentigo

► ***Exposition solaire répétée.*** Avec les années, le soleil risque de modifier la chimie des cellules pigmentaires. Quand le lentigo apparaît, c'est le signe que la peau a reçu trop de soleil. S'il peut se manifester dès la trentaine, ce sont surtout les gens de plus de 50 ans qui en sont atteints. Plus il apparaît tôt dans la vie, plus le lentigo doit être considéré comme un facteur de risque du cancer de la peau.

Vitiligo

► ***Hérédité.*** L'hérédité générale (oncles, tantes, frères, etc.) est responsable de 30 % des cas de vitiligo, qui est une maladie auto-immune chronique (c'est-à-dire une autodestruction des cellules pigmentaires).

► ***Facteurs déclenchants.*** Lorsque l'hérédité n'est pas en cause, tout petit traumatisme à la peau (blessure, coupure, brûlure, coup de soleil intense) peut provoquer, chez certaines personnes, l'apparition d'une plaque de vitiligo à l'endroit touché. Entre autres, un grand choc émotionnel (deuil, divorce, perte d'emploi, etc.) est un autre facteur déclenchant. Le vitiligo peut aussi accompagner d'autres maladies auto-immunes, comme le diabète, l'anémie pernicieuse et la maladie d'Addison.

Pityriasis versicolor

- **Pityrosporum orbiculare.** Il s'agit d'un champignon normalement présent sur la peau de tous les humains. Il se développe davantage durant les périodes chaudes et humides, surtout chez les gens de 20 à 45 ans. Les recherches médicales n'ont pas encore permis de savoir ce qui active vraiment son développement. Ce champignon est de la même famille que celui qui est responsable des pellicules.

Pityriasis alba

- ***Eczéma.*** La communauté médicale croit qu'il s'agit d'une forme d'eczéma fruste (qui ne se manifeste pas comme les autres types d'eczéma) dont l'inflammation perturbe temporairement la pigmentation de la peau. Le pytiriasis alba accompagne parfois d'autres types d'eczéma.

CONSEILS PRATIQUES

Tout d'abord, se rassurer. Les plaques, qu'elles soient pâles ou foncées, ne sont ni contagieuses ni dangereuses. Il n'y a pas raison de s'alarmer. D'ailleurs, le vitiligo et le pityriasis versicolor sont très répandus : environ 2 % de la population en est atteinte.

Pour calmer la démangeaison. La plupart du temps, une crème hydratante toute simple suffit pour faire disparaître la démangeaison. La calamine est contre-indiquée, car elle assèche la peau.

Se protéger du soleil. Les taches pâles et foncées rendent la peau plus fragile. Vous devez donc éviter les « surdoses de soleil », surtout aux heures les plus chaudes de la journée (entre 10 heures et 15 heures). Pour se protéger du soleil, il faut se couvrir de vêtements adéquats, d'un chapeau, préférer les endroits ombragés et utiliser de bons écrans solaires.

Utiliser un écran solaire d'au moins FPS 15. Recherchez les écrans qui contiennent du Parsol 1789, du Parsol MCX ou du mexoryl (on peut les retrouver en combinaison). Ces substances protègent très bien des rayons UVA, qui sont associés à l'apparition des cancers de la peau. Et comme les rayons UVA et UVB traversent les nuages, appliquez l'écran solaire même les journées nuageuses du printemps, de l'été et de l'automne. Pour les enfants, utilisez les produits conçus expressément à leur intention. Et l'hiver, n'oubliez pas votre écran lorsque vous profitez du beau temps.

Traiter le pityriasis versicolor. Si vous souffrez de cette maladie, sachez qu'on peut faire disparaître les taches avec un produit à base de sulfure de sélénium ou de pyréthione de zinc. Autrement dit, avec un shampooing antipelliculaire ! (p. ex. : Head and Shoulders, Selsun, Nizoral). Appliquez-en sur tout le haut du corps (à partir du cou jusqu'à la ceinture). Laissez reposer 15 à 20 minutes, puis rincez. Appliquez une fois par jour pendant une semaine. Comme le champignon risque de réapparaître au bout de quelque temps, faites régulièrement des traitements d'entretien ; une fois par mois suffit.

QUAND CONSULTER ?

- Lorsque des taches apparaissent sur votre peau.

QUE SE PASSE-T-IL LORS DE L'EXAMEN ?

Le médecin prendra note des informations pertinentes et procédera à un examen clinique. La plupart du temps, cela suffit pour poser un diagnostic.

QUEL EST LE TRAITEMENT ?

Chloasma (ou mélasma)

Son traitement repose sur trois éléments : un écran solaire, un agent blanchissant et le temps.

L'écran solaire sert à protéger la peau contre la propagation des plaques, tandis que l'agent blanchissant (une crème à base d'acide rétinoïque, d'hydroquinone ou de concentré de vitamine C) pâlit les taches.

Si elles demeurent, il est possible d'utiliser des crèmes camouflantes. Il existe même des cliniques de camouflage où l'on apprend toutes les astuces pour cacher ces plaques.

Dans certains cas, on pourrait faire appel à des traitements laser. Il faut savoir que ce traitement n'est pas couvert par l'assurance-maladie.

Lentigo

Il n'existe pas de traitement facile pour faire disparaître ces taches. On peut les faire pâlir avec une crème à base d'acide rétinoïque, d'hydroquinone ou de concentré de vitamine C. On peut aussi les masquer avec du maquillage. Si les taches incommodent vraiment le patient, le traitement au laser peut les faire disparaître, bien que cela soit souvent fastidieux et coûteux. Comme ces taches peuvent être un indice du cancer de la peau, il faut être particulièrement prudent avec le soleil et suivre les conseils d'usage.

Vitiligo

Cela peut se traiter avec des crèmes de cortisone, efficaces dans un certain nombre de cas. On peut également recourir à la photothérapie au PUVA, une combinaison de médicaments (le psoralène) et de rayons UVA. La pigmentation peut revenir à la normale, ou presque, après de nombreuses séances (ces séances ont lieu dans le cabinet du dermatologue ou dans certains hôpitaux). Mais il est possible que les taches reviennent un jour malgré ce traitement. Pour les camoufler, votre médecin saura alors conseiller des produits qui colorent temporairement la peau.

Pityriasis versicolor

Une crème ou une lotion en vaporisateur antifongique sera prescrite si le problème persiste. Dans les cas graves et persistants, le médecin peut prescrire des antifongiques par voie orale.

Pityriasis alba

Il n'y a pas de traitement spécifique, car les plaques partent habituellement à la puberté. En attendant, le cas échéant, une crème à la cortisone (à faible concentration) servira à calmer la démangeaison.

Cheville douloureuse

La cheville est une articulation particulièrement vulnérable, car elle soutient une partie du corps tout en permettant le transfert de poids lors du mouvement. Que l'on marche, coure ou saute, cette double fonction est stressante pour l'articulation et les traumatismes sont fréquents. Les grands sportifs y sont particulièrement sujets.

On différencie les symptômes selon qu'il y a eu ou non traumatisme.

À la suite d'un traumatisme

- impossibilité de se tenir sur la pointe des pieds;
- boiterie à la marche;
- gonflement et sensibilité de la région atteinte;
- peau d'aspect bleuté à cause de l'épanchement de sang;
- sensibilité au niveau de l'os;
- gonflement à la face postérieure (arrière) de la cheville;
- déformation des os.

Sans traumatisme

- chaleur, rougeur, gonflement et sensibilité.

QUELLES SONT LES CAUSES ?

À la suite d'un traumatisme

- ***Manque de préparation à l'effort*** ou à la pratique d'un sport sur un terrain inapproprié;
- ***Entorse.*** Un ligament a été partiellement ou complètement déchiré;
- ***Arrachement osseux.*** Lors d'un traumatisme, le tendon peut s'arracher et emporter avec lui un petit morceau d'os. Cela survient souvent lors d'une entorse;
- ***Étirement musculaire.*** Un muscle a été partiellement déchiré;
- ***Fracture.*** Un ou plusieurs os sont brisés ou émiettés et la cheville peut présenter une déformation évidente. La région près de l'os est douloureuse;
- ***Rupture du tendon d'Achille.*** Il y a gonflement derrière la cheville et impossibilité de se tenir debout sur la pointe des pieds.

Sans traitement approprié, le tendon s'allongera en se cicatrisant et il ne sera plus possible de se tenir sur la pointe des pieds.

Sans traumatisme

- ***Infection.*** Une bactérie a pénétré dans la cheville, habituellement par une blessure. Il y a risque de dissémination de l'infection dans le reste du membre inférieur ;
- ***Polyarthrite rhumatoïde.*** Cette maladie inflammatoire, qui peut toucher une ou plusieurs articulations, évolue par poussées suivies de rémissions. Dans certains cas avancés, lorsque les articulations sont très endommagées, la maladie peut entraîner des déformations : la cheville se déforme, comme des doigts atteints d'arthrite. Cette déformation est permanente ;
- ***Ostéoarthrose.*** Il s'agit d'un affaiblissement du cartilage de la cheville habituellement dû à une ancienne fracture, à une entorse ou à une infection de la cheville ;
- ***Goutte.*** Cette forme d'arthrite est causée par des cristaux d'acide urique qui s'infiltrent dans une ou plusieurs articulations. La goutte évolue par poussées très douloureuses suivies de rémissions. Les poussées entraînent des déformations temporaires (gonflement de la cheville) qui disparaissent aussitôt que la crise se résorbe. Cependant, il peut rester des nodules (petites bosses) sur l'articulation de la cheville. Ces nodules sont permanents.

CONSEILS PRATIQUES

À la suite d'un traumatisme

Surélever le membre. Cela réduit l'enflure en favorisant une meilleure circulation sanguine. Dès que vous le pouvez, surélevez la cheville de 5 à 10 cm (avec des coussins, par exemple). Surélevez d'autant le lit en plaçant un morceau de bois directement sous les pieds du lit. Ne le mettez pas entre le matelas et le sommier, car l'élévation serait inégale et inefficace.

Appliquer de la glace. Mettez des glaçons dans un sac en plastique et enveloppez le tout dans une serviette (un sac de légumes surgelés fait aussi très bien l'affaire). Posez-le sur votre cheville trois à quatre fois par jour pendant 15 à 20 minutes.

Prendre un analgésique. Une douleur vive doit être soulagée, surtout les premiers jours, mais avec prudence et modération. On suggère un ou deux comprimés (325 mg ou 500 mg) d'acétaminophène quatre fois par jour jusqu'à un maximum de 4 g par jour. Évitez les anti-inflammatoires non stéroïdiens, comme l'aspirine ou l'ibuprofène, qui peuvent avoir des effets secondaires (risques de saignement dans l'articulation et d'ulcère de l'estomac). Par ailleurs, il est important de sentir la douleur afin de ne pas aggraver la blessure et de ne pas retarder la guérison.

Faire bouger la cheville le plus vite possible après l'accident. Dès le lendemain, en position surélevée, faites bouger le pied et les orteils dans toutes les directions possibles, pourvu que cela ne provoque ni n'augmente la douleur. Faites cela sans analgésique, car la douleur vous indique la limite à respecter. Plus tard, vous vous exercerez à faire des rotations internes et externes, à marcher sans boiter et à vous tenir sur la pointe des pieds.

Porter une attelle pendant les activités à risque. Mieux vaut y mettre le prix : une attelle de bonne qualité sera plus efficace qu'une simple bande élastique. Si vous êtes sujet aux entorses, cette orthèse préviendra efficacement les récidives.

Ne pas recommencer à faire du sport sans une période de rééducation. N'hésitez pas à consulter un physiothérapeute ou un thérapeute du sport. Il préparera votre cheville à l'effort.

En cas d'infection

Laver abondamment à l'eau savonneuse toute blessure sur la peau, si minime soit-elle. Ensuite seulement appliquez un désinfectant et couvrez d'un pansement, selon le cas.

Consulter un médecin sans tarder. Si la douleur persiste, n'attendez pas, vous devez être traité immédiatement afin d'éviter les complications.

En cas de polyarthrite rhumatoïde ou de goutte

Soulager la douleur. En plus du traitement médicamenteux, ayez recours aux recettes maison : application de froid en phase aiguë ou de chaleur pour une douleur chronique, surélévation du membre atteint (*voir plus haut*), mise au repos, béquilles pour marcher.

Faire revoir son régime alimentaire. Une modification de vos habitudes alimentaires pourrait vous être bénéfique pour réduire la fréquence des crises de goutte.

Se faire suivre régulièrement par un médecin. Un traitement adéquat pourrait vous éviter des déformations invalidantes.

En cas d'ostéoarthrose

Appliquer du froid ou de la chaleur. Pour soulager la douleur, vous pouvez appliquer du froid ou de la chaleur, selon ce qui agit le mieux, à raison de 15 minutes chaque fois. De plus, n'hésitez pas à utiliser une canne si la douleur est très forte.

En prévention

Surveiller son poids. Une surcharge pondérale occasionne un stress pour vos chevilles et les rend plus vulnérables.

Porter des chaussures adéquates. Il existe des chaussures conçues pour chaque sport. C'est un investissement qui en vaut la peine.

Préparer les chevilles à l'effort. Vous pratiquez des sports qui vous font courir et sauter ? N'omettez jamais la période d'échauffement, car la plupart des traumatismes sont dus à un manque de souplesse et de force dans l'articulation.

Éviter les terrains de sport mal entretenus. On y trouve une foule d'occasions de se blesser.

Courir sur une surface égale. Si vous mettez le pied dans un trou, tout votre poids se reportera sur une seule cheville. Vous risquez de tomber et de vous blesser.

QUAND CONSULTER ?

- Vous vous êtes blessé et vous ne pouvez vous tenir debout sur les orteils ni marcher sans boiter de façon marquée.
- Vous vous êtes blessé et vous ne pouvez plus marcher ; votre cheville peut être déformée et votre pied peut se trouver dans une position anormale.
- Vous n'avez pas subi d'accident, mais vous notez que votre cheville est douloureuse, rouge, chaude et enflée.
- La douleur augmente au bout de trois ou quatre jours.

QUE SE PASSE-T-IL LORS DE L'EXAMEN ?

Outre l'examen clinique visant à confirmer entorses ou étirements musculaires, les radiographies permettent de diagnostiquer les fractures, les arrachements osseux ou l'ostéoarthrose. Une ponction du liquide articulaire peut identifier le type d'arthrite. Les analyses de sang renseignent sur l'infection ou sur le taux d'acide urique.

QUEL EST LE TRAITEMENT ?

À la suite d'un traumatisme

Entorse, arrachement osseux et étirement musculaire

Le médecin met d'abord la cheville au repos par l'emploi de bandages élastiques, de béquilles ou d'une canne. On essaie, dans la mesure du possible, d'éviter la pose d'un plâtre, mais ce dernier est parfois nécessaire si la personne doit absolument conserver une certaine mobilité. La rééducation de la cheville est entreprise le plus vite possible, entre autres au moyen d'exercices de rotation et de renforcement. L'intervention chirurgicale est rarement nécessaire, sauf pour les athlètes d'élite.

Fracture

Certaines fractures sont plâtrées, d'autres nécessitent une intervention chirurgicale. Pour certaines fractures mineures, l'utilisation de béquilles pendant quelques jours sera suffisante.

Rupture du tendon d'Achille

L'intervention chirurgicale s'impose dans de nombreux cas. Le plâtre est moins efficace, mais il est parfois préférable, notamment si le patient souffre de plusieurs autres lésions.

Sans traumatisme

Infection

Selon la gravité, des antibiotiques seront administrés par voie orale ou intraveineuse.

Polyarthrite rhumatoïde

La douleur est soulagée au moyen d'anti-inflammatoires et d'infiltrations locales de cortisone. On peut éviter les déformations par une bonne maîtrise de l'inflammation.

Ostéoarthrose

Le traitement habituel consiste à faire de la rééducation pour permettre à la cheville de retrouver sa force et sa mobilité. Le médecin prescrira, si nécessaire, des analgésiques pour soulager la douleur. Dans les cas où la rééducation n'apporte pas d'amélioration suffisante, il faudra recourir à la chirurgie.

Goutte

La douleur est contrôlée par des analgésiques. En outre, certains médicaments peuvent réduire les risques de récidive. L'alimentation joue ici un rôle important : il faut limiter la consommation de protéines animales (fruits de mer, abats, charcuteries, produits laitiers).

Claudication intermittente

La claudication intermittente pourrait être comparée à l'angine de poitrine, mais au niveau des jambes. La douleur qui provoque la claudication apparaît avec l'exercice et disparaît après quelques minutes de repos. Cette douleur survient après qu'on a parcouru une distance constante (mais qui peut différer d'une personne à l'autre). La mauvaise circulation du sang, qui est à la source de cette claudication, se manifeste aussi souvent par des pieds froids, des plaies qui guérissent mal et des zones froides dans les jambes.

QUELLES SONT LES CAUSES ?

- ***Mauvaise circulation du sang dans les artères***, entraînant un manque d'oxygène dans les muscles lors d'un exercice aussi simple que la marche. Le manque d'oxygène déclenche une crampe qui va se relâcher au repos ;
- ***Facteurs de risque*** identiques à ceux liés aux troubles cardiaques : tabagisme, diabète, hypercholestérolémie, hypertension artérielle, âge.

CONSEILS PRATIQUES

Ne pas se réchauffer les pieds avec des compresses chaudes. Si vous souffrez de claudication intermittente, vous aurez tendance à avoir froid aux pieds. L'emploi de compresses chaudes ou de bouillottes risque de blesser la peau du pied, qui n'arrivera pas à évacuer l'excès de chaleur puisque la circulation n'y est pas bonne. Mieux vaut s'en remettre aux chaussettes de laine !

Marcher. Une bonne façon d'empêcher la maladie d'apparaître ou de progresser est de marcher afin d'entretenir la circulation dans les jambes.

Prendre de l'aspirine. Un cachet d'aspirine (325 mg) tous les deux jours diminue le risque de formation de caillots qui entraveraient encore davantage la circulation. Vous pouvez aussi prendre une aspirine « de bébé » (80 mg) une fois par jour. Il est important de s'assurer auprès de votre médecin que la prise d'aspirine n'est pas contre-indiquée ni en interaction avec vos autres médicaments.

Ne pas fumer. Le tabagisme représente le facteur de risque le plus important à éliminer si vous souffrez de claudication intermittente. Le taux de mortalité, cinq ans après le diagnostic, atteint 25 % de ceux qui continuent à fumer, contre 10 % à 12 % si la personne a abandonné le tabac. De plus, le risque d'amputation est de 10 % cinq ans après le diagnostic chez les fumeurs, alors qu'il est nettement inférieur chez les non-fumeurs.

Diminuer la consommation d'alcool. À long terme, cette consommation provoque de l'artériosclérose (dépôt de cholestérol dans les artères), ce qui réduit l'apport de sang dans l'organisme, empirant ainsi les problèmes de circulation sanguine et la claudication.

Prendre soin de son cœur. Tout ce qui est bon pour le cœur – arrêter de fumer, faire régulièrement de l'exercice, perdre du poids, diminuer la consommation de corps gras – l'est également pour les artères des jambes.

QUAND CONSULTER ?

- Vous éprouvez de la douleur à la marche.
- Des plaies au pied s'infectent ou tardent à guérir.

QUE SE PASSE-T-IL LORS DE L'EXAMEN ?

Le médecin interrogera le patient afin de connaître toutes les caractéristiques de la douleur qui l'amène à le consulter. Il prendra le pouls à différents endroits, comme à l'aine ou à la cheville, pour se faire une idée de l'état de la circulation artérielle.

Il examinera les jambes pour y déceler des plaies et pour voir s'il y a des zones plus froides, deux signes qui dénotent un problème circulatoire. Il pourra aussi recourir à un examen par échographie Doppler afin de déceler un rétrécissement des artères et d'en évaluer l'importance.

Si le médecin juge qu'une chirurgie par pontage ou une dilatation des artères est nécessaire, il enverra le patient passer une artériographie, examen au cours duquel un colorant est injecté dans les artères afin de bien visualiser par radiographie l'emplacement des rétrécissements et leur étendue. Dans certains cas, l'artériographie peut se faire à l'aide de l'imagerie par résonance magnétique (IRM) ou de la tomographie axiale.

QUEL EST LE TRAITEMENT ?

La marche demeure le meilleur traitement. Mais il faudra ensuite éliminer ou traiter les facteurs de risque. Le médecin demandera au patient d'arrêter de fumer, car la personne qui continue de fumer est certaine de voir son état s'aggraver (80 % des personnes qui souffrent de claudication intermittente sont des fumeurs). Les diabétiques (16 % des cas) devront s'assurer de bien maîtriser leur glycémie. Une hypertension (23 % sont hypertendus) sera traitée, tout comme un excès de cholestérol ou un surplus de poids.

Enfin, le médecin prescrira une faible dose d'aspirine pour augmenter la fluidité du sang.

Si la maladie est plus avancée – la douleur apparaît même au repos, il y a des signes de gangrène, la personne risque de perdre son emploi et sa qualité de vie est grandement diminuée –, il faudra penser à des traitements plus invasifs. Un pontage sera conseillé ou une dilatation des artères au moyen d'un ballonnet gonflable inséré dans une artère, comme cela se fait pour les artères du cœur.

Dans près de 80 % des cas, il y aura stabilisation ou amélioration de la maladie cinq ans après le diagnostic si la personne a cessé de fumer et que les autres facteurs de risque sont bien traités.

Coliques

Le terme «colique» est utilisé pour désigner des douleurs abdominales intenses. Résultant surtout de fortes contractions intestinales, les coliques sont un symptôme indiquant la présence de troubles abdominaux. Elles constituent environ 20 % des motifs de consultation chez le médecin.

La douleur qui les caractérise peut être localisée ou diffuse et est généralement décrite comme des crampes. Elle peut s'accompagner de constipation, de diarrhées, parfois d'une transpiration abondante et, dans de rares cas, de nausées, de vomissements et de maux de tête. Une certaine pâleur du visage est souvent observée. Ceux qui souffrent du syndrome de l'intestin irritable (caractérisé par une alternance de diarrhées et de constipation au cours de la journée) sont davantage sujets aux coliques.

Les coliques peuvent revêtir deux formes:

Coliques aiguës

- douleurs intenses qui surviennent subitement.

Coliques chroniques

- douleurs persistantes ou intermittentes qui durent depuis plus d'une semaine, mais qui peuvent se manifester depuis plusieurs mois, voire plusieurs années.

QUELLES SONT LES CAUSES ?

- ***Mode de vie***, tel que les abus de nourriture et d'alcool ou, encore, de mauvaises habitudes alimentaires (p. ex.: ne manger qu'une fois par jour);
- ***Certains produits alimentaires*** consommés en quantité excessive, ou l'abus de vitamines, de suppléments alimentaires ou de produits pharmaceutiques en vente libre;
- ***Certains médicaments***, tels que les laxatifs, les analgésiques à fortes doses et les antiulcéreux;
- ***Drogues***, comme les amphétamines (speed), les barbituriques (goofballs), les benzodiazépines (tranquillisants), la cocaïne (coke ou crack) et les solvants;

- ***Migraine*** (liée au syndrome de l'intestin irritable) ;
- ***Gastroentérite, constipation chronique ;***
- ***Certaines affections***, telles que l'appendicite, la cholécystite (inflammation de la vésicule biliaire), les calculs rénaux, la pancréatite, la diverticulite, l'ulcère gastroduodénal, l'occlusion intestinale, etc. ;
- ***Éléments de stress et problèmes psychosociaux***, tels qu'un divorce, la maladie d'un enfant ou le décès d'un proche, se traduisant par une somatisation (transformation d'un trouble psychique en trouble physique ou organique).

CONSEILS PRATIQUES

Surveiller ce que l'on boit et ce que l'on mange. Il faut éviter la consommation excessive d'alcool, de thé, de café, de boissons gazeuses, l'excès de fibres et de petits fruits (saison estivale), car ils stimulent le péristaltisme intestinal (l'activité de l'intestin).

Ne pas boire de jus de fruits en grande quantité. Prenez-les en petite quantité à la fois et assurez-vous qu'ils sont à la température de la pièce.

Ne jamais prendre de laxatif oral. Il est important de ne prendre aucun produit contenant un laxatif, même léger, surtout si vous ignorez l'origine de votre mal (le laxatif oral augmentera les crampes et les douleurs abdominales). Vous risquez d'aggraver votre problème. Si vous êtes constipé, administrez-vous plutôt un lavement, ce qui ne peut nuire en aucun cas. On trouve des lavements déjà préparés en pharmacie, ou on peut utiliser une poire avec de l'eau légèrement chaude et savonneuse (le savon est un irritant qui aidera à évacuer les selles).

Ne pas prendre de vomitif. Le vomissement est un réflexe qu'il est dangereux de provoquer ; vous risquez de régurgiter dans vos bronches.

De manière générale, ne pas appliquer de glace sur son ventre. Le froid provoque une vasoconstriction, ce qui a pour effet d'intensifier les crampes. Appliquez plutôt de la chaleur. Bouillotte, « sac magique » ou encore coussin chauffant contribueront à diminuer les contractions intra-intestinales. En provoquant une vasodilatation, la chaleur déclenche un relâchement musculaire.

Essayer de se détendre. La douleur est parfois si intense que vous avez l'impression que le problème est plus grave qu'il ne l'est en réalité. Le stress causé par la douleur aura pour effet d'amplifier celle-ci. Dans ce cas, le simple fait de vous détendre peut vous apporter un certain soulagement.

Adopter une position confortable. La position fœtale (position couchée sur le côté et les genoux repliés sur l'abdomen) est souvent la meilleure. Comme elle n'exerce aucune traction sur la paroi musculaire, elle peut parfois apporter un certain soulagement.

S'assurer de boire suffisamment. N'oubliez pas que, si vous souffrez de diarrhées, vous courez un plus grand risque de vous déshydrater. En plus de boire de l'eau, vous pouvez boire de l'eau de riz, qui favorise la constipation. Les bouillons, de même que certaines boissons gazeuses, comme le 7 Up et le Ginger Ale dégazéifiés, peuvent avoir un effet bénéfique. L'eau minérale est également recommandée, parce qu'elle contient du sodium et du potassium ; ce sont des éléments qui sont partiellement éliminés par la diarrhée, mais qui sont essentiels à votre organisme pour maintenir votre hydratation et votre énergie.

Arrêter l'alimentation solide des jeunes enfants. Dans le cas de jeunes enfants qui ont la diarrhée ou de fortes coliques, vous devez dans un premier temps remplacer l'alimentation normale par du Pédialyte ou gastrolyte vendu librement en pharmacie. On trouve maintenant du Pédialyte en bâtons glacés (du type Mr. Freeze). Ils ont l'avantage d'être meilleurs au goût et ils permettent une absorption lente et continue du liquide. Vous pouvez aussi donner à l'enfant une préparation maison composée de 360 mL (12 onces) de jus d'orange non sucré mélangé à 600 mL (20 onces) d'eau et à 1/2 c. à thé rase de sel de table. Si l'enfant ne vomit pas, lui proposer cette boisson toutes les 20 à 30 minutes. S'il vomit, lui en faire absorber à la cuillère ou à la seringue 5 à 20 mL toutes les 2 à 10 minutes. À noter qu'il ne faut pas donner de Pédialyte seul pendant plus de 24 heures sans avis médical et qu'il faut éviter les succédanés de jus d'orange.

Accorder une période de repos au tube digestif. Cessez de vous alimenter pendant quelques heures, tout en vous assurant de boire suffisamment. Il est préférable de consulter un médecin si vous ne constatez aucune amélioration après ces quelques heures de répit.

Prendre de l'acétaminophène. Pour soulager la douleur, vous pouvez prendre un ou deux comprimés d'acétaminophène (325 mg ou 500 mg) quatre fois par jour, jusqu'à un maximum de 4 g par jour. Les anti-inflammatoires, comme l'aspirine et l'ibuprofène, ne sont pas indiqués ; ils peuvent en plus s'accompagner d'effets secondaires.

Consulter rapidement un médecin en cas de détérioration de l'état général. Fiez-vous à votre intuition et à votre jugement. Ne courez pas le risque d'aggraver votre problème par une attente prolongée.

QUAND CONSULTER ?

- Vous avez appliqué sans succès tous les conseils pratiques énumérés ci-dessus.
- La douleur s'intensifie et devient intolérable.
- Seule la position fœtale vous procure un certain soulagement ou encore elle n'a aucun effet apaisant.
- Vous ne tenez plus en place, la douleur vous oblige à bouger, vous n'avez plus de position de confort.
- Votre urine est très concentrée ou rouge.
- La douleur irradie dans le dos ou ailleurs.

Consultez en urgence lorsque :

- votre ventre devient gonflé ou dur.
- vous devez vous alimenter et vous hydrater, mais la nourriture et les liquides ne passent pas : soit vous n'arrivez plus à avaler, soit

vous régurgitez systématiquement liquides et nourriture.
- d'autres symptômes font leur apparition : fièvre, nausées, vomissements, diarrhées, constipation, accélération du rythme respiratoire, etc.

QUE SE PASSE-T-IL LORS DE L'EXAMEN ?

Le médecin posera des questions détaillées. Il vérifiera les signes vitaux (pouls, tension artérielle, rythmes respiratoire et cardiaque, etc.). Puis il procédera à un examen physique comprenant, entre autres, l'examen et l'auscultation de l'abdomen de même qu'un toucher rectal. Chez la femme, le toucher vaginal est parfois nécessaire.

Coliques du nourrisson

Chez le nourrisson, les coliques se manifestent généralement par des cris et des pleurs. Elles peuvent résulter d'une immaturité de l'intestin du nourrisson dans son processus d'initiation à l'alimentation, ou encore de la faim, de la présence d'air dans l'intestin ou d'une réaction aux protéines contenues dans les préparations de lait maternisé. En général, les crises sont plus intenses entre l'âge de trois semaines et de trois mois, et elles cessent définitivement après six mois. Pour calmer les coliques, on recommande d'appliquer de la chaleur sur le ventre du bébé. Certains pédiatres suggèrent de placer sur le ventre du bébé une bouillotte d'eau chaude (non bouillante) enveloppée au préalable dans une serviette. La chaleur ainsi que la pression de la bouillotte aident souvent à soulager les douleurs. Il est particulièrement important d'éviter de stimuler le nourrisson qui souffre de coliques. Il est préférable de ne pas l'importuner en tentant de lui changer les idées ou en jouant avec lui. La bonne vieille méthode consistant à tenir le nourrisson contre soi lorsqu'il pleure est souvent efficace avec bon nombre de bébés. Lorsque l'alimentation est responsable du problème, il peut être nécessaire d'éliminer les protéines bovines pendant une courte période. Si le nourrisson est nourri au lait maternel, la mère devra apporter des modifications à son régime alimentaire.

Des analyses sanguines, une radiographie simple de l'abdomen ou une échographie de l'abdomen et l'installation d'un soluté intraveineux sont pratiquement de routine. Des examens d'imagerie par endoscopie ou par radiologie pourront être demandés. Une radiographie des poumons peut également s'avérer nécessaire. Dans certains cas, le médecin procédera de nouveau à un examen physique et demandera d'autres analyses sanguines pour confirmer le diagnostic.

QUEL EST LE TRAITEMENT ?

Une diète liquide d'une durée de quelques heures ou de quelques jours pourra être prescrite. Un changement des habitudes alimentaires sera sans doute recommandé. Par exemple, de petits repas composés d'aliments facilement tolérés.

Certains analgésiques, tels que l'acétaminophène, et des antispasmodiques peuvent être prescrits. Le médecin évitera les médicaments contenant des opiacés et de la codéine, à cause de leur effet paralysant sur l'intestin.

Dans les cas graves (appendicite, diverticulite aiguë, occlusion intestinale, pancréatite, etc.), une hospitalisation ainsi qu'une intervention chirurgicale peuvent être nécessaires.

Si le médecin pense que le problème est d'origine psychosomatique, il en discutera avec le patient afin de lui en faire prendre conscience et tentera avec lui d'entreprendre la démarche vers une solution.

Congestion nasale

La congestion nasale est due à une inflammation ou à une irritation locale qui provoque un resserrement du passage de l'air dans le nez. Lorsqu'elle est accompagnée d'un rhume, d'une sinusite (inflammation des sinus, cavités de certains os du visage où l'on trouve les muqueuses qui servent à humidifier l'air), d'une rhinite allergique ou encore d'un blocage mécanique, elle peut indiquer la présence d'une infection, d'une allergie ou d'une obstruction nasale, dont voici les manifestations les plus fréquentes.

Principaux symptômes du rhume

- écoulement nasal dû à l'hypersécrétion des muqueuses des voies aériennes supérieures;
- mal de gorge et toux légère.

Principaux symptômes de la sinusite

- souvent accompagnée de fièvre et d'une forte toux;
- chez les enfants, la sinusite ne s'accompagne pas nécessairement de fièvre;
- douleur ressentie en appuyant sur les joues et le front;
- sécrétions jaunes ou verdâtres par le nez ou l'arrière-gorge;
- maux de tête, de dents ou d'oreilles selon le site de l'inflammation;
- écoulement de sécrétions dans la gorge en cas de sinusite chronique;
- saignements de nez en fin de sinusite.

Principaux symptômes d'une rhinite allergique

- sensation de nez qui pique et éternuements fréquents dus à l'inflammation de la muqueuse des fosses nasales;
- écoulement nasal;
- démangeaison et rougeur des yeux;
- démangeaison dans la gorge due à l'écoulement des sécrétions nasales;
- saignements de nez possibles.

Principaux symptômes d'un blocage mécanique

- blocage quasi permanent du nez sans qu'un rhume ou une allergie en soit à l'origine;
- perturbation des activités régulières, du sommeil ou du sport depuis plusieurs mois;
- possibilité de ronflement et d'irritation de la gorge;
- chez les enfants, tendance à respirer la bouche entrouverte la nuit et saignements de nez occasionnels.

QUELLES SONT LES CAUSES ?

Rhume

- Infection virale, le plus souvent par des rhinovirus, localisée au niveau du nez et de la gorge.

Sinusite

- ***Surinfection bactérienne*** (la sinusite a été contaminée par des bactéries);
- ***Infection virale*** due à une complication de grippe ou de rhume;
- ***Fibrose kystique.*** Il s'agit d'une maladie héréditaire entraînant des troubles digestifs et respiratoires chroniques en raison d'une hypersécrétion de mucus;
- ***Sensibilité à certains médicaments***, tels que l'aspirine (très rare).

Rhinite allergique

- ***Allergie*** à certains pollens dans l'air, à un animal ou à la poussière;
- ***Rhume des foins.*** Il s'agit d'une rhinite chronique saisonnière due à une allergie aux pollens.

Blocage mécanique

- ***Problème de structure du nez,*** tel qu'une déviation de la cloison nasale;
- ***Présence de grosses végétations dans le nez*** (une des causes les plus fréquentes de blocage chez les enfants);
- ***Polypes*** (petits amas de chair) à l'intérieur du nez.

CONSEILS PRATIQUES

Utiliser un décongestif nasal. L'utilisation d'un décongestif nasal pourra aider à soulager temporairement la congestion quand celle-ci est modérée. Ces médicaments vendus pour la plupart sans ordonnance en pharmacie agissent en resserrant les tissus des muqueuses nasales, ce qui facilite le passage de l'air. Mais n'en abusez pas, car cela risquerait de provoquer l'effet contraire. Il ne faut pas les utiliser pendant plus de cinq jours, car une dépendance peut se créer et vous risquez ensuite d'avoir toujours besoin de ce produit pour vous décongestionner.

Essayer les «remèdes de bonne femme». Un des moyens les plus faciles de liquéfier le mucus et de s'en débarrasser consiste à respirer la vapeur d'une douche chaude. Sentir un oignon est également un bon moyen pour faire couler votre nez et le débloquer momentanément, comme lorsque vous vous frictionnez avec du menthol. Manger des aliments très épicés déclenchera un réflexe d'écoulement nasal qui aidera à enrayer la congestion. Par exemple, vous pouvez manger des plats mexicains assaisonnés de piments forts ou de sauce Tabasco, des plats indiens épicés au cari, au cumin, à la

Les allergies et l'allaitement

Près de six millions de Canadiens souffrent d'allergies d'origine héréditaire et environnementale. Chez ces personnes, le système immunitaire établit des mécanismes de défense contre des substances inoffensives, comme le pollen, les poils de chat, la poussière, qu'il perçoit comme nuisibles. Ces substances deviennent alors des allergènes.

Les membres d'une même famille sont plus susceptibles de souffrir d'allergies. Le risque pour un enfant de développer des allergies est de 30 % à 40 % si un des parents est allergique et de 60 % à 70 % si les deux parents le sont. La fumée de cigarette augmente encore le risque, pour le bébé, de développer des allergies. Mais l'allaitement naturel par la mère peut retarder et réduire l'intensité des allergies chez l'enfant.

coriandre et au gingembre. Vous pouvez aussi mettre quelques gousses d'ail cru dans votre salade et boire du bouillon de poulet, qui semble avoir des propriétés bénéfiques pour renforcer l'organisme.

Un nez qui saigne

Une allergie, une grippe, la pollution ou l'exposition à des produits forts peuvent parfois provoquer des saignements de nez en plus d'une congestion nasale. Ces saignements sont peu abondants et occasionnels. S'ils résultent de la fragilité des petits vaisseaux sanguins présents dans le nez, ils sont alors beaucoup plus abondants et plus fréquents.

Pour prévenir les saignements de nez

Un système de chauffage qui fonctionne sans arrêt peut assécher l'air ambiant et rendre la muqueuse du nez plus sujette aux saignements. Pensez donc à humidifier la maison, surtout en hiver. Par ailleurs, si vous avez tendance à saigner du nez, prenez des suppléments de fer et de vitamines. Le fer aidera à remplacer rapidement vos pertes de sang ; la vitamine C et les vitamines du complexe B, nécessaires à la formation du collagène, renforceront la paroi de vos muqueuses nasales. De plus, vous trouverez le Sécaris en vente libre en pharmacie ; c'est un onguent qui sert à tapisser les muqueuses nasales afin d'éviter l'assèchement, la formation de croûtes et, en fin de compte, le saignement du nez. On trouve également en pharmacie du Salinex, une solution saline qui humidifie le nez et aide à régler le problème de saignement.

Pour arrêter les saignements de nez

Lorsque vous saignez, commencez par vous asseoir droit, plutôt que de vous coucher, pour empêcher le sang de couler dans la gorge. Mouchez-vous une fois pour évacuer les caillots. Ensuite, pincez la partie molle du nez immédiatement sous l'os (et non le bout du nez) pendant trois à cinq minutes tout en respirant par la bouche.

S'il s'agit d'un problème local, le médecin pourra remédier à ce désagrément en cautérisant (c'est-à-dire en brûlant) les petits vaisseaux superficiels sur la paroi de vos muqueuses nasales.

De plus, la vapeur aidera à déboucher votre nez et le liquide chaud diluera les sécrétions, comme le fait une douche chaude.

Assurer un bon sommeil. Si votre chambre a un taux d'humidité adéquat, vous respirerez mieux pendant votre sommeil. Si vous avez un humidificateur, vous pouvez utiliser de l'eau distillée pour éviter de projeter dans l'air des moisissures et des bactéries. N'oubliez pas non plus de nettoyer l'appareil une fois par semaine. Si vous ne disposez pas d'un humidificateur, un récipient d'eau placé sur un radiateur peut faire l'affaire, à condition de changer l'eau fréquemment. Pensez aussi à soulever la tête du lit. Cela diminuera la pression des fluides dans votre nez et aidera à drainer les sécrétions durant votre sommeil.

Penser au zinc et à la vitamine C. Le zinc semble avoir un effet bénéfique pour le nez. Puisque des suppléments de zinc ont déjà été

Que faire quand bébé a le nez bouché ?

Lorsqu'un nouveau-né a le nez bouché par des sécrétions, nombre de parents se précipitent chez le médecin, car leur enfant refuse de manger et de dormir. Mais il est normal que le bébé ne puisse s'alimenter s'il ne peut pas respirer par le nez. Pour l'aider à se décongestionner le nez, utilisez d'abord une seringue ou un aspirateur nasal afin de retirer le plus de mucus possible. Puis remplissez un compte-gouttes nasal avec une solution saline et laissez tomber une goutte dans chaque narine, sans inonder le nez, en tenant le bébé dans vos bras de telle manière que sa tête soit légèrement plus basse que le reste du corps. Redressez ensuite aussitôt l'enfant.

ATTENTION : chez les enfants plus âgés, il est conseillé de consulter un médecin en cas de congestion nasale qui dure depuis un certain temps. Cette situation peut en effet provoquer des problèmes de respiration par la bouche et une fermeture incomplète des mâchoires, susceptibles de nuire au développement général du visage. Une telle situation peut aussi générer des problèmes de langage chez les très jeunes enfants.

utilisés pour traiter la perte de l'odorat, ils pourraient aussi bien protéger contre la congestion des sinus. Continuez de prendre 50 mg de zinc par jour si vous remarquez une amélioration. Quant à la vitamine C, elle est recommandée pour prévenir les rhumes. Mais n'en prenez pas plus de 500 mg par jour sans avoir au préalable consulté votre médecin.

Diminuer les risques d'allergie. À la maison, plusieurs moyens simples peuvent aider à prévenir les allergies. Recouvrez les matelas d'une housse antiallergique ; remplacez vos oreillers de plumes par des oreillers de mousse synthétique et optez pour du bois plutôt que pour de la moquette dans votre chambre. Enlevez régulièrement la poussière. Vous pouvez aussi installer un filtre électronique sur le système de chauffage central pour filtrer les pollens, la poussière et les poils d'animaux. Demandez la brochure *Souffrez-vous de rhinite allergique ?* que vous devriez trouver chez votre médecin ou dans votre clinique.

Éliminer les acariens. Pour vous débarrasser des parasites qui se logent dans la poussière domestique, responsables de nombreuses allergies, utilisez un acaricide en aérosol, comme Acardust, en vente dans les commerces de matelas et la plupart des pharmacies. Vaporisez le produit sur les matelas, les tapis, les fauteuils et les divans recouverts de tissu. Il vous faudra ensuite bien aérer la pièce pendant plusieurs heures avant d'y faire dormir ou jouer un enfant. Recommencez le traitement tous les trois mois. Si vous voulez tuer les acariens (ainsi que leurs larves et leurs œufs) qui peuvent se nicher dans les jouets en peluche et la couverture préférée de votre enfant, mettez ces derniers au congélateur pendant 72 heures tous les trois mois également.

Vérifier l'air ambiant au travail. Apportez un purificateur d'air, surtout si vous avez des collègues qui fument. Si les fenêtres ne s'ouvrent pas, sortez dehors pendant vos pauses pour prendre quelques bouffées d'air. En outre, informez-vous du taux d'humidité à votre lieu de travail. Vous pouvez aussi vérifier si le filtre de la climatisation est régulièrement changé.

Choisir les bonnes boissons. Les substances qui fermentent dans les boissons alcoolisées ont la propriété de dilater les vaisseaux sanguins. Boire de la bière, du vin ou autres alcools fermentés pourrait faire légèrement augmenter votre congestion nasale. Le scotch, le gin et autres spiritueux distillés sont parfois mieux tolérés.

QUAND CONSULTER ?

- Votre nez est très congestionné ; vos yeux et votre front sont douloureux ; vous avez de la fièvre et vous toussez.
- Des sécrétions jaunes ou verdâtres sont produites quand vous vous mouchez ou quand vous crachez.
- Vous avez le nez « bloqué » depuis plusieurs mois.
- Vos yeux piquent ; vous éternuez à répétition ; la gorge vous démange et vous vous sentez fatigué.
- Vous saignez abondamment du nez, pendant plus de 10 minutes, et ce, plusieurs fois par jour.
- Votre enfant a constamment le nez bouché.

QUE SE PASSE-T-IL LORS DE L'EXAMEN ?

Tout problème de nez pourra être décelé par un examen médical très simple, qui consiste à observer les fosses nasales à l'aide d'un rhinoscope, instrument qui ressemble à celui utilisé pour regarder dans les oreilles.

Si le médecin soupçonne une allergie, il pourra prescrire des tests cutanés, même chez les enfants très jeunes. Ces tests consistent à déposer une goutte de divers allergènes sur la peau de l'avant-bras, en l'éraflant ou en le piquant légèrement en surface. Si le site enfle, c'est qu'il y a une réaction allergique du sujet à l'allergène injecté. Selon l'enflure, le médecin évaluera la gravité de l'allergie.

QUEL EST LE TRAITEMENT ?

Rhume

Le plus souvent, il faut attendre que le rhume passe. L'organisme combattra de lui-même le virus. De toute façon, les antibiotiques sont inutiles contre les virus.

Sinusite

Dans le cas d'une sinusite qui dure depuis au moins une semaine, le médecin prescrira des antibiotiques. Si les sinus sont très congestionnés, le médecin pourra prescrire en plus un corticostéroïde topique en aérosol. Ce médicament diminuera progressivement l'inflammation des muqueuses du nez. Entre-temps, la prise d'un décongestif peut soulager.

Dans les cas graves, mais rares, où les sinus deviennent bloqués de façon permanente, souvent à la suite d'infections à répétition, un traitement chirurgical devient nécessaire. Il consiste à nettoyer et à agrandir l'ouverture des cavités osseuses sous anesthésie générale.

Rhinite allergique

Le médecin prescrira un antihistaminique, qui combattra les effets de l'histamine responsable de l'éternuement et de l'écoulement nasal, et un corticostéroïde en aérosol, qui traitera les causes de l'allergie et diminuera l'inflammation des muqueuses. Un décongestif nasal ou oral pourra être ajouté, de façon temporaire, pour un soulagement rapide. Toutefois, le traitement de la rhinite demeure complexe, car il faut aussi rechercher la cause de l'allergie au moyen de tests cutanés pratiqués par un allergologue.

Blocage mécanique

Dans les cas de blocage mécanique dû à une mauvaise structure du nez, le recours à la chirurgie s'impose pour redresser, par exemple, la cloison du nez si celle-ci est trop déviée. En présence de végétations, chez les enfants surtout, le traitement chirurgical est simple : il s'agit d'enlever les excroissances de chair qui nuisent au passage de l'air dans le nez. Cette chirurgie, qui dure moins d'une demi-heure, se fait sous anesthésie générale.

Constipation

La constipation est un phénomène de blocage relatif des selles, habituellement au niveau du rectum ou du côlon sigmoïde (situé juste avant le rectum). Il s'ensuit fréquemment une accumulation de gaz en amont du bol fécal (selles prêtes à être évacuées) pouvant entraîner de la douleur.

Selon certains, il y a constipation lorsque les selles sont dures et difficiles à évacuer, que l'évacuation soit douloureuse ou non. Pour d'autres, il y a constipation si l'on ne va pas à la selle au moins deux fois par semaine. Mais en fait, la constipation est davantage une question de confort ou d'inconfort. Elle n'est pas vraiment héréditaire, mais on note une tendance familiale et elle survient plus fréquemment chez les femmes que chez les hommes.

Les manifestations de la constipation sont les suivantes:

- sensation d'inconfort abdominal (gaz, crampes ou ballonnements);
- dans certains cas, présence d'hémorroïdes et de sang dans les selles (dû aux hémorroïdes ou, très rarement, à un cancer du côlon).

QUELLES SONT LES CAUSES ?

- ***Alimentation pauvre en fibres;***
- ***Manque d'exercice physique;***
- ***Stress*** (cause fréquente, qui peut altérer les contractions naturelles de l'intestin);
- ***Changement de milieu;***
- ***Mauvaises habitudes ou pudeur*** (on se retient d'aller à la selle);
- ***Excès de fer dans l'alimentation;***
- ***Prise de certains médicaments***, notamment les médicaments utilisés en psychiatrie, ceux contre l'hypertension et certains analgésiques contenant de la codéine;
- ***Certaines maladies***, dont les principales sont le syndrome de l'intestin irritable, le syndrome du côlon paresseux, c'est-à-dire un trouble de la motilité intestinale, le cancer du côlon, l'hypothyroïdie et le diabète.

CONSEILS PRATIQUES

Ne pas rester sourd à «l'appel de la nature». L'évacuation des selles est un réflexe conditionné, qui survient habituellement le matin, au lever. Chez certains, ce réflexe est déclenché par la première gorgée de café ou même par l'odeur du café matinal. Mais nombreux sont les gens pressés qui négligent de réagir. Même après avoir perdu ce réflexe, on peut néanmoins le retrouver. Apportez votre café aux toilettes, un peu de lecture et détendez-vous: tout devrait rentrer dans l'ordre au bout de quelques jours. Évidemment, si vous souffrez d'hémorroïdes, il est déconseillé de rester trop longtemps aux toilettes, car cela cause une pression sur les hémorroïdes, ce qui peut les faire sortir, provoquer de la douleur ou même les faire saigner. Chez les enfants, le problème de constipation est attribuable, dans la plupart des cas, au fait qu'ils se nourrissent mal et préfèrent s'amuser que de répondre à l'appel de la nature!

Bouger. Un minimum d'activité physique est nécessaire au fonctionnement de l'appareil digestif.

Consommer davantage de fibres et de liquides. Augmentez également la quantité de liquides en même temps que celle des fibres (naturelles ou sous forme de Metamucil ou de Prodiem), sinon vous risquez d'aggraver la constipation.

Manger de la rhubarbe. Les tiges de rhubarbe fraîche font des merveilles contre la constipation.

Soigner l'alimentation des enfants. Veillez à ce qu'ils consomment suffisamment de fibres.

Vérifier ses médicaments. Certains médicaments, en particulier les antidépresseurs, pourraient être la cause de vos problèmes de constipation. Parlez-en à votre médecin.

QUAND CONSULTER ?

- Vous remarquez des modifications, sans cause apparente, dans la consistance ou la fréquence de vos selles, parfois accompagnées de douleurs abdominales.
- Vous avez plus de 50 ans et vous remarquez des modifications semblables, accompagnées ou non de saignements.

QUE SE PASSE-T-IL LORS DE L'EXAMEN ?

Le médecin pourra demander un lavement baryté ou une coloscopie afin d'éliminer toute possibilité d'affection intrinsèque du côlon ou d'occlusion intestinale causée par une tumeur cancéreuse ou un polype précancéreux. Chez les sujets âgés de 50 ans ou plus, ces examens seront pratiqués systématiquement, le risque de cancer étant plus élevé. Le médecin procédera également à un bilan de santé complet pour éliminer toute cause organique, telle que l'hypothyroïdie ou le diabète. Dans les rares cas où l'on soupçonne le syndrome du côlon paresseux, des examens plus approfondis seront effectués.

QUEL EST LE TRAITEMENT ?

Alimentation pauvre en fibres

Si l'anatomie du côlon est normale, la première étape du traitement consistera à modifier les habitudes alimentaires. La majorité des Nord-Américains ne consomment pas suffisamment de fibres, alors qu'il faudrait en consommer en moyenne 25 g par jour, sous forme de fruits, de légumes ou de blé entier (du genre céréales All Bran ou pain brun). Ils ne boivent pas non plus suffisamment de liquides : quatre à six grands verres de liquide par jour sont indispensables. Aux personnes âgées, qui ont tendance à ne pas manger beaucoup, on recommandera souvent un supplément de fibres de type Metamucil ou Prodiem.

Manque d'exercice physique, excès de fer, prise de certains médicaments

Le médecin conseillera l'exercice aux personnes sédentaires, vérifiera si l'alimentation du patient contient trop de fer et si certains médicaments pourraient être en cause. Si ces mesures restent sans effet, le médecin recommandera des laxatifs, en commençant par les plus doux – entre autres les suppositoires de glycérine ou le lait de magnésie –, car ces produits peuvent créer une dépendance à la longue. On pourra ajouter des émollients fécaux, qui rendent les selles plus faciles à évacuer. En dernier recours, on utilisera des produits contenant du séné, la substance active de 90 % des laxatifs, y compris les tisanes. Il ne faut pas abuser de ces dernières, car le séné qu'elles contiennent risque de créer une dépendance.

Syndrome de l'intestin irritable

De saines habitudes alimentaires (une bonne hydratation et, surtout, l'ingestion de fibres) permettront de soulager les symptômes liés à ce syndrome.

Dystonie tonique

Dans les rares cas d'échec du traitement médicamenteux, une intervention chirurgicale pourra s'avérer nécessaire.

Cancer du côlon

Dans un tel cas, les traitements habituels seront immédiatement entrepris (intervention chirurgicale, radiothérapie, chimiothérapie, etc.).

Courbatures

Le terme courbature est employé dans le langage populaire pour désigner les douleurs musculaires diffuses, habituellement sans gravité, qui peuvent s'accompagner de fièvre ou de fatigue.

C'est un symptôme très fréquent, que chacun ressent à un moment ou à un autre de sa vie. Il peut être dû à un traumatisme, une infection, une inflammation ou un trouble métabolique de la fibre musculaire.

QUELLES SONT LES CAUSES ?

- ***Efforts physiques trop intenses.*** Les courbatures peuvent survenir jusqu'à 72 heures après l'activité physique ;
- ***Infections virales,*** telles que grippe, hépatite, pneumonie, septicémie ;
- ***Maladies rhumatismales,*** telles qu'arthrite ou myosite. Les courbatures sont ressenties surtout au début de la maladie ;
- ***Maladies endocriniennes et cancer*** (très rare).

CONSEILS PRATIQUES

Se reposer. Si les courbatures sont associées au surmenage ou à une infection, il est essentiel de vous reposer. Sans nécessairement rester au lit, ralentissez vos activités quotidiennes.

Prendre un bain chaud. C'est excellent pour soulager les courbatures bénignes. Les bouillottes d'eau chaude, les « sacs magiques » et les baumes médicamenteux n'apportent qu'un bien-être local. Le bain chaud reste ce qu'il y a de mieux. Mais, attention ! il est contre-indiqué en cas de fièvre élevée (à partir de 39 °C par voie orale ou 39,5 °C par voie rectale). Il s'agira dans ce cas de tenter d'abaisser la température corporelle.

Ne pas prendre de bain trop chaud si on souffre d'une maladie cardiovasculaire. Cela pourrait causer une vasodilatation, une baisse de la tension artérielle – qui entraînera un affaiblissement général – et une augmentation du rythme cardiaque (pour compenser la baisse de la tension).

Recourir aux analgésiques. De l'acétaminophène ou de l'aspirine toutes les quatre heures contribuera à diminuer l'inconfort et la fièvre, s'il y a lieu. Les anti-inflammatoires en vente libre peuvent également apporter un soulagement. Il faut toutefois éviter l'aspirine et les anti-inflammatoires en présence de certains facteurs de risque : personnes âgées, enfants, gens qui souffrent d'ulcères d'estomac, de saignement digestif ou qui reçoivent des anticoagulants. Ces médicaments peuvent entraîner des complications. S'en tenir alors à l'acétaminophène.

Attendre. Les courbatures, dues à un surmenage ou à une grippe, disparaissent habituellement au bout de 48 heures.

Se maintenir en forme. La méforme (mauvaise forme) est la première cause de courbatures par effort physique intense. Efforcez-vous

Les points de côté

Il s'agit d'une douleur légère de la paroi musculaire qui survient lors de certains mouvements ou d'un effort physique (lorsqu'on court, par exemple). Quand cela se produit, il suffit de se reposer et d'attendre. Le point disparaîtra seul au bout de quelques minutes. Aucun médicament n'est nécessaire.

Toutefois, vous devez consulter votre médecin dans les cas suivants :

- **La douleur persiste ou s'intensifie.**
- **Vous éprouvez des difficultés respiratoires.**
- **Vous ressentez une douleur thoracique qui irradie vers le bras ou le cou.**
- **Vous éprouvez une sensation d'évanouissement.**
- **Vous avez des palpitations.**
- **Vous ressentez une douleur abdominale accompagnée de nausées ou de vomissements.**

de garder la forme (par un entraînement progressif) et n'oubliez jamais vos exercices d'échauffement. Si vous êtes sédentaire, il est conseillé de consulter votre médecin avant d'entreprendre un programme d'activités physiques.

QUAND CONSULTER ?

- Les courbatures durent depuis plus de quatre ou cinq jours.
- Vous avez une fièvre élevée et persistante.
- Vous constatez des gonflements articulaires.
- Vous ressentez une faiblesse musculaire.
- Votre état général se détériore.

QUE SE PASSE-T-IL LORS DE L'EXAMEN ?

Si le malade présente un ou plusieurs signes alarmants, le médecin procédera à un interrogatoire et à un examen physique complet. Selon les résultats, il pourra demander des analyses de laboratoire, des cultures, des radiographies ou tout autre examen approprié.

QUEL EST LE TRAITEMENT ?

S'il y a une maladie sous-jacente aux courbatures, le traitement approprié sera immédiatement entrepris.

Ainsi, des antibiotiques pourront être prescrits en cas d'infection, tandis qu'une maladie rhumatismale nécessitera des anti-inflammatoires ou d'autres formes de traitement, comme la physiothérapie.

Crampe ou spasme musculaire

La crampe musculaire, tout comme le spasme musculaire, est une contraction involontaire des fibres musculaires. La douleur provient de l'arrêt de la circulation sanguine dans le muscle pendant cette contraction anormale. On fait la différence entre la crampe et le spasme musculaires :

Crampe

- contraction involontaire, douloureuse et de courte durée.

Spasme

- crampe prolongée. Les fibres contractées chassent le sang, causant un manque d'oxygène, de l'irritation et de la douleur qui, en retour, rendent la contraction encore plus rigide. Le spasme s'installe, empêchant le muscle de se relâcher.

QUELLES SONT LES CAUSES ?

- ***Fatigue musculaire*** due à l'inactivité prolongée (par opposition à une inactivité de quelques jours) ;
- ***Erreur d'entraînement sportif.*** Les muscles n'ont pas été suffisamment réchauffés avant l'exercice. Ou encore leurs limites ont été dépassées. Les crampes ou les spasmes présentent l'inconvénient d'emprisonner dans les muscles les déchets (notamment l'acide lactique) produits pendant l'activité musculaire, augmentant ainsi l'irritation et la douleur ;
- ***Mauvaises postures ;***
- ***Infections virales.*** Parce qu'ils attaquent l'organisme, les virus provoquent une réaction de défense immunitaire, qui peut parfois prendre la forme de crampes musculaires. La grippe est le cas typique d'infection avec crampes musculaires ;
- ***Traumatismes.*** Les blessures, les contusions, les déchirures musculaires et les entorses sont des sources de douleur variables qui vont de la sensibilité au toucher à l'élancement, à la sensation de brûlure et à la crampe. Dans le cas de l'entorse lombaire, par exemple, la douleur est causée par une contraction réflexe (crampe ou spasme)

destinée à limiter l'étirement excessif: les fibres musculaires se verrouillent pour protéger la lésion;

- ***Déshydratation.*** Non compensée, une perte de liquide excessive (sudation à la suite d'un effort intense, conditions climatiques inhabituelles, diarrhée et vomissements abondants) entraîne une diminution de la circulation sanguine. Cela empêche les muscles d'évacuer leurs déchets et cause une irritation douloureuse. En outre, la déshydratation entraîne une carence en sels minéraux indispensables au fonctionnement des muscles (calcium, sodium et potassium surtout);
- ***Grossesse.*** Pendant la grossesse, les besoins en calcium sont considérablement accrus. Un apport insuffisant peut causer des crampes musculaires, surtout pendant le troisième trimestre, où le poids de l'enfant comprime les nerfs des membres inférieurs;
- ***Déséquilibres des électrolytes*** (manque ou excès de sels minéraux tels que le sodium, le potassium, le calcium, le phosphore et le magnésium). Ils sont rares et le plus souvent liés à un dérèglement ou à une tumeur des glandes parathyroïdes ou surrénales. Ils perturbent le fonctionnement des muscles et causent de la douleur parce que ce sont les électrolytes qui transportent le message contraction-relâchement aux fibres musculaires;
- ***Myosite ossifiante.*** Il s'agit d'une induration (durcissement) progressive des fibres musculaires. Infiltrées par des nodules osseux, les fibres musculaires perdent de leur souplesse et ne répondent plus adéquatement au message contraction-relâchement;
- ***Tétanos.*** Cette infection, très rare depuis la vaccination infantile et les rappels périodiques, pénètre dans l'organisme par une blessure ouverte et provoque de violentes contractions musculaires généralisées. Les contractions des muscles respiratoires rendent la maladie mortelle dans 80 % des cas.

CONSEILS PRATIQUES

Suivre certaines règles d'or pour prévenir la crampe ou le spasme:

- ne restez pas inactif ou ne gardez pas la même position trop longtemps;

- ne faites pas d'exercices violents moins de deux heures avant de vous coucher. La nuit, on bouge toujours un peu. Ces mouvements causent de la douleur aux muscles fatigués, qui enverront un signal à la colonne vertébrale. Ce signal de douleur se traduira par des spasmes qui risquent de vous empêcher de bien dormir ;
- évitez les mouvements brusques ;
- évitez de marcher si vous avez subi une blessure importante d'un membre inférieur. Surtout si elle n'a pas été évaluée par le médecin ;
- en cas de blessure, ne profitez pas du fait d'avoir pris un analgésique pour faire un mouvement que vous ne pourriez faire sans cela, car il y a risque d'aggravation de la blessure ;

Comment éliminer une crampe

- **Étirez doucement le muscle contracté avec une main. Pendant ce temps, serrez et relâchez alternativement le muscle avec l'autre main. Cela entraîne un apport de sang nouveau. Le soulagement survient habituellement en quelques secondes.**
- **Si cela n'a pas fonctionné et que le spasme s'installe, frottez un cube de glace sur le muscle pendant trois à cinq minutes en évitant la brûlure par un mouvement rapide.**
- **Pour une crampe au mollet, tenez le mollet d'une main et serrez-le doucement tout en pointant les orteils vers le haut pendant 15 secondes. Relâchez, puis répétez si nécessaire. Autre technique : placez vos pieds à plat au sol en face d'un mur, à une distance de 60 cm. Appuyez les mains au mur et maintenez l'étirement au moins 30 secondes. Reportez votre poids sur une jambe tout en secouant l'autre pendant 15 secondes. Alternez avec l'autre jambe.**
- **Pour une crampe à la cuisse, amenez le talon vers la fesse.**
- **Pour une crampe au dos, allongez-vous au sol sur le dos et ramenez lentement vos genoux vers le menton. Gardez cette position une minute ou plus et relâchez en reportant le poids de vos jambes sur une chaise, genoux pliés à angle droit par rapport au sol.**
- **Pour une crampe au cou, frottez vivement avec un cube de glace et bougez lentement la tête comme pour dire « non ».**

- évitez les exercices intenses et prolongés quand il fait trop chaud à l'extérieur ;
- évitez les excès de sel, l'alcool et la caféine. Le sel contenu dans les boissons gazeuses, par exemple, draine l'eau hors du muscle. L'alcool et le café déshydratent.

Prendre des précautions avant ou après une activité physique. Sachez connaître et respecter vos limites. Faites des exercices d'échauffement avant et des exercices d'étirement après l'activité physique.

Essayer l'eau chaude et froide. Si vous avez abusé de vos muscles, avant de vous accorder un repos, évacuez immédiatement l'acide lactique en prenant une douche chaude de deux minutes, suivie d'une douche froide de 30 secondes. Répétez ce cycle 5 à 10 fois. Si vous avez mal le lendemain, prenez un bain chaud auquel vous pourrez ajouter des sels d'Epsom, ce qui permet d'« alléger » le corps et de détendre les muscles.

Masser le membre atteint. Servez-vous de vos mains nues pour effectuer de légers massages sans pression. Ils stimulent la circulation et l'évacuation des déchets. Massez toujours en direction du cœur.

Utiliser les pommades réchauffantes ou refroidissantes. À condition de ne pas les utiliser en même temps qu'un bain chaud ou qu'une application de glace (risque de brûlure).

Adopter de bonnes postures. Tenez-vous le dos droit, les membres non comprimés et les jambes décroisées. Si vous devez soulever un poids, faites-le le dos droit, les jambes fléchies et les bras près du corps.

Pour les crampes et les déchirures musculaires. Faites des applications de froid pendant les 72 premières heures : enveloppements, compresses, sacs de glace. Après, c'est la chaleur qui, en augmentant la circulation sanguine, agit le mieux : coussin chauffant, bain, compresses et enveloppements. En tout temps : repos, élévation de la région atteinte au-dessus du niveau du cœur, soutien par une écharpe ou un bandage élastique, analgésiques. Dans le cas d'une déchirure musculaire importante, il est impératif de consulter un médecin à cause du risque de faire une myosite ossifiante (voir plus haut dans les causes) par calcification de l'hématome.

Si on porte un plâtre. Massez légèrement la partie non plâtrée du membre et faites bouger les orteils régulièrement.

Pour se réhydrater. Buvez de l'eau embouteillée, des jus de fruits additionnés d'eau à 50 % ou des boissons pour sportifs. Buvez au-delà de la sensation de soif, trois à quatre gorgées à la fois, jusqu'à ce que votre urine soit claire.

Pour une grossesse confortable. Suivez les recommandations du *Guide alimentaire canadien* en matière de calcium : de quatre à six portions de produits laitiers par jour. Si des crampes surviennent, faites les exercices appropriés (voir encadré) et supprimez la compression des membres inférieurs en vous allongeant sur le côté gauche.

Se reposer et prendre des analgésiques. En cas d'infection virale, restez au lit et prenez des analgésiques (comme l'acétaminophène ou les anti-inflammatoires). Un ou deux comprimés d'acétaminophène (325 mg ou 500 mg) quatre fois par jour, jusqu'à un maximum de 4 g par jour, aideront à vous soulager. Des anti-inflammatoires peuvent aussi être utilisés, selon la dose recommandée par le fabricant.

Prévenir le tétanos. Maintenez vos vaccinations à jour (les adultes devraient se faire vacciner tous les 10 ans) et lavez soigneusement à l'eau savonneuse toute blessure ouverte.

QUAND CONSULTER ?

- Vous avez un spasme au dos ou au cou accompagné d'engourdissements, de picotements ou de faiblesse musculaire des bras ou des jambes.
- Vous avez des crampes ou des spasmes prolongés à répétition ou qui ne cèdent pas aux traitements maison.

- Vous notez un changement dans l'aspect d'un muscle : bosse, hernie, nodule.
- Votre blessure enfle rapidement et vous ne pouvez vous appuyer sur votre membre.
- Votre blessure ne guérit pas bien : vous avez un gonflement avec rougeur et chaleur, et vous avez de la fièvre.
- Vous portez un plâtre et vos crampes durent depuis plus d'une heure.
- Vous vomissez si souvent (même l'eau) que vous ne parvenez pas à vous réhydrater.

QUE SE PASSE-T-IL LORS DE L'EXAMEN ?

Le médecin identifiera une blessure en procédant à un examen clinique et à la prise de clichés radiographiques. Le diagnostic de myosite ossifiante sera confirmé par échographie, par résonance magnétique ou par scintigraphie osseuse. Après quelque temps, un cas grave peut se voir à la radiographie.

Les déséquilibres électrolytiques feront l'objet de dosages sanguins et urinaires, de radiographies et d'un scan.

QUEL EST LE TRAITEMENT ?

Douleur

Votre médecin pourrait vous prescrire un relaxant musculaire ou un anti-inflammatoire (aspirine, ibuprofène).

Infections virales

Le médicament approprié sera prescrit pour guérir l'infection en cause.

Déshydratation

Les déshydratations graves qui résistent au traitement maison sont corrigées au moyen de perfusions intraveineuses.

Déséquilibre électrolytique

Les déséquilibres électrolytiques chroniques nécessitent une médication et un suivi médical constants.

Myosite ossifiante, déchirures musculaires complètes

Dans ces cas, une intervention chirurgicale sera pratiquée.

Tétanos

Un patient atteint de tétanos recevra un sérum antitétanique et sera placé sous assistance respiratoire.

Craquements des articulations

Des articulations qui craquent constituent habituellement un symptôme tout à fait bénin. Mais il arrive que les craquements articulaires s'accompagnent de douleur et d'autres symptômes, indice d'un trouble plus sérieux.

Les symptômes se présentent sous deux formes :

- le mouvement de l'articulation (genou, épaule, cou, main, hanche, coude) s'accompagne d'un bruit ou d'une sensation de craquement ;
- le craquement s'accompagne de douleur, de raideur, d'un blocage de l'articulation, d'une perte de tonus du membre ou d'œdème.

QUELLES SONT LES CAUSES ?

Causes directes

- ***Croissance ou vieillissement.*** À l'adolescence, les craquements articulaires peuvent être dus au fait que les tendons, les ligaments et les os ne croissent pas au même rythme. Chez la personne âgée, ils sont plutôt attribuables à l'amincissement du cartilage, puis à sa fissuration et à sa déformation ;
- ***Arthrose.*** L'usure du cartilage gêne le jeu de l'articulation et crée des pressions inadéquates ;
- ***Arthrite.*** Les diverses formes d'arthrite (rhumatoïde, goutteuse, psoriasique, etc.) causent elles aussi des dommages aux articulations ;
- ***Souris articulaire.*** C'est le nom courant donné aux calcifications, dépôts calcaires qui se forment dans les articulations, soit spontanément, soit à la suite d'un traumatisme. Ces dépôts nuisent au jeu de l'articulation ;
- ***Luxation.*** Une partie de l'os sort complètement de l'articulation. Cela est habituellement le résultat d'un traumatisme ;
- ***Subluxation.*** L'os sort partiellement de l'articulation puis revient à sa place. L'exemple le plus courant est celui de l'os de la mâchoire, souvent par suite d'une occlusion déficiente ;

- ***Hyperlaxité ligamentaire.*** Certaines personnes ont des tendons plus longs et plus élastiques que la normale. Il s'ensuit que les articulations se déplacent davantage et craquent plus souvent. Cette particularité est parfois appelée syndrome de Paganini, d'après le célèbre violoniste du 19e siècle dont on explique la virtuosité phénoménale par une hyperlaxité ligamentaire prononcée;
- ***Morphologie héréditaire:*** dans certaines familles, certains individus, même jeunes, ont des articulations déformées.

Causes favorisantes

- ***Obésité.*** Elle favorise l'arthrose et aggrave l'arthrite, à cause du poids imposé aux articulations;
- ***Activités sportives avec sauts ou déplacements rapides.*** Elles favorisent l'arthrose.

CONSEILS PRATIQUES

Ne pas ignorer un craquement s'accompagnant d'un autre symptôme. Vous pourriez souffrir d'un problème de santé nécessitant des soins.

Surveiller son poids. Cela limite la progression de l'arthrose, surtout dans les articulations de la hanche et du genou.

Préférer les activités physiques sans impact. Cela ménagera vos articulations et minimisera le risque de traumatisme.

Faire des exercices d'étirement et de musculation. Les ligaments et les muscles font office de stabilisateurs. S'ils remplissent mal cette fonction, le stress imposé aux articulations est plus important.

Se garder en forme. Être en forme incite à demeurer actif.

Ne pas interrompre ses activités. Si vos craquements ne s'accompagnent pas d'autres symptômes, il n'y a aucune raison de mettre fin à vos activités. Au contraire, l'inactivité entraînera des symptômes plus sérieux.

QUAND CONSULTER ?

- Un ou plusieurs craquements persistent depuis longtemps et vous ennuient.
- Les craquements s'accompagnent de douleur, de raideur, d'un blocage, d'œdème ou d'une perte de tonus d'un membre.
- Les craquements surviennent à la suite d'un traumatisme.

QUE SE PASSE-T-IL LORS DE L'EXAMEN ?

Le médecin vous interrogera d'abord sur vos antécédents personnels et familiaux. Il procédera à un examen clinique de l'articulation. Selon les résultats, il commandera une radiographie simple, une arthrographie (injection d'un liquide colorant) ou une arthroscopie (examen permettant de voir à l'intérieur de l'articulation à l'aide d'une mini-caméra), peut-être même un examen par scanner ou par résonance magnétique.

QUEL EST LE TRAITEMENT ?

Causes directes

Si le craquement est le seul symptôme, il n'y a pas de traitement et cet état n'est pas dangereux. En cas d'arthrose et d'arthrite, on traitera le mal à la source. Une souris articulaire, une luxation ou une subluxation pourront nécessiter une chirurgie. Dans le cas d'une subluxation d'un os de la mâchoire, attribuable à une occlusion inadéquate ou à une hyperlaxité ligamentaire, une consultation chez le dentiste s'impose, et il est parfois nécessaire d'installer une plaque. L'hyperlaxité ligamentaire diminue habituellement de manière spontanée à la fin de la vingtaine.

Causes favorisantes

On conseillera souvent une perte de poids ainsi qu'une activité physique ne comportant ni sauts ni mouvements brusques.

Déformation des doigts

Invalidantes et inesthétiques, les déformations des doigts sont de deux sortes : les nodules aux articulations (doigts noueux), qui laissent néanmoins les doigts bien alignés, et les déviations caractérisées par une déformation vers le côté cubital (vers l'auriculaire) et marquées par une douleur importante avec rémissions plus ou moins prolongées.

QUELLES SONT LES CAUSES ?

- ***Arthrose.*** Forme d'usure due au vieillissement, touchant surtout les hommes de plus de 55 ans, entraînant fréquemment des nodules aux articulations, mais plus rarement des déviations. Elle peut être douloureuse, surtout au début, mais n'empêche généralement pas la poursuite des activités ;
- ***Polyarthrite rhumatoïde.*** Elle frappe davantage les femmes à partir de la trentaine et constitue la cause la plus fréquente de déviation des doigts. Cette maladie inflammatoire auto-immune (les maladies auto-immunes surviennent quand le système immunitaire ne distingue plus ses propres cellules des cellules étrangères) peut toucher une ou plusieurs articulations. Les anticorps de la personne touchée attaquent l'enveloppe de l'articulation, pouvant aller jusqu'à la trouer et à gruger l'os. Il s'ensuit une déstabilisation de l'articulation, qui est responsable des déviations des doigts. Les poussées sont évolutives, accompagnées de douleurs prononcées et suivies de rémissions plus ou moins longues ;
- ***Luxations ou fractures passées inaperçues.*** Elles peuvent provoquer des déviations.

CONSEILS PRATIQUES

Modifier ou réduire les activités manuelles. La douleur vous indique la limite à respecter.

Ne pas soulever d'objets lourds. Vos articulations instables ne supporteraient pas ce stress d'étirement, qui pourrait causer une luxation ou une fracture.

Garder les doigts au chaud. La douleur chronique répond mieux aux applications de chaleur humide. Enveloppez votre main dans une serviette chaude et humide, et recouvrez-la d'une serviette sèche qui conservera la chaleur. Ou, encore mieux, baignez vos doigts dans de la paraffine chaude. En séchant, cette substance agit comme un baume sur les doigts endoloris.

Porter des orthèses ou des supports pendant la nuit. Ils mettent vos articulations au repos et luttent contre les déviations. Les utiliser seulement sur le conseil du médecin.

Adapter son environnement au handicap. Certains ergothérapeutes spécialistes de la main vous donneront les conseils appropriés (poignées de porte, ustensiles, outils, habillage, etc.).

Prendre des anti-inflammatoires. Toutefois, ces médicaments comportent un risque d'ulcération de l'estomac si on les prend à jeun. Pour cette raison, il est recommandé de les prendre au milieu des repas. Suivez bien la posologie recommandée par le fabricant.

QUAND CONSULTER ?

- Vous vous réveillez avec une jointure gonflée, rouge, chaude et douloureuse sans cause apparente.
- Vos doigts commencent à dévier ou vous notez la formation d'un nodule sur une articulation.
- Vous avez un doigt enflé, bloqué ou déformé, qui ne bouge pas normalement à la suite d'un choc ou d'une chute.

QUE SE PASSE-T-IL LORS DE L'EXAMEN ?

Un diagnostic précoce améliorera beaucoup le pronostic. Le médecin utilisera les radiographies pour déterminer le stade de la maladie et orienter le traitement.

Une analyse sanguine détectera le facteur rhumatoïde de l'arthrite. Au besoin, elle renseignera sur l'intensité de la réaction inflammatoire et sur la tolérance aux médicaments prescrits.

QUEL EST LE TRAITEMENT ?

Arthrose

La douleur est plus facilement contrôlable. On commence par de l'acétaminophène, puis on passe à des anti-inflammatoires légers, comme l'aspirine enrobée et l'ibuprofène. Des narcotiques sont parfois nécessaires dans certains cas graves, car il faut absolument maîtriser la douleur afin de permettre la mobilité des doigts, d'éviter l'ankylose et, en fin de compte, de préserver l'autonomie de la personne.

Les techniques d'immobilisation (orthèses et supports moulés) aident à combattre la douleur.

L'ergothérapie apprend à surmonter les petits obstacles que pose la vie de tous les jours.

La chirurgie réparatrice est particulièrement indiquée dans l'arthrose du pouce, où un potentiel déformant et invalidant menace la fonction de préhension.

Polyarthrite rhumatoïde

Si l'inflammation est prise à temps et bien maîtrisée, on peut prévenir ou retarder les déformations. Cela nécessite un suivi médical continu. On utilise d'abord des anti-inflammatoires. Certains cas nécessitent l'administration de cortisone (en comprimés ou sous forme d'infiltrations locales), de sels d'or ou de médicaments tels que le méthotrexate, qui tempèrent l'inflammation. De nouveaux médicaments pour la polyarthrite rhumatoïde devraient bientôt être sur le marché.

Les techniques d'immobilisation en position alignée aident à combattre la douleur et la déformation.

La chirurgie réparatrice prend le relais quand les déformations nuisent trop à la fonction. Elle peut restaurer l'alignement et la fonction, ou remplacer une articulation (prothèse).

L'ergothérapie enseigne les exercices à faire ainsi que de nouvelles façons de pratiquer les activités de la vie quotidienne.

Luxations et fractures passées inaperçues

Les cas de déformation invalidante relèvent de la chirurgie réparatrice.

Déprime

Le sentiment de déprime ou de tristesse est un état d'âme dont tout le monde souffre un jour ou l'autre et qui fait partie de la vie courante. Il s'agit d'une réponse humaine universelle à l'échec, à la déception ou à d'autres situations adverses.

Heureusement, le retour à des sentiments plus optimistes est généralement rapide. En effet, contrairement à la dépression (caractérisée par des symptômes qui se prolongent dans le temps), la déprime se manifeste par des symptômes temporaires. Parmi ceux-ci, on note une baisse d'intérêt pour accomplir son travail ou les tâches du quotidien, de l'insomnie, une diminution de l'appétit, de la distraction et de l'irritabilité. Ces symptômes peuvent durer quelques heures, quelques jours, voire quelques semaines tout au plus. À l'inverse de la personne dépressive, la personne déprimée réagit tout de même avec enthousiasme à certains plaisirs de la vie.

QUELLES SONT LES CAUSES ?

- ***Événement malheureux ou traumatisant*** tel qu'une séparation, un deuil, une perte d'emploi, ou même un événement en apparence banal comme une altercation ;
- ***Climat économique difficile*** (perte d'emploi, coût de la vie élevé, etc.), qui contribue à un état général de morosité ;
- ***Réaction pessimiste devant l'adversité.*** Le pessimiste a une façon de voir la vie qui le prédispose à passer de déprime en déprime. Il est persuadé que tous les malheurs possibles s'abattent sur lui. Il voit la vie en noir. Dans une situation donnée, il cherche à faire la démonstration des aspects négatifs.

CONSEILS PRATIQUES

Considérer chaque événement heureux ou non comme une occasion d'apprendre et de grandir. La capacité d'utiliser nos difficultés comme des occasions d'apprentissage et de croissance personnelle nous permet d'accéder à un équilibre supérieur à celui que nous avions avant de franchir ces obstacles. De même, de nos échecs comme de nos erreurs, nous tirons des leçons qui nous permettent d'éviter la répétition des mêmes erreurs.

Remettre en question son point de vue pessimiste. Soyez réaliste en évitant de ne voir que le côté négatif des choses. Ne vous servez pas de vos limites comme excuse. Rappelez-vous ce que vous appréciez en vous-même : vos bons coups, vos succès, vos forces et vos qualités. Surtout, ne vous sentez responsable que des choses sur lesquelles vous avez un certain contrôle.

En parler. Tout garder pour vous est la pire chose que vous puissiez faire. L'isolement à long terme peut vous enfoncer davantage dans votre abattement. Au contraire, exprimez-vous auprès de confidents fiables. Le simple fait de partager vos états d'âme et de vous sentir écouté vous remontera probablement le moral.

Planifier des activités agréables. Les événements agréables nous aident à nous convaincre que nous avons accès au plaisir et que cela vaut la peine de dépenser un peu d'énergie pour obtenir du plaisir.

Éviter l'isolement. Les événements difficiles de votre vie auront moins d'impacts négatifs sur vous si vous continuez à maintenir un contact enrichissant avec vos amis et votre famille. Vous pouvez leur faire part de vos besoins précis et de la forme d'aide que vous désirez avoir.

Fuir les personnes ou les situations qui empoisonnent l'existence. Évitez les gens qui vous encouragent à la détresse, qui agissent pour vous rendre dépendant et impuissant.

Les questions financières et le stress. Quand votre déprime est due à des problèmes d'argent, la première chose à faire est de contacter vos créanciers et de leur faire part de vos ennuis passagers. Ils vous aideront à trouver des solutions. Vous venez de perdre votre emploi ? Dites-vous que c'est l'occasion d'améliorer votre sort. Vous avez des qualités professionnelles que d'autres n'ont pas. Apprenez à les mettre en valeur.

Faire de l'exercice. L'activité physique est l'un des meilleurs moyens qui soit pour en finir avec la déprime. Marcher, faire du vélo, du patin à roues alignées, jouer au golf fournit la dose d'énergie physique et mentale qui peut permettre de voir la vie sous un meilleur jour.

Se coucher tôt. Si vous vous sentez déprimé ou pessimiste, peut-être ne dormez-vous pas assez. Laissez tomber les émissions de télévision tardives. En vous couchant tôt, vous vous lèverez plus frais et plus dynamique le lendemain. Si votre sommeil est perturbé par des cauchemars et des réveils fréquents, discutez-en avec un médecin.

Attention aux excitants. Réduisez votre consommation de café et d'aliments sucrés, qui sont des stimulants. Consommés en excès, ils peuvent causer de l'irritabilité et aggraver la déprime.

Cultiver son sens de l'humour. La capacité de rire et d'avoir du plaisir procure de l'énergie pour vivre sa vie et traverser les moments difficiles sans se décourager.

En état de deuil. Le sentiment de tristesse qui nous envahit en période de deuil nous permet d'accepter la réalité. Donnez-vous du temps pour pleurer. Laissez-vous vivre la douleur reliée au deuil. Le temps nécessaire varie d'une personne à l'autre. Il est normal d'avoir de la difficulté à y croire, de s'en distraire. Ces impressions s'atténuent progressivement, avec le temps

QUAND CONSULTER ?

- La déprime persiste plus de quelques semaines.
- Vous avez des troubles de sommeil.
- Vous avez des pensées suicidaires.

QUE SE PASSE-T-IL LORS DE L'EXAMEN ?

Le médecin discutera avec son patient et procédera à un examen physique. Si son évaluation lui fait poser un diagnostic de dépression, il appliquera le traitement qui s'impose.

QUEL EST LE TRAITEMENT ?

Les médecins ne prescrivent pas de médicaments pour traiter la déprime. Pour des problèmes de sommeil sérieux, ils peuvent offrir une aide de courte durée pour permettre le repos, mais des médicaments comme les benzodiazépines (tranquillisants) créent de l'accoutumance s'ils sont pris à long terme, sans compter qu'ils peuvent camoufler des symptômes. Les médecins vont plutôt encourager des moyens naturels pour faciliter le sommeil : faire de l'exercice, éviter de manger avant de se coucher, prendre un bain chaud, lire ou se coucher à la même heure tous les soirs.

Désorientation

La désorientation est la perte de la notion du temps, de l'espace ou du schéma corporel. Ce symptôme peut indiquer un trouble passager tout à fait bénin d'une durée de quelques secondes ou une maladie grave. La désorientation peut être aiguë ou chronique.

Désorientation aiguë

- survient subitement ;
- généralement accompagnée d'anxiété importante et, parfois, d'agitation ou d'une accélération du rythme d'élocution.

Désorientation chronique

- souvent fluctuante au début ;
- peut évoluer rapidement et devenir de moins en moins évidente pour la personne atteinte, au fil des mois et des années ;
- généralement accompagnée d'apathie, de troubles du langage, de la mémoire et de l'équilibre, d'une perte d'autonomie et d'une difficulté à s'organiser ;
- peut nécessiter une aide 24 heures par jour.

QUELLES SONT LES CAUSES ?

Désorientation aiguë

- ***Réactions imprévisibles à des médicaments.*** Certains calmants, somnifères ou analgésiques, comme la codéine ou la morphine, sont une cause fréquente de désorientation, surtout chez certaines personnes âgées ;
- ***Réactions à l'alcool et aux drogues,*** en particulier à la cocaïne ;
- ***Épilepsie.*** Une crise de convulsions est toujours suivie de quelques minutes de désorientation. Dans certaines crises d'épilepsie, dites partielles, la désorientation est parfois la seule manifestation, avec des mouvements automatiques des mains ou un mâchonnement des lèvres ;
- ***Accident vasculaire cérébral.*** La désorientation (surtout dans l'espace), qui dure quelques heures ou même quelques jours, en est parfois l'unique manifestation. La difficulté d'élocution peut éga-

lement être un signe additionnel important ;

- ***Amnésie globale transitoire ou ictus amnésique.*** Il s'agit d'une crise aiguë de troubles de la mémoire durant quelques heures et s'observant surtout chez les personnes âgées. Celles qui en sont atteintes posent sans cesse les mêmes questions, sans pouvoir retenir les réponses. Après la crise, il y aura perte du souvenir de ce qu'il s'est passé. Même si la crise semble spectaculaire, elle est généralement unique et le pronostic est favorable ;
- ***Hypoglycémie modérément grave.*** Une certaine désorientation peut se manifester chez un diabétique traité avec de l'insuline injectable ou à l'aide de comprimés.

Désorientation chronique

- ***Maladies diverses touchant des organes vitaux.*** Dans les cas d'insuffisance rénale ou cardiaque, d'emphysème ou de cirrhose, par exemple, le cerveau ne reçoit pas suffisamment d'oxygène et d'éléments nutritifs essentiels à son fonctionnement ;
- ***Accidents vasculaires cérébraux à répétition.*** La désorientation peut fluctuer d'une journée à l'autre ;
- ***Démences, dont l'exemple le plus connu est la maladie d'Alzheimer.*** Au début, la désorientation dans le temps, dans l'espace ou avec l'entourage est fluctuante. Au fil des jours, elle devient plus fréquente ;
- ***Tumeurs et hématomes au niveau du cerveau.*** La tumeur cérébrale peut être bénigne ou maligne ; l'hématome cérébral, lui, se manifeste par un saignement à l'intérieur du cerveau à la suite, par exemple, d'une chute, d'un traumatisme ou d'une hypertension artérielle mal contrôlée. Dans de tels cas, la désorientation, accompagnée de troubles du langage, évolue en l'espace de quelques mois ou même de quelques semaines.

CONSEILS PRATIQUES

Désorientation aiguë

Ne pas paniquer. Si vous avez de légers troubles de mémoire, s'il vous arrive souvent de chercher vos clés ou si vous mettez parfois deux ou trois secondes à reconnaître un lieu familier, soyez sans crainte, vous ne souffrez pas de la maladie d'Alzheimer! Le fait d'être à l'occasion légèrement désorienté pendant quelques secondes est un phénomène tout à fait normal qui peut se produire dans des périodes de grande fatigue ou de stress.

Ne pas prendre n'importe quel médicament. Même des médicaments vendus sans ordonnance peuvent causer des problèmes d'orientation. Parlez-en à votre pharmacien.

Suivre son traitement fidèlement. Si vous souffrez d'une maladie comme le diabète ou l'épilepsie, assurez-vous de bien suivre votre traitement pour prévenir ce genre de problème.

Désorientation chronique

Assurer la sécurité des personnes atteintes. Si ces personnes ont tendance à tout laisser brûler dans la cuisine, il vaut mieux débrancher la cuisinière ou la remplacer par un four à micro-ondes afin de prévenir les accidents. De même, vous pouvez leur procurer une bouilloire à arrêt automatique. Comme la désorientation s'accentue dans l'obscurité, vous pouvez également leur laisser des veilleuses allumées le soir et la nuit. Quant aux objets familiers, il est important de les laisser à portée de leur main.

Éviter de déménager ou de changer le décor habituel. La désorientation s'accentue dans un environnement inconnu. Le même phénomène se produit lors de voyages ou de visites à l'extérieur.

Ne pas laisser une personne atteinte conduire une voiture. N'hésitez pas à mentionner au médecin le fait qu'une personne de votre entourage a de la difficulté à conduire. Il est très dangereux de conduire lorsqu'on ne différencie plus un feu rouge d'un feu vert, par exemple.

Afficher des calendriers. Encerclez les dates sur les calendriers afin de les aider à identifier le jour, la saison ou l'année.

Multiplier les occasions de stimuler leur attention. Pour maintenir le contact avec la réalité, il faut non seulement leur parler, mais aussi leur faire lire le journal, écouter les nouvelles à la radio et à la télévision, etc.

Demander de l'aide auprès de certaines associations ou d'un CLSC. Il existe des centres de jour qui offrent des activités de loisir thérapeutique. Cela permet les interactions sociales à l'extérieur de la famille, tout en accordant un répit au conjoint ou aux enfants.

QUAND CONSULTER ?

- La désorientation est survenue subitement et a duré plusieurs minutes, quelques heures ou quelques jours (consultez rapidement un médecin dans les heures ou les jours qui suivent).
- La désorientation est associée à d'autres maladies comme l'insuffisance cardiaque, l'emphysème, etc.
- La désorientation évolue au fil des semaines, des mois ou des années et s'accompagne de symptômes tels que des troubles d'élocution ou de mémoire.

QUE SE PASSE-T-IL LORS DE L'EXAMEN ?

Le médecin recueillera les informations pertinentes et procédera à un examen physique complet afin d'évaluer la situation et de poser un diagnostic. Des examens de laboratoire, tels que le dosage de la glycémie et des électrolytes, un électroencéphalogramme ou un scan, pourront être demandés au besoin. Le médecin vérifiera également les médicaments du patient. Certains tests effectués à l'aide de questionnaires ou d'exercices permettront d'évaluer les fonctions intellectuelles, comme la mémoire, le calcul, le langage, la faculté d'orientation ou la capacité d'attention. Une consultation en neurologie, surtout pour les personnes souffrant d'épilepsie ou de désorientation aiguë, sera généralement demandée.

QUEL EST LE TRAITEMENT ?

Désorientation aiguë

Dans les cas de désorientation causée par des médicaments, la prescription de la personne sera modifiée par le médecin. Pour la désorientation liée à une crise d'épilepsie, à un accident vasculaire cérébral ou à une amnésie globale transitoire, le médecin suivra l'évolution de la maladie et tentera de prévenir les récidives. Pour traiter l'hypoglycémie modérée, il pourra donner des solutés à base de glucose en perfusion, faire absorber des substances sucrées par la bouche si le patient est capable de les prendre ou prescrire une médication en injections.

Désorientation chronique

Le traitement dépendra de la maladie en cause. Une médication sera prescrite dans le but d'obtenir la maîtrise optimale de la maladie (insuffisance cardiaque, diabète, emphysème, etc.). Une intervention chirurgicale peut s'avérer nécessaire pour enlever une tumeur, drainer un hématome, débloquer une artère bouchée ou rétrécie. Dans le cas de la maladie d'Alzheimer, plusieurs médicaments capables d'améliorer la qualité de vie sont actuellement à l'étude.

Diarrhée/gastroentérite

Certaines personnes vont à la selle trois fois par jour, d'autres, trois fois par semaine. Le rythme est différent selon la « vitesse » de l'activité intestinale de chacun. On parle de diarrhée – qu'on appelle aussi gastroentérite – quand il y a augmentation de la fréquence et de la fluidité des selles. La gastroentérite n'est pas une maladie en soi. C'est un signe que l'intestin se débarrasse des bactéries, virus ou parasites qui l'ont infesté.

Il existe plusieurs types de diarrhées :

Gastroentérite aiguë

- d'ordinaire accompagnée de crampes abdominales et d'une sensation d'urgence ;
- parfois accompagnée de vomissements ;
- dure de trois à quatre jours et il n'y a généralement pas de déshydratation ;
- le danger de déshydratation est plus élevé au-delà d'une semaine, surtout chez les enfants de moins de trois ans et les adultes de plus de 60 ans ;
- en cas de déshydratation, il y a sécheresse de la bouche et diminution de la quantité d'urine, même si on boit autant ou plus que d'habitude.

Diarrhée chronique

- dure plus de trois semaines ;
- se traduit parfois par une perte de poids, de l'anémie (le teint devient très pâle).

Fausse diarrhée

- augmentation de la fréquence des selles, qui sont toutefois d'une consistance normale ;
- peut néanmoins s'accompagner de fortes crampes abdominales.

Diarrhée du voyageur ou « turista »

- dure de quatre à cinq jours et peut se produire au retour d'un voyage ;

- peut s'accompagner de crampes abdominales, de fièvre et de vomissements ;
- les gens les plus à risque sont ceux qui voyagent dans les pays en voie de développement, ceux qui font du camping, les enfants de moins de cinq ans et les jeunes adultes.

QUELLES SONT LES CAUSES ?

Gastroentérite aiguë

- ***Virus et bactéries contenus dans l'eau et la nourriture (surtout viande, fruits de mer, œufs, fromages et mayonnaise).*** Les buffets, les restaurants de type fast-food et les stands à nourriture qu'on retrouve dans les foires constituent des sources importantes de contamination. Les aliments sont beaucoup manipulés et souvent réchauffés, ce qui ne détruit pas les bactéries ;
- ***Virus et bactéries transmis par contact avec les animaux et les humains.*** Les garderies et les hôpitaux pour malades chroniques présentent les plus grands dangers de contamination. Les relations sexuelles anales, la prostitution et la consommation de drogues à l'aide de seringues réutilisées représentent d'autres risques d'infection ;
- ***Chirurgie gastrique***, qui entraîne une diminution de l'acide gastrique servant à se protéger des bactéries ;
- ***Intolérance au lactose.*** Le lactose se retrouve dans les produits laitiers ;
- ***Antibiotiques, antiacides qui contiennent du magnésium (comme le Maalox), laxatifs, diurétiques et certains autres médicaments.***

Diarrhée chronique

- ***Inflammation chronique de l'intestin ou du côlon,*** en réaction à une intolérance alimentaire ou à des parasites ;
- ***Chirurgie de la vésicule biliaire*** entraînant une fuite de bile dans les intestins ;
- ***Problème psychologique*** (p. ex. : abus de laxatifs).

Fausse diarrhée

- ***Irritation du côlon*** provoquée par certains médicaments ;
- ***Incontinence anale ;***

- ***Abus de certains aliments*** qui ont des propriétés laxatives (pruneaux, fraises, piments forts, etc.) ;
- ***Nervosité.***

Diarrhée du voyageur

- ***Bactérie, virus ou parasite*** contenus dans l'eau et les aliments ;
- ***Changement d'alimentation ;***
- ***Décalage horaire ;***
- ***Fatigue.***

CONSEILS PRATIQUES

Boire beaucoup. Même si vous n'avez pas soif ou si vous avez peur d'aggraver votre diarrhée, il faut remplacer tous les liquides perdus pour éviter de se déshydrater (très important pour les jeunes enfants) : eau, bouillon de bœuf, jus, 7Up dégazéifié (le 7 Up n'aide pas vraiment à l'hydratation ni à faire passer la diarrhée, mais c'est souvent le seul liquide que les enfants acceptent de boire) ou préparation commerciale d'électrolytes (sels minéraux), comme le Pédialyte. On trouve maintenant du Pédialyte en bâtons glacés, du genre Mr. Freeze. Ils ont l'avantage d'être meilleurs au goût et ils permettent une absorption lente et continue du liquide. Les boissons sucrées destinées aux sportifs sont un bon choix, car elles fournissent des électrolytes et du sucre (qui aide les intestins à absorber les liquides). Vous pouvez aussi essayer cette recette maison, à boire à volonté :

1 L d'eau bouillie
5 mL de sel
5 mL de bicarbonate de soude
2 c. à soupe de sucre
120 mL de jus de pomme

Manger légèrement. Un peu de tout, sauf des produits laitiers et des fibres. Toutefois, si vous avez de fortes crampes abdominales ou si vous vomissez, il vaut mieux vous abstenir de manger. Seulement boire et se reposer. Lorsque vous irez mieux, recommencez à manger progressivement en choisissant des aliments faciles à digérer : soupes légères, bananes mûres, pain grillé. Préférez six petits repas à trois gros repas par jour.

Ne pas boire de lait, de café, de thé, d'alcool, de cola ni l'eau du robinet. Ils stimulent les intestins. Les boissons gazeuses claires n'améliorent pas non plus la situation, car elles ne contiennent pas d'électrolytes.

Comment éviter la diarrhée du voyageur

- **Buvez de l'eau embouteillée. Les filtres pour stériliser l'eau sont efficaces (mais pas pour les virus).**
- **Oui à l'alcool, en petites quantités mais sans glaçons (les bactéries contenues dans la glace ne sont pas détruites par l'alcool).**
- **Si possible, préparez vos repas vous-même ou fréquentez des restaurants connus. Mangez chaud, mais pas des aliments réchauffés (les bactéries sont détruites à 65 °C, température que n'atteignent pas les plats réchauffés).**
- **Faites attention aux fruits non pelés, aux viandes et aux légumes crus, aux sauces non cuites, au lait et aux fromages. Les oranges et les pamplemousses sont conseillés : leur haut taux d'acidité protège des bactéries.**
- **Évitez les desserts à base de crème, les fraises, les raisins et les pastèques.**
- **Adoptez la maxime suivante pour la nourriture : la bouillir, la cuire ou… s'en passer.**
- **Bien sûr, avant de partir, rendez-vous à la clinique voyage la plus proche de chez vous pour obtenir tous les renseignements sur la prévention des maladies tropicales.**

Vous avez quand même la diarrhée du voyageur ?

On retrouve facilement partout, dans les grandes villes du monde, du Pepto-Bismol et des sachets d'électrolytes. Le Pepto-Bismol, qu'il faut consommer à raison de huit tablettes par jour, donne souvent une bouche et des selles noires ; c'est un effet secondaire sans conséquence. Important : ne pas en prendre si vous faites de la fièvre.

Les électrolytes dissous dans l'eau – bouillie, évidemment – pourront vous réhydrater.

Ne pas manger de produits laitiers et de fibres. De même, les aliments qui contiennent des hydrates de carbone en grande quantité, comme le pain, le son et les pâtes sont à éviter ainsi que le chou et les légumineuses.

Et le yogourt? Les cultures actives du yogourt sont reconnues pour restaurer la flore intestinale. Mais, selon certains médecins, ce ne serait plus vrai à cause de la stérilisation qui tue les bactéries vivant dans les produits laitiers.

Attention aux antidiarrhéiques. Si vous croyez que votre diarrhée provient d'un aliment que vous avez absorbé et que vous faites de la fièvre, ne prenez pas d'antidiarrhéique, tel que l'Imodium, sans avoir consulté un médecin. Cela risque de ralentir l'élimination des bactéries et peut augmenter l'absorption des toxines par l'organisme.

Changer d'antiacide. Pour éviter la diarrhée liée aux brûlures d'estomac, prenez des antiacides contenant de l'hydroxyde d'aluminium, mais sans magnésium. Même s'ils sont moins efficaces, ils vous éviteront certains désagréments.

Éviter la contagion. Lorsque vous préparez les repas, veillez à vous laver soigneusement les mains. Les infections parasitaires se transmettent aussi par les mains. Ayez également vos propres savons et serviettes.

QUAND CONSULTER ?

- Vous avez la diarrhée depuis plus d'une semaine.
- Elle est accompagnée de fièvre, de sang dans les selles ou de fortes crampes abdominales.
- Vous constatez la présence de mucus (liquide transparent) ou de pus (perte épaisse jaune ou verte malodorante) dans vos selles.
- Vous avez la bouche, les lèvres et la langue anormalement sèches.
- La quantité de vos urines diminue et vous constatez une perte de poids.
- Si vous êtes enceinte et que vous avez un ou plusieurs de ces symptômes, il est important d'aller consulter un médecin.

QUE SE PASSE-T-IL LORS DE L'EXAMEN ?

Lorsqu'un patient se présente pour une diarrhée, on procède à un examen complet (abdominal et, parfois, rectal) et le médecin peut demander des cultures de selles et une recherche de parasites. Il peut procéder à des examens complémentaires selon l'importance du problème, p. ex. : une prise de sang. Il est quelquefois nécessaire de recourir à la rectoscopie, à des radiographies et parfois même à la biopsie intestinale dans les cas de diarrhée chronique.

QUEL EST LE TRAITEMENT ?

Traitement habituel

Un antibiotique, un antidiarrhéique ou tout simplement une bonne hydratation seront habituellement suffisants pour régler le problème. Si la déshydratation est importante, accompagnée de fièvre et de sang dans les selles, le patient sera hospitalisé pour être réhydraté par voie intraveineuse.

Intolérance au lactose

Si c'est une intolérance au lactose qui cause la diarrhée chronique, vous réglerez le problème en éliminant l'aliment responsable ou en consommant du Lactaid. Vous pourrez réintroduire le lait de façon très progressive dans votre alimentation, en le consommant en très petites quantités. Pour les jeunes enfants, il est possible de remplacer le lait par une formule à base de soja.

Diarrhée du voyageur

Beaucoup de voyageurs, avant de partir, demandent à leur médecin des antibiotiques qui leur éviteront la *turista*. On n'en prescrit pas d'emblée, à cause des effets secondaires et du danger de résistance bactérienne. Seuls les gens nettement plus à risque en auront besoin : les diabétiques qui prennent de l'insuline, les sidéens, ceux qui souffrent d'hypertension et qui prennent des diurétiques ou encore les gens porteurs de maladies inflammatoires chroniques de l'intestin comme la maladie de Crohn et la colite ulcéreuse.

Difficulté à marcher

La marche est un mouvement complexe. Elle fait appel à la coordination entre le système nerveux central (cortex, sous-cortex, cervelet et moelle épinière), le système nerveux périphérique (nerfs) et l'appareil locomoteur (muscles, os et articulations). La marche dépend également de l'équilibre, qui est régi par le cervelet et l'oreille interne (système vestibulaire).

Différents troubles fonctionnels peuvent donner l'alarme : engourdissements et perte de sensation dans les membres inférieurs, équilibre précaire, manque de coordination, chutes fréquentes, raideur ou faiblesse d'une jambe, qui traîne ou ne répond pas à la commande.

QUELLES SONT LES CAUSES ?

Problème au niveau du système nerveux central

- ***Vieillissement normal.*** Il entraîne une altération d'une partie des neurones qui transmettent l'influx nerveux aux extrémités et de ceux qui règlent le rapport entre le cervelet et l'oreille interne. Les gens âgés ont une démarche lente, mal assurée, et leurs problèmes de vision (p. ex. : cataractes) aggravent la situation ;
- ***Accident vasculaire cérébral (AVC).*** L'AVC est précédé d'une diminution de la circulation du sang ou d'une hémorragie cérébrale qui perturbe le fonctionnement d'une partie du cerveau et qui peut entraîner des engourdissements et une paralysie d'un ou de plusieurs membres ;
- ***Tumeur cérébrale.*** La croissance de la tumeur peut provoquer une compression ou la mort de tissus du cerveau, entraînant progressivement des engourdissements et une perte de sensibilité au niveau des membres notamment ;
- ***Sclérose en plaques.*** Il s'agit d'une atteinte de la myéline qui enveloppe les fibres nerveuses dans le corps et qui perturbe l'influx nerveux. Les engourdissements peuvent commencer aux pieds et progresser vers l'abdomen, ou ils peuvent se manifester d'un seul côté ; on note une faiblesse des membres inférieurs, des spasmes musculaires ou de la maladresse ;

- ***Démences.*** Certaines maladies telles que la maladie de Parkinson entraînent une marche hésitante, saccadée et progressivement impossible ;
- ***Dystrophies musculaires.*** Elles se caractérisent par une atteinte des nerfs et du tronc cérébral (partie située à la base du cerveau), provoquant une faiblesse des extrémités et une fonte musculaire (p. ex. : sclérose latérale amyotrophique ou maladie de Lou-Gehrig) ;
- ***Compression de la moelle épinière par une tumeur, un disque ou un traumatisme à la colonne vertébrale.*** La difficulté à marcher s'accompagne, dans ce cas, d'incontinence urinaire ou de constipation rebelle, d'engourdissements qui montent des pieds à la taille, au thorax ou au cou, avec faiblesse et spasmes des membres inférieurs (et parfois aussi des membres supérieurs) ;
- ***Labyrinthite.*** Causée par un virus passager qui infecte l'oreille interne (labyrinthe) et provoque des vertiges (perte de l'équilibre). À noter que les infections bactériennes à répétition ou chroniques peuvent avoir le même effet à long terme ;
- ***Médicaments, alcool et drogues.*** Certains médicaments comme les sédatifs, les psychotropes et les hypotenseurs peuvent interférer au niveau de l'équilibre et de la vigilance ;
- ***Affections touchant le cervelet.*** Elles entraînent un trouble de la marche par atteinte de la coordination et de l'équilibre.

Problème au niveau du système nerveux périphérique

- ***Polyneuropathies.*** Les causes les plus courantes sont le diabète, l'alcoolisme et la déficience en vitamine B_{12} due à une malabsorption digestive ou à un déficit en apport. Ces maladies qui détruisent les terminaisons nerveuses entraînent une perte de sensibilité des pieds et une désorientation pouvant provoquer une chute.

Problème au niveau de l'appareil locomoteur

- ***Hernie discale lombaire.*** Elle s'installe insidieusement à la suite de lumbagos ou d'entorses lombaires à répétition ; le disque est aplati entre deux vertèbres. Il irrite les nerfs à leur point de départ, causant de la douleur et divers degrés d'impotence des membres inférieurs ;

- ***Arthrite.*** Maladie inflammatoire qui peut toucher n'importe quelle articulation et gêner son fonctionnement. La douleur et l'œdème (hanche, genou, cheville, orteils) limitent la marche. À un stade avancé, l'articulation peut être déformée et grignotée par les poussées inflammatoires répétées. La goutte est une forme d'arthrite, où l'acide urique (urée) en excès forme des calcifications très douloureuses dans les articulations ;
- ***Ostéoarthrose.*** Elle entraîne un durcissement du tissu articulaire et limite les mouvements d'une ou de plusieurs articulations pouvant s'accompagner de douleurs intenses.
- ***Artériosclérose des membres inférieurs.*** L'apport de sang oxygéné aux jambes est réduit. Ce phénomène, identique aux crises d'angine de poitrine affectant le cœur, cause une douleur qui fait boiter (claudication intermittente). Les gens qui en sont atteints sont des fumeurs dans 90 % des cas.
- ***Myopathies.*** Elles entraînent une faiblesse de certaines régions musculaires, rendant ainsi la marche difficile.
- ***Affections des pieds*** telles que des plaies, l'hallux valgus, les pieds plats et certaines déformations des pieds.
- ***Phlébite.*** Elle se caractérise par la formation de caillots au niveau d'une veine et se manifeste par une douleur au mollet qui peut être accompagnée de gonflement.

CONSEILS PRATIQUES

Faire régulièrement de l'exercice à tout âge. L'exercice maintient la densité osseuse, la masse musculaire et la souplesse des articulations. C'est l'un des meilleurs facteurs de prévention. Si vous avez déjà été victime d'un AVC ou opéré d'une tumeur, d'une compression ou d'une lésion de la moelle épinière, bougez ! Faites travailler vos jambes même si cela ne donne pas de résultat apparent, car vous exercez aussi votre cerveau : celui-ci cherche de nouvelles voies pour transmettre ses commandes. Les exercices passifs avec l'aide d'une autre personne minimiseront l'atrophie musculaire. La réadaptation, même partielle, de fonctions altérées ou perdues doit constituer votre priorité numéro un.

Surveiller son poids. L'obésité exerce une pression indue sur les articulations des membres inférieurs.

Faire examiner ses yeux. Peut-être votre démarche est-elle incertaine parce que vous ne voyez pas bien où vous mettez les pieds!

Surveiller les facteurs de risque de l'artériosclérose. Il est important de surveiller son taux de cholestérol et de sucre et l'hypertension. Il est fortement recommandé de ne pas fumer et de faire de l'exercice.

Faire vérifier ses médicaments. Souvenez-vous que les sédatifs perturbent l'équilibre. Le médecin pourrait vous proposer une solution de rechange.

Lutter contre le vieillissement. Si vous appartenez au troisième âge, portez vos lunettes et de bonnes chaussures de marche. Quand vous vous déplacez, gardez le corps droit et regardez loin devant vous au lieu de fixer le sol ou vos pieds: cela vous évitera bien des chutes! Si l'état du sol vous inquiète, apprenez à vous servir d'une canne pour sonder les embûches plutôt que de concentrer votre regard dans cette direction. Les meilleurs exercices sont la natation, les étirements et ceux qui sollicitent à la fois le mouvement et l'équilibre, comme la marche, la danse et l'aérobique sans impact.

Empêcher l'arthrite de vous rendre inactif. En période de crise, prenez vos analgésiques ou vos anti-inflammatoires. Un ou deux comprimés d'acétaminophène (325 mg ou 500 mg) quatre fois par jour, jusqu'à un maximum de 4 g par jour, aideront à soulager la douleur. Pour les anti-inflammatoires, il faut respecter la dose recommandée par le fabricant. Vous pouvez prendre un des deux médicaments ou les deux si les symptômes sont difficiles à maîtriser. Faites des applications de froid et pratiquez de légers exercices d'amplitude de mouvement. Par la suite, reprenez vos exercices habituels: marche, natation, bicyclette, pour éviter le syndrome d'immobilisation.

Prendre soin d'une douleur lombaire (lumbago, entorse ou hernie discale). Prenez vos analgésiques ou vos anti-inflammatoires.

Appliquez du froid les deux ou trois premiers jours, de la chaleur par la suite jusqu'à ce que la douleur disparaisse et restez au lit. Appliquez le froid et la chaleur environ 20 minutes toutes les trois à quatre heures. Alternez ces deux positions : sur le dos avec au moins deux oreillers sous les cuisses et un sous la tête, ou sur le côté avec un ou deux oreillers entre les genoux et un sous la tête. Changez de position lentement, en bloc, en évitant la torsion du tronc. Une fois la crise passée, reprenez vos activités quotidiennes et, ensuite, votre programme d'exercices quotidiens.

Adopter de saines habitudes de vie. N'abusez pas du café, car il a un effet vasoconstricteur qui diminue la circulation du sang dans l'organisme. Limitez également votre consommation d'alcool et abstenez-vous de faire usage de drogues, car ces produits perturbent le cervelet et, donc, l'équilibre.

QUAND CONSULTER ?

- Vous ressentez des douleurs ostéoarticulaires récidivantes et incommodantes.
- Vous ressentez un engourdissement ou une faiblesse dans une jambe ou dans les deux.
- Vous avez une certaine difficulté à marcher, à vous tourner ou à monter les escaliers.
- Vous manquez de stabilité, heurtez souvent les objets environnants et faites de fréquentes chutes.
- Vous éprouvez une raideur ou une faiblesse dans une jambe et constatez une fonte musculaire.
- Vous éprouvez toujours la même douleur au mollet après une séance de marche qui se fait de plus en plus courte.
- Vous ressentez par périodes une douleur vive et opiniâtre à une articulation (au gros orteil, en général), qui vous réveille la nuit.
- À la suite d'un lumbago ou d'une entorse lombaire, vous êtes incapable de reprendre ne serait-ce qu'une partie de vos activités

après trois jours de repos et de soins maison.

- Vous constatez qu'une de vos articulations est chaude, gonflée et douloureuse ; vous ne pouvez plus l'utiliser depuis un certain temps.

QUE SE PASSE-T-IL LORS DE L'EXAMEN ?

Le médecin notera les informations importantes et procédera à un examen neurologique, ostéoarticulaire, musculaire et des organes sensoriels pour trouver la ou les causes de la difficulté à marcher. Il portera une attention particulière à la démarche du patient afin d'évaluer la vitesse de la marche, la longueur et la hauteur des pas, la régularité du mouvement, les réflexes posturaux et les boiteries antalgiques. Il pourra également procéder à des tests qui évalueront le risque de chute et le pronostic.

Dans certains cas, le médecin poursuivra son évaluation par des examens complémentaires tels que des radiographies, des scanographies ou des examens par résonance magnétique.

QUEL EST LE TRAITEMENT ?

L'objectif général du traitement est de restaurer, avec ou sans aide technique, un patron de marche acceptable et une stabilité afin d'éviter les chutes. De plus, la rééducation fonctionnelle a pour but de maintenir une autonomie dans les déplacements de la personne atteinte, rendant plus facile l'accomplissement des activités quotidiennes, domestiques et sociales.

De façon spécifique, les traitements varient en fonction de la cause qui rend la marche difficile. Elles vont du traitement médicamenteux à la chirurgie, dans certains cas, en passant par la physiothérapie.

Difficulté à respirer

Le rôle du poumon consiste à oxygéner le sang et à en éliminer le gaz carbonique. En cas d'insuffisance respiratoire, le taux de gaz carbonique sanguin augmente, tandis que celui d'oxygène diminue, ce qui se traduit par de la difficulté à respirer (qu'on appelle aussi dyspnée). La personne doit fournir des efforts supplémentaires pour respirer. Elle peut ressentir de l'essoufflement, une impression de manquer d'air et une sensation d'étouffement ou d'oppression thoracique. Elle peut aussi avoir le souffle court et rapide. Les problèmes qui entraînent de l'essoufflement sont multiples: activité physique intense, affections cardiaques, maladies pulmonaires. Comme les troubles respiratoires consécutifs à une maladie cardiaque sont traités dans un autre chapitre, seuls ceux qui sont liés à une affection pulmonaire sont décrits ici.

QUELLES SONT LES CAUSES ?

- ***Pneumonie.*** Cette infection des poumons due à des bactéries ou à un virus peut provoquer l'apparition d'un essoufflement, de toux, d'expectorations (crachats) parfois sanguines, de frissons et de fièvre;
- ***Bronchite chronique.*** L'inflammation des bronches causée par la cigarette ou par une exposition régulière à des produits toxiques irritants (comme le chlore) se manifeste par une toux chronique et des expectorations, puis, lorsque la maladie s'aggrave, par de l'essoufflement;
- ***Emphysème.*** Il s'agit de la destruction progressive et chronique des alvéoles pulmonaires qui survient habituellement chez les fumeurs. Les symptômes de cette maladie chronique sont l'essoufflement, une respiration sifflante, parfois de la toux et des expectorations;
- ***Asthme.*** La crise d'asthme, en réponse à une allergie, se présente d'habitude par un essoufflement subit et des sifflements (surtout à l'expiration), une oppression thoracique, une sensation d'étouffement et une toux sèche ou productive (avec ou sans crachats);
- ***Allergie respiratoire majeure.*** Une telle allergie fait enfler le visage, la langue, le larynx, les tissus mous de la gorge et les cordes vocales. L'étouffement s'accompagne d'un bruit strident à l'inspi-

ration (stridor). Cela peut surtout arriver aux personnes allergiques à la pénicilline, aux noix et aux piqûres d'insectes. C'est une urgence médicale;

- ***Embolie pulmonaire.*** Un caillot se forme dans un vaisseau sanguin (dans une jambe, la plupart du temps), se détache, suit la circulation sanguine et va obstruer une artère pulmonaire. De longs déplacements en voiture, un alitement prolongé et un traumatisme aux jambes (comme un accident) favorisent la formation des caillots. En outre, les risques d'embolie sont plus grands s'il y a déjà eu des cas dans la famille proche. L'embolie pulmonaire se traduit par un essoufflement instantané et, selon la taille et l'emplacement du caillot, par une douleur au thorax, de la fièvre et des crachats teintés de sang;

Étouffement avec un corps étranger

Si la personne devient subitement essoufflée, porte sa main à la gorge, n'est plus capable de parler et prend une couleur bleutée, elle est sans doute en train de s'étouffer avec un aliment ou un objet quelconque.

Demandez-lui si elle peut tousser. Si oui, encouragez-la à le faire sans intervenir. Si la toux n'est pas suffisante pour expulser le corps étranger et si la personne est de plus en plus mal en point, pratiquez la manœuvre d'Heimlich: tenez-vous debout derrière la personne qui s'étouffe, joignez vos deux poings sur son estomac et tirez d'un coup sec vers le haut. Le corps étranger devrait ainsi remonter dans la bouche et être éjecté.

Si cela ne fonctionne pas, couchez la personne sur le dos, le visage tourné d'un côté. Placez-vous au-dessus d'elle, un genou par terre de chaque côté. Mettez les mains une par-dessus l'autre entre le nombril et la cage thoracique et poussez vers le haut avec des gestes rapides.

Attention: il faut procéder autrement avec les jeunes enfants et les bébés. Couchez l'enfant en travers de votre cuisse, à plat ventre et tête en bas, et donnez-lui des petites tapes dans le dos.

Pour plus de précautions, allez ensuite voir un médecin.

- ***Pneumothorax.*** Un pneumothorax survient lorsque des bulles produites par une infiltration gazeuse dans le tissu cellulaire et localisées à la surface du poumon se rompent et que de l'air s'infiltre dans la plèvre (membrane composée de deux «feuillets» qui tapissent d'une part le poumon et, d'autre part, la cage thoracique) et le poumon et comprime ce dernier, rendant ainsi la respiration difficile. Pour des raisons encore inconnues, les jeunes adultes grands et minces y sont particulièrement sujets. Et, comme la stature est héréditaire, plusieurs cas de pneumothorax peuvent s'observer dans une même famille. L'emphysème et les traumatismes graves au thorax (une blessure, par exemple) peuvent également entraîner un pneumothorax. En plus de manquer de souffle, la personne présentant un pneumothorax ressent de fortes douleurs au niveau des côtes. Les symptômes surviennent brusquement;
- ***Épiglotte.*** Il s'agit d'une infection bactérienne du larynx et du pharynx atteignant son maximum au niveau de l'épiglotte, «clapet» situé au fond de la gorge qui se referme sur les cordes vocales au moment de la déglutition. Les symptômes de l'épiglottite sont une respiration sifflante, surtout à l'inspiration, des maux de gorge et de la fièvre. Les enfants sont particulièrement prédisposés à ce genre d'inflammation aiguë, qui constitue une urgence médicale en raison du risque d'asphyxie;
- ***Syndrome d'hyperventilation.*** Il s'agit d'un phénomène bénin, qui se produit surtout chez les gens anxieux (les femmes y sont plus sujettes que les hommes). Dans ce cas, la respiration rapide provoque une forte diminution du gaz carbonique dans le sang, entraînant une impression d'étouffement, des étourdissements, une faiblesse, de la fatigue, des palpitations cardiaques, un fourmillement dans les bras et les mains, des points thoraciques ou abdominaux, des bouffées de chaleur et, parfois même, une perte de connaissance ;
- ***Fibrose pulmonaire.*** Maladie chronique et très grave qui se caractérise par la formation progressive de tissu cicatriciel dans les poumons. De cause souvent inconnue, elle peut aussi se rencontrer chez les gens souffrant d'amiantose (maladie causée par l'exposition prolongée à la poussière des fibres d'amiante), de silicose (maladie provoquée par l'exposition prolongée à la poussière de silice, que l'on

retrouve dans les carrières, les mines, les fonderies et les chantiers de maçonnerie) ou même d'alvéolite allergique (contact prolongé avec du foin moisi, des pigeons ou des perruches). Avec les années, la fibrose pulmonaire entraîne la rigidité des poumons, qui perdent peu à peu la capacité de faire leur travail. La maladie se remarque par un souffle court et rapide. Se manifeste aussi une grande fatigue, qui empire avec la progression de la maladie;

- ***Fibrose kystique.*** Il s'agit d'une maladie congénitale et héréditaire qui se caractérise par le mauvais fonctionnement des glandes des poumons et du système digestif. Cela entraîne l'épaississement des sécrétions pulmonaires. Le mucus épais colle aux bronchioles (les petites bronches) et bloque la circulation de l'oxygène. Les bactéries se développent et se multiplient dans les poumons obstrués. Elles entraînent des infections à répétition qui contribuent à détruire le tissu pulmonaire. Aux difficultés respiratoires peuvent s'ajouter des problèmes digestifs (comme une diarrhée chronique) et des troubles de la croissance;
- ***Obésité morbide.*** En présence d'un surplus de poids très important, l'abdomen proéminent fait remonter le diaphragme, qui écrase alors les poumons. La personne doit donc faire un effort accru pour respirer. La difficulté respiratoire est présente de façon constante et davantage encore lorsqu'il faut fournir un effort physique. De plus, le problème respiratoire est aggravé par un cœur moins performant et des capacités musculaires réduites;
- ***Scoliose.*** Déformation congénitale de la colonne vertébrale (qui prend la forme d'un *S*). Dans les cas graves, le poumon est coincé par la colonne déformée. Cela limite son expansion et entraîne une difficulté chronique à respirer;
- ***Dystrophie musculaire.*** La dystrophie est une faiblesse musculaire progressive, c'est-à-dire qui empire avec les années. Cela commence par une baisse de la force des muscles du visage, du thorax et du cou pour devenir à long terme une faiblesse générale. Les difficultés respiratoires proviennent donc de l'affaiblissement des muscles pulmonaires;
- ***Maladies inflammatoires de la plèvre (pleurésie).*** La plèvre est la membrane composée de deux « feuillets » qui tapissent, d'une part, le poumon et, d'autre part, la cage thoracique. Les symptômes les

plus fréquents de la pleurésie sont une douleur thoracique accrue à l'inspiration et à la toux, de même qu'un essouflement à l'effort lorsqu'il y a un épanchement (liquide dans la plèvre). Le plus souvent, la pleurésie est causée par une infection (virus, inflammation entraînée par une pneumonie ou infection à l'intérieur de la plèvre). L'arthrite rhumatoïde ou le lupus érythémateux disséminé, qui sont provoqués par un trouble du système immunitaire, en sont également des causes. Le cancer du poumon, s'il envahit la plèvre, peut aussi entraîner une pleurésie;

- ***Insuffisance respiratoire.*** Tous les problèmes pulmonaires peuvent empirer et dégénérer en insuffisance respiratoire. Le poumon n'est tout simplement plus capable d'assurer l'oxygénation du sang et l'essoufflement s'aggrave. Selon la nature du problème responsable de l'insuffisance respiratoire, d'autres symptômes peuvent apparaître.

CONSEILS PRATIQUES

En cas d'allergie majeure. Si vous êtes allergique aux noix, aux piqûres d'insectes et à la pénicilline, ayez toujours à votre disposition une seringue d'adrénaline (Epipen, en vente libre en pharmacie). En cas de contact avec l'élément allergène, il faut injecter l'Epipen immédiatement. Si possible, prenez aussi une dose d'antihistaminique (Benadryl) en comprimés ou en sirop. Ensuite, allez d'urgence à l'hôpital. N'oubliez pas de vérifier régulièrement la date de péremption de votre Epipen.

Se reposer. Si vous êtes essoufflé, il est essentiel que vous vous reposiez quelques minutes avant de reprendre doucement vos activités.

Prévenir la formation de caillots sanguins. Si vous prévoyez passer plusieurs heures en voiture, arrêtez-vous fréquemment pour vous dégourdir les jambes afin de prévenir la formation de caillots sanguins. En outre, les anticoagulants injectables par voie sous-cutanée (héparines de faible poids moléculaire) sont recommandés et pourront être prescrits aux gens qui ont déjà souffert d'une thrombose veineuse profonde ou d'une embolie pulmonaire. Une injection avant un voyage où la personne restera longtemps assise (plus de cinq heures d'affilée) pourra aider à prévenir la formation de caillots sanguins. Parlez-en à votre médecin si vous prévoyez voyager. Les personnes âgées et celles qui ont des antécédents personnels ou familiaux d'embolie pulmonaire devraient aussi porter des bas de compression, particulièrement en cas d'alitement prolongé. Ces bas élastiques, vendus sans ordonnance en pharmacie, sont conçus pour favoriser la circulation du sang, évitant ainsi l'apparition d'une phlébite (inflammation des veines liée à la présence d'un caillot sanguin).

Se maintenir en forme. Une bonne forme physique vous donnera une plus grande endurance à l'effort. Si vous êtes plutôt sédentaire, commencez progressivement. Au minimum, faites 20 minutes de marche trois fois par semaine. N'oubliez surtout pas la période de réchauffement (étirements).

S'informer. L'Association pulmonaire du Québec vous fournira de précieuses informations, des conseils et du soutien.

Ne pas fumer. La fumée du tabac obstrue les voies respiratoires et raccourcit l'espérance de vie.

En cas de crise d'hyperventilation, respirer autrement. Si vous faites une crise d'hyperventilation, vous devez respirer moins vite et moins profondément. Respirez par le nez, avec le diaphragme, et évitez de soupirer. Le truc qui consiste à respirer dans un sac en papier peut contrer la baisse de gaz carbonique, mais il ne corrige pas la façon de respirer qui est à l'origine du problème. Pour obtenir de l'information au sujet de l'hyperventilation et pour apprendre à faire des exercices de respiration diaphragmatique, parlez-en à votre médecin. Dans certains endroits, celui-ci pourra vous adresser à une clinique spécialisée en inhalothérapie.

QUAND CONSULTER ?

- Votre respiration devient subitement plus rapide et vous avez l'impression d'étouffer.
- L'essoufflement soudain persiste plus de 15 minutes.
- Votre respiration est sifflante.

- En plus de l'essoufflement, vous ressentez des douleurs au thorax.
- Votre enfant présente des symptômes d'épiglottite (respiration sifflante, maux de gorge et fièvre).

QUE SE PASSE-T-IL LORS DE L'EXAMEN ?

En plus de noter les informations pertinentes et de procéder à l'examen clinique, le médecin pourra demander des radiographies pulmonaires et des analyses sanguines. Dans certains cas, des examens en médecine nucléaire aideront le médecin à poser son diagnostic. S'il s'agit d'un cas urgent d'allergie respiratoire majeure, le médecin prendra les signes vitaux et vérifiera si l'air entre correctement dans les poumons.

QUEL EST LE TRAITEMENT ?

Pneumonie

Les pneumonies d'origine bactérienne se traitent habituellement bien avec des médicaments, notamment par des antibiotiques, qui doivent être pris pendant 10 jours.

Bronchite chronique, emphysème et asthme

Ces maladies se maîtrisent au moyen de bronchodilatateurs (médicaments qui dilatent les bronches) et de médicaments anti-inflammatoires. Dans les cas avancés de bronchite chronique et d'emphysème, on peut avoir recours à la prise d'oxygène. Il est donc possible que le malade ait à utiliser une bonbonne d'oxygène ou un concentrateur d'oxygène (un appareil qui permet de concentrer l'oxygène pompé dans l'air ambiant, qui passe alors de 21 % à environ 95 %). Certains patients en ont besoin à l'effort, d'autres pendant qu'ils dorment et d'autres encore en permanence (de jour comme de nuit).

Allergie respiratoire majeure

Le médecin injectera de l'adrénaline pour dilater les bronches. De la cortisone par voie intraveineuse ou des antihistaminiques seront utiles pour faire diminuer l'inflammation du visage, de la langue, du larynx, des tissus mous de la gorge et des cordes vocales. Un traitement bronchodilatateur en aérosol sera prescrit. Dans les cas d'insuffisance respiratoire grave, où une ventilation mécanique devient nécessaire, on procédera à une intubation par la bouche ou à une trachéostomie (ouverture chirurgicale de la trachée) afin de court-circuiter l'obstruction des voies respiratoires supérieures.

Embolie pulmonaire

Le patient sera hospitalisé quelques jours ou il pourra être traité à domicile, selon le cas. Il recevra des anticoagulants (héparines par voie intraveineuse ou sous-cutanée) destinés à empêcher la formation de nouveaux caillots et à permettre la dissolution naturelle des caillots déjà formés. À sa sortie de l'hôpital, il devra continuer de prendre un anticoagulant, à savoir de la warfarine (Coumadin ou Sintron) pendant plusieurs mois, afin de prévenir une récidive.

Pneumothorax

Habituellement, l'air qui se retrouve dans la plèvre se résorbe en quelques jours, sans traitement, mais le malade pourrait être gardé en observation à l'hôpital pendant quelques heures. Si les symptômes sont plus importants, un drainage thoracique permettra d'évacuer l'air rapidement et de faciliter la réexpension du poumon. Pour atténuer la douleur qui est habituellement présente, on prescrit généralement des analgésiques (antidouleurs).

Épiglottite

Le patient sera hospitalisé et recevra un antibiotique afin d'enrayer l'infection. Advenant une obstruction importante des voies respiratoires supérieures par l'enflure de l'épiglotte, on devra recourir à une intubation ou à une trachéostomie.

Syndrome d'hyperventilation

Le médecin pourra rassurer son patient : l'hyperventilation n'est pas dangereuse pour la santé. Il lui donnera des conseils pour l'aider à mieux maîtriser sa respiration et il lui indiquera des programmes de rééducation respiratoire. La prescription d'anxiolytiques (contre l'anxiété) est parfois nécessaire.

Fibrose pulmonaire

Selon la cause de la fibrose pulmonaire, certains patients peuvent bien répondre à un traitement par les stéroïdes (cortisone).

Fibrose kystique

La maladie ne se guérit pas et l'espérance de vie ne dépasse guère 30 ans. Les médecins prescrivent à vie des médicaments dont le but est de liquéfier les sécrétions. Le patient aura aussi régulièrement besoin de séances de «clapping» pour dégager les sécrétions (le « clapping» est un traitement de physiothérapie qui peut, par des percussions sur le dos ou la poitrine, aider à dégager le mucus).

Obésité morbide

Le traitement consiste en une perte de poids sous surveillance médicale. De nouveaux médicaments peuvent être prescrits pour favoriser l'amaigrissement. On peut aussi pratiquer des chirurgies pour rapetisser l'estomac ou pour raccourcir les intestins afin de diminuer le temps d'absorption des aliments. Pour aider son patient à mieux respirer, le médecin peut parfois prescrire de l'oxygène.

Scoliose

Dans les cas de scoliose grave (dépassant généralement un angle de 45°), une chirurgie de correction peut être envisagée, surtout chez les jeunes. Lorsque la scoliose entraîne une importante insuffisance respiratoire, un appareil d'assistance ventilatoire par masque (pression positive inspiratoire et expiratoire, ou BiPAP) peut aider.

Dystrophie musculaire

La physiothérapie aidera à préserver le plus longtemps possible la force musculaire. Lorsque l'insuffisance respiratoire se manifeste, le patient peut devoir utiliser des bonbonnes ou un concentrateur d'oxygène. Dans les cas plus graves, le BiPAP peut être utile. Il s'agit d'un appareil d'assistance ventilatoire par masque (pression positive inspiratoire et expiratoire).

Maladies de la plèvre
Le traitement adéquat sera immédiatement entrepris.

Insuffisance respiratoire
Ce trouble respiratoire nécessite une hospitalisation, parfois aux soins intensifs, et les médecins traiteront la maladie pulmonaire responsable de l'insuffisance respiratoire qui est, selon le problème sous-jacent, temporaire (en cas de pneumonie, par exemple) ou chronique (en cas d'emphysème, par exemple).

Dilatation de la pupille

La pupille, petit point noir situé au centre de l'œil, est l'orifice par lequel la lumière pénètre dans l'œil. Elle est contrôlée par deux muscles : l'un la dilate (dilatateur) et l'autre la contracte (sphincter). La dilatation anormale de la pupille (mydriase) peut se produire dans un seul œil ou dans les deux yeux. Lorsqu'une seule pupille est dilatée, il y a lieu de s'inquiéter.

Les symptômes liés à la dilatation anormale de la pupille sont les suivants :

- vision trouble de près ;
- sensibilité ou éblouissement à la lumière, la pupille se contractant peu ou pas à la lumière ;
- diplopie (vision double) s'accompagnant de douleur et parfois d'un affaissement de la paupière (paupière tombante). Ces derniers symptômes peuvent indiquer un trouble neurologique grave.

QUELLES SONT LES CAUSES ?

Dilatation de la pupille dans les deux yeux

- ***Certains médicaments,*** tels que les gouttes utilisées pour « blanchir » les yeux et de nombreux produits à base d'atropine ou de belladone sous forme de comprimés, de gouttes ophtalmiques pour traiter certaines maladies de l'œil ou de timbres transdermiques (*patch*) contre le mal des transports ou les nausées ;
- ***Contact de certaines plantes toxiques ;***
- ***Certaines drogues,*** telles que la marijuana et la cocaïne.

Dilatation de la pupille dans un seul œil

- ***Origine génétique.*** Les deux pupilles sont de taille différente à la naissance. Ce phénomène, appelé « anisocorie », touche 10 % de la population ; aucun symptôme n'y est associé et il n'est nullement inquiétant ;
- ***Migraine liée à une douleur oculaire ;***
- ***Crise de glaucome,*** accompagnée de douleur et de rougeur à l'œil, d'une vision trouble, et de nausées et de vomissements ;

- ***Syndrome d'Adie.*** C'est une affection, souvent associée à une atteinte virale ou faisant partie d'un syndrome neurologique, dans laquelle l'une des pupilles, anormalement dilatée, se contracte plus lentement à la lumière que l'autre. Cela entraîne une vision trouble de près et un éblouissement à la lumière;
- ***Atteinte neurologique (cas rares),*** telle que l'atteinte d'un nerf crânien, une malformation vasculaire (anévrisme) ou la présence d'une tumeur.

CONSEILS PRATIQUES

Se rendre à l'urgence. Si vous avez une pupille plus dilatée que l'autre accompagnée soit de rougeur à l'œil, soit de maux de tête inhabituels, voyez un médecin sur-le-champ. Il peut s'agir, dans le premier cas, d'une crise de glaucome et, dans le second cas, d'un anévrisme d'une artère du cerveau. Une intervention médicale rapide peut sauver votre œil et même votre vie.

Ne pas tarder à consulter un médecin sous prétexte que «ça va passer». Surtout si votre œil ou les deux yeux sont douloureux et rouges et que votre vision est trouble.

Ne jamais utiliser de gouttes à base de pilocarpine ou l'un de ses substituts sans avoir consulté un médecin. Ces médicaments, souvent utilisés pour traiter le glaucome, agissent en contractant la pupille. Toutefois, leur utilisation est risquée, car elle pourrait masquer une affection extrêmement grave. Ne les utilisez jamais sans prescription ni sans avoir consulté un ophtalmologiste.

Apporter des photos chez le médecin. Choisissez quelques photos de vous en gros plan prises au cours des 10 dernières années. Elles permettront au médecin de vérifier si la dilatation de l'une ou des deux pupilles est récente.

Faire vérifier ses médicaments. Si vos deux pupilles sont dilatées depuis plus d'une journée, votre médecin devrait être en mesure d'identifier lequel de vos médicaments entraîne ce problème. Outre les médicaments d'ordonnance, parlez-lui des médicaments en vente libre et des gouttes pour les yeux que vous utilisez, y compris les gouttes pour « blanchir » les yeux.

QUAND CONSULTER ?

- Vous ressentez de la douleur.
- Vous voyez double.
- Vous avez une paupière tombante.
- Votre œil ou vos deux yeux sont rouges.
- Vous avez mis des gouttes ou pris des médicaments. Dans ce cas, attendez une semaine avant de consulter un médecin, à moins d'éprouver l'un des quatre symptômes mentionnés ci-dessus. La dilatation des deux pupilles causée par ces produits peut durer plusieurs jours, mais cela n'est pas grave.

QUE SE PASSE-T-IL LORS DE L'EXAMEN ?

L'ophtalmologiste utilisera différentes lumières pour vérifier les réflexes de la pupille, si l'œil bouge normalement et s'il présente de la rougeur. Il demandera au patient s'il a pu être en contact avec certaines plantes toxiques. Il évaluera la vision du patient en lui faisant lire certains textes. Si nécessaire, il demandera des examens radiologiques.

QUEL EST LE TRAITEMENT ?

Médicaments

Le patient devra éventuellement cesser de les utiliser. Le médecin proposera alors d'autres médicaments comme solution de rechange.

Contact de certaines plantes toxiques

Dans ce cas, la dilatation est sans gravité et disparaîtra d'elle-même après un certain temps.

Migraine

Le traitement comprend des changements de mode de vie et la prise d'analgésiques ou de médicaments de type « triptans ». La pupille redevient normale après la crise migraineuse.

Crise de glaucome

Le traitement au laser et l'utilisation de gouttes ophtalmiques constituent les seuls traitements. En l'absence de traitement, la crise de glaucome peut entraîner une perte de vision irréversible de l'œil atteint.

Syndrome d'Adie

Il n'existe aucun traitement spécifique dans ce cas. Parfois, les symptômes s'estompent avec le temps.

Atteinte neurologique

Généralement, une intervention chirurgicale doit être pratiquée afin de corriger l'anomalie vasculaire ou d'enlever la tumeur.

Douleur abdominale

La douleur abdominale est un problème fréquent, commun à un grand nombre d'affections. Elle se rencontre à tout âge et peut se manifester sous forme de crampes, de sensations de brûlure, de tiraillements, de coups de poignard, etc. Selon le cas, elle sera progressive, intermittente, constante, lancinante, sourde, légère, intense, récidivante, aiguë, chronique, etc.

La douleur peut être diffuse ou se localiser en un point précis. Parfois, elle pourra même irradier dans une région autre que l'abdomen. Différents symptômes, tels que la nausée, les vomissements, la fièvre, la diarrhée, le ballonnement abdominal ou la difficulté à uriner, peuvent l'accompagner. Dans ce cas, plusieurs diagnostics sont possibles. En voici les plus fréquents.

Colique hépatique (crise de foie)

- caractérisée par une douleur localisée du côté droit sous les côtes inférieures, irradiant en ceinture jusque dans le dos;
- généralement accompagnée de nausées et de vomissements;
- survient surtout après un repas gras ou copieux;
- peut s'accompagner d'ictère (jaunisse), de selles pâles et d'urines foncées.

Appendicite aiguë

- douleur qui augmente progressivement dans les 24 heures qui suivent son apparition;
- commence autour de la région du nombril pour ensuite migrer vers le flanc droit inférieur;
- accompagnée de fièvre, de nausées, de vomissements, de perte d'appétit et d'entrain, mais rarement de diarrhées.

Affections gynécologiques

- douleur souvent aiguë et localisée dans le bas-ventre, au centre ou sur les côtés;
- parfois accompagnée de fièvre et plus rarement de nausées et de vomissements;

- s'accompagne habituellement d'un gonflement des seins, d'un arrêt des menstruations, de nausées et de vomissements dans le cas d'une grossesse ectopique.

Infection urinaire

- douleur progressive localisée au centre du bas-ventre;
- se manifeste par une difficulté à uriner accompagnée d'une sensation de brûlure;
- besoin d'uriner plus fréquent, même la nuit;
- urines troubles et malodorantes;
- s'accompagne parfois de douleurs au dos, de fièvre et de sang dans l'urine.

Affections intestinales

- douleurs se présentant sous forme de crampes dans la région du nombril ou du bas-ventre;
- la gastroentérite est la plus fréquente et s'accompagne habituellement de nausées, de vomissements et de diarrhée;
- s'accompagne souvent de constipation. Elle est caractérisée par une douleur souvent chronique, évoluant sur une période de plusieurs jours. Accompagnée d'un ballonnement abdominal et d'une sensation d'inconfort, elle est généralement soulagée par l'évacuation des selles, qui peut être laborieuse;
- l'ulcère gastroduodénal occasionne des douleurs au-dessus du nombril qui peuvent irradier dans le dos et s'étendre à tout l'abdomen. Il s'accompagne de brûlures rétrosternales (douleur au niveau du sternum);
- la diverticulite cause une douleur diffuse qui augmente de façon progressive pour se localiser, par la suite, au flanc gauche inférieur de l'abdomen. Elle s'accompagne de fièvre, de ballonnement abdominal et de changement d'aspect des selles. Ces dernières deviennent plus petites et déchiquetées. Parfois, il peut y avoir un arrêt des gaz et des selles. Dans certains cas, il peut même se produire une perforation du côlon avec péritonite;
- l'occlusion intestinale occasionne crampes et ballonnement abdominaux graves. Les gaz et les selles ne pouvant plus descendre vers

l'anus, il s'ensuit des nausées et des vomissements. L'occlusion intestinale comporte un risque de perforation de l'intestin.

QUELLES SONT LES CAUSES ?

Colique hépatique

- ***Blocage de l'évacuation de la bile*** causé par la présence de calculs dans la vésicule biliaire ou dans le cholédoque, canal situé entre le foie et le petit intestin ;
- ***Antécédents familiaux*** dans la plupart des cas.

Appendicite aiguë

- ***Blocage de l'appendice par des selles,*** suivi d'une infection bactérienne de l'appendice.

Affections gynécologiques

- ***Douleurs menstruelles ;***
- ***Kyste ovarien congénital ou acquis ;***
- ***Salpingite (infection des trompes de Fallope)*** généralement transmise par contact sexuel ;
- ***Grossesse ectopique (développement du fœtus hors de la cavité utérine)*** pouvant être causée par une chirurgie antérieure, de l'endométriose (développement de la muqueuse utérine hors de son emplacement habituel), par une infection ou par une anomalie congénitale de la trompe de Fallope.

Infection urinaire

- ***Bactéries ;***
- ***Soins hygiéniques déficients*** comme, par exemple, le fait de s'essuyer d'arrière en avant après être allé à la selle ;
- Contrairement à la croyance populaire, le « coup de froid » n'est aucunement responsable.

Affections intestinales

- ***Gastroentérite.*** Il s'agit d'une infection d'origine virale ou bactérienne ;

- ***Constipation.*** Elle peut être due à la prise d'opiacés (morphine et codéine) ou de certains médicaments, à de mauvaises habitudes alimentaires, telles qu'une alimentation pauvre en fibres alimentaires, ou à une hydratation insuffisante ;
- ***Ulcère gastroduodénal.*** La prise de certains médicaments comme l'aspirine, les anti-inflammatoires, la cortisone peut provoquer un ulcère gastroduodénal ;
- ***Diverticulite.*** Il s'agit d'une infection de la paroi intestinale pouvant entraîner un abcès ;
- ***Occlusion intestinale.*** La hernie abdominale ou inguinale – du fait d'une faille dans la paroi abdominale, un segment d'intestin sort de la cavité qui le contient normalement – est une cause fréquente d'occlusion intestinale. Elle peut aussi être congénitale ou acquise (après une chirurgie abdominale, par exemple). Les adhérences postopératoires, sortes de cicatrices intra-abdominales, peuvent également causer une occlusion intestinale.

CONSEILS PRATIQUES

Éviter les aliments épicés ou acides. Les symptômes associés à un ulcère gastroduodénal (brûlures d'estomac) seront ainsi atténués.

Avoir une meilleure hygiène alimentaire. Bien mastiquer les aliments, boire davantage de liquides, du jus de pruneaux, par exemple, et manger davantage de fibres, tout cela favorise la régularité des selles et diminue les risques de constipation. Il faut éviter les régimes qui constipent, comme le régime B.R.A.T. (Bananas, Rice, Apple, Toast) : bananes, riz, pomme, pain grillé.

Ne pas prendre de laxatifs sans ordonnance. Vous pourriez aggraver votre problème.

Aller aux toilettes dès que le besoin s'en fait sentir. Suivez votre rythme et cessez de croire qu'il est anormal de ne pas aller à la selle tous les jours.

En cas de colique hépatique, suivre une diète liquide. Tous les liquides sont recommandés, sauf ceux qui contiennent du gras comme, par exemple, le lait.

Prendre un antispasmodique. En vente libre dans les pharmacies, les antispasmodiques (comme le Bentylol) peuvent aider à soulager les crampes ou les spasmes intestinaux.

En cas de colique hépatique à répétition, surveiller son alimentation et consulter un médecin. En attendant l'intervention chirurgicale, diminuez votre consommation d'aliments gras et les crises seront moins fréquentes.

Si l'on soupçonne une appendicite aiguë, consulter un médecin d'urgence. Le risque de complications graves augmente avec le temps. Une perforation de l'appendice avec péritonite peut même en résulter.

En cas de douleurs menstruelles, prendre un analgésique. Le repos et l'application d'un coussin chauffant directement sur la région douloureuse apporteront également un certain soulagement.

Utiliser un préservatif lors de rapports sexuels. Il permet d'éviter les infections transmises sexuellement, telles que la salpingite.

Boire beaucoup d'eau. Il arrive parfois, dans les cas d'infection urinaire, que le simple fait de boire beaucoup d'eau élimine la bactérie responsable. C'est un phénomène qui se produit seulement lorsque l'infection en est à ses débuts. Cependant, vous devriez toujours consulter un médecin si la douleur persiste ou si votre état se détériore. Une bonne hydratation permet également d'enrayer spontanément et en quelques jours la plupart des infections virales de l'intestin. Évitez l'alcool, le café et le thé.

Adopter une meilleure façon de s'essuyer au cabinet de toilette. S'essuyer dans un mouvement allant de l'arrière vers l'avant peut induire une autocontamination par des bactéries de l'intestin. Il est recommandé de s'essuyer dans un mouvement plus court, dans le sens inverse, de l'avant vers l'arrière. Lavez-vous toujours les mains après être allé aux toilettes. Une bonne hygiène empêche la prolifération des bactéries.

QUAND CONSULTER ?

- La douleur persiste depuis plus de six heures.
- La douleur s'intensifie ou devient constante ou généralisée.
- La douleur est suffisamment intense pour vous gêner dans vos activités.
- La douleur s'accompagne de fièvre, de jaunisse ou de douleurs au dos.
- Vous avez des douleurs du côté droit, sous les côtes, surtout après un repas gras ou copieux – surtout si des calculs ont déjà été diagnotisqués.
- Vous avez des coliques hépatiques à répétition.
- Vous avez des vomissements prolongés (pendant plus de 24 heures), vous observez la présence de sang dans vos vomissures ou encore vous avez des vomissements à odeur fécaloïde (selles).
- Vous constatez la présence de sang dans vos urines ou dans vos selles.
- Vous êtes enceinte.
- Vous ne passez plus de gaz ni de selles depuis 24 heures.
- Vous êtes très déshydraté (peau qui plisse, sécheresse de la muqueuse de la bouche).
- Vous avez une hernie que vous ne pouvez plus rentrer dans l'abdomen ou qui est douloureuse.

QUE SE PASSE-T-IL LORS DE L'EXAMEN ?

Le médecin recueillera les informations pertinentes et procédera à un examen physique, pouvant inclure un toucher rectal ou vaginal. Il pourra demander des analyses sanguines et urinaires de même qu'une radiographie de l'abdomen. Une échographie abdominale ou pelvienne peut également s'avérer nécessaire. Chez la femme en âge de procréer, un test de grossesse pourra être demandé, s'il y a lieu.

QUEL EST LE TRAITEMENT ?

Colique hépatique

Les coliques hépatiques nécessitent une intervention chirurgicale pour enlever la vésicule biliaire et les calculs qu'elle contient.

Appendicite aiguë

Une intervention chirurgicale sera nécessaire pour enlever l'appendice. Selon le cas, la prise d'antibiotiques peut être associée à l'intervention.

Affections gynécologiques

Douleurs menstruelles

La prescription d'anovulants, la prise d'analgésiques et quelques conseils pratiques peuvent apporter un soulagement.

Kyste ovarien

Il se résorbe souvent de lui-même, mais il peut aussi nécessiter une ablation chirurgicale.

Salpingite

Elle se traite à l'aide d'antibiotiques.

Grossesse ectopique

Elle se traite par l'ablation chirurgicale.

Infection urinaire

L'agent causal oriente le choix du traitement antibiotique, qui peut être intraveineux ou oral.

Affections intestinales

Gastroentérite

Il faudra mettre les intestins au repos en éliminant les aliments solides. Bien s'hydrater et réintroduire progressivement les aliments solides dans l'alimentation.

Constipation

Elle sera diminuée grâce à une alimentation riche en fibres et à une bonne hydratation. L'ingestion d'huile minérale, un lavement évacuant ou l'évacuation digitale d'un fécalome (bouchon de selles) peuvent parfois être nécessaires.

Ulcère gastroduodénal

Il sera traité par des médicaments antiulcéreux et des antibiotiques, si le médecin soupçonne la présence de la bactérie *Helicobacter pylori*. Un régime approprié sera prescrit en association avec les médicaments.

Diverticulite

L'intestin devra être mis au repos par un régime strict. Des antibiotiques seront alors administrés par voie intraveineuse ou orale, selon la gravité de l'infection. Une diète liquide, puis faible en résidus, sera requise pour une période d'environ trois à quatre semaines. La prise d'antibiotiques par voie orale pendant 7 à 14 jours sera prescrite. Une diverticulite récidivante nécessite une intervention chirurgicale.

Occlusion intestinale

Le médecin pourra introduire par le nez un tube allant jusque dans l'estomac afin de vidanger l'intestin et l'estomac. Si l'occlusion persiste, une chirurgie devient nécessaire.

Occlusion intestinale persistante, perforation de l'intestin due à une complication d'une occlusion intestinale

L'occlusion intestinale persistante et les perforations de l'intestin doivent être traitées par une intervention chirurgicale.

Douleur au coude

Même si le bras est conçu pour assurer une résistance et une flexibilité étonnantes, certaines de ses structures, comme le coude, demeurent sensibles aux abus. L'épicondylite du joueur de tennis (le *tennis elbow*) est une forme particulière d'inflammation des tendons du coude (tendinite). Les joueurs de tennis n'en ont pas l'exclusivité: les abus des travailleurs manuels, des bricoleurs, des violonistes, des sculpteurs, etc., causent également de la douleur ainsi qu'une limitation fonctionnelle des mouvements.

QUELLES SONT LES CAUSES ?

- ***Abus.*** Ceux des sportifs et des travailleurs manuels en tout genre;
- ***Traumatismes.*** Une chute ou un coup (parfois anciens) peuvent détacher un petit morceau d'os, ce qui gêne le fonctionnement de l'articulation. Cela peut aller jusqu'à bloquer le coude en extension, avec ou sans douleur. On parlera alors de «souris articulaire» pour désigner le morceau d'os;
- ***Épicondylite du joueur de tennis.*** La douleur touche la partie externe du coude;
- ***Autres tendinites.*** Celle des tendons fléchisseurs du poignet («coude du golfeur»), car, comme le tendon est attaché au coude, la douleur irradie du poignet jusqu'au coude et parfois même plus haut. Il y a aussi celle du tendon du biceps à son point d'attache, qui donne une douleur au pli du coude;
- ***Bursite du coude.*** Une petite bourse est située entre la peau et l'os. Son rôle est d'atténuer les frictions entre l'os et la peau. Dans la bursite, la bourse se gonfle de liquide et elle peut atteindre la taille d'un œuf. On parle alors de «coude à la Popeye». Souvent, ce n'est pas douloureux;
- ***Arthrite du coude.*** Atteinte inflammatoire caractérisée par un œdème, de la chaleur, une rougeur et une douleur intense ainsi qu'une diminution de l'amplitude des mouvements;
- ***Problème d'origine cervicale.*** La douleur est souvent répercutée aux membres supérieurs, ce qui peut produire de la douleur au coude. Un nerf coincé dans le cou en est très souvent à l'origine.

CONSEILS PRATIQUES

Mettre le coude au repos partiel ou total. Diminuez ou supprimez les activités qui causent de la douleur.

Utiliser des analgésiques. Prenez soit de l'acétaminophène, soit des anti-inflammatoires comme l'aspirine et l'ibuprofène. Un ou deux comprimés d'acétaminophène (325 mg ou 500 mg) quatre fois par jour, jusqu'à un maximum de 4 g par jour, aideront à soulager la douleur. Quant à l'aspirine et aux autres anti-inflammatoires, il faut respecter la dose recommandée par le fabricant. Si la douleur est difficile à maîtriser, vous pouvez prendre de l'acétaminophène et un anti-inflammatoire en même temps. Mais, attention! Il ne faut pas prendre à la fois de l'aspirine et d'autres anti-inflammatoire, car cela pourrait causer des ulcères à l'estomac. Pour la même raison, il ne faut pas prendre d'anti-inflammatoires à jeun.

Appliquer une crème analgésique. Le Zostrix, une pommade vendue sans ordonnance, bloque la transmission de la douleur par les nerfs et s'avère très efficace pour le coude.

Refroidir les tendinites. Remplissez d'eau un petit sac pour congélateur. Une fois l'eau congelée, recouvrez le sac d'une serviette (pour éviter la brûlure de la peau par le froid) et appliquez-le sur le coude quatre à cinq fois par jour, pas plus de 10 à 15 minutes à la fois. Un sac de petits pois surgelés fait aussi très bien l'affaire.

Appliquer de la chaleur en cas d'arthrite. Appliquez une bouillotte enveloppée dans une serviette ou un coussin chauffant quatre à cinq fois par jour, pas plus de 15 à 20 minutes à la fois.

Ne pas soulever son porte-documents à bout de bras. Ni le balancer tout au long d'un trajet à pied.

Ne pas tenir des charges à distance du corps. Ni à l'aide d'un seul bras (comme les sacs à ordures).

Ne pas reprendre ses activités sans réadaptation. Les activités qui sollicitent le coude après une mise au repos de courte ou de longue durée doivent être précédées de séances de réadaptation.

Acheter un bracelet épicondyléen. Il s'agit d'une orthèse qu'on trouve en pharmacie et que l'on se met au coude. Portez ce bracelet pendant vos activités et placez-le 2 à 3 cm sous la zone douloureuse. Il permet d'absorber une partie de la tension ou des chocs provoqués par la pratique d'un sport, par exemple.

Choisir la bonne raquette de tennis. Préférez le bois et le graphite au métal, car ce dernier a l'inconvénient de transmettre la totalité de l'impact.

Faire des exercices de réchauffement. Réchauffez et étirez vos muscles avant une activité sportive.

QUAND CONSULTER ?

- Votre coude se bloque et vous n'êtes pas capable de le déplier. Cela peut être douloureux ou non.

Un problème de jeunesse à surveiller : le « coude du lanceur »

Chez l'enfant et le jeune adolescent, le lancer rapide et répété de la balle, au baseball, par exemple, exerce une tension exagérée à l'intérieur du coude. Les zones de croissance cartilagineuses des os peuvent céder. C'est pourquoi il existe une réglementation sur la fréquence des manches en fonction de l'âge, que les entraîneurs doivent faire respecter.

Si un jeune lanceur souffre d'une douleur au coude, n'hésitez pas à consulter un médecin, car il pourrait développer un handicap affectant l'extension complète du coude et la capacité à lancer.

De plus, le traitement du coude du lanceur peut s'avérer compliqué : il peut nécessiter une intervention chirurgicale et la pose d'une vis pour préserver la croissance.

- Vous constatez un gonflement mou en forme d'œuf à la partie postérieure du coude. Il peut être douloureux ou non, mais il ne se résorbe pas.
- La douleur limite vos activités courantes.
- La douleur s'accompagne d'une rougeur, de chaleur et d'un gonflement (possibilité d'arthrite ou de goutte).
- La douleur s'accompagne d'une faiblesse musculaire (possibilité d'un problème d'origine cervicale).
- La douleur n'est pas soulagée par les traitements thermiques (chaud ou froid) ou les médicaments en vente libre : acétaminophène ou anti inflammatoires (ibuprofène ou aspirine).

QUE SE PASSE-T-IL LORS DE L'EXAMEN ?

Le médecin évalue les symptômes et procède à un examen physique. S'il diagnostique un problème musculo-tendineux, il pourra demander des radiographies. S'il diagnostique de l'arthrite, des analyses de sang permettront d'en préciser le type.

QUEL EST LE TRAITEMENT ?

La physiothérapie peut aider à régler ou à soulager les problèmes de douleur au coude.

Traumatismes

Si les médicaments d'usage (les anti-inflammatoires prescrits par le médecin) et la physiothérapie restent sans effet, on peut avoir recours à des infiltrations de cortisone pour soulager la douleur et aider le coude à retrouver sa flexibilité. Les séquelles de traumatismes, comme le blocage du coude en extension, constituent un des rares cas de recours à la chirurgie (cette dernière consiste à retirer le morceau d'os qui gêne le fonctionnement de l'articulation).

Épicondylite du joueur de tennis

Certains cas graves, résistants à la médication et au repos, requièrent l'administration de cortisone en infiltrations locales et, en ultime recours, une intervention chirurgicale.

Autres tendinites, bursites et arthrite du coude

Si elles ne répondent pas au traitement proposé dans ce livre, elles seront souvent soulagées par des infiltrations de cortisone.

Problème d'origine cervicale

C'est le cou qu'il faut traiter, en fonction de la nature du problème. L'acupuncture, la physiothérapie et l'ostéopathie peuvent aider.

Douleur aux articulations (polyarthralgie)

Les douleurs articulaires sont sans aucun doute un des problèmes de santé les plus répandus. En vieillissant, chacun d'entre nous risque de développer des douleurs chroniques aux épaules, aux coudes, aux poignets, aux mains, aux hanches, aux genoux et aux pieds. Au dos aussi puisque la colonne vertébrale est faite de vertèbres reliées par de petites articulations.

Les maladies arthritiques, qu'on ne peut malheureusement pas prévenir, sont les grandes responsables des douleurs articulaires. La douleur provient de facteurs mécaniques ou inflammatoires, tous deux causant une irritation aux terminaisons nerveuses des articulations.

Il est très facile de confondre les douleurs articulaires avec d'autres types de problèmes. Les douleurs rhumatismales touchent les tissus mous (muscles, tendons et ligaments) voisins des articulations et peuvent y ressembler beaucoup. On pense, par exemple, aux tendinites, aux bursites et même à la fibromyalgie, qui est une forme de rhumatisme généralisé (*voir encadré*). Par ailleurs, bien des personnes souffrant d'ostéoporose ont des douleurs aux articulations, qui sont causées par leurs médicaments ou par l'arthrose dont elles souffrent souvent aussi. Enfin, certains médicaments contrôlant les lipides peuvent provoquer des douleurs musculaires ressemblant aux douleurs articulaires.

Les douleurs articulaires peuvent affecter une ou plusieurs articulations en même temps. Elles peuvent aussi s'étendre graduellement (sur plusieurs mois) sur tout le système articulaire. On les reconnaît ainsi :

- douleur d'intensité variable qui apparaît sans raison apparente, subitement ou de façon graduelle ;
- douleur qui peut être de courte durée (quelques jours ou quelques semaines) ou persistante (qui peut durer plusieurs semaines ou plusieurs mois) ;
- raideur après une période d'inactivité, souvent remarquée le matin ;

- manque de souplesse ;
- difficulté à bouger et à utiliser les membres (perte de mobilité) ;
- douleur aux articulations lors des mouvements ;
- gonflement (enflure), rougeur, chaleur, fatigue générale et raideur prolongée (une heure et plus) dans les formes inflammatoires.

QUELLES SONT LES CAUSES ?

Arthrite non inflammatoire

- ***Arthrose (ostéoarthrite).*** C'est la forme la plus courante d'arthrite. On l'appelle aussi arthrite dégénérative. Il s'agit de la dégradation graduelle et pratiquement inévitable du cartilage des articulations (le cartilage sert d'amortisseur entre deux os et leur permet de glisser les uns sur les autres). Lorsqu'il se détériore, les os s'entrechoquent et causent des douleurs et une perte de mobilité. L'une des caractéristiques de la maladie à un stade avancé est les excroissances osseuses (bosses) qu'on remarque surtout aux jointures du bout des doigts. Toutes les articulations du corps peuvent être touchées par l'arthrose, mais ce sont en particulier celles qui supportent le poids du corps (hanches, genoux), la colonne vertébrale et les petites articulations des doigts qui en sont atteintes. L'arthrose, qui est une maladie chronique, commence d'habitude à la quarantaine et accompagne le vieillissement : 85 % des personnes de plus de 70 ans en souffrent. Dans certaines familles, cette maladie apparaît dès la vingtaine à cause d'un problème génétique. Même si l'arthrose est considérée comme une arthrite non inflammatoire,

Oui, les articulations réagiraient à la température !

Plusieurs personnes ont remarqué que leurs articulations sont plus douloureuses lorsqu'il pleut, qu'il neige ou qu'il fait humide. Certaines jurent même que leurs douleurs annoncent le mauvais temps. Eh bien, c'est tout à fait possible ! En effet, il semble que la température influe sur l'arthrose. On croit que ce sont les changements de pression barométrique qui en sont responsables, mais on ignore encore le mécanisme exact.

on constate tout de même une très légère inflammation. Cependant, et c'est intéressant de le souligner, elle n'évolue pas vers une autre forme d'arthrite inflammatoire.

Arthrites inflammatoires (sont abordées ici les formes les plus connues)

- ***Polyarthrite rhumatoïde.*** Il s'agit de la forme la plus courante d'arthrite inflammatoire. Une personne sur 100 en est atteinte au Canada, surtout les femmes entre 30 et 50 ans. Il s'agit de l'inflammation de la membrane synoviale qui enveloppe l'articulation. La polyarthrite rhumatoïde, causée par un dérèglement du système immunitaire, touche plusieurs articulations simultanément (notamment les mains et les pieds) et cause des douleurs plutôt persistantes. C'est une maladie chronique, caractérisée par l'enflure, les raideurs matinales prolongées et une grande fatigue ;
- ***Goutte.*** Forme d'arthrite inflammatoire récidivante provoquée par une augmentation d'acide urique qui forme des cristaux s'infiltrant dans les tissus articulaires. La goutte évolue par poussées très douloureuses, suivies de rémissions. Lors de la crise de goutte, la peau devient rouge ou violacée, prend un aspect luisant, est gonflée et hypersensible au toucher. La douleur, semblable à celle d'une brûlure, irradie autour de la région atteinte (c'est souvent le gros orteil qui est le plus affecté, sans qu'on sache vraiment pourquoi). La crise dure en moyenne trois à quatre jours. Il est intéressant de noter que la goutte est la seule forme d'arthrite que l'on peut maîtriser en changeant son alimentation ;
- ***Pseudogoutte.*** C'est une forme d'arthrite aiguë qui ressemble beaucoup à la goutte, mais dont la cause diffère. En effet, elle est provoquée par la formation de cristaux de calcium pyrophosphate dans les tissus articulaires, alors que la « vraie » goutte est provoquée par des cristaux d'acide urique. La pseudogoutte affecte surtout les femmes de 50 à 60 ans et touche le plus souvent les genoux. Il est plutôt rare que plusieurs articulations soient atteintes en même temps (quand cela arrive, on peut confondre la maladie avec la polyarthrite rhumatoïde). Tout comme la goutte, la pseudogoutte est récidivante et les crises durent de trois à quatre jours ;

- ***Arthrite psoriasique.*** Certaines personnes atteintes de psoriasis souffrent également d'arthrite (5 % à 10 % des cas de psoriasis). La maladie de la peau n'a pas endommagé les articulations, c'est plutôt que la personne est génétiquement prédisposée à développer ces deux maladies chroniques et inflammatoires ensemble. Habituellement, dans 70 % des cas, le psoriasis apparaît avant

La fibromyalgie, un syndrome controversé

Lorsqu'elle parle de fibromyalgie, la communauté scientifique est partagée. Certains chercheurs et médecins croient que c'est un problème de l'appareil locomoteur, d'aucuns pensent qu'un trouble infectieux pourrait être le responsable alors que d'autres se demandent si les gens qui en souffrent ne sont pas plutôt atteints d'un trouble affectif (dépression, stress, épuisement professionnel) qui se manifeste par de la douleur. En effet, quoi qu'il en soit, personne ne doute de la présence des douleurs.

Bien que le terme fibromyalgie soit relativement récent, le syndrome qu'il désigne est connu depuis des années sous d'autres noms, dont le rhumatisme des tissus mous, la fibrosite et le rhumatisme non articulaire. Il semble qu'elle affecte 3 Canadiens sur 100 et qu'elle se présente surtout chez les femmes (90 %).

La fibromyalgie se manifeste par de la douleur généralisée dans les muscles à des points sensibles caractéristiques qui se trouvent de chaque côté du corps. Raideur des membres, difficulté à dormir, sommeil non réparateur, maux de tête, grande fatigue, problèmes intestinaux, troubles de la mémoire et de la concentration. Dépression, stress et anxiété sont d'autres symptômes de la fibromyalgie.

À l'heure actuelle, il n'existe aucun moyen de guérir la fibromyalgie, mais un programme adapté d'exercices d'aérobique peut être bénéfique. L'utilisation de médicaments comme l'amitriptyline ou la cyclobenzaprine peut être envisagée pour en contrôler les symptômes, bien que le taux de succès est relativement faible. Dans certains cas, une approche multidisciplinaire (médecin, physiothérapeute, psychologue, travailleur social, etc.) peut s'avérer la meilleure façon de traiter ce syndrome.

l'arthrite. En général, seules quelques articulations sont atteintes et la colonne vertébrale peut l'être aussi ;

- ***Spondylite ankylosante.*** Autre forme d'arthrite inflammatoire chronique résultant d'un dérèglement du système immunitaire. Elle affecte les hommes et les femmes âgés de 20 à 30 ans, mais ses symptômes sont plus marqués chez les hommes. Elle provoque des raideurs prolongées de la colonne vertébrale. La spondylite ankylosante peut également se manifester aux hanches, aux genoux et aux épaules. Lorsqu'elle est avancée, la maladie cause des douleurs très prononcées ainsi qu'une grande perte de mobilité de la colonne vertébrale, au point que la personne a de la difficulté à bouger ;
- ***Polymyalgia rhumatica.*** Arthrite inflammatoire due à un dérèglement du système immunitaire et qui apparaît subitement chez les personnes âgées. La maladie se manifeste par des douleurs surtout localisées aux épaules et aux hanches. C'est une des seules formes d'arthrite inflammatoire qui réagit rapidement aux traitements et qui dure généralement moins d'un an ;
- ***Lupus érythémateux disséminé.*** Arthrite inflammatoire chronique qui se présente surtout chez les jeunes femmes et qui est la conséquence d'un dérèglement du système immunitaire. Il s'accompagne de fatigue, d'éruptions cutanées (les plus courantes sont les rougeurs en forme de papillon sur les joues) et peut provoquer des douleurs à de multiples articulations.

Autres causes

- ***Infections virales.*** La grippe et le parvovirus (celui-là même qui est responsable de la « cinquième maladie » chez les enfants) peuvent provoquer des douleurs articulaires temporaires. Cependant, la grippe ne s'accompagnera pas d'enflure, contrairement au parvovirus ;
- ***Infections bactériennes.*** Une arthrite de source bactérienne entraîne habituellement des douleurs à une seule articulation. Les douleurs intenses sont accompagnées d'enflure, de fièvre et de frissons. L'exemple typique est le staphylocoque doré, bactérie qui se trouve à la surface de la peau et qui peut provoquer une infection et des douleurs articulaires à une articulation (n'importe

laquelle) lorsqu'il entre dans le système sanguin à la faveur d'une coupure ou autre blessure. En revanche, la pharyngite à streptocoques est l'une des rares infections bactériennes à toucher plus d'une articulation à la fois ;

- ***Tumeurs cancéreuses.*** La plupart des types de cancer peuvent s'accompagner de douleurs articulaires sans enflure. Cela est dû à un dérèglement du système immunitaire. Cela dit, cela se produit plutôt rarement.

CONSEILS PRATIQUES

Arthrose (ostéoarthrite)

Ne pas être fataliste. De façon générale, il faut savoir que les douleurs de l'arthrose peuvent être soulagées. Bien traitées, elles ne nuisent pas à la qualité de vie. Même les cas les plus graves peuvent être maîtrisés par des médicaments.

Contrer la douleur. Lorsque vous ressentez des douleurs, évitez de surutiliser l'articulation et appliquez de la chaleur pour activer la circulation sanguine. En effet, les muscles et les tendons sont plus efficaces et travaillent mieux lorsqu'il y a une bonne circulation sanguine ; ils vont donc soutenir plus facilement les articulations atteintes. Placez une bouillotte d'eau chaude, un « sac magique » ou un coussin chauffant à l'endroit qui fait mal pendant 10 à 15 minutes, trois ou quatre fois par jour.

Prendre de l'acétaminophène ou des anti-inflammatoires. Un ou deux comprimés d'acétaminophène (325 mg ou 500 mg) quatre fois par jour, jusqu'à un maximum de 4 g par jour, aideront à soulager la douleur. Chez les personnes de 65 ans et plus, la dose quotidienne maximale est de 3 g, car les personnes âgées ont souvent des maladies complexes et l'acétaminophène risque, dans leur cas, d'être toxique si elles ont un foie plus fragile. Les anti-inflammatoires peuvent apporter un certain soulagement de la douleur, mais, puisque l'arthrose ne cause qu'une inflammation mineure, n'excédez pas les doses recommandées par le fabricant ; elles n'apporteront aucun bénéfice additionnel. Vous pouvez prendre de l'acétaminophène ou des anti-inflammatoires à titre préventif si vous devez utiliser une articulation qui pourrait être sensible (avant de faire vos courses ou de jouer au golf, par exemple).

Utiliser des pommades. Pour soulager la douleur, l'application de pommades à base de salicylate de méthyle, telles que l'antiphlogestine, est recommandée. Il existe d'autres produits, à base de capsaïcine (un extrait de piment rouge), également en vente libre. Pour prévenir les raideurs du matin, appliquez de la pommade sur les régions concernées la veille, avant de vous mettre au lit. Ces produits sont efficaces contre les formes légères d'ostéoarthrite.

Que dire de la glucosamine ? Le sulfate de glucosamine est un supplément alimentaire de plus en plus populaire qui, croit-on, a la propriété de prévenir l'usure des articulations et de soulager les douleurs articulaires. Voilà un sujet très controversé. Il faut savoir que les études scientifiques les plus rigoureuses n'ont pas permis de le prouver jusqu'à présent. De plus, comme il n'y a pas de réglementation gouvernementale sur ce produit, on a remarqué que les concentrations du produit sont très variables d'une bouteille à l'autre. Alors, doit-on en prendre ou pas ? Si l'acétaminophène et les anti-inflammatoires en vente libre ne vous soulagent pas, vous pouvez essayer la glucosamine pendant quelques mois et cesser si vos douleurs sont soulagées (il semble que l'effet dure un certain temps). Choisissez les produits qui ont la plus grande concentration. Attention : les personnes de 65 ans et plus devraient éviter le sulfate de glucosamine, car elles peuvent être sensibles aux concentrations de potassium et de magnésium que l'on trouve dans ce produit. En outre, la glucosamine est contre-indiquée chez les diabétiques, car elle fait monter la glycémie. À noter que ce supplément ne présente aucune efficacité potentielle pour les arthrites inflammatoires.

Pratiquer des exercices bien spécifiques. Les exercices de renforcement musculaire vous aideront à protéger vos articulations, alors que les exercices d'amplitude serviront à empêcher l'ankylose. Demandez à votre médecin de vous remettre un dépliant sur les exercices à pratiquer. Vous pouvez aussi consulter un professionnel en ergothérapie ou en physiothérapie. Il faut savoir que ce ne sont pas n'importe quelles activités physiques qui sont bénéfiques. Par exemple, faire du vélo n'aidera pas nécessairement votre problème de genou ; au contraire, il peut même l'aggraver. D'où l'importance de consulter un médecin.

Préférer les activités aquatiques. Tous les spécialistes sont d'accord : l'eau a de grands avantages pour le contrôle des douleurs arthritiques, car l'activité pratiquée dans l'eau évite de faire porter son poids sur les articulations douloureuses. Essayez de trouver une activité aquatique qui vous plaît et pratiquez-la de façon régulière (une ou deux fois par semaine) dans une piscine chauffée.

Maintenir un poids santé. Il est très important d'éviter les kilos superflus pour ne pas surcharger vos articulations, surtout celles de la hanche et des genoux.

Se faire masser. Si vous souffrez d'ostéoarthrite, vos muscles sont particulièrement tendus puisque la tension musculaire augmente lorsqu'une douleur se manifeste. Les massages permettent aux muscles de se détendre et soulagent la douleur de façon temporaire, car ils libèrent des endorphines, qui sont des analgésiques naturels.

Arthrites inflammatoires

Se reposer. En cas de douleur, il est plus sage d'éviter de bouger l'articulation ou, du moins, de limiter son utilisation. En outre, comme la maladie arthritique s'accompagne généralement aussi de fatigue générale, prenez soin de vous. N'essayez pas d'en faire plus que ce dont vous êtes capable, cela ne ferait qu'augmenter les symptômes et votre fatigue.

Appliquer du froid ou de la chaleur, selon le cas. Si vous souffrez d'une douleur nouvelle, intense, bien localisée et accompagnée d'enflure, placez un sac de glace sur l'articulation pendant une dizaine de minutes à quelques reprises durant la journée. Et consultez un médecin.

Cependant, si vous vous savez atteint d'une forme chronique d'arthrite inflammatoire, la chaleur est tout indiquée (les mécanismes inflammatoires ne sont pas les mêmes lorsque la maladie est aiguë ou chronique). Utilisez au besoin une bouillotte d'eau chaude, un coussin chauffant ou un «sac magique».

Prendre des anti-inflammatoires. Comme l'acétaminophène n'apporte qu'un soulagement mineur des douleurs d'une arthrite inflammatoire, il vaut mieux se tourner vers les anti-inflammatoires (du genre ibuprofène). Utilisez la dose recommandée par le fabricant. Attention: les personnes qui ont des ulcères du système digestif ou une maladie rénale doivent éviter de prendre des anti-inflammatoires, car le médicament peut aggraver leur maladie. Chez les personnes âgées, on doit en outre savoir qu'elles risquent d'aggraver l'hypertension artérielle, voire de la provoquer.

Changer son alimentation n'aidera pas à soigner une arthrite inflammatoire. Manger moins acide et prendre des suppléments alimentaires (comme des surplus d'acides aminés, de vitamine A ou E, par exemple) ne changera rien à la maladie. Continuez tout simplement à bien vous nourrir et maintenez un poids santé. La goutte est la forme d'arthrite inflammatoire qui peut être améliorée par un changement dans l'alimentation. Ceux qui en souffrent doivent éviter les crustacés, les abats et la charcuterie, qui favorisent l'accumulation d'acide urique dans le sang. À noter que la pseudogoutte ne peut pas se contrôler par l'alimentation.

Rester actif. Il faut continuer de bouger même si vous souffrez d'arthrite. Vous devez simplement respecter vos limites. Continuez vos activités normales et faites de légers exercices qui sollicitent le moins possible l'articulation douloureuse. Demandez conseil à votre médecin sur les activités physiques qui vous conviennent. Vous pouvez également consulter un ergothérapeute ou un physiothérapeute.

Ne pas se replier sur soi. Lorsqu'ils sont gravement atteints d'une maladie arthritique inflammatoire, bien des gens se renferment sur eux-mêmes. C'est une grave erreur qui ne fait que diminuer leur qualité de vie. Continuez de sortir, pratiquez vos activités préférées, voyez vos amis, partagez votre souffrance avec vos proches. Vous pouvez aussi aller chercher soutien et informations auprès d'associations concernées. Si la maladie est avancée, un ergothérapeute pourra vous donner les conseils appropriés pour adapter votre environnement à vos capacités physiques (poignées de porte, ustensiles, outils, habillage, etc.).

QUAND CONSULTER ?

- Vous constatez la présence de douleur, d'enflure, de rougeur accompagnées de fièvre ou de frissons. Il s'agit d'une urgence médicale.
- Vous remarquez de l'enflure, de la douleur avec ou sans rougeur et chaleur. Il faut consulter son médecin dès que possible.
- Vous avez une crise de goutte qui dure plus que cinq jours.
- Les douleurs gênent régulièrement votre sommeil; vos activités quotidiennes et les médicaments en vente libre ne les soulagent pas.

QUE SE PASSE-T-IL CHEZ LE MÉDECIN ?

Après avoir noté les informations importantes, le médecin procédera à un examen physique de l'appareil locomoteur. Un examen plus complet sera fait surtout dans les cas d'arthrite inflammatoire (examen abdominal, examen du système pulmonaire et cardio-vasculaire, etc.), car on veut connaître l'étendue de l'atteinte et vérifier s'il y a une maladie plus grave sous-jacente. Pour y arriver, le médecin pourra aussi demander une prise de sang, des radiographies, une scintigraphie osseuse de même qu'une ponction articulaire (ponction du liquide synovial qui se trouve dans les articulations). Cette ponction est essentielle dans les cas d'arthrite bactérienne, car elle sert à identifier la bactérie présente et à choisir le bon antibiotique.

QUEL EST LE TRAITEMENT ?

Arthrose (ostéoarthrite)

Comme l'arthrose ne se guérit pas, les traitements ont pour but de soulager la douleur et d'améliorer la fonction articulaire.

Un programme d'exercices spécifiques est important pour permettre aux muscles et tendons de mieux soutenir les articulations atteintes.

En outre, le médecin prescrit généralement un analgésique (comme l'acétaminophène) ou un anti-inflammatoire non stéroïdien comme l'ibuprofène. Les inhibiteurs de la COX-2 sont un nouveau groupe d'anti-inflammatoires mieux tolérés par le système digestif et qui réduisent les risques de certains effets secondaires, tels les ulcères de l'estomac et de l'intestin. Cependant, il faut savoir qu'ils peuvent eux aussi aggraver une hypertension artérielle ou une maladie rénale. Si le nombre d'articulations touchées est limité, le médecin peut infiltrer l'articulation. Pour ce faire, il injecte généralement des dérivés de la cortisone. De nouveaux produits injectables, à base d'acide hyaluronique, sont aussi utilisés dans les formes légères d'ostéoarthrite du genou. En dernier recours, on peut se tourner vers la chirurgie de remplacement pour les articulations de la hanche et des genoux.

L'application d'un anti-inflammatoire topique (Pennsaid) a récemment été approuvée au Canada pour l'arthrose du genou. Il est important de bien suivre les recommandations du médecin ou du pharmacien, car un usage abusif risque d'entraîner les mêmes effets secondaires que les autres anti-inflammatoires. Il faut aussi veiller à bien se laver les mains après chaque application.

L'utilisation d'une orthèse (semelles orthopédiques, attelles et canne, par exemple) peut s'avérer très bénéfique.

Arthrites inflammatoires

Traitement commun aux différentes formes

Dans tous les types d'arthrite inflammatoire, on peut utiliser les mêmes anti-inflammatoires que ceux qui sont utilisés dans les cas d'arthrose, mais à des doses supérieures.

De plus, dans les cas d'arthrite chronique (la polyarthrite rhumatoïde, par exemple), le médecin peut prescrire un agent antirhumatismal à action lente (Plaquenil et Methotrexate) qui modifie la réponse immunitaire. Ce médicament ralentit la progression de la maladie et peut même la stopper pendant un certain temps. Il est prescrit à long terme.

De nouveaux traitements, appelés agents biologiques, sont maintenant disponibles. Il s'agit de produits du système immunitaire fabriqués en laboratoire qui modifient la réponse immunitaire de façon beaucoup plus ciblée. Le Remicade et l'Enbrel sont deux exemples de ces traitements. Comme leur utilisation n'est pas très répandue en raison de leur coût élevé et de leur apparition récente, on connaît mal leurs effets secondaires à long terme.

Goutte et pseudogoutte

Les crises aiguës de goutte sont soulagées par des anti-inflammatoires non stéroïdiens et par de la colchicine. Pour diminuer la récurrence des crises, le médecin peut prescrire un inhibiteur de la synthèse de l'acide urique qui ralentira la formation de cristaux d'acide urique. Un suivi médical régulier est alors nécessaire pour vérifier le taux d'acide urique et prévenir les récidives. Quant à la pseudogoutte, on la soigne avec des anti-inflammatoires et de la colchicine.

Polymyalgia rhumatica

C'est une des seules formes d'arthrite qui se guérit; on la traite avec de la cortisone par voie orale à faible dose.

Infections

Les douleurs articulaires dues aux infections disparaissent avec le traitement de la maladie responsable.

Finalement, dans tous les cas, le repos et les conseils de base restent de précieux outils pour maîtriser la maladie.

Douleur dans la poitrine (d'origine non cardiaque)

Une douleur dans la poitrine, d'origine non cardiaque, survient généralement au repos et peut être modifiée (amplifiée ou diminuée) par la palpation (en appuyant sur l'endroit douloureux), la respiration, un changement de position ou encore par la prise d'aliments. Cette douleur se ressent dans n'importe quelle partie du thorax (partie supérieure du tronc, allant du début des côtes jusqu'aux épaules, incluant la partie supérieure de la colonne vertébrale), de façon diffuse ou localisée à un endroit précis.

Les douleurs dans la poitrine se manifestent sous de nombreuses formes, qui vont de la crampe à la sensation de brûlure, en passant par une douleur subite en coup de poignard. Comme elles s'accompagnent parfois aussi d'une sensation de pesanteur et de serrement, elles peuvent se confondre avec un problème cardiaque. Il est donc utile de savoir que, une fois présente, la douleur d'origine cardiaque ne peut être modifiée par la prise d'aliments ou le changement de position, contrairement à celle d'origine non cardiaque.

Les origines des douleurs thoraciques sont diverses ; voici celles que l'on rencontre le plus fréquemment :

Douleur musculo-squelettique

- provient des os, des cartilages ou des muscles ;
- se manifeste généralement au niveau des côtes ou à la jonction de deux vertèbres ou os comme, par exemple, la clavicule et le sternum ;
- située à un point précis du thorax ;
- peut être aggravée par la palpation ou le changement de position.

Douleur pulmonaire

- généralement accompagnée de toux, d'expectorations (crachats), d'essoufflement et, parfois, de fièvre et de frissons, s'il y a une infection.

- peut aussi être très forte, soudaine et aiguë avec un essoufflement au moindre effort, en cas de pneumothorax.

Douleur digestive

- provient de l'œsophage ou de l'estomac et est généralement accompagnée d'éructations (rots), de nausées, de vomissements et d'une sensation de brûlure au creux de l'estomac ;
- sensation de pesanteur ou de serrement au thorax, dans le cas de spasmes de l'estomac, pouvant être confondue avec une douleur cardiaque.

Douleur vasculaire

- généralement accompagnée d'essoufflement, de toux, d'expectorations contenant du sang et d'une douleur à l'inspiration profonde.

Douleur cutanée (zona)

- s'accompagne généralement d'une rougeur, de lésions ou de vésicules dans la région douloureuse. La douleur apparaît quelques jours avant les autres symptômes.

QUELLES SONT LES CAUSES ?

Douleur musculo-squelettique

- ***Fracture ;***
- ***Arthrite (inflammation des articulations) ;***
- ***Arthrose de la colonne vertébrale (dégénérescence osseuse).***

Douleur pulmonaire

- ***Infections du poumon.*** Elles sont causées par un virus ou une bactérie, comme dans le cas de la pneumonie et de la trachéobronchite ;
- ***Pneumothorax.*** Il s'agit d'une fuite d'air entre la membrane qui enveloppe les poumons (la plèvre) et le poumon lui-même, causée par un traumatisme, par de l'emphysème ou de l'asthme ou qui se produit de façon spontanée.

Douleur digestive

- ***Hyperacidité.*** Le fait de fumer ou l'ingestion de caféine augmentent l'acidité de l'estomac ;
- ***Reflux d'acidité.*** Le retour dans l'œsophage du contenu gastrique acide est généralement relié à l'obésité ou à une hernie hiatale (hernie de l'estomac dans laquelle une partie de cet organe sort de la cavité abdominale et remonte dans le thorax) ;
- ***Absorption de nourriture trop chaude ou trop froide ;***
- ***Anxiété, émotions ;***
- ***Contractions fortes et soutenues (spasmes) des muscles de l'œsophage.*** Ce type de douleur est celui qui imite le mieux la douleur cardiaque, en raison de la sensation de serrement et de pesanteur ;
- ***Ulcère.*** Localisé à l'estomac ou au duodénum (partie initiale de l'intestin), il se caractérise par une perte de revêtement muqueux, et se cicatrise alors difficilement. L'ulcère, souvent causé par la bactérie *Helicobacter pylori*, est amplifié par le stress, qui augmente l'acidité, ce qui irrite l'estomac.

Douleur vasculaire

- ***Embolie pulmonaire.*** Elle survient généralement lorsque des caillots sanguins obstruent une ou plusieurs branches de l'artère pulmonaire ;
- ***Repos prolongé au lit*** et toute circonstance favorisant une moins bonne circulation (p. ex. : une intervention chirurgicale).

Douleur cutanée

- ***Zona.*** Il s'agit d'une maladie infectieuse qui résulte d'une déficience du système immunitaire, apparaissant à la suite de la réactivation du virus de la varicelle. Il faut donc, pour en être atteint, avoir déjà contracté la varicelle dans l'enfance.

CONSEILS PRATIQUES

Faire son propre examen clinique. Contrôlez votre température, car la fièvre est généralement le signe d'une affection, notamment d'une infection. Observez si la douleur s'amplifie lorsque vous toussez, lorsque vous crachez ou lorsque vous palpez la zone douloureuse. Vérifiez si vous avez une rougeur, des lésions ou des vésicules apparentes localisées dans la région sensible, indices d'un zona. Notez quelle position ou quels facteurs (p. ex.: la prise de certains aliments, d'épices ou d'alcool) provoquent une douleur, l'amplifient ou, au contraire, favorisent sa disparition. Essayez de changer de position pour voir si cela vous apporte un soulagement et mangez légèrement afin de vérifier si votre douleur est d'origine digestive. Et, enfin, n'ignorez pas votre mal sous prétexte d'une douleur faible. Il n'y a pas toujours de corrélation entre l'intensité de la douleur et la gravité du problème.

Se reposer. L'activité physique, en demandant beaucoup d'efforts, risque d'amplifier votre douleur.

Calmer la douleur. Si vous êtes certain qu'il ne s'agit pas d'un problème coronarien, prenez de l'acétaminophène. Un ou deux comprimés (325 mg ou 500 mg) quatre fois par jour, jusqu'à un maximum de 4 g par jour, aideront à soulager la douleur. En revanche, en présence d'une douleur digestive, l'aspirine, la codéine et les anti-inflammatoires non stéroïdiens, tels que l'ibuprofène, sont contre-indiqués: ils accentueraient le mal. Buvez plutôt du lait, qui peut avoir des effets analgésiques à court terme. En cas de douleur musculo-squelettique, appliquez de la chaleur ou du froid. Lorsque la douleur est lancinante et diffuse, comme dans l'arthrite, utilisez un coussin chauffant. Mais s'il s'agit d'une douleur aiguë et localisée avec rougeur et enflure, comme dans le cas d'une fracture, appliquez de la glace.

QUAND CONSULTER ?

- Vous soupçonnez que votre douleur pourrait être d'origine cardiaque (douleur transperçante du devant vers l'arrière, avec une sensation de serrement ou de pesanteur et irradiant souvent dans les bras, surtout le gauche, ou dans le cou). Rendez-vous immédiatement à l'hôpital.
- Votre température affiche plus de 38,3 °C pendant plus de 48 heures.
- Votre température est élevée et associée à de la toux et à des expectorations.
- Vous crachez du sang.

- Vous êtes essoufflé au repos ou au moindre effort.
- La douleur vous transperce le dos.
- Votre douleur, quel qu'en soit le type, ne cesse d'empirer après trois jours.

QUE SE PASSE-T-IL LORS DE L'EXAMEN ?

Le médecin vous interrogera pour chercher à déterminer le type de douleur, son emplacement, les facteurs déclenchants, atténuants ou aggravants. Il fera aussi un examen physique complet. Selon ce qu'il soupçonne, il pourra vous prescrire une prise de sang, une radiographie, un électrocardiogramme ou d'autres examens plus spécialisés.

QUEL EST LE TRAITEMENT ?

Douleur musculo-squelettique

Le médecin prescrira du repos, des applications de chaleur ou de froid, selon l'origine de la douleur, et des analgésiques (de l'acétaminophène et, parfois, des anti-inflammatoires).

Douleur pulmonaire

Une bonne hydratation, du repos, des médicaments antitussifs et, au besoin, des antibiotiques seront prescrits.

Douleur digestive

La nourriture devra, à l'avenir, être prise en petites quantités en évitant les irritants (café, thé, tabac, alcool). S'il le faut, un médicament antiulcéreux sera prescrit, soit pour neutraliser l'acidité, soit pour en empêcher la production.

Douleur vasculaire

L'embolie pulmonaire nécessite une hospitalisation immédiate.

Douleur cutanée

Afin d'éviter que les plaques de zona ne se développent, un antiviral doit être prescrit moins de 72 heures après l'apparition des premières plaques. Le médecin peut aussi prescrire une pommade pour éviter les douleurs qui peuvent perdurer après le traitement du zona.

Douleur dans le bras

La douleur dans le bras peut avoir une origine locale si le problème se situe dans le bras lui-même. Le problème peut également provenir de la colonne vertébrale; dans ce cas, la douleur augmente souvent la nuit, car le cou se trouve un peu plié, ce qui diminue l'espace entre les vertèbres et risque de coincer les nerfs.

La douleur au bras peut aussi être le signe d'un trouble cardiaque. Dans ce cas, la douleur qui se répercute dans le bras est impossible à localiser. Elle est lancinante et constante, comme un mal de dents, et peut s'accompagner de picotements, d'engourdissements et d'une faiblesse du membre.

QUELLES SONT LES CAUSES ?

Causes locales

- ***Fatigue musculo-tendineuse.*** Elle résulte de la sédentarité et du manque de préparation à l'effort d'une part, et de l'abus d'effort d'autre part;
- ***Excès chronique d'effort.*** Certaines activités professionnelles sollicitent les bras ou la colonne vertébrale à répétition et de façon prolongée (machiniste, personne travaillant à un poste informatique, etc.). Il en va de même avec certains loisirs (violon, tennis, etc.). Les mouvements répétitifs des articulations, des tendons (parties du muscle attachées à l'os) ou des muscles du bras provoquent des lésions et de la douleur qui gênent les activités quotidiennes;
- ***Traumatismes.*** Si l'os est fracturé, l'incapacité sera immédiate;
- ***Tumeurs bénignes ou malignes des os***. La douleur est lancinante et s'intensifie la nuit;
- ***Arthrite (maladie inflammatoire) ou arthrose (maladie dégénérative)*** de l'épaule, du coude ou du poignet, qui peut toucher une ou plusieurs articulations. La douleur, qui s'accompagne souvent d'un gonflement et d'une rougeur, s'installe pour quelques jours, disparaît et réapparaît sans raison apparente;
- ***Zona.*** Affection passagère et non contagieuse causée par le virus de la varicelle (*Herpes zoster*), le zona peut affecter n'importe quel

nerf, y compris ceux du bras. Le virus se réactive en causant de la douleur (souvent décrite comme une sensation de brûlure) et des petits boutons à tête claire qui poussent sur le trajet du nerf 48 à 72 heures après l'apparition de la douleur.

Autres causes

- ***Apport insuffisant d'oxygène au cœur.*** Une douleur au bras gauche, en particulier, peut être le seul signe d'une crise d'angine de poitrine ou d'un infarctus du myocarde (crise cardiaque). Elle peut s'accompagner d'un essoufflement, d'un serrement et de la sensation d'avoir un poids dans la poitrine, de douleur au dos et à la mâchoire, ainsi que de nausées, de sueurs et d'un malaise général. Dans le cas d'une angine de poitrine, ces symptômes sont généralement moins prononcés et la douleur au bras, qui ne dure que quelques minutes, apparaît souvent à l'effort et disparaît à l'arrêt de l'activité ;
- ***Hernie discale (aplatissement et saillie d'un disque entre deux vertèbres).*** Elle entraîne l'irritation d'une racine nerveuse à sa sortie de la moelle épinière ;
- ***Tumeur de la moelle épinière.*** Elle peut comprimer une racine nerveuse ;
- ***Arthrose dans la colonne vertébrale.*** Elle peut causer l'inflammation de la racine d'un nerf qui se rend jusqu'au bras.

CONSEILS PRATIQUES

Ne pas «doubler» un traitement par la chaleur ou le froid. L'application simultanée d'une pommade réchauffante et d'un coussin chauffant, par exemple, est contre-indiquée. Pourquoi ? Cela causerait trop de chaleur, risquant même de vous brûler la peau.

Ne pas garder le bras en écharpe trop longtemps. Cela finit par gêner la circulation et causer de l'ankylose.

Prévenir. Vous pouvez éviter bon nombre de douleurs musculo-tendineuses et de blessures en réchauffant, par des exercices, les muscles du dos, du cou et des bras avant l'effort, et en les étirant après l'effort.

Si votre travail vous oblige à forcer quotidiennement et de façon prolongée sur le dos ou les bras, accordez-vous de fréquentes pauses pendant la journée.

Soulager la douleur. Voici quelques conseils importants :

- mettez de la glace dans une serviette mouillée et faites une application pendant des périodes de 10 à 15 minutes à la fois (un sac de légumes surgelés convient aussi très bien), ou frottez directement pendant un maximum de quatre minutes à la fois jusqu'à ce que la peau devienne insensible au toucher, mais non bleue ou blanche (risque de brûlure) ;
- si la douleur au bras est une répercussion d'une lésion cervicale, appliquez de la chaleur à la base du cou (bouillotte ou coussin chauffant) pendant des périodes de 15 à 20 minutes à la fois ;
- reposez votre bras sur des coussins en position surélevée au niveau de la poitrine ou portez-le en écharpe quand vous devez vous déplacer ;
- prenez un analgésique de type ibuprofène (à prendre avec les repas) ou acétaminophène. Un ou deux comprimés d'acétaminophène (325 mg ou 500 mg) quatre fois par jour, jusqu'à un maximum de 4 g par jour, aideront à soulager la douleur. En ce qui concerne les anti-inflammatoires comme l'ibuprofène, il faut respecter la dose recommandée par le fabricant. Vous pouvez prendre un des deux médicaments ou les deux si la douleur est difficile à maîtriser. Ne prenez pas d'anti-inflammatoires si vous êtes allergique à l'aspirine, car leurs molécules s'apparentent à celles de l'aspirine. De plus, il ne faut pas les prendre à jeun, car ils agressent l'estomac.

QUAND CONSULTER ?

- Vous éprouvez une douleur au bras qui apparaît soudainement à l'effort et disparaît au repos. Allez d'urgence à l'hôpital. Si elle s'accompagne d'un essoufflement, de douleurs dans la poitrine, de nausées, de sueurs et d'un malaise général, il faut appeler une ambulance.
- Vous éprouvez une douleur inhabituelle au bras.
- Votre bras vous fait mal depuis plus de deux jours et vous gêne dans l'accomplissement de vos tâches quotidiennes.

- Vous avez le bras ou la main engourdis.
- Vous avez fait une chute ou vous avez subi un traumatisme et votre bras est déformé ou enflé. Vous ne pouvez pas le bouger ou le tenir droit (il s'agit peut-être d'une fracture).

QUE SE PASSE-T-IL LORS DE L'EXAMEN ?

Quand il soupçonne une cause locale, le médecin peut avoir recours à l'électromyogramme (administration de petits chocs électriques pour tester la sensibilité), à des radiographies simples et à des examens plus complexes, comme la scintigraphie et le scan, ou à la ponction articulaire pour le diagnostic de l'arthrite.

S'il pense que l'origine de la douleur se situe à la colonne vertébrale, aux radiographies complexes (scintigraphie, scan) peuvent s'ajouter des examens par résonance magnétique, qui donnent des informations encore plus poussées. On recherchera une compression ou une tumeur de la moelle épinière au moyen du myélogramme (visualisation des anomalies après injection d'un produit de contraste).

QUEL EST LE TRAITEMENT ?

Causes locales

Traumatismes

Le cas échéant, le médecin pourra vous adresser à un physiothérapeute, un ostéopathe ou un acupuncteur. Une fracture nécessite habituellement la pose d'un plâtre. La chirurgie peut être nécessaire si l'os est déplacé.

Tumeurs

Selon son évolution, le traitement adéquat sera entrepris pour soigner la maladie cancéreuse ou soulager le patient.

Arthrite et arthrose

Elles feront l'objet d'un suivi médical, car leur traitement requiert l'utilisation de cortisone, d'analgésiques en infiltrations locales ou d'anti-inflammatoires. Les atteintes qui touchent plusieurs articulations nécessiteront l'emploi de comprimés de cortisone, dont il faut surveiller étroitement les effets secondaires.

Zona

Le traitement vise à diminuer le nombre et la gravité des récidives à l'aide d'antiviraux qui seront pris moins de 72 heures après l'apparition des vésicules. Le médecin peut aussi prescrire une pommade pour éviter les douleurs qui peuvent perdurer après le traitement du zona. Cependant, on demeure toujours porteur du virus du zona, même s'il ne se manifeste pas.

Autres causes

Hernie discale

On pourra avoir recours à une intervention chirurgicale dans les cas graves, mais, le plus souvent, on choisit des traitements classiques tels que physiothérapie, prise d'un anti-inflammatoire, port d'une minerve (collet cervical), pratique d'exercices, etc.

Douleur et gonflement des testicules

La douleur testiculaire ou la présence d'un renflement sont des causes fréquentes de consultation. Le problème peut être bénin, mais parfois des soins immédiats sont nécessaires si on veut préserver la fonction sexuelle ou reproductrice. Bien que rare, le cancer des testicules est le cancer le plus fréquent chez les hommes âgés de 15 à 35 ans.

Douleur aiguë

- En présence d'une torsion du testicule, la douleur apparaît subitement ; elle est très intense, s'accompagne parfois de nausées et n'est soulagée ni par le mouvement ni par le repos ;
- Douleur subite, vive et localisée, causée par une rupture du réservoir chez un homme vasectomisé ;
- Dans le cas d'une infection, la douleur apparaît en l'espace de quelques jours ; le testicule augmente de volume ; la fièvre est souvent présente et la douleur est un peu soulagée par la position assise ou par le fait de soulever le scrotum (sac de peau qui contient les testicules) ;
- La douleur apparaît subitement à la suite d'un traumatisme et le scrotum peut prendre une couleur bleutée.

Douleur chronique

- La douleur persiste depuis des semaines, voire des mois ou des années ;
- Sensation de malaise ou de lourdeur dans les testicules ;
- S'accompagne parfois d'une augmentation du volume du scrotum ;
- S'accompagne parfois d'une douleur au dos ;
- Aucun autre symptôme dans la grande majorité des cas.

Bosse ou induration à l'intérieur du testicule

- Bosse relativement dure ;
- Ne s'accompagne pas nécessairement de douleur.

QUELLES SONT LES CAUSES ?

Douleur aiguë

- ***Torsion du testicule.*** Cette affection très douloureuse peut affecter un individu à tout âge, mais elle est plus fréquente chez les enfants. Il s'agit d'une urgence. Pour sauver le testicule, on doit remédier à la situation dans les quatre à six heures qui suivent ;
- ***Réservoir qui ne se vide pas normalement chez un homme récemment vasectomisé ;*** cette affection n'est ni sérieuse ni urgente ;
- ***Infection du testicule*** (ou épididymite, l'épididyme étant le réservoir du testicule). L'infection peut être due à une infection transmissible sexuellement (ITS), surtout chez les jeunes qui ont une vie sexuelle plus à risque, ou à un autre type de bactérie. Il s'agit également d'une urgence ;
- ***Traumatisme.*** Situation d'urgence là aussi, surtout si le scrotum prend une couleur bleutée : cela peut indiquer une déchirure de l'enveloppe interne du testicule. On a environ 12 heures pour agir. Plus on intervient rapidement, plus on a de chance de préserver la fertilité ;
- ***Oreillons,*** qui provoquent parfois l'inflammation des testicules.

Douleur chronique

- ***Kystes sur l'épididyme (spermatocèles) ;***
- ***Accumulation d'eau autour des testicules (hydrocèle) ;***
- ***Kystes sur le cordon spermatique (structure reliant le testicule à la cavité abdominale) ;***
- ***Varices autour du testicule (varicocèles).*** Les varices causent une obstruction dans le circuit sanguin, ralentissant la circulation du sang. Il en résulte une vascularisation diminuée du testicule et une production affaiblie de spermatozoïdes ;
- ***Hernie d'origine abdominale*** (p. ex. : l'intestin fait une intrusion dans le scrotum) ;
- ***Hernie discale*** ou nerf coincé au niveau de la colonne vertébrale qui entraîne une douleur dans le testicule.

Bosse ou induration dans le testicule

- ***Cancer des testicules*** (peu fréquent). Habituellement, la maladie se manifeste par une bosse indolore qui déforme les testicules. La bosse n'apparaît que sur un seul côté du scrotum.

CONSEILS PRATIQUES

Effectuer un autoexamen des testicules chaque mois. À tout âge, un autoexamen mensuel est la meilleure façon de détecter un cancer, une hydrocèle ou une varicocèle. Faites-le de préférence sous la douche, parce que le scrotum est alors plus souple. Roulez chaque testicule entre le pouce et les autres doigts de la main afin de détecter toute bosse, induration ou irrégularité (à part l'épididyme). Cet autoexamen est particulièrement important pour les hommes opérés en bas âge pour un testicule incomplètement descendu, car ils sont 20 fois plus susceptibles de contracter un cancer des testicules.

En cas de douleur chronique seulement

Prendre des bains chauds. Cela soulagera la douleur et stimulera la circulation sanguine.

Porter un suspensoir athlétique. Dans certains cas, le médecin pourra vous conseiller de porter un suspensoir athlétique. Il s'agit d'un sous-vêtement qui procure un soutien particulier aux testicules. On le trouve en pharmacie. Vous pouvez également porter un sous-vêtement en tissu solide qui soutient bien.

Ne pas ignorer une douleur subite et intense. Il en va de la survie de la fonction testiculaire.

Ne pas modifier ses activités sexuelles. Il n'y aucune raison de modifier vos habitudes en cas de douleur chronique.

QUAND CONSULTER ?

- Vous (ou votre enfant) éprouvez une douleur subite et intense.
- Vous éprouvez une sensation de malaise ou de lourdeur dans les testicules.

- Vous sentez une bosse, une induration ou un gonflement dans un testicule ou autour.
- Vous êtes incommodé par une douleur chronique.

QUE SE PASSE-T-IL LORS DE L'EXAMEN ?

Douleur aiguë

On procède à un examen clinique du scrotum et des testicules. Si le médecin soupçonne une torsion mais a des doutes, une échographie ou Doppler déterminera si le testicule est vascularisé ou non. En cas de traumatisme, une échographie vérifiera s'il y a eu rupture de l'enveloppe interne des testicules. Une analyse d'urine permettra de détecter une infection.

Douleur chronique

Le médecin effectuera également un examen clinique des organes externes, mais il pourra aussi recommander une échographie ainsi que des examens en neurologie ou en orthopédie.

QUEL EST LE TRAITEMENT ?

Douleur aiguë

Torsion testiculaire

Le médecin tentera une intervention manuelle pour replacer le testicule, mais on y parvient rarement, le patient souffrant trop. L'objectif consiste à gagner du temps en attendant la chirurgie, qui s'impose.

Douleur chez un homme vasectomisé

Le médecin peut conseiller un suspensoir scrotal et des analgésiques. Tout rentre dans l'ordre au bout de quelques jours ou quelques semaines, sans séquelles.

Infection

Elle se traite par des antibiotiques.

Traumatisme

Il peut s'avérer nécessaire de réparer le testicule ou, dans certains cas, de l'enlever. D'habitude, dans un cas comme dans l'autre, l'homme conserve ses capacités de reproduction.

Oreillons

Il n'existe pas de traitement médicamenteux pour cette maladie infectieuse. La douleur aux testicules disparaît en même temps que les oreillons.

Douleur chronique

Kystes sur l'épididyme, sur le cordon spermatique et hydrocèle

Ce sont des affections bénignes n'exigeant habituellement aucun traitement. On pourra opérer les kystes trop volumineux, opérer ou drainer une hydrocèle pour des raisons de confort.

Varicocèles

Lorsque les varicocèles deviennent une source d'inconfort importante et que cela nuit au patient dans ses activités de tous les jours, on procède à une chirurgie pour les ligaturer. Par ailleurs, après un an d'infertilité et trois spermogrammes indiquant des résultats diminués, on en conclut que les varicocèles sont la source du problème. Le médecin les ligature et l'homme retrouve sa fertilité.

Hernie d'origine abdominale

La hernie se répare par une intervention chirurgicale, mais, souvent, l'opération ne soulage pas la douleur. Sauf en cas de hernie, les chirurgies auprès des jeunes seront envisagées avec grande prudence, car elles peuvent compromettre la fertilité.

Hernie discale ou nerf coincé au niveau de la colonne vertébrale

Il est fréquent que le testicule se révèle normal à l'examen. Souvent, une investigation de la colonne vertébrale donne des résultats décevants. On a alors peu à offrir au patient, sinon de le rassurer. Des analgésiques peuvent apporter un soulagement temporaire.

Bosse ou induration à l'intérieur du testicule

Cancer des testicules

Si la tumeur est cancéreuse, on procède à l'ablation du testicule. Le pronostic est excellent quand la maladie est détectée à un stade précoce.

Douleur et inflammation de la hanche

On confond souvent le bassin avec les hanches. Ce que les gens appellent hanches (« hanches étroites, hanches larges, tour de hanches », etc.), ce sont en fait les os iliaques du bassin, situés de chaque côté du tronc, qui servent de point d'attache aux membres inférieurs (jambes).

La hanche est en fait l'articulation située à la jonction de l'os de la cuisse (fémur) et du bassin. C'est une articulation profonde où l'inflammation n'est pas visible. Une douleur qui provient de la hanche ne sera pas ressentie localement, mais plutôt de la façon suivante :

- douleur à la région inguinale (aine);
- parfois à la cuisse, sur le côté de la fesse ;
- boiterie ;
- raideur de la cuisse (difficulté à effectuer certains mouvements de flexion).

QUELLES SONT LES CAUSES ?

- ***Bursite de la hanche.*** La pratique intense ou inhabituelle d'un sport risque de causer une bursite de la hanche, qui est somme toute un problème bénin ;
- ***Fracture de la hanche.*** Un problème grave qui survient surtout chez les personnes âgées, à la suite d'une banale chute à la maison, par exemple ;
- ***Arthrose.*** Le vieillissement normal des articulations, que l'on commence à ressentir à partir de la cinquantaine, touche également la hanche. La dysplasie de la hanche, rare malformation héréditaire, risque d'entraîner de l'arthrose chez l'adulte d'âge moyen ;
- ***Maladies arthritiques.*** L'arthrite rhumatoïde, entre autres, est une maladie qui cause l'inflammation des articulations. Habituellement, plusieurs articulations sont affectées en même temps ;
- ***Arthrite septique.*** C'est une infection causée par une bactérie qui entre dans le sang et qui attaque la hanche ;

- *Cancer.* Les tumeurs osseuses, ou tout autre cancer qui a produit des métastases, peuvent attaquer les os de la hanche.

CONSEILS PRATIQUES

Pour soulager la douleur. Si celle-ci survient après un exercice physique intense ou inhabituel, prenez des anti-inflammatoires ou de l'acétaminophène. On recommande un ou deux comprimés d'acétaminophène (325 mg ou 500 mg) quatre fois par jour, jusqu'à un maximum de 4 g par jour. Quant aux anti-inflammatoires, il faut respecter la dose recommandée par le fabricant. Vous pouvez prendre un des deux médicaments ou les deux si la douleur est difficile à maîtriser. Appliquez de la glace enroulée dans une serviette pendant 20 à 30 minutes, plusieurs fois par jour. Évitez la chaleur qui augmente davantage l'inflammation.

S'abstenir de s'appuyer sur l'articulation. En cas de douleur, mieux vaut ne pas s'appuyer ou faire forcer l'articulation endommagée. Utilisez des béquilles ou une canne.

Prévenir les fractures chez les personnes âgées. Pour limiter les risques de chutes chez vous, suivez ces conseils : prenez bien vos médicaments, selon la prescription (pour éviter étourdissements et vertiges), enlevez tous les petits tapis (afin de ne pas glisser ou trébucher dessus), installez des rampes dans le couloir, des barres d'appui dans la salle de bain, un tapis antidérapant dans la baignoire et portez des chaussures avec semelles antidérapantes. Gardez tout à votre hauteur ; utiliser un petit banc pour prendre quelque chose dans l'armoire augmente les risques de chutes. Bien sûr, si possible, habitez un endroit où vous n'aurez pas d'escalier à monter.

QUAND CONSULTER ?

- Vous ressentez une douleur inguinale (dans la région de l'aine).
- Vous boitez.
- La douleur qui s'est installée après un effort physique ne diminue pas après 48 heures.
- Vous avez subi un traumatisme (chute, accident).

Les problèmes de la hanche chez l'enfant : urgence médicale

Un enfant qui a un problème de hanche se plaindra d'une douleur inguinale, de boiterie, de raideur (il gardera la cuisse un peu pliée) ou même d'une douleur aux genoux. On peut aussi remarquer une fièvre élevée, ainsi qu'une détérioration de son état général. Les bambins peuvent refuser de bouger une jambe et même arrêter soudainement de marcher. Il faut consulter immédiatement un médecin, car c'est une urgence.

Il peut s'agir d'une arthrite septique (bactérie qui s'est logée dans l'articulation de la hanche). Une opération sera alors nécessaire pour évacuer le pus afin de diminuer les risques de séquelles. Des antibiotiques seront aussi prescrits. L'arthrite infectieuse non traitée peut avoir de graves conséquences : destruction d'une partie de la hanche, boiterie à vie, voire besoin d'une prothèse de la hanche. Une infection de la hanche est plus rare après l'âge de quatre ans.

Si les symptômes surviennent quelques semaines après une grippe ou un rhume, il y a de fortes chances qu'il s'agisse des suites de la maladie grippale. Il s'agit alors d'une synovite transitoire (inflammation de la synoviale, enveloppe des articulations). Cela dure quelques jours et c'est souvent sans gravité. Il faut toutefois consulter un médecin pour confirmer le diagnostic. D'habitude, des anti-inflammatoires et un repos complet ménent à la guérison en une dizaine de jours.

Un trouble plus rare peut survenir chez l'enfant de quatre à huit ans : la maladie de Legg-Perthes-Calvé, qui est une inflammation du cartilage et de l'os de la hanche. La plupart du temps, la physiothérapie, une orthèse et le repos au lit permettent de soigner la maladie. Dans les cas plus graves, une chirurgie de la hanche peut s'imposer pour corriger une déformation.

Entre 11 et 14 ans, les jeunes peuvent souffrir d'un glissement épiphysaire (la tête fémorale de la hanche qui s'est décollée de sa plaque de croissance). C'est un trouble qui survient surtout chez les adolescents obèses. Une chirurgie réparatrice risque d'être nécessaire, pour éviter les séquelles de boiterie et de raideur de la hanche.

IMPORTANT : évitez de donner des analgésiques pour faire baisser la fièvre. Si on masque la température, cela prive les médecins d'un élément important pour juger de la gravité du cas.

QUE SE PASSE-T-IL LORS DE L'EXAMEN ?

Le médecin notera les informations importantes et procédera à un examen complet. Des radiographies de la hanche pourront être nécessaires, notamment pour éliminer tout diagnostic de fracture.

QUEL EST LE TRAITEMENT ?

Bursite de la hanche

Si les anti-inflammatoires, le repos et la glace n'ont pas amélioré la situation, le médecin pourra faire une infiltration locale de cortisone.

Fracture de la hanche

Une chirurgie sera nécessaire pour réparer la hanche ou pour la rem placer par une prothèse. Une boiterie peut toutefois persister.

Arthrose et maladies arthritiques

Habituellement, des anti-inflammatoires seront prescrits. Une canne ou des béquilles pourront être nécessaires un certain temps. La personne sera aussi invitée à modifier ses activités (faire des promenades plus courtes, éviter de monter les escaliers, etc.). En dernier recours, le médecin se tournera vers la pose d'une prothèse totale de la hanche.

Arthrite septique

Des antibiotiques seront nécessaires ainsi qu'une opération pour évacuer le pus. Il arrive parfois, quelques années plus tard, que l'infection entraîne la destruction de la hanche. Les médecins doivent alors se tourner vers une prothèse totale.

Cancer

Selon le cas, une chirurgie, de la radiothérapie ou une chimiothérapie seront envisagées.

Douleur lors des relations sexuelles chez la femme

Les douleurs qui surviennent lors des relations sexuelles se divisent en deux catégories: celles qui apparaissent dès le début de la relation (douleurs à la pénétration) et celles qui sont ressenties lorsque le pénis entre en contact avec le fond du vagin (douleurs profondes). Dans ce dernier cas, les femmes doivent même, à l'occasion, interrompre les relations sexuelles et les douleurs dans le bas-ventre persistent parfois jusqu'au lendemain. Les douleurs lors des relations sexuelles peuvent s'accompagner, selon les causes, d'une sensation de brûlure ou d'irritation, d'odeurs fortes, d'une perte de sang, de sécrétions vaginales anormales, de sécheresse vaginale, de contractions involontaires de l'entrée du vagin lors de la pénétration (vaginisme). Si elle n'est pas traitée, la douleur peut entraîner la baisse du désir sexuel.

QUELLES SONT LES CAUSES ?

Douleurs lors de la pénétration

- ***Lubrification insuffisante du vagin***;
- ***Infections vaginales,*** telles que la vaginite à champignons ou la vaginose bactérienne. Ces infections ne sont pas considérées comme des infections transmissibles sexuellement (ITS) et ne sont pas contagieuses;
- ***Fissure à l'entrée du vagin.*** La cause de cette fissure n'est pas vraiment connue, mais il se peut qu'une blessure se soit produite à cet endroit et que, ensuite, la peau se déchire au lieu de s'étirer;
- ***Utilisation de savons irritants ou de solutions d'hygiène interne*** (douches vaginales);
- ***Maladies de peau chroniques et qui affectent la région génitale*** (eczéma, lichen scléreux, lichen plan, lichen simple, etc.);
- ***Atrophie vaginale*** (chez la femme ménopausée). Chez une femme en âge de procréer, les ovaires sécrètent des œstrogènes, des hormones qui permettent la lubrification, le «rembourrage» et l'élasticité du vagin. À la ménopause, les ovaires ne libèrent plus ces hormones. La muqueuse du vagin s'amincit et se lubrifie

moins, l'orifice du vagin se resserre, rendant parfois la pénétration douloureuse ;

- ***Vulvodynie.*** L'origine de cette irritation de la vulve, avec sensation de brûlure, de peau râpée et, parfois, de douleur en urinant, demeure inconnue, mais les chercheurs pensent qu'une racine nerveuse abîmée en serait la cause. Les relations sexuelles sont souvent pénibles, voire impossibles. Une sensation de douleur peut y être associée quand on urine ;
- ***Vestibulite.*** Cette inflammation du vestibule (entrée du vagin) est une affection complexe qui peut être causée par une trop grande quantité d'oxalate (acide oxalique) dans les sécrétions vaginales. Elle se caractérise par une sensation de brûlure lorsque l'entrée du vagin est stimulée.

Douleurs profondes

- ***Salpingite.*** L'infection d'une ou des deux trompes utérines (trompes de Fallope) est la principale cause d'infertilité. La salpingite est souvent accompagnée de saignements menstruels anormaux et d'une augmentation, à certains moments, des douleurs pendant et entre les menstruations ;
- ***Endométriose.*** Le tissu qui tapisse normalement l'intérieur de l'utérus (qui s'appelle l'endomètre) se développe en dehors de celui-ci, dans l'abdomen et parfois même dans la vessie. La cause exacte de ce phénomène n'est pas encore vraiment connue, mais on sait que ces morceaux de tissu d'utérus suivent le cycle hormonal. Ce qui signifie que, lorsque la femme a ses règles, il y a aussi des saignements dans l'abdomen ou la vessie. La douleur évolue selon les phases du cycle menstruel. L'endométriose représente le deuxième facteur de risque d'infertilité d'origine tubaire (trompes de Fallope) après la salpingite.

CONSEILS PRATIQUES

Utiliser un lubrifiant lors des rapports sexuels. Si la douleur est due à un manque de lubrification du vagin, l'utilisation de lubrifiants liquides (et non en gelée) facilite la pénétration. Les lubrifiants traditionnels en gelée (p. ex. : K-Y), vendus en pharmacie, peuvent réduire temporairement la sécheresse et la douleur, mais si la relation sexuelle se prolonge, ils finissent par dessécher davantage la paroi vaginale. Des lubrifiants tels que l'Astroglide ou le K-Y liquide, vendus en pharmacie et dans les boutiques d'érotisme, ne produisent pas cet effet indésirable. Vous pouvez aussi recourir à un hydratant vaginal en applicateur biodégradable, commercialisé sous le nom de Replens ou de K-Y Longue action (l'effet dure environ trois jours). Pensez aussi à faire précéder la pénétration de préliminaires plus longs afin de favoriser une bonne lubrification.

Modifier les habitudes sexuelles. Laissez la pénétration de côté pour quelque temps et mettez l'accent sur les baisers, les caresses et les massages, qui peuvent être fort satisfaisants pour les deux partenaires, tout en permettant à la femme de se libérer de la hantise de la pénétration et de briser le cycle de la douleur.

Bannir les savons irritants et les douches vaginales. L'emploi de ces produits assèche les organes génitaux et nuit à l'équilibre bactérien naturel de la flore vaginale, ce qui peut entraîner des infections vaginales. Même les savons réputés doux sont irritants. Quant aux

Traitement du vaginisme

En général, les femmes se sentent coupables envers leur partenaire de devoir renoncer aux relations sexuelles à cause des malaises qu'elles ressentent lors de la pénétration. Elles finissent par appréhender les rapports sexuels, au point de devenir parfois anxieuses, dépressives et de perdre l'envie de faire l'amour. Ces femmes sont prédisposées au vaginisme, qui n'a rien à voir avec un trouble mental: ces douleurs réelles sont traitables médicalement. Mais si les différents traitements n'ont pas contribué à faire disparaître un vaginisme qui a pu s'installer à cause de la douleur, une thérapie de désensibilisation avec un sexologue ou un physiothérapeute spécialisé peut compléter un traitement médical ou chirurgical (on enlève la lésion qui provoque la douleur, ce qui n'entraîne pas une perte de sensations sexuelles).

douches vaginales, elles peuvent occasionner les mêmes problèmes. N'utilisez donc pas ces produits et lavez-vous avec des nettoyants très doux et non parfumés, comme Cetaphil ou SpectroJel, ou tout simplement avec de l'eau.

Obtenir un diagnostic médical clair. Les douleurs pendant une relation sexuelle peuvent être dues à diverses anomalies physiques, certaines étant sérieuses. Si le médecin découvre que la sensation pénible est liée à un problème physique, il le traitera et vérifiera si la douleur a des répercussions psychologiques ou sexuelles. Dans ce cas, il pourra vous adresser à un sexologue, qui travaillera en collaboration avec votre médecin. N'hésitez pas à consulter rapidement un médecin avant que ne s'installent la baisse du désir et le vaginisme. Et n'acceptez pas de vous faire dire que votre problème n'est que psychologique. Continuez à consulter des intervenants tant que vous ne trouvez pas de solution à votre problème.

QUAND CONSULTER ?

- Vous éprouvez de la douleur chaque fois que vous avez une relation sexuelle, et cela fait obstacle au plaisir.
- La douleur anticipée entraîne une baisse du désir, une baisse de la lubrification et des contractions involontaires du vagin (spasmes).
- La douleur est ressentie au fond du vagin, obligeant à interrompre la relation sexuelle, et persiste après celle-ci.
- La douleur s'accompagne de démangeaisons, d'écoulements, d'odeurs ou de sécheresse vaginale.
- Vous éprouvez de la douleur quand vous urinez après les relations sexuelles.

QUE SE PASSE-T-IL LORS DE L'EXAMEN ?

Le médecin préférera, lorsque cela est possible, examiner la patiente moins de 24 heures après une relation sexuelle. Il l'interrogera sur le site et sur la nature de la douleur ainsi que sur sa sexualité en général. Il procédera à un examen clinique général ainsi qu'à un examen gynécologique. Des examens complémentaires, comme une culture des sécrétions vaginales et de cellules du col de l'utérus ou, encore, une cytologie (culture des cellules du col utérin), peuvent être requis.

Lorsque les douleurs se situent au fond du vagin (douleurs profondes), il est souvent difficile d'établir un diagnostic précis. Le médecin peut demander deux examens: d'abord, une échographie (exploration externe des organes à l'aide d'ultrasons) et, si cette dernière ne montre rien, une laparoscopie, encore appelée cœlioscopie (examen interne de la cavité abdominale par l'introduction d'un tube optique dans la paroi abdominale).

QUEL EST LE TRAITEMENT ?

Douleurs lors de la pénétration

Infections vaginales

Même si l'apparition d'une infection vaginale peut correspondre à un changement de partenaire sexuel, elle n'est pas considérée comme une infection transmissible sexuellement. C'est pourquoi le médecin ne demandera pas à traiter le partenaire sexuel, sauf si ce dernier manifeste des symptômes aux organes génitaux.

Dans le cas de vaginite à champignons, le traitement consiste à prescrire des médicaments antifongiques qui se présentent sous forme d'applicateurs vaginaux, de suppositoires vaginaux ou de comprimés. En cas de récidive, le médecin pourra recommander de suivre un traitement suppressif (pour empêcher que le champignon revienne) par comprimés donnés de façon cyclique (une fois par semaine, par exemple).

La vaginose bactérienne est traitée par la prise d'antibiotiques en comprimés, en gel ou en crème, selon la préférence de la patiente.

Si les infections vaginales reviennent trop souvent, on peut maîtriser la douleur en prescrivant un traitement suppressif (de façon cyclique) par voie orale.

Fissure à l'entrée du vagin

Le traitement initial consiste à pratiquer des techniques de désensibilisation avec un sexologue ou un physiothérapeute spécialisé. L'utilisation de préservatifs féminins, vendus en pharmacie et dans certaines boutiques spécialisées, peut permettre à certaines femmes d'avoir des rapports sexuels sans douleur. Il s'agit d'une sorte de petite poche qu'on insère dans le vagin et dont les rebords recouvrent bien la vulve. Si la fissure ne guérit pas, certains médecins vont recommander, en dernier recours, une intervention chirurgicale appelée vestibuloplastie, qui consiste à refaire le vestibule.

Maladies de peau chroniques

Le médecin prescrira généralement un antihistaminique en comprimés pour soulager la démangeaison et de la cortisone en application locale pour faire disparaître les lésions.

Atrophie vaginale (chez la femme ménopausée)

L'utilisation d'œstrogènes, sous forme de comprimés, de timbres transdermiques (dispositifs qui se collent sur la peau et qui diffusent les hormones), de gelées ou d'anneaux vaginaux (qui diffusent les hormones dans la paroi vaginale et qu'il faut remplacer de temps en temps), constitue le traitement de choix. Chez certaines femmes auxquelles il est préférable de ne pas donner de doses élevées d'œstrogènes en raison des douleurs aux seins qu'ils risquent d'entraîner, il peut être nécessaire de prescrire des œstrogènes sous forme de crème ou d'un anneau vaginal (Estring). Ce dernier, une fois inséré dans le vagin, libère des hormones pendant trois mois.

Vulvodynie

La patiente peut appliquer un « Ice Pack » froid (et non gelé) ou une compresse froide sur la vulve. Le médecin pourra lui prescrire un antidépresseur utilisé ici uniquement pour son effet analgésique. Il peut également conseiller la physiothérapie, l'acupuncture ou d'autres moyens utilisés dans le traitement de la douleur chronique.

Vestibulite

Anomalie complexe, la vestibulite fait l'objet de divers traitements. Le médecin peut proposer des suppléments de citrate de calcium (jusqu'à six comprimés par jour) et un régime faible en oxalates, c'est-à-dire évitant les aliments suivants : rhubarbe, prunes, pêches, épinards, cacao, arachides, poivrons, haricots, betteraves, céleri, persil, fraises, courgettes, raisin et thé. Le médecin peut également recommander de prendre un antidépresseur ainsi que de recourir à la physiothérapie ou à l'acupuncture. Une thérapie sexuelle par un sexologue expérimenté complétera éventuellement l'approche médicale. Et si ces traitements demeurent infructueux après six mois, une vestibuloplastie est parfois suggérée.

Douleurs profondes

Salpingite

Une association d'antibiotiques constitue le traitement adéquat pour soulager l'infection. S'il y a des cicatrices à l'extérieur de l'utérus, dans la cavité pelvienne, un traitement au laser pourra les éliminer.

Endométriose

Le traitement consiste à interrompre ou à freiner la fonction ovarienne et à faire cesser la croissance anormale de tissu à l'extérieur de l'utérus. Pour cela, le médecin dispose de plusieurs types de médicaments, tels que les contraceptifs oraux, les hormones qui diminuent la stimulation des ovaires ou le Danazol (Cyclomen). Il peut également recourir au laser pour détruire la muqueuse utérine ou à la chirurgie pour retirer les ovaires et l'utérus et ainsi créer une ménopause artificielle, mais il s'agit là d'une solution de dernier recours.

Douleur pelvienne aiguë chez la femme

Une douleur pelvienne aiguë apparaît soudainement et transperce le bas de l'abdomen. Elle est intense et ne semble pas diminuer avec le temps.

QUELLES SONT LES CAUSES ?

- ***Infection.*** Les douleurs pelviennes aiguës d'origine infectieuse sont essentiellement dues aux micro-organismes associés aux infections transmissibles sexuellement (ITS) et, parfois, à la présence d'un stérilet. Elles peuvent entraîner fièvre et pertes vaginales ;
- ***Torsion de l'ovaire.*** Les femmes qui ont eu plusieurs enfants courent un risque plus élevé de souffrir d'une torsion de l'ovaire, car les nombreux accouchements entraînent un plus grand relâchement des tissus ;
- ***Ovulation.*** Certaines femmes sentent parfois leur ovulation sous la forme d'une douleur qui apparaît d'un côté de l'abdomen. Cette douleur dure entre cinq minutes et une heure, puis va en diminuant ;
- ***Rupture de la trompe lors d'une grossesse extra-utérine.*** Il s'agit d'une douleur très vive, qui cause parfois un évanouissement. Cela constitue une urgence ;
- ***Rupture d'un kyste ovarien.*** Il y a deux types de kystes ovariens. Le kyste physiologique qui est dû à la persistance du corps jaune produit après l'ovulation. Ces kystes ont en général moins de 7 cm et ils disparaissent en quelques mois. Le kyste non physiologique est plus gros et permanent. Un gros kyste peut provoquer de la douleur lorsqu'on le fait bouger, comme, par exemple, lors d'un examen gynécologique, d'une relation sexuelle ou en cas de gonflement des intestins ;
- ***Affections non gynécologiques.*** Une infection de la vessie, de l'appendice ou du côlon sigmoïde, de même qu'une diverticulite et des calculs rénaux peuvent causer des douleurs pelviennes.

CONSEILS PRATIQUES

Se protéger contre les ITS. L'absence d'ITS permet aussi d'éviter les séquelles à long terme, que ce soit l'infertilité ou les adhérences (on peut les décrire comme une toile d'araignée formée de tissu inflammatoire qui relie l'ovaire, la trompe et la paroi pelvienne, empêchant la mobilité de ces organes. Elles découlent d'une infection ancienne mal traitée ou de séquelles d'une chirurgie).

Éviter les douches vaginales. Le vagin est un organe naturel qui n'a pas besoin d'être désinfecté, car il possède une flore microbienne naturelle qui le protège de l'intrusion d'autres micro-organismes. Or, une douche vaginale peut faire remonter des bactéries du vagin vers l'utérus ou déséquilibrer la flore naturelle du vagin.

QUAND CONSULTER ?

- Vous ressentez une douleur aiguë à l'abdomen depuis quelques heures.
- Une douleur dans l'abdomen vous empêche de poursuivre vos activités normales.
- La douleur s'étend dans tout l'abdomen.
- La douleur s'accompagne d'autres symptômes, comme de la fièvre, des pertes vaginales plus ou moins nauséabondes, ou elle coïncide avec l'arrivée d'un nouveau partenaire sexuel au cours des dernières semaines.

QUE SE PASSE-T-IL LORS DE L'EXAMEN ?

Le questionnaire et l'examen gynécologique constituent les premiers pas pour orienter le diagnostic. Un examen bien conduit permet de constater s'il y a infection, de vérifier l'état du col, de mobiliser les organes et de constater leur volume et leur emplacement relatif. Dans bien des cas, cet examen permet de poser le diagnostic. L'échographie, la laparoscopie, qui consiste à aller voir l'intérieur de l'abdomen à l'aide d'une fibre optique, ou une analyse de sang et d'urine à la recherche de signes d'infection, ne sont demandées qu'en cas de doute.

QUEL EST LE TRAITEMENT ?

Infection

Une infection se traite par des antibiotiques. Il est important de la traiter assez tôt et assez longtemps pour s'assurer de la guérison et éviter le risque de séquelles quelques années plus tard sous forme d'adhérences ou de destruction des tissus de la trompe, ce qui causerait une perte de fertilité.

Torsion de l'ovaire

Une douleur due à la torsion de l'ovaire ou de la trompe nécessite une intervention chirurgicale.

Ovulation

La prise d'un contraceptif oral peut être utile si la douleur due à l'ovulation est intense. Si elle est supportable, il est inutile d'envisager un traitement.

Rupture de la trompe à la suite d'une grossesse extra-utérine

Cet accident nécessite une consultation en urgence. Une intervention chirurgicale sera nécessaire et tout sera tenté pour réparer la trompe afin de préserver la fertilité.

Rupture d'un kyste ovarien

Si la douleur est due à la rupture d'un kyste, la patiente sera gardée en observation pendant quelques heures. S'il n'y a pas d'amélioration, il faudra peut-être envisager une intervention chirurgicale pour enlever le kyste. Cette opération ne nuit pas à la fonction de reproduction.

Affections non gynécologiques

Une infection de la vessie et du côlon sigmoïde se traite par les antibiotiques, tout comme la diverticulite. Une infection à l'appendice nécessite habituellement une ablation chirurgicale de l'appendice. Quant aux calculs rénaux, s'ils ne sortent pas tout seuls, on peut aller les briser par ultrasons ou les chercher par les voies naturelles, ou, encore, les enlever par chirurgie.

Douleur pelvienne chronique chez la femme

Certaines femmes ressentent plus ou moins régulièrement des douleurs dans la région du bassin. Ces douleurs, d'intensité variable, peuvent entraîner une diminution importante de la qualité de vie.

QUELLES SONT LES CAUSES ?

- ***Adhérences.*** On peut les décrire comme une toile d'araignée formée de tissu inflammatoire qui relie l'ovaire, la trompe et la paroi pelvienne, empêchant la mobilité de ces organes. Elles découlent d'une infection ancienne mal traitée ou de séquelles de chirurgie ;
- ***Varices autour de l'utérus.*** Elles peuvent entraîner des douleurs chroniques, qui vont être ressenties durant certaines phases du cycle menstruel. Ces varices apparaissent surtout chez les femmes qui ont eu de nombreux enfants. L'engorgement de ces veines, qui survient après l'ovulation, est dû aux œstrogènes et à la progestérone, qui les font gonfler. L'engorgement peut aussi être ressenti si la femme n'a pas d'orgasme lors d'une relation sexuelle, car l'excitation provoque un apport de sang qui ne disparaît pas aussi rapidement sans orgasme ;
- ***Endométriose.*** Cette affection est définie par la présence dans la cavité abdominale de cellules de l'endomètre qui se trouvent normalement à l'intérieur de l'utérus. La cause exacte de ce phénomène (que l'on croit héréditaire) n'est pas connue et diverses théories ont été élaborées pour l'expliquer : facteurs génétiques ; reflux de sang menstruel par les trompes ; dépôt de cellules de l'utérus dans l'abdomen à la suite d'une intervention chirurgicale ou d'une césarienne ; modification de cellules de l'abdomen qui reprennent certaines caractéristiques des cellules de l'intérieur de l'utérus et répondent comme elles à la stimulation hormonale en se mettant « à menstrues » à l'intérieur de l'abdomen. Quelle que soit la cause, la douleur est provoquée par l'inflammation qui entoure la stimulation de ces cellules. L'endométriose provoque une douleur qui évolue selon les phases du cycle menstruel ;

- ***Stérilet.*** Chez certaines femmes, le port du stérilet provoque des douleurs pelviennes chroniques parce que ce dernier est perçu comme un corps étranger par l'organisme, ce qui entraîne des contractions de l'utérus. Le stérilet est contre-indiqué pour celles qui souffrent d'endométriose, car il empire la douleur déjà présente ;
- ***Menstruations.*** L'apparition de douleurs lors des règles s'appelle dysménorrhée. La mort cellulaire liée aux menstruations provoque une réaction inflammatoire et donc de la douleur ;
- ***Abus et violence sexuels.*** Les antécédents d'abus et de violence sexuels, surtout pendant la jeunesse et l'adolescence, laissent des marques psychologiques indélébiles et peuvent, entre autres, entraîner des douleurs pelviennes chroniques ;
- ***Infections.*** La cystite interstitielle est une infection chronique de la vessie qui se traduit par des douleurs chroniques au bas-ventre. Par ailleurs, une infection transmissible sexuellement peut être présente et ne se manifester que par des douleurs pelviennes chroniques, qui ne sont pas associées aux phases du cycle menstruel ;
- ***Syndrome du côlon irritable.*** Il s'agit d'une maladie du gros intestin qui se manifeste par des crampes, de la diarrhée et du mucus dans les selles. Elle cause des douleurs pelviennes chroniques, surtout associées à la prise d'aliments ou à un stress particulier ;
- ***Autres maladies.*** Une opération de l'appendicite (qui peut avoir laissé des cicatrices dans le bas-ventre), la diverticulite et le cancer du côlon s'accompagnent aussi de douleurs pelviennes chroniques.

CONSEILS PRATIQUES

Se protéger contre les infections transmissibles sexuellement (ITS). Tout mode de protection contre les ITS permet de diminuer à long terme le risque d'adhérences ainsi que de toutes les douleurs, aiguës ou chroniques, associées à ces maladies.

Bien traiter toute infection pelvienne. Il est important de suivre le traitement jusqu'au bout afin de réduire les risques de séquelles.

Éviter les douches vaginales. Le vagin possède une flore microbienne naturelle qui le protège de l'intrusion d'autres micro-organismes. Les douches vaginales peuvent déstabiliser cette flore naturelle ou entraîner des microbes vers l'utérus.

Consulter en psychothérapie. C'est souvent nécessaire, voire essentiel, lorsqu'il y a eu violence ou abus sexuels.

QUAND CONSULTER ?

- Vous ressentez depuis quelque temps une douleur pelvienne et l'apparition de cette douleur s'accompagne d'autres symptômes, tels que fièvre ou pertes vaginales plus ou moins nauséabondes, ou, encore, elle coïncide avec l'arrivée d'un nouveau partenaire sexuel au cours des dernières semaines.
- Des douleurs au moment des règles vous incommodent.
- Une douleur apparaît souvent lors des relations sexuelles, de l'évacuation intestinale ou d'une simple activité comme la marche.

QUE SE PASSE-T-IL LORS DE L'EXAMEN ?

Le médecin cherchera à savoir quand la douleur est apparue, ce qui lui permettra d'orienter son diagnostic. Il fera également un examen gynécologique afin de vérifier l'état du col, de palper les organes pour rechercher les adhérences, en estimer le volume et constater leur emplacement. L'historique des douleurs et l'examen clinique suffisent généralement à établir le diagnostic. Il pourra tenter de vérifier s'il y a des antécédents d'abus et de violence sexuels pendant la jeunesse ou l'adolescence. Une laparoscopie, qui consiste à aller voir dans l'abdomen à l'aide d'une fibre optique, est conseillée pour poser le diagnostic d'endométriose.

QUEL EST LE TRAITEMENT ?

Dans de nombreux cas de douleurs pelviennes chroniques, un certain nombre d'études soulignent l'efficacité de l'acétate médroxyprogestérone pour maîtriser la douleur à long terme.

Adhérences

Le seul traitement possible est l'intervention chirurgicale. Les succès sont cependant modestes puisque les adhérences réapparaissent rapidement dans plus de la moitié des cas. D'où l'importance d'en prévenir l'apparition en se protégeant des ITS et en traitant bien toute infection gynécologique.

Varices autour de l'utérus

Il est aussi très difficile de traiter les douleurs causées par la présence de varices autour de l'utérus. Il n'est pas possible d'enlever ces veines dilatées, comme cela se fait pour les jambes, car il n'y a aucune autre veine pour prendre la relève. Si les douleurs sont trop intenses, la seule solution consiste à procéder à l'ablation de l'utérus, ce qui mettra fin à la fonction reproductrice.

Endométriose

Le traitement peut être chirurgical ou médical. Si le risque d'infertilité constitue un souci majeur, une intervention chirurgicale sera proposée pour aller enlever le plus possible de cellules endométriales qui ont migré dans l'abdomen. Un traitement à base de médicaments y sera associé pendant trois à six mois. Il s'agit d'un agoniste, c'est-à-dire d'une substance qui accroît l'effet de l'hormone hypothalamo-hypophysaire (LH-RH) dont le but est d'arrêter la production d'œstrogènes afin de détruire les cellules endométriales qui seraient encore présentes. Si c'est la douleur qui pousse à consulter, on aura recours à des médicaments à base de l'androgène danazol ou d'un agoniste de la LH-RH. Chez les patientes plus jeunes, une pilule contraceptive contenant peu d'œstrogènes et un progestatif peut aider à diminuer les douleurs et empêcher l'évolution de la maladie. Si vous ne désirez plus avoir d'enfants, il est possible d'envisager un traitement plus radical, qui consiste à enlever l'utérus et les ovaires. Une chirurgie radicale veut cependant dire une ménopause précoce et l'obligation de prendre des hormones de substitution pour diminuer le risque très élevé d'ostéoporose. Il est donc important de discuter de toutes ces possibilités de traitement avec votre médecin et de vous assurer que vous en acceptez bien les conséquences.

Stérilet

S'il est responsable des douleurs pelviennes, le médecin l'enlèvera et conseillera une autre méthode contraceptive.

Menstruations

Les douleurs associées aux règles peuvent être soulagées par la prise d'anti-inflammatoires non stéroïdiens, communément appelés AINS. Ces médicaments inhibent la production de prostaglandines, ces substances associées à l'inflammation et responsables de la sensation douloureuse.

Abus et violence sexuels

Ces cas nécessitent un suivi psychologique parfois prolongé, surtout lorsque les abus se sont produits pendant la jeunesse ou l'adolescence. Avec le temps, les douleurs peuvent finir par s'estomper.

Infections

La douleur de la cystite interstitielle se maîtrise avec des médicaments à base de cortisone et des antidépresseurs (pour leur effet analgésique). Dans de rares cas qui ne répondent pas au traitement, il faut opérer pour enlever une partie de la vessie. Une infection transmissible sexuellement se traite par la prise d'antibiotiques.

Syndrome du côlon irritable

Il existe des médicaments (antispasmodiques) pour empêcher les contractions et l'irritabilité de l'intestin.

Autres maladies

Des médicaments peuvent être prescrits pour maîtriser les douleurs résultant d'une opération de l'appendicite. La diverticulite se traite par des antibiotiques. En cas de cancer du côlon, le traitement adéquat (chimiothérapie, radiothérapie ou opération) sera entrepris.

Douleur sciatique

Le nerf sciatique est le nerf le plus volumineux de l'organisme. Composé de plusieurs racines, il prend naissance dans le haut de chaque fesse et descend dans la jambe jusqu'à la hauteur du genou, où il se divise en deux sections. Après cette division, une partie (appelée nerf sciatique poplité externe) a pour fonction d'innerver les muscles du devant de la jambe, tandis que l'autre partie (appelée nerf sciatique poplité interne, ou tibial postérieur) innerve les muscles de l'arrière de la jambe. En somme, le nerf sciatique est celui qui assure essentiellement la motricité et la sensibilité des membres inférieurs à partir du genou.

Dans la très grande majorité des cas, la douleur sciatique – de son vrai nom la sciatalgie – provient d'une compression, d'une irritation ou d'un dommage à une racine du nerf sciatique et, plus rarement, de deux ou plusieurs racines.

Voici comment les douleurs peuvent se présenter :

- habituellement, la douleur part de la fesse et va jusqu'en dessous du genou ;
- la douleur peut parfois irradier jusqu'au pied ;
- la douleur peut n'être ressentie qu'en bas du genou, jusqu'au pied ;
- la douleur peut toucher une ou deux jambes ;
- engourdissement et picotements de la zone douloureuse ;
- perte de sensation à la jambe (faiblesse musculaire) ;
- difficulté à bouger le pied et les orteils ;
- difficulté à relever le pied à la marche (rare) ;
- incontinence urinaire ou anale (extrêmement rare) ;
- dysfonctionnement érectile ou impuissance (extrêmement rare).

QUELLES SONT LES CAUSES ?

- ***Hernie discale.*** C'est la principale cause de douleur sciatique. La hernie discale survient lorsqu'une partie du disque lombaire (coussin entre deux vertèbres) sort de sa cavité naturelle et vient comprimer une ou plusieurs des racines du nerf sciatique. Un trop grand effort physique (comme soulever un objet trop lourd), certains sports de contact (hockey, football, etc.) ou même un mouvement banal peuvent provoquer le déplacement d'un disque. Les femmes enceintes, à cause du surplus de poids, sont sujettes à une hernie discale. En plus de la douleur sciatique, la hernie entraîne des douleurs au dos. Il arrive, mais c'est extrêmement rare, que le disque vienne comprimer les racines innervant les organes génitaux et les sphincters. Une incontinence urinaire ou anale, ou même un dysfonctionnement érectile peuvent alors être observés ;

- ***Sténose spinale centrale.*** L'usure des structures de la colonne vertébrale peut causer un rétrécissement de l'intérieur de la colonne, ce qui compresse et irrite les racines du nerf sciatique, de même que cela nuit à la circulation sanguine qui nourrit les racines. De façon caractéristique, ce type de sténose entraîne des douleurs dans les deux jambes, douleurs qui se manifestent à la marche ou en position debout immobile ;
- ***Sténose spinale latérale.*** Il s'agit du rétrécissement des orifices par lesquels sortent les racines du nerf sciatique, dû lui aussi à l'usure des structures de la colonne vertébrale. La compression et l'irritation d'une racine provoquent de la douleur, laquelle se manifeste le plus souvent dans une seule jambe. Elle peut se présenter à la marche ou au repos ;
- ***Traumatisme.*** Un accident d'automobile qui entraîne une fracture du bassin, par exemple, peut endommager le nerf sciatique ;
- ***Cancer.*** Une tumeur à la colonne vertébrale ou au bassin, ou des métastases (cancer qui se répand dans l'organisme) risquent également de comprimer une ou plusieurs racines du nerf sciatique.

CONSEILS PRATIQUES

Prendre des analgésiques. Un ou deux comprimés d'acétaminophène (325 mg ou 500 mg) quatre fois par jour, jusqu'à un maximum de 4 g par jour, aideront à soulager la douleur. Des anti-inflammatoires peuvent aussi être utilisés, à la dose recommandée par le fabricant. Vous pouvez prendre un des deux médicaments ou les deux si la douleur est difficile à maîtriser.

S'étendre sur le dos. Étendez-vous sur le dos, genoux repliés sur vous, de façon à ce que votre dos soit complètement appuyé sur la surface où vous êtes couché. Le dos doit être le plus droit possible ; un oreiller sous la tête vous y aidera. Gardez la position quelques minutes, jusqu'à ce que la douleur s'atténue.

Prendre la position fœtale. Étendez-vous sur le côté, tête et genoux repliés sur le ventre (couché en boule). Ou encore, couchez-vous sur le dos, hanches et genoux fléchis à 90 degrés, les jambes reposant sur une chaise. Gardez la position jusqu'à ce que vous vous sentiez mieux.

Réchauffer l'endroit douloureux. Couvrez-le d'une source de chaleur, comme une couverture électrique, un sac magique ou prenez un bain chaud. Restez ainsi pendant 20 à 30 minutes. À répéter plusieurs fois par jour, au besoin.

Se faire masser. Les massages aident à soulager la douleur, car ils aident à libérer de l'endorphine, qui agit comme analgésique naturel. Faites-vous masser doucement la zone douloureuse, le bas du dos et la fesse. Il faut éviter d'appuyer trop fort, car cela pourrait provoquer des douleurs.

Bouger. Il ne sert à rien de rester au lit pendant plusieurs jours en attendant que la douleur s'en aille complètement. Continuez à vaquer à vos occupations, au moins un peu, car bouger aidera à régler le problème.

Reprendre doucement les activités physiques. Dès que la douleur sciatique s'atténue, commencez progressivement à faire de l'exercice physique (comme de la marche), selon votre degré de tolérance. L'exercice aide à prévenir ou à faire disparaître la douleur plus rapidement. Demandez à votre médecin de vous suggérer une série d'exercices.

Éviter les trop grands efforts physiques. Si vous ne voulez pas avoir de hernie discale, évitez les efforts physiques pour lesquels vous n'êtes pas entraîné.

QUAND CONSULTER ?

- Vous ressentez une douleur très forte.
- La douleur persiste plus de trois semaines.
- Vous constatez une faiblesse dans la jambe.
- Vous souffrez d'incontinence urinaire ou anale, ou même de dysfonctionnement érectile.

QUE SE PASSE-T-IL LORS DE L'EXAMEN ?

Le médecin notera les détails pertinents et procédera à un examen physique. Il peut décider de demander une radiographie de la colonne vertébrale, une tomodensitométrie axiale (*scanner*) ou un examen par résonance magnétique pour identifier la cause de la sciatalgie. Quelquefois requise, l'électromyographie (EMG) permet d'évaluer les dommages aux racines du nerf sciatique. Des prises de sang peuvent aussi faire partie du bilan.

QUEL EST LE TRAITEMENT ?

Hernie discale

En général, le disque lombaire sorti de sa cavité a tendance à se replacer tout seul. Une hernie discale requiert toutefois que l'on ralentisse ses activités régulières pendant quelques semaines, plus rarement pendant plusieurs mois. Des analgésiques, des anti-inflammatoires ou même des injections de cortisone peuvent être prescrits pour soulager la douleur. La physiothérapie pourra être recommandée par le médecin, surtout si la douleur est encore présente après quatre à six semaines. Elle est utile pour soulager la douleur (par des ultrasons, de petits courants électriques, des massages, etc.) et pour accélérer la récupération (par un programme d'exercices spécifiques). Moins de 5 % des cas requièrent une chirurgie pour enlever le disque lombaire.

Les femmes enceintes qui ont une hernie discale se verront habituellement suggérer de la physiothérapie pour bénéficier d'un soulagement. Le problème se règle d'habitude après la naissance du bébé.

Sténose spinale centrale et latérale

Des analgésiques ou des injections de cortisone seront prescrits. Dans certains cas, il faudra recourir à la chirurgie pour diminuer la sténose.

Traumatisme

La chirurgie peut être requise pour stabiliser la fracture. Sinon, des analgésiques, de la physiothérapie – ou les deux ensemble – seront prescrits. Plus le traumatisme est grave, plus les risques d'une douleur sciatique chronique sont élevés.

Cancer

Le traitement requis pour soigner la maladie sera immédiatement entrepris.

Douleurs à la colonne vertébrale

On les appelle cervicalgie, dorsalgie ou lombalgie, selon la zone atteinte : cou, dos, région lombaire. Dans 90 % des cas, elles sont d'ordre mécanique et dues à des entorses articulaires ou à des problèmes de disques intervertébraux. Les lombalgies sont les plus fréquentes. La plupart des gens connaîtront un problème de colonne vertébrale au cours de leur vie. Seulement 10 % d'entre eux iront consulter leur médecin.

Les symptômes peuvent être difficiles à interpréter par le patient :

- les douleurs cervicales irradient souvent dans la région de l'omoplate ;
- les douleurs dorsales irradient souvent vers les côtes et le sternum ;
- les douleurs dorsales basses irradient souvent dans le bassin ;
- les douleurs lombaires irradient souvent jusqu'aux muscles fessiers et aux jambes ;
- en outre, ces douleurs peuvent entraîner une limitation partielle des mouvements ou une sensation de blocage.

QUELLES SONT LES CAUSES ?

- ***Traumatismes physiques*** dus à une mauvaise forme physique, à l'exercice de métiers physiquement exigeants, à la pratique de sports violents ou à de faux mouvements. Ils peuvent entraîner une hernie discale ;
- ***Causes psychologiques*** telles que le stress et les troubles de santé mentale. Elles sont souvent responsables des douleurs chroniques ;
- ***Déviations de la colonne.*** La scoliose (déviation de la colonne vertébrale ou du bassin en « S ») et la cyphose (dos rond) sont des affections généralement héréditaires qui causent un déséquilibre de la colonne vertébrale ;
- ***Arthrose et arthrite.*** L'arthrose est le vieillissement normal des articulations, tandis que l'arthrite est une maladie des articulations ;
- ***Infections et tumeurs*** (quoique graves, elles sont plutôt rares).

CONSEILS PRATIQUES

Les 48 premières heures. Mettez de la glace sur la région douloureuse plusieurs fois par jour et aussi longtemps que vous le pouvez. La chaleur n'est pas recommandée pendant cette période, car elle peut augmenter l'inflammation.

Maintenir la zone atteinte au repos (sans nécessairement se mettre au lit) et éviter les mouvements importants. Les études montrent qu'il n'y a pas d'avantages à rester au lit plus de deux jours. Vous pouvez utiliser des analgésiques et des anti-inflammatoires qu'on trouve en vente libre en pharmacie. Un ou deux comprimés d'acétaminophène (325 mg ou 500 mg) quatre fois par jour, jusqu'à un maximum de 4 g par jour, aideront à soulager la douleur. Avec les anti-inflammatoires, il faut respecter la dose recommandée par le fabricant. Vous pouvez prendre un des deux médicaments ou les deux si la douleur est difficile à maîtriser.

Après 48 heures. La glace ou la chaleur peuvent être employées pour soulager la douleur. Consultez votre médecin si la situation ne s'améliore pas.

Consulter un médecin avant tout. Il est important d'avoir un diagnostic précis avant d'entreprendre une série de traitements.

Attention aux conseils des amis ! Vos proches auront sûrement mille et un conseils à vous prodiguer sur la façon de vous asseoir, de vous coucher, de placer l'écran de votre ordinateur, etc. Ne faites rien sans demander l'avis d'un médecin : ce qui peut soulager la douleur de l'un peut aggraver celle de l'autre. D'où l'importance d'un bon diagnostic.

Éviter d'acheter trop vite. Bien qu'il existe sur le marché nombre de chaises, matelas, oreillers, semelles électromagnétiques, collets cervicaux, soutiens lombaires et coussins « bons pour le dos », n'en achetez pas sans l'avis d'un médecin ou autre spécialiste. En effet, il n'est pas certain que ces objets conviennent à votre type de problème. Ils pourraient même l'aggraver.

QUAND CONSULTER ?

- Vos douleurs durent depuis plus de 48 heures.
- Vous êtes incapable de reprendre vos activités normales.
- Les symptômes se sont aggravés : douleurs et engourdissements dans les jambes ou les bras.

Quelques conseils d'usage si vous avez souvent mal au dos

Changez souvent de position. Vous êtes sujet aux maux de dos et vous travaillez assis ? Levez-vous fréquemment et marchez un peu. Vous pouvez également faire ces exercices très simples :

1. **Debout, légèrement penché vers l'avant, jambes écartées, levez le bras gauche tendu en l'air et penchez-vous doucement du côté droit pour étirer le côté gauche. Gardez la position pendant sept secondes et répétez le mouvement sept fois de chaque côté.**
2. **Debout, jambes écartées, penchez légèrement le tronc vers l'avant, du côté gauche, puis du côté droit.**
3. **Debout, appuyé au mur, prenez le genou gauche avec la main droite et ramenez-le doucement sur le ventre. Répétez le mouvement deux à trois fois de chaque côté. Variante : vous pouvez aussi faire cet exercice couché sur le dos.**

Évaluez votre posture au travail. Votre chaise est-elle adaptée ? Vos instruments de travail (p. ex. : écran d'ordinateur) sont-ils bien placés ?

Portez des chaussures confortables. Même en l'absence de preuves scientifiques, on pense que le port de chaussures à talons hauts (plus de 5 cm) provoque une surtension au niveau de la partie postérieure de la colonne vertébrale.

Le tabac joue-t-il un rôle ? Une hypothèse médicale veut que la nicotine provoque des contractions dans les petites artères et nuise à la microcirculation qui nourrit les disques et les vertèbres. Ce n'est pas encore prouvé, mais c'est une piste intéressante.

QUE SE PASSE-T-IL LORS DE L'EXAMEN ?

Il est normal que le médecin fasse un examen complet, qu'il précise l'origine de la douleur et qu'il fournisse des renseignements adéquats au patient.

QUEL EST LE TRAITEMENT ?

Le traitement des douleurs d'origine mécanique (entorse, hernie discale, etc.) commence d'abord par l'éducation du patient, qui doit comprendre d'où vient le problème et de quelle façon il peut y remédier.

Techniques manuelles ou mécaniques douces

Il s'agit de tractions lombaires, de mobilisations et de manipulations.

Les tractions lombaires sont des tractions manuelles ou mécaniques exercées dans l'axe de la colonne pour diminuer la pression sur les vertèbres ou sur les disques entre les vertèbres.

La mobilisation ressemble à une manipulation douce, mais qui n'excède pas le jeu normal de l'articulation.

La manipulation, quant à elle, consiste à mettre la vertèbre en tension maximale et à la porter au-delà du jeu normal de l'articulation. On entend quelquefois un craquement.

La documentation médicale actuelle parle d'une efficacité comparable de ces différentes techniques. Normalement, on constate une amélioration au bout de cinq séances de traitement. Évitez les traitements qui durent des mois ou des années.

Parallèlement, les divers professionnels de la santé utilisent plusieurs méthodes qui ont pour but de diminuer la douleur ou de détendre, mais qui ne changent rien au problème mécanique : ultrasons, laser, baumes, acupuncture, TENS (courant électrique analgésique), massage, biofeedback.

Médicaments

Sur prescription médicale, on peut obtenir des anti-inflammatoires, des analgésiques et recevoir des injections de cortisone. Il convient de souligner que la cortisone, puissant anti-inflammatoire, ne modifie en rien le problème mécanique.

Intervention chirurgicale

Elle n'est indiquée qu'en dernier recours.

Programmes d'exercices

À long terme, pour les problèmes mécaniques associés à une arthrose ou à une lésion discale, les programmes d'exercices physiques réguliers constituent la meilleure forme de traitement. Un bon programme d'entraînement comporte trois composantes: exercices d'aérobique, musculation et étirements. Ces exercices doivent être pratiqués au moins trois fois par semaine.

Dysfonctionnement érectile (impuissance sexuelle)

Le terme «impuissance» n'est plus guère utilisé par les médecins. Ceux-ci parlent plutôt de troubles de l'érection ou de dysfonctionnement érectile, expressions qui font référence à l'incapacité d'obtenir et de maintenir une érection suffisamment rigide pour avoir une activité sexuelle satisfaisante. Il faut savoir que, pour que l'on puisse parler de troubles de l'érection, cette incapacité doit se répéter constamment et durer depuis au moins trois mois. On ne parle donc pas de troubles de l'érection dans le cas d'un homme qui a connu un problème momentané qui ne s'est pas reproduit.

Le mécanisme de l'érection ne dépend pas de la volonté. Pour avoir une érection, un homme doit avoir été soumis à des stimulations sexuelles (caresses aux organes génitaux, fantasmes, etc.). L'érection dépend aussi du bon fonctionnement du système nerveux (qui véhicule les signaux de l'excitation), du système circulatoire (qui transporte le sang vers le pénis), ainsi que du pénis lui-même qui doit être intact. Il est donc facile de comprendre qu'un homme doit être en bonne santé pour avoir des érections.

Un homme ayant des troubles de l'érection ou qui est carrément incapable d'en avoir peut très bien ressentir du désir, avoir un orgasme et éjaculer, soit par la masturbation, soit en frottant ses organes génitaux sur ceux de sa partenaire. Certains hommes arrivent même à engendrer un ou plusieurs enfants sans avoir d'érections suffisantes pour permettre la pénétration (leur conjointe devient enceinte parce qu'ils éjaculent sur la vulve ou à l'entrée du vagin). Par contre, comme l'érection fait partie intégrante de la réponse sexuelle normale, le trouble d'érection est considéré comme une anomalie et un symptôme possible d'une maladie sous-jacente.

Sujet encore tabou, les troubles de l'érection sont pourtant fréquents : un homme sur 10 en souffre au cours de sa vie. À partir de la cinquantaine, le risque d'en être affecté augmente de façon nette. Le dysfonctionnement érectile peut être d'origine physiologique, d'origine psychologique ou mixte.

Dysfonctionnement érectile d'origine physiologique

- Rare chez l'homme de moins de 50 ans en bonne santé et plus fréquent chez l'homme âgé ;
- Disparition des érections nocturnes ou matinales ;
- S'installe le plus souvent de façon graduelle, au fil des mois et même des années ;
- Incapacité (totale ou partielle) à obtenir ou à maintenir une érection, quelles que soient les circonstances ;
- Est réversible dans beaucoup de cas.

Dysfonctionnement érectile d'origine psychologique

- Érections nocturnes ou matinales conservées ;
- Érection complète lors de la masturbation ;
- Trouble qui survient le plus souvent de façon subite ;
- Ne survient que dans certaines circonstances ;
- Ne semble associé à aucune maladie.

QUELLES SONT LES CAUSES ?

Dysfonctionnement érectile d'origine physiologique

- ***Anomalies des vaisseaux sanguins.*** Les troubles vasculaires, artériels ou veineux sont responsables d'une grande partie des cas. Parmi les maladies les plus fréquentes, citons le durcissement des artères (artériosclérose), l'hypertension artérielle, un taux élevé de cholestérol (hypercholestérolémie) et le diabète ;
- ***Certains médicaments.*** Les antihypertenseurs, les antidépresseurs, les antipsychotiques, les anticonvulsivants contre l'épilepsie, la cimétidine (pour diminuer la sécrétion d'acide gastrique) ainsi que de fortes doses de médicaments contre l'anxiété (Ativan, Valium, etc.) peuvent affecter le mécanisme vasculaire de l'érection ;
- ***Prostatectomie radicale (ablation de la prostate).*** Cette chirurgie permet de traiter le cancer de la prostate. Comme elle ne peut être effectuée par les voies naturelles, elle atteint parfois les nerfs du pénis, entraînant un trouble érectile dans 50 à 60 % des cas ;
- ***Tabagisme.*** Il constitue une cause importante de troubles de l'érection, car il aggrave l'hypertension et l'artériosclérose et favorise une fuite veineuse (incapacité des veines du pénis à retenir le sang) ;

- ***Anomalies des nerfs et des centres nerveux.*** Entre autres, traumatisme de la moelle épinière (par exemple, la paraplégie), sclérose en plaques, maladie de Parkinson, etc. Ces maladies peuvent nuire à la transmission de l'influx nerveux des organes génitaux vers le cerveau ou vice-versa ;
- ***Maladie de La Peyronie.*** Cette courbure anormale du pénis est due à une cicatrice dure et palpable à l'intérieur de l'organe. Ce n'est qu'en cas de déformation importante qu'il peut y avoir des troubles de l'érection.

Dysfonctionnement érectile d'origine psychologique

- ***Anxiété de performance.*** Elle constitue la principale cause psychologique des troubles de l'érection. Celui qui en souffre a peur de ne pas être capable d'avoir une érection ou de la maintenir assez longtemps pour sa satisfaction personnelle ou celle de sa partenaire ;
- ***Autres facteurs psychologiques.*** Des problèmes dans le couple, de l'hostilité envers la partenaire, la lassitude sexuelle, une mauvaise éducation sexuelle, des difficultés d'ordre professionnel, une perte d'emploi, des soucis financiers, la fatigue, une rupture amoureuse, une période d'abstinence sexuelle ainsi qu'un sevrage de drogue ou d'alcool après une période d'abus sont quelques-uns des facteurs pouvant entraîner un problème d'érection.

CONSEILS PRATIQUES

Voir un médecin. Il est important de savoir qu'il existe une solution pour la majorité des hommes souffrant d'un problème d'érection. Confiez-vous à un médecin avec qui vous vous sentez à l'aise et n'hésitez pas à poursuivre vos démarches auprès d'un centre spécialisé dans les troubles de l'érection.

Utiliser des fantasmes et de nouvelles techniques de stimulation. Pour un trouble érectile d'origine psychologique, vous pouvez mettre en application quelques suggestions concrètes : améliorer la communication avec le ou la partenaire, utiliser des fantasmes sexuels, augmenter la durée et l'intensité de la stimulation du pénis par le ou la partenaire, apprendre de nouvelles techniques de stimulation (comme la stimulation orale) et visionner, seul ou en couple, des films érotiques.

Essayer de ne pas en faire une montagne. Un homme aux prises avec un dysfonctionnement érectile a intérêt à ne pas trop s'inquiéter puisque l'anxiété de performance (la crainte «de ne pas pouvoir») peut court-circuiter le mécanisme de l'érection et lui enlever tous ses moyens. Essayez de prendre la chose avec philosophie et profitez-en pour développer votre sensualité. Le reste a bien des chances de revenir plus facilement. Il faut également savoir que, pour la partenaire, les troubles érectiles de son conjoint n'ont pas toujours un effet catastrophique. Beaucoup de femmes vont confier au médecin que leur conjoint est devenu un meilleur amant depuis qu'il ne peut plus les pénétrer parce qu'il explore d'autres facettes de la sexualité.

Adopter de saines habitudes alimentaires. Un régime alimentaire riche en gras peut faire autant de tort au pénis qu'au cœur. Les troubles vasculaires artériels et veineux sont responsables d'une grande partie des cas de dysfonction érectile d'origine physique. Mangez mieux, perdez du poids, si cela est nécessaire, et faites de l'exercice plusieurs fois par semaine. Vous remarquerez que le flux sanguin dans le pénis va s'accroître.

Arrêter de fumer. De mauvaises habitudes de vie, telles que le tabagisme, perturbent les mécanismes vasculaires de l'érection. Le tabac bloque progressivement les petites artères, nuisant au flux sanguin nécessaire pour l'érection. Fumer peut aussi entraîner des fuites de sang par les veines du pénis lors de l'érection. Cesser de fumer est l'un des gestes les plus importants que vous puissiez faire pour retrouver de bonnes érections.

Limiter sa consommation d'alcool. Un ou deux verres d'alcool permettent de lever les inhibitions, de se détendre et de se prédisposer aux rapports amoureux. Cependant, une consommation d'alcool importante peut vous détendre trop et causer un trouble d'érection en endormant votre système nerveux et vos réflexes.

Être contraint à l'abstinence. Il est fréquent qu'un homme vieillissant doive, pour une raison ou une autre, s'abstenir de relations sexuelles pendant une période assez longue. Cela peut être dû à l'hospitalisation ou encore à la mort de sa conjointe. Il arrive qu'à la suite de cette période d'abstinence, cet homme s'aperçoive qu'il est incapable d'avoir des érections. Il peut récupérer sa capacité érectile s'il s'accorde du temps, soit quelques semaines d'interactions sexuelles, et si les rapports sexuels sont exempts de pressions.

Vérifier ses médicaments. Ne cessez surtout pas de les prendre, même si vous craignez qu'ils soient la cause de votre trouble d'érection. Vous pouvez toutefois parler à votre médecin de la possibilité d'en changer pour d'autres qui ne produisent pas cet effet indésirable.

QUAND CONSULTER ?

- Vos troubles de l'érection durent depuis au moins trois mois. Consultez un médecin plus tôt si vous souffrez de la situation.

QUE SE PASSE-T-IL LORS DE L'EXAMEN ?

Le patient qui souffre d'un dysfonctionnement érectile doit s'attendre à ce que le médecin consacre assez de temps à la consultation. Ce dernier trace l'histoire sexuelle et médicale de l'homme et détermine si la dysfonction érectile est de nature principalement physiologique, principalement psychologique ou les deux à la fois (mixte). Le patient subit un examen physique spécifique (pour vérifier si les organes génitaux, les vaisseaux sanguins, les nerfs et les tissus du pénis fonctionnent normalement). À cet egard, le médecin dispose de plusieurs tests spécialisés, dont le Doppler pénien, qui permet de mesurer l'apport sanguin artériel dans le pénis.

QUEL EST LE TRAITEMENT ?

Dysfonctionnement érectile d'origine physiologique

Anomalies des vaisseaux sanguins, des nerfs et des centres nerveux

Dans le cas où le traitement de ces maladies ne permet pas d'améliorer la fonction érectile du patient, le médecin peut proposer des traitements spécifiques :

- ***Le sildénafil (Viagra).*** Ce traitement par voie orale permet de dilater les vaisseaux sanguins du pénis pour y laisser entrer plus de sang et ainsi entraîner une érection. Le médicament ne provoque pas une érection automatique et il n'augmente pas le désir sexuel. Il aide tout simplement l'homme à obtenir ou à maintenir son érection. Il agit donc seulement si l'homme est soumis à une stimulation sexuelle. Près de 80 % des utilisateurs obtiennent des résultats satisfaisants avec ce médicament.
- ***Les injections intracaverneuses (ou injections péniennes).*** Elles consistent en l'injection de prostaglandine E1 sur le côté du pénis. Le patient doit toutefois vaincre la crainte d'une injection à cet endroit. En moins de 15 minutes, même sans stimulation sexuelle, le pénis atteint automatiquement une rigidité complète qui dure en moyenne entre 30 et 60 minutes. C'est efficace dans 85 % des cas.
- ***Une prothèse externe (ou pompe à vide).*** Il s'agit d'une technique mécanique et non chirurgicale. L'appareil est composé d'un cylindre en plastique, branché sur une pompe. Le pénis est introduit dans le cylindre d'où la pompe évacue l'air, créant un vide qui entraîne l'afflux de sang dans les corps caverneux du pénis. Un anneau est installé à la base du pénis pour empêcher le sang de repartir et le cylindre est enlevé. L'anneau doit absolument être enlevé après 30 minutes d'utilisation, pour éviter la formation de caillots de sang. Les couples qui ont appris à maîtriser cette technique l'estiment efficace à 80 %.
- ***Un traitement transurétral.*** Le Medicated Urethral System of Erection (MUSE) consiste à insérer dans l'urètre (l'ouverture du pénis) un minisuppositoire d'alprostadil de la taille d'un gain de riz. Le médicament est absorbé par les parois de l'urètre et se rend par la circulation sanguine dans les corps caverneux du pénis, où il permet aux muscles de se relâcher et au pénis de s'engorger de sang. L'érection survient en moins de 20 minutes – qu'il y ait stimulation sexuelle ou pas – et dure généralement moins d'une heure. C'est une méthode efficace dans 40 % des cas.
- ***Les prothèses ou implants péniens.*** Il en existe de différents types. Des prothèses en silicone sont implantées sous la peau et sont

totalement invisibles. La plupart sont gonflables, c'est-à-dire que la rigidité de la prothèse est obtenue en manipulant une pompe qui se trouve dans le scrotum. Alors qu'il s'agissait autrefois de la principale méthode pour aider les hommes souffrant de dysfonctionnement érectile, la pose d'implants péniens est aujourd'hui utilisée en dernier recours. Parce qu'elle est irréversible, on ne la recommande que lorsque toutes les autres méthodes ont échoué.

Il convient parfois de combiner le traitement médical et le traitement psychosexuel pour optimiser les résultats.

Prostatectomie radicale

Les hommes ayant subi une prostatectomie peuvent recourir aux divers traitements de la dysfonction érectile que l'on vient d'énumérer.

Tabagisme

Si son patient montre de la volonté à cesser de fumer, le médecin peut l'aider en mettant à sa disposition plusieurs moyens, comme des timbres de nicotine et un médicament par voie orale : le bupropion (Zyban). On trouve aussi de la gomme à mâcher à la nicotine en vente libre dans les pharmacies. Arrêter de fumer aide à récupérer la capacité érectile, car cela stoppe les dommages aux veines et aux artères.

Maladie de La Peyronie

Elle peut disparaître spontanément en l'espace de six mois à deux ans, sans traitement particulier. Certains hommes, cependant, doivent avoir recours à une chirurgie, après un an et demi ou deux ans, si la déviation gêne réellement l'intromission du pénis dans le vagin.

Dysfonctionnement érectile d'origine psychologique

Le patient est adressé à un sexologue clinicien (titulaire d'une maîtrise en sexologie) pour une sexothérapie, de préférence en compagnie de sa partenaire. La thérapie s'échelonne sur une vingtaine de séances et obtient un très bon taux de succès.

Ecchymoses, hématomes et pétéchies

Les ecchymoses, les hématomes et les pétéchies sont tous trois des hémorragies sous-cutanées.

Les ecchymoses (purpura ecchymotique) sont fréquentes et tout à fait bénignes dans 95 % des cas. Les femmes y sont particulièrement sujettes, car leur peau est plus fine et les changements hormonaux fragilisent les vaisseaux sanguins. Les personnes âgées ont également la peau plus transparente.

Les hématomes sont des épanchements sanguins qui se produisent dans un organe, dans la paroi d'un muscle ou de l'abdomen. Ils sont donc invisibles au début, mais peuvent apparaître à la surface de la peau avec le temps.

Il y a deux types de pétéchies (purpura pétéchial) : celles qui sont causées par un déficit de plaquettes sanguines (éléments importants dans le processus de coagulation) et celles qui surviennent alors que les plaquettes sont saines. Les pétéchies sont rares et sont plus graves que les ecchymoses ou les hématomes, car elles indiquent presque toujours un problème sérieux.

Les symptômes sont les suivants :

Ecchymoses et hématomes

- taches de taille variable, rougeâtres ou bleuâtres ;
- parfois enflure et douleur au toucher ;
- blanchissent quand on appuie dessus ;
- tournent au bleu, au vert et au jaune avant de disparaître complètement ;
- peuvent prendre plusieurs jours à apparaître après un traumatisme ;
- peuvent s'accompagner de fièvre dans le cas d'un hématome.

Pétéchies

- très petites lésions rouges (moins de 3 mm) ;
- se manifestent subitement et en grand nombre ;
- apparaissent surtout sur les jambes ;

- ne blanchissent pas quand on appuie dessus ;
- absence de douleur, d'enflure ou de démangeaisons ;
- disparaissent après quelques jours en laissant des taches brunâtres.

QUELLES SONT LES CAUSES ?

Ecchymoses et hématomes

- ***Traumatismes.*** Un traumatisme cause presque toujours une ecchymose. Et si le coup a été violent (comme un coup de bâton de baseball sur une jambe), l'hémorragie peut se faire à la fois à la surface de la peau et à l'intérieur de la jambe, causant simultanément une ecchymose et un hématome ;
- ***Médicaments.*** Avec les années, la cortisone amincit la peau, la rendant plus vulnérable aux ecchymoses. De plus, les gens qui prennent de l'aspirine, des anticoagulants, des anti-inflammatoires ou de la cortisone par voie orale ou par inhalateur sont plus susceptibles de faire des ecchymoses. Pourquoi? Parce que ces médicaments nuisent au bon fonctionnement des plaquettes sanguines.

Pétéchies

- ***Affections des plaquettes sanguines,*** telles que lymphomes, métastases cancéreuses, leucémie, maladie de Hodgkin, sida, myélodysplasie, maladie de Bernard-Soulier, infections bactériennes graves (comme la bactérie mangeuse de chair). Les déficits en vitamine K, C et B_{12} affectent également la coagulation. Les abus importants d'alcool ou de drogue affaiblissent également les plaquettes. Lorsque la maladie est très avancée, elle peut en outre provoquer des hématomes ;
- ***Médicaments.*** Les médicaments qui causent des ecchymoses peuvent aussi provoquer des pétéchies (*voir plus haut*);
- ***Maladies qui ne touchent pas les plaquettes sanguines,*** telles que polyarthrite rhumatoïde, vasculite, lupus érythémateux disséminé, maladie de Werlhof ou de Sjogrën (maladies de la peau bénignes et très rares).

CONSEILS PRATIQUES

Mettre de la glace. Si vous vous êtes fait mal, appliquez vite de la glace afin d'éviter l'enflure et d'arrêter l'hémorragie. Gardez la glace en place pendant une quinzaine de minutes. À répéter plusieurs fois dans la journée.

Après le froid, opter pour la chaleur. Quarante-huit heures après le traumatisme, vous pouvez mettre des compresses d'eau tiède sur la blessure pour dilater les vaisseaux sanguins et améliorer la circulation sanguine. À faire plusieurs fois par jour et 20 minutes chaque fois.

Garder le membre élevé. Afin d'éviter que le sang ne se répande dans les tissus avoisinants, surélevez le membre atteint aussi souvent et aussi longtemps que possible. Cela aidera également à drainer le sang et à prévenir l'ecchymose.

Éviter de bander l'ecchymose ou l'hématome. Cela ne servira qu'à augmenter la pression locale ; le sang fusera alors plus loin sous la peau.

Ne pas prendre n'importe quel médicament. En cas de douleur, prenez de l'acétaminophène. Un ou deux comprimés d'acétaminophène (325 mg ou 500 mg) quatre fois par jour, jusqu'à un maximum de 4 g par jour, aideront à vous soulager. Mais évitez l'aspirine et les anti-inflammatoires (comme l'ibuprofène). Ils affectent le travail des plaquettes sanguines, ce qui peut retarder la guérison.

Camoufler l'ecchymose. Un peu de fond de teint fera des merveilles pour dissimuler une ecchymose.

Des suppléments de vitamine C. Si vous êtes sujet aux bleus, un supplément de vitamine C en comprimés favorisera la fabrication de collagène (protéine qui renforce les tissus de la peau). Des doses de 500 mg, trois fois par jour, sont indiquées.

QUAND CONSULTER ?

- Vous avez des pétéchies.
- Les ecchymoses et les hématomes récidivent sans raison.

- Les ecchymoses et les hématomes s'étendent sur le corps.
- Vous avez eu un traumatisme important et vous craignez qu'il y ait un hématome.

QUE SE PASSE-T-IL LORS DE L'EXAMEN ?

Le médecin prendra note des éléments importants (antécédents personnels, antécédents familiaux, alimentation, etc.). Il s'intéressera aussi aux extractions dentaires : si elles sont toujours suivies d'une hémorragie importante, c'est qu'il y a sans doute un problème de coagulation. Un examen physique, une analyse sanguine et une analyse d'urine seront également nécessaires.

Au besoin, il poussera plus loin l'investigation et pourra demander un dosage de vitamines, une ponction de la moelle osseuse et certains autres examens.

QUEL EST LE TRAITEMENT ?

Ecchymoses et hématomes

Habituellement, les ecchymoses et les hématomes guérissent d'eux-mêmes et ne nécessitent aucun traitement. Dans certains cas d'hématomes profonds, au niveau musculaire, une chirurgie peut être nécessaire afin d'éviter les dommages aux tissus (elle servira à drainer l'épanchement sanguin).

Toutefois, s'il y a un problème de coagulation, le médecin suggérera certains médicaments qui remplacent les éléments manquants, du plasma ou des concentrés de facteurs de coagulation.

Pétéchies

Pour les pétéchies, il existe autant de traitements que de causes possibles. Par exemple, de la chimiothérapie pour une leucémie, des injections de vitamine B_{12} pour une anémie pernicieuse, de l'interféron pour l'hépatite B ou des transfusions de plaquettes sanguines, au besoin.

Engourdissement, paralysie, accident vasculaire cérébral (AVC)

Tout le monde connaît cette sensation désagréable qu'est l'engourdissement d'un membre. Toute anomalie perturbant la transmission des informations de la peau au cerveau et vice versa peut entraîner un engourdissement ou une paralysie. En général, il s'agit d'un phénomène transitoire et sans conséquences sérieuses. Il est néanmoins important de reconnaître les engourdissements qui ne sont pas bénins et qui annoncent une maladie grave, une paralysie ou un accident vasculaire cérébral (AVC).

QUELLES SONT LES CAUSES ?

Engourdissements de nature bénigne (exemples)

- ***Choc subi sur le coude.*** Engourdissement pendant quelques minutes du coude, de l'avant-bras et, parfois, des deux derniers doigts de la main à la suite d'un traumatisme ;
- ***Compression temporaire d'un nerf ou d'une artère.*** Engourdissement d'un membre, par exemple, après être resté longtemps assis dans une mauvaise position ou après avoir travaillé longtemps les bras en l'air ;
- ***Hyperventilation (respiration trop rapide).*** Fourmillements diffus, mais localisés surtout aux lèvres et aux extrémités. Ce phénomène apparaît habituellement à la suite d'un exercice trop intense ou d'une crise d'anxiété. Certaines personnes font des accès d'hyperventilation à répétition, mais ce n'est pas dangereux.

Engourdissements sérieux traduisant une maladie

- ***Habitude de conduite.*** Engourdissement constant des deux derniers doigts d'une main dû à l'habitude de conduire la voiture le coude appuyé sur le bord de la portière : à la longue, cela peut entraîner une paralysie de la main ;
- ***Syndrome du canal carpien.*** La main est engourdie, peut perdre de sa force et le sujet se réveille souvent la nuit à cause des engourdissements. Des mouvements répétitifs du poignet (les instru-

ments de musique, le travail manuel répétitif et les claviers d'ordinateurs en sont souvent responsables, ainsi que l'obésité) ont pour effet de coincer et d'irriter le nerf médian qui passe dans le canal carpien (canal étroit situé dans le poignet);

- ***Hernie discale.*** Affaissement du disque intervertébral et compression des racines nerveuses ou de la moelle épinière. Cela cause de la douleur et peut produire des engourdissements dans les jambes ou au niveau des bras, selon l'emplacement de la hernie discale le long de la colonne vertébrale;
- ***Arthrose vertébrale.*** L'usure des vertèbres affecte la moelle épinière ou les racines des nerfs;
- ***Tumeur cérébrale.*** Elle frappe à tout âge et peut engourdir ou paralyser la région du côté opposé à la tumeur. Les engourdissements s'accompagnent souvent de troubles du langage et de la vision;
- ***Tumeur de la moelle épinière.*** Elle engourdit ou paralyse la partie du corps située au-dessous de la tumeur;
- ***Traumatismes.*** Des engourdissements ou une paralysie d'un ou de plusieurs membres sont causés par des lésions au niveau du cerveau ou de la moelle épinière à la suite d'un accident;
- ***Polynévrite.*** Il s'agit d'une atteinte toxique de l'extrémité des nerfs des pieds ou des mains. Elle peut avoir à plusieurs causes, notamment le diabète et l'alcoolisme. Elle est caractérisée par un engourdissement douloureux des pieds, qui remonte lentement le long des jambes avec les mois et les années;
- ***Sclérose en plaques.*** De cause inconnue, elle est surtout présente dans les pays industrialisés. C'est la cause de paralysie la plus fréquente parmi les maladies neurologiques chez les adultes de moins de 50 ans. Elle touche une personne sur 500, en majorité des femmes jeunes. Les engourdissements ou la paralysie frappent n'importe où, mais, le plus souvent, les symptômes progressent en quelques jours des pieds vers l'abdomen. La maladie évolue par poussées, entrecoupées de rémissions;
- ***Maladie de Guillain-Barré.*** Elle est caractérisée par des engourdissements et une paralysie remontant dans les jambes en quelques jours. Cette maladie rare peut faire suite à une infection, virale généralement.

CONSEILS PRATIQUES

Pour soulager un engourdissement bénin. En général, l'inconfort disparaît rapidement. En attendant, vous pouvez frotter la région engourdie et, au besoin, prendre un comprimé d'acétaminophène ou d'ibuprofène. Pour prévenir l'engourdissement :

- habituez-vous à maintenir une bonne posture ;
- ménagez votre dos et vos articulations ;
- évitez de transporter (dans une poche arrière, par exemple) un objet, tel qu'un portefeuille, susceptible de comprimer le nerf sciatique ;
- faites des pauses toutes les 30 à 60 minutes si vous devez effectuer des tâches répétitives sollicitant le poignet ;
- alimentez-vous sainement et faites de l'exercice régulièrement, ce qui protège le cœur et le cerveau ;
- faites dépister et traiter une éventuelle hypertension, un diabète ou une hypercholestérolémie.

Éviter l'obésité et toute forme de tabagisme. L'excès de cholestérol dans le premier cas et la nicotine dans le second ont pour effet de rétrécir le calibre des artères, ce qui constitue un facteur de risque.

QUAND CONSULTER ?

- Vous avez la moitié du corps engourdie.
- Vous ressentez un engourdissement dans une partie du corps, qui dure de 5 à 20 minutes et n'est pas attribuable à une mauvaise posture.
- Vous avez un côté du visage ou un bras engourdi.
- L'engourdissement progresse lentement des pieds vers l'abdomen.
- Vous éprouvez une perte subite du champ visuel latéral ou de la vue dans un œil, avec ou sans troubles de la parole.

QUE SE PASSE-T-IL LORS DE L'EXAMEN ?

Le médecin prendra note des informations importantes et procédera à un examen physique afin de déterminer les causes de l'engourdissement ou de la paralysie. Les antécédents familiaux et les facteurs de risque sont de première importance, tout comme la durée, la fréquence et les circonstances de l'apparition des symptômes. Le médecin tentera de déterminer si le problème provient d'un nerf, de la moelle épinière ou du cerveau.

Pour déceler un problème au niveau des nerfs, deux examens peuvent s'imposer :

- l'électromyogramme, examen qui consiste à administrer de petits chocs électriques aux doigts ou aux orteils pour évaluer la réaction ;
- le test des « potentiels évoqués somesthésiques », auquel on a recours en cas de doute pour mesurer la durée de transmission de l'influx nerveux des extrémités jusqu'au cerveau.

L'accident vasculaire cérébral (AVC)

Troisième cause de décès après l'infarctus et le cancer, l'AVC frappe brutalement. On le reconnaît à l'engourdissement subit ou à la paralysie d'un côté du corps, d'un membre ou du visage. Il peut s'accompagner, de troubles du langage ou de la vision. Les symptômes se manifestent du côté opposé à l'hémisphère du cerveau qui a subi l'AVC.

L'AVC a deux causes :

- **Ischémie : soit le caillot s'est formé dans une artère cérébrale et finit par l'obstruer – il s'agit alors d'une thrombose cérébrale –, soit le caillot provient d'une autre partie du corps, généralement du cœur, et vient se loger dans le cerveau – on parle alors d'embolie cérébrale.**
- **Hémorragie : une artère du cerveau se rompt et le sang se répand dans la région avoisinante.**

Dans les deux cas, une partie du tissu cérébral est endommagée ou détruite. Selon l'importance de l'AVC, celui-ci peut être suivi d'une amélioration partielle ou totale des symptômes, de lésions permanentes ou de la mort (AVC massif). Une consultation rapide est primordiale : de nouvelles techniques permettent d'inverser une thrombose en dissolvant le caillot. Pour prévenir les récidives, on utilisera soit la chirurgie, soit un antiagrégant plaquettaire (pour fluidifier le sang), soit un anticoagulant (pour empêcher la formation d'un autre caillot).

Deux examens permettent d'identifier un problème au niveau de la moelle ou du cerveau :

- la tomodensitométrie axiale assistée par ordinateur, mieux connue sous le nom de « *scanner* » ;
- l'imagerie par résonance magnétique (examen encore plus poussé).

QUEL EST LE TRAITEMENT ?

Syndrome du canal carpien

Le médecin pourra recommander de porter une éclisse pendant la nuit, pour garder la main et le poignet alignés. En dernier recours, une chirurgie est pratiquée au niveau du poignet. On coupera la matière fibreuse qui recouvre le nerf médian, ce qui rétablira sa circulation sanguine, soulageant ainsi la pression sur le nerf et les vaisseaux sanguins.

Hernie discale

Le repos et la physiothérapie sont les premiers traitements, mais la chirurgie est parfois nécessaire.

Arthrose vertébrale

La douleur est soulagée au moyen d'anti-inflammatoires et d'infiltrations locales de cortisone. On peut éviter les déformations par une bonne maîtrise de l'inflammation.

Tumeur de la moelle épinière

Si elle est indiquée, l'opération doit se faire rapidement.

Tumeur cérébrale

On opère dans 20 % des cas, soit pour faire une biopsie de la tumeur, soit pour enlever une partie de celle-ci sans que cela occasionne de séquelles majeures pour le patient. On complète le traitement par la radiothérapie, parfois par la chimiothérapie.

Traumatismes

Si le cas est opérable, il faut procéder dans les huit heures qui suivent l'accident : plus grandes sont alors les chances de rétablir l'influx nerveux et d'inverser la paralysie.

Polynévrite

Il faut maîtriser la cause du problème et, le cas échéant, traiter le diabète et l'alcoolisme. En effet si l'atteinte des nerfs est trop avancée, la gangrène peut se déclarer dans les extrémités, ce qui nécessite parfois l'amputation.

Sclérose en plaques

Il n'existe pas de traitement spécifique, mais de nouveaux médicaments permettent de mieux maîtriser les symptômes et de freiner l'évolution de la maladie.

Maladie de Guillain-Barré

Les patients sont hospitalisés. On peut faire des plasmaphérèses (un traitement où le sang est filtré dans un appareil pour retirer du corps les anticorps responsables de la maladie) ou administrer des immunoglobines par injection intraveineuse.

Enrouement

La modification de la voix, appelée dysphonie, peut être une atteinte du timbre de la voix, de sa force ou encore de son étendue. Théoriquement, toute atteinte à l'un des trois éléments essentiels à la production de la voix, soit les poumons, les cordes vocales (situées dans le larynx) et les résonateurs (situés au-dessus des cordes vocales), peut modifier la voix.

On parle surtout d'enrouement lorsque le timbre de la voix est altéré. La voix devient rauque, avec parfois la sensation d'avoir un chat dans la gorge. Dans certains cas, l'enrouement peut se transformer en aphonie ou perte de la voix. L'enrouement est un symptôme, tandis que la laryngite est une maladie.

QUELLES SONT LES CAUSES ?

- ***Nodules;*** de petites excroissances sur les cordes vocales, lésions bénignes appelées nodules vocaux, sont souvent le résultat d'un surmenage vocal ;
- ***Tumeur bénigne ou maligne au niveau du larynx ;***
- ***Paralysie des cordes vocales ;***
- ***Traumatisme à la gorge;*** un coup porté à la gorge lors d'un accident de voiture ou de sport, par exemple ;
- ***Choc psychologique ou émotionnel;***
- ***Laryngite*** (inflammation du larynx);
  - ***Secondaire à une infection,*** comme dans le cas d'un rhume ou d'une grippe, ou à une utilisation abusive de la voix, par exemple après qu'on a trop crié à un match de hockey ou après qu'on a chanté à tue-tête ;
  - ***Secondaire à l'utilisation de pompes.*** Les asthmatiques peuvent développer des laryngites à champignons ;
  - ***Secondaire à un reflux gastro-œsophagien,*** causant une laryngite postérieure ;
  - ***Secondaire à l'usage du tabac***. Le tabac est un produit très irritant pour les cordes vocales et il peut causer une laryngite chronique chez les fumeurs, appelée également œdème de

Reinke, qui se manifeste par une voix graveleuse et une diminution de l'étendue vocale. Les cordes vocales deviennent enflées et la muqueuse, flasque et pendante. Ces changements peuvent être observés même chez de jeunes adolescents qui ont commencé à fumer très tôt.

CONSEILS PRATIQUES

Garder le silence. Parlez le moins possible pendant une période de 24 heures ou parfois même davantage afin de laisser reposer vos cordes vocales.

Ne pas chuchoter. En chuchotant, vous provoquez une tension des voies respiratoires supérieures et vous desséchez considérablement vos cordes vocales.

Inhaler de la vapeur. Placez-vous au-dessus d'un bol d'eau chaude, ou mettez-vous sous la douche, pendant 10 à 15 minutes, deux ou trois fois par jour.

Quelles sont les causes du raclement ?

Si le larynx est sec, la lubrification des cordes vocales se fait moins bien et on peut éprouver le besoin de se racler la gorge.

- **Allergie saisonnière : les muqueuses du nez et des sinus sont en état d'inflammation. Les sécrétions sont denses, visqueuses et sèches ;**
- **Situation de stress ;**
- **Environnement trop sec ;**
- **Prise de médicaments qui causent la sécheresse des muqueuses ;**
- **Les produits laitiers et le chocolat augmentent la viscosité de la salive. Le chocolat, le café et la menthe peuvent aggraver un reflux gastro-œsophagien et altérer la qualité des sécrétions. Ne pas abuser de ces aliments immédiatement avant un événement qui met la voix à contribution, par exemple une allocution publique ou un récital de chant.**

Maintenir 40 % d'humidité dans la maison. Faites fonctionner l'humidificateur ou ouvrez la fenêtre.

Boire souvent. Même si vous n'avez pas soif, buvez souvent afin de bien vous hydrater. Choisissez de l'eau, des tisanes ou des boissons à base de citron pour liquéfier les sécrétions.

Se gargariser après l'utilisation des pompes à cortisone. Les asthmatiques qui utilisent des pompes contenant des médicaments à base de cortisone doivent se gargariser avec de l'eau après chaque utilisation. Il est important de le faire pour enlever les sécrétions de cortisone qui restent sur les muqueuses afin d'éviter l'apparition de laryngites à champignons.

Avaler lentement. Plutôt que de vous racler la gorge, avalez lentement votre salive.

Sucer une pastille à l'occasion. Si le problème d'inflammation est aigu, une pastille peut stimuler la salivation et apporter un certain soulagement, mais évitez d'avoir constamment une pastille ou un bonbon dans la bouche : le fait d'avoir toujours quelque chose dans la bouche peut provoquer un reflux gastro-œsophagien.

Prévenir l'enrouement ou le raclement. Pour ce faire :

- évitez de crier ou de forcer votre voix : n'essayez pas de couvrir les bruits environnants avec votre voix, par exemple en voiture quand les vitres sont baissées ou dans les discothèques. Ne forcez pas votre voix en émettant des sons non conventionnels, pour imiter quelqu'un, par exemple ;
- évitez de chanter si vous êtes enrhumé ou si vous avez mal à la gorge ;
- respirez normalement. Si vous parlez trop rapidement sans prendre le temps de respirer, ou si vous retenez votre souffle de façon excessive avant de parler, celui-ci devient moins efficace pour la production du son.

Ne fumez pas. Il existe plusieurs traitements qui peuvent vous aider à cesser de fumer.

Ne pas choisir les décongestifs qui contiennent des antihistaminiques. Ces médicaments causent la sécheresse des muqueuses. Si vous êtes obligé d'en prendre, assurez-vous de bien vous hydrater.

Ne pas abuser de l'alcool. Celui-ci provoque une vasodilatation qui peut entraîner une inflammation du pharynx. De plus, l'alcool diminue les inhibitions et peut vous inciter à crier davantage.

Préférer l'acétaminophène à l'aspirine et aux anti-inflammatoires. L'aspirine est un très bon médicament pour calmer la douleur et faire baisser la fièvre, mais il a des propriétés anticoagulantes et peut causer une hémorragie sur une corde vocale lors d'efforts vocaux soutenus ou excessifs. La même chose se produit avec les anti-inflammatoires du genre ibuprofène. Prenez plutôt un ou deux comprimés d'acétaminophène (325 mg ou 500 mg) quatre fois par jour, jusqu'à un maximum de 4 g par jour.

QUAND CONSULTER ?

- Votre voix est enrouée depuis plus d'une dizaine de jours.
- Vous ressentez une gêne au moment de la déglutition, surtout si vous souffrez de reflux gastro-œsophagien.
- Vous avez perdu la voix ou celle-ci est devenue très enrouée à la suite d'un coup à la tête ou à la gorge.
- Vous êtes un « gros » fumeur et vous constatez une détérioration de votre voix, un enrouement permanent ou une douleur persistante dans la gorge.

QUE SE PASSE-T-IL LORS DE L'EXAMEN ?

Le médecin peut demander une culture de la gorge, une radiographie des poumons, en particulier en présence de paralysie d'une corde vocale, ou une biopsie, en présence d'une tumeur, par exemple.

L'examen des cordes vocales, généralement fait par un oto-rhino-laryngologiste, est réalisé à l'aide de différentes techniques plus ou moins sophistiquées, mais non douloureuses. La technique la plus simple utilise un faisceau de lumière projeté dans le fond de la gorge sur un miroir angulaire afin de voir les cordes vocales. Un télescope relié à une caméra et à un écran de télévision peut également être utilisé. Enfin, on peut se servir d'un endoscope flexible muni d'une source lumineuse à fibres optiques qu'on introduit dans la gorge juste au-dessus des cordes vocales.

QUEL EST LE TRAITEMENT ?

Une période de silence, des inhalations de vapeur et une hydratation adéquate sont souvent des mesures suffisantes pour que l'enrouement passager disparaisse. Les médicaments ne sont généralement pas nécessaires. De bonnes mesures d'hygiène vocale peuvent prévenir la réapparition du phénomène. Si ce dernier est chronique, des techniques de rééducation en orthophonie peuvent être utiles. Il peut être nécessaire de recourir à la chirurgie, en particulier en présence de nodules qui ne régressent pas ou d'une tumeur.

Épaule douloureuse

L'épaule est l'une des articulations les plus complexes du corps. Mais la fragilité va de pair avec la complexité, ce qui la rend très sensible aux abus, systématiquement sanctionnés par de la douleur.

La douleur peut:

- se manifester lorsqu'on bouge le bras, vers le haut surtout, l'être humain n'étant pas fait pour travailler longtemps les bras en l'air;
- empêcher un mouvement et bloquer l'épaule;
- irradier vers le cou ou les doigts;
- se propager facilement à cause de son caractère inflammatoire et du fait que toutes les structures se touchent dans une articulation.

QUELLES SONT LES CAUSES ?

- ***Tendinite et bursite, avec ou sans dépôts de calcium.*** La tendinite affecte les tendons qui s'attachent à l'articulation; la bursite touche les bourses qui recouvrent et protègent les tendons. Ces deux problèmes représentent le motif de consultation le plus fréquent pour une douleur à l'épaule. Ils sont causés par l'abus de mouvements répétitifs – scier du bois, jouer au golf, lancer au baseball, travailler les bras en l'air. Ces abus peuvent aller jusqu'à l'usure complète des tendons et à la rupture de la coiffe (la coiffe est la toile tendineuse qui recouvre la tête de l'humérus). L'usure est causée par un frottement anormal de la coiffe contre un os de l'omoplate, l'acromion. On appelle ce phénomène «le syndrome de l'accrochage». Les tendinites et bursites provoquent une douleur inflammatoire qui augmente lorsqu'on lève le bras ou qu'on enfile une manche et peuvent s'accompagner d'un dépôt de calcium, une forme de cicatrice interne;
- ***Traumatisme.*** Il se produit très souvent quand on tente d'amortir une chute à l'aide du bras. Le traumatisme peut prendre la forme d'une simple fracture, d'une subluxation (l'os est partiellement expulsé de l'articulation, car les tendons le retiennent encore), d'une luxation (l'os est complètement expulsé de l'articulation),

d'une luxation accompagnée d'une fracture ou d'une déchirure du tendon;

- ***Arthrite.*** Maladie inflammatoire qui touche une ou plusieurs articulations et peut les détruire;
- ***Arthrose.*** Forme d'usure due au vieillissement;
- ***Capsulite.*** Elle est causée par un rétrécissement de la capsule (membrane qui enveloppe l'épaule) à la suite d'une inflammation. Elle empêche l'élévation du bras. Il s'agit d'une inflammation fréquente chez les jeunes femmes dans la trentaine (probablement à cause de mouvements répétitifs);
- ***Cancer des os et du poumon.*** Il peut entraîner une douleur qui irradie dans l'épaule dans le cas du cancer du poumon.

CONSEILS PRATIQUES

Ne pas persister à faire le mouvement qui cause la douleur. Vous risqueriez de retarder votre guérison ou d'aggraver votre état.

Mettre l'articulation au repos. Vous pouvez l'immobiliser en mettant le bras en écharpe, mais pas plus de deux semaines et à condition de faire, le bras libre, le mouvement suivant: repliez les doigts vers l'intérieur de la main puis étendez-les en les écartant au maximum. Ensuite, dépliez le coude et laissez pendre votre bras en vous penchant vers l'avant. Répétez ce mouvement 5 à 10 fois de suite et le plus souvent possible, même dans les jours qui suivent le traumatisme, pour favoriser la circulation du sang. Vous diminuerez ainsi le risque d'ankylose.

Appliquer d'abord du froid. Utilisez un sac de glace enveloppé dans une serviette, plusieurs fois par jour pendant trois jours, mais pas plus de 20 minutes à la fois. Cela réduit le gonflement et la douleur.

Passer ensuite à la chaleur. Uniquement après la phase aiguë, appliquez une bouillotte enveloppée dans une serviette ou un coussin chauffant. Cela favorise la circulation et nettoie de ses déchets la zone endolorie.

Alterner les deux méthodes peut s'avérer la solution idéale. Après les trois premiers jours de froid, vous donnerez un véritable coup de fouet à votre circulation sanguine en appliquant cinq minutes de chaleur immédiatement suivies par cinq minutes de froid. À répéter trois fois de suite, trois fois par jour. Ne reprenez pas vos activités du jour au lendemain. Une fois le problème traité, revenez lentement à vos activités habituelles, car votre articulation est encore fragile et vous risqueriez une récidive.

Ne lever ou tenir des poids à la hauteur de l'épaule en aucune circonstance. Ce geste constitue la pire épreuve pour votre articulation.

Alterner les activités. Reposez l'épaule endolorie à cause du baseball en faisant de la bicyclette pendant quelques jours.

Prendre les analgésiques adéquats. Un ou deux comprimés d'acétaminophène (325 mg ou 500 mg) quatre fois par jour, jusqu'à un maximum de 4 g par jour, aideront à soulager la douleur. Des anti-inflammatoires peuvent aussi être utilisés, selon la dose recommandée par le fabricant. Vous pouvez prendre un des deux médicaments, ou les deux si la douleur est difficile à maîtriser.

Maintenir la souplesse après la phase aiguë. Faites le mouvement pendulaire suivant : laissez pendre votre bras le long du corps et balancez-le doucement de l'avant vers l'arrière en gardant le coude droit.

Renforcer après la guérison. Faites les exercices suivants après réchauffement et étirement :

- faites le geste de vous essuyer le dos avec une serviette, une main tenant l'extrémité de la serviette à la hauteur de l'épaule et l'autre main la tenant au niveau de la hanche. Allez jusqu'au bout du mouvement en alternant les bras ;
- coudes fléchis et collés au corps, tenez une bande élastique entre les deux poignets et forcez pour écarter les poings (30 fois, trois fois par jour).

QUAND CONSULTER ?

- Vous avez eu un accident et votre épaule vous fait mal, ne bouge plus normalement ou présente une déformation évidente.
- Votre douleur n'est pas liée à l'effort. Elle est constante et vous empêche de dormir.
- Vous avez une douleur à l'épaule qui s'aggrave lorsque vous bougez le bras.
- Vous avez essayé de vous soigner en suivant nos conseils pratiques et la douleur n'a pas diminué au bout de trois semaines.

QUE SE PASSE-T-IL LORS DE L'EXAMEN ?

Les radiographies permettent d'être fixé sur certaines causes, tels que l'arthrite, l'arthrose ou le cancer (os, poumon). En cas de traumatisme, elles aident le médecin à établir son plan d'intervention en même temps que son diagnostic.

En cas d'échec des traitements, des examens plus poussés s'imposeront, comme l'échographie, l'arthrographie (radiographie avec liquide de contraste) ou la résonance magnétique.

QUEL EST LE TRAITEMENT ?

Tendinite et bursite

Elles se traitent par le repos, les anti-inflammatoires, la physiothérapie et les infiltrations de stéroïdes. Elles disparaissent généralement en trois ou quatre semaines. La récidive est fréquente et dépend de l'usure existante. Une intervention chirurgicale peut être nécessaire pour décomprimer l'accrochage du tendon de la coiffe et pour enlever le dépôt de calcium.

Arthrite

Elle répond aux anti-inflammatoires et aux infiltrations de cortisone (pas plus de deux à trois infiltrations par an pour éviter la détérioration des structures saines).

Arthrose

On temporise en soulageant la douleur tant que l'articulation peut encore bouger. Une fois complètement usée, elle est remplacée par une prothèse (chirurgie de remplacement).

Capsulite

Elle dure de 12 à 18 mois et guérit habituellement de façon spontanée ou avec l'aide de la physiothérapie. Dans certains cas, on a recours à des infiltrations de cortisone.

Traumatisme

Certaines luxations peuvent être réduites manuellement. Pour d'autres, il faut recourir à une intervention chirurgicale. Les déchirures tendineuses ou capsulaires peuvent nécessiter une réparation. Toutefois, on ne procède pas à cette intervention chirurgicale chez les personnes très âgées (c'est une opération importante qui réussit souvent moins bien chez eux, à cause du vieillissement). Dans le cas d'une fracture, si l'os n'est que légèrement déplacé, on le replace et on installe une attelle à conserver pendant deux semaines. Les cas plus sérieux peuvent nécessiter la pose de vis, d'une plaque ou d'une prothèse de remplacement, suivie du port d'une écharpe ou d'une attelle pendant quelques semaines. Il arrive qu'on pose un plâtre plus bas que la fracture, pour exercer une traction qui maintient l'os aligné.

Éruptions cutanées

Ce terme désigne une apparition récente de lésions sur la peau.

Il existe trois grands types d'éruptions cutanées : inflammatoires, infectieuses et maladies cutanées.

Une éruption peut se manifester par un ou plusieurs des symptômes suivants :

- érythème (rougeur) ;
- démangeaison (prurit) ;
- sensation de brûlure ;
- squames (peau qui pèle) ;
- fissures, suintantes ou non ;
- croûtes ;
- érosion ou ulcération (petite cavité, minuscule trou dans la peau) ;
- macule : petite tache de moins de 1 cm, sans aucun relief ;
- papule : petite lésion surélevée de moins de 1 cm ;
- plaque : lésion surélevée de plus de 1 cm ;
- vésicule : petite cloque d'eau de moins de 1 cm, contenant un liquide clair ;
- bulle : cloque d'eau de plus de 1 cm, contenant un liquide clair ;
- pustule : ampoule contenant un liquide vert purulent.

QUELLES SONT LES CAUSES ?

Éruptions inflammatoires (allergies ou irritations)

- ***Dermatite de contact.*** Réaction allergique à la suite d'un contact avec une substance (p. ex. : herbe à puce) ou réaction irritative à un agent (p. ex. : réaction au savon). La dermatite de contact se présente habituellement par des vésicules, de la rougeur et de la démangeaison aux endroits de contact. Des squames, des fissures suintantes et des croûtes se manifestent aussi parfois ;
- ***Érythème fessier du nourrisson.*** Irritation provoquée par l'urine et les selles, généralement causée par de la diarrhée ou une mauvaise hygiène (couches pas assez souvent changées). Le fessier devient rouge, puis brillant et à vif, douloureux, parfois avec des érosions ;

- ***Intertrigo.*** Dermatite irritative qui atteint les plis cutanés (sous le menton, au cou, aux aisselles, à l'aine et sous les seins). L'obésité et l'humidité en sont les facteurs déterminants. Plaques rouges suintantes, squames, érosion de la peau et sensation de brûlure caractérisent l'intertrigo. Cette dermatite est parfois compliquée par une infection à champignons, le *Candida albicans*. On remarquera alors en plus de petites pustules blanches au pourtour des plaques d'érythème ;
- ***Réaction médicamenteuse.*** Éruption allergique ou toxique qui se manifeste à la suite de la prise de médicaments, parfois dans les heures qui suivent ou même jusqu'à plusieurs jours après l'ingestion. Les lésions peuvent être très variées. Habituellement, parmi les réactions mineures, on note des démangeaisons, une absence de fièvre et le fait que les muqueuses (yeux, bouche, organes génitaux) sont épargnées. La présence de bulles, de fièvre et une atteinte des muqueuses peut indiquer une réaction médicamenteuse beaucoup plus grave : c'est une urgence médicale ;
- ***Urticaire.*** Réaction biochimique ou allergique de causes très variées. Les exemples classiques sont : médicament, piqûres d'insectes ou certains aliments (œufs, noix, fruits ou fruits de mer). L'urticaire peut aussi être provoquée par l'exercice et le stress émotionnel. Elle accompagne parfois des infections comme l'hépatite, la mononucléose infectieuse et la rubéole. Il arrive également qu'on ne puisse pas en déceler la cause. On remarque la formation de papules et de plaques qui démangent et qui ressemblent à des piqûres d'insectes : centre blanc et aréole rouge. De tailles très variables, les plus grosses peuvent se rejoindre pour former des plaques irrégulières surélevées. Les lésions se déplacent sur le corps d'heure en heure. Elles s'accompagnent parfois de gonflement des muqueuses (lèvres, langue, paupières, organes génitaux). Dans certains cas, cela peut mettre la vie de la personne en danger, à cause de l'œdème qui se forme au niveau du larynx. Dans les cas d'urticaire allergique, il peut y avoir aussi de la rhinite ou de l'asthme. Habituellement, la crise ne dure que quelques heures, mais elle peut devenir chronique et récidiver.

Éruptions infectieuses (virus, bactéries, champignons ou parasites)

- ***Herpès buccal (feux sauvages) et génital.*** Infection contagieuse et chronique due au virus *Herpes simplex*, qui peut toucher n'importe quelle zone cutanée, mais plus communément les lèvres, le visage ou les organes génitaux. Après la première attaque, le virus se loge dans les nerfs de la région affectée, y causant des récidives périodiques. Lors du premier épisode d'herpès génital, les vésicules se présentent 3 à 10 jours après une relation sexuelle avec une personne infectée (cela peut quelquefois prendre jusqu'à 21 jours). Des démangeaisons ou une sensation de brûlure importante accompagnent les lésions de l'herpès génital, qui disparaissent spontanément entre le 5e et le 15e jour. En ce qui concerne l'herpès récidivant, les lésions surgissent après une courte période de picotement inconfortable. Ce sont des vésicules sur un fond de peau rougeâtre, douloureuses, qui durent quelques jours, sèchent et forment une mince croûte noirâtre. Dans les deux types d'herpès, si la première infection peut être très grave et durer deux

La cellulite, une urgence médicale

Il ne s'agit pas de la cellulite courante, mais d'une infection des tissus situés sous la peau. L'infection est généralement due à une abrasion (frottement, grattement) qui a permis à une bactérie de s'infiltrer et d'atteindre ces tissus.

L'éruption se présente comme une plaque rouge, chaude, enflée et sensible au toucher. De la fièvre et des frissons peuvent aussi se manifester. Comme une cellulite non traitée peut entraîner une septicémie (empoisonnement du sang), il faut consulter un médecin de toute urgence.

Des antibiotiques, à prendre par la bouche, par voie intraveineuse ou en intramusculaire, seront nécessaires pour maîtriser l'infection et enrayer le risque de septicémie.

semaines, les récidives sont anodines, car l'organisme produit graduellement des anticorps. En outre, la transmission est possible même en l'absence de lésions chez la personne infectée ;

- ***Mégalérythème épidémique (aussi appelé « cinquième maladie »).*** Éruption virale peu contagieuse caractérisée par une rougeur vive aux joues, sans aucun autre symptôme, et qui touche des enfants bien portants. La rougeur peut durer de quelques jours à quatre semaines. La « cinquième maladie » est parfois associée à une éruption cutanée aux extrémités des bras et des jambes, éruption de macules rose pâle qui se rejoignent pour former des dessins variés (arabesques, guirlandes) ;
- ***Varicelle, rubéole, roséole et rougeole.*** Éruptions virales contagieuses qui touchent surtout les enfants. Les différents virus se transmettent par les gouttelettes de salive ou les sécrétions du nez et de la gorge. La période la plus contagieuse est la période d'incubation, qui peut varier entre 5 et 21 jours, et les tout premiers jours de l'apparition des lésions cutanées.
  - La varicelle se reconnaît par, au début, des macules rose saumon qui se transforment en vésicules ressemblant à des gouttelettes de rosée. Apparaissent ensuite des papules et des pustules qui évoluent en croûtes. Les éruptions touchent d'abord le tronc pour se propager ensuite sur tout le corps. Démangeaisons, mal de tête, fièvre et nausée peuvent accompagner ou précéder l'éruption ;
  - La rubéole se manifeste par des papules rougeâtres qui durent six ou sept jours. Elle attaque d'abord le visage et le cou, pour s'étendre au reste du tronc. Fièvre modérée, maux de tête et de gorge, enflure des ganglions du cou et des oreilles accompagnent l'éruption ;
  - La roséole est caractérisée par une fièvre élevée d'apparition soudaine, qui dure de trois à quatre jours. La fièvre tombe le jour où l'éruption cutanée de macules roses, surtout au cou et au tronc, apparaît. Cette éruption disparaît au bout de deux ou trois jours ;
  - La rougeole cause une éruption de papules rouge vif sur le visage et sur le cou, qui descendent sur tout le corps en trois

jours. Forte fièvre, toux sèche et larmoiement, sensibilité à la lumière et écoulement nasal se manifestent également. Il peut y avoir présence de nausées et de vomissements. L'éruption disparaît en 10 à 14 jours;

- ***Verrues.*** Affection courante et contagieuse, due à des virus de type papillomavirus humain. Ceux-ci sont responsables des nombreuses sortes de verrues qu'on retrouve le plus souvent sur les mains, les pieds, les organes génitaux et au visage. En général, ce sont des excroissances rugueuses et bien délimitées;
- ***Zona (ou* Herpes zoster*).*** Infection causée par le même virus que celui de la varicelle. Après cette maladie, le virus demeure dans les cellules nerveuses et peut être réactivé si le système immunitaire s'affaiblit. Le zona se reconnaît par des vésicules ou des bulles groupées sur un fond rougeâtre le long du trajet d'une racine nerveuse, d'un seul côté du corps. Une douleur intense précède de un à trois jours l'apparition des lésions qui évoluent en croûtes et qui laissent quelquefois des cicatrices. Si le nerf est très endommagé, le zona peut persister et devenir chronique, particulièrement chez la personne âgée;
- ***Impétigo.*** Maladie contagieuse de la peau, due à des bactéries. Il existe deux types d'impétigo: bulleux et non bulleux. La forme bulleuse, plus rare, se reconnaît par la présence de vésicules ou bulles qui se rompent facilement. L'évolution des formes bulleuses et non bulleuses se caractérise par des lésions croûteuses, couleur miel, qui touchent plus fréquemment le visage (autour de la bouche et du nez) et les plis cutanés. L'impétigo peut être une manifestation d'un autre problème de la peau comme la gale, la pédiculose, etc.;
- ***Scarlatine.*** Infection bactérienne contagieuse à streptocoques du groupe A. Le plus souvent, la maladie se manifeste d'abord par de la fièvre, un mal de gorge, une rougeur de la muqueuse buccale et des ganglions de la gorge enflés. Surviennent ensuite des rougeurs violacées sur tout le corps, auxquelles succèdent une desquamation profuse (qui se répand en abondance) ou des seules extrémités des bras et des jambes;
- ***Mycose (ou teigne, ou* Tinea*).*** Infection causée par des champignons. Elle peut toucher le cuir chevelu, la barbe, le corps, les aines,

les pieds et les ongles. Elle peut se manifester par une perte de cheveux ou de poils, des pustules ou des plaques arrondies, rosées ou rougeâtres et recouvertes de squames. La mycose des aines se situe sur la face interne des cuisses, épargnant les organes génitaux. La mycose des pieds (ou pied d'athlète) est la plus commune. Favorisée par l'humidité, l'infection atteint la peau entre les orteils. La peau peut devenir blanche et se fendiller. Non traitée, l'infection peut aussi se propager aux talons et à la surface latérale des pieds, dont la peau prend un aspect sec et rougeâtre. Non traitée, l'infection peut se propager à la plante des pieds et la peau peut prendre un aspect plus sec et érythématosquameux (rougeurs et squames);

- ***Gale.*** Infestation contagieuse de la peau par un acarien, le *Sarcoptes scabiei*. La transmission se fait par contact physique rapproché ou sexuel. La gale peut être transmises par les humains ou, mais plus rarement, par les animaux. Un délai de deux à quatre semaines précède la contamination et l'apparition des symptômes. La lésion caractéristique, mais pas toujours présente, est un minuscule sillon cutané en relief, qui correspond à la progression de l'acarien sous la peau. De fait, la femelle fait une incision dans la peau, y pénètre et se déplace pour pondre ses œufs. Des papules ou vésicules aux aisselles, aux poignets, aux mamelons, aux fesses et aux organes génitaux peuvent aussi parfois être présentes. La gale cause une démangeaison très incommodante sur tout le corps (sauf sur la tête), qui se manifeste surtout le soir et la nuit;
- ***Poux du pubis (morpions).*** Infection parasitaire transmise sexuellement (mais aussi parfois par contact avec de la literie, des serviettes ou vêtements infectés). Il s'agit de poux à six pattes, de la taille d'une tête d'épingle. Ils se logent dans les poils du pubis, de l'anus, des aisselles et des sourcils. Ils se développent en deux ou trois semaines et commencent à se nourrir du sang de l'organisme hôte. Cela entraîne des démangeaisons localisées aux zones infectées.

Éruptions de maladies cutanées

- ***Dermatite atopique (eczéma atopique).*** Maladie cutanée héréditaire et chronique qui débute le plus souvent pendant l'enfance. Elle se caractérise par une peau sèche, des démangeaisons intenses, des plaques rouges, des squames, des vésicules suintantes et des croûtes surtout aux plis des paupières, des oreilles, du cou, des coudes et des genoux. À la dermatite peut s'ajouter de l'asthme et du rhume des foins. Les irritants (produits de nettoyage, textiles, cosmétiques, etc.) et le manque d'humidité sont souvent des facteurs aggravants;

- ***Lichen plan.*** Maladie cutanée d'origine inconnue. Elle se caractérise par des papules violacées, se regroupant parfois en grandes plaques. Ces lésions siègent surtout aux poignets, aux chevilles et au niveau des muqueuses buccales et génitales. Elles s'accompagnent toujours de démangeaisons et peuvent laisser, après la guérison, des taches brunes sur la peau;
- ***Miliaire rouge.*** Appelée communément «boutons de chaleur», maladie bénigne qui se manifeste lorsque les glandes sudoripares se bouchent, à cause de la chaleur et de l'humidité. Elle se reconnaît par des vésicules entourées d'une aréole rougeâtre et principalement situées sur le tronc;
- ***Psoriasis.*** Maladie chronique héréditaire de la peau, qui peut apparaître à tout âge. Les poussées sont quelquefois causées par des infections à streptocoques de la gorge ou par certains médicaments (lithium, cortisone, etc.), mais le plus souvent sans cause apparente. Le psoriasis se caractérise par une éruption de plaques rouges recouvertes de squames, localisées aux genoux, aux coudes, au visage, au cuir chevelu et aux organes génitaux. Seulement un tiers des personnes atteintes ont des démangeaisons.

CONSEILS PRATIQUES

En cas de maladie contagieuse. Il vaut mieux isoler la personne atteinte pendant quelques jours. Elle doit se reposer, s'alimenter et s'hydrater adéquatement. Donnez-lui de l'acétaminophène aux doses recommandées. Attention: ne jamais donner d'aspirine aux enfants (même les aspirines pour bébés). L'aspirine peut entraîner le syndrome de Reyes, une maladie du foie grave et mortelle. Il est important de bien se laver les mains, de ne pas toucher la peau (portez des gants) et de ne pas boire au même verre que le malade. Les femmes enceintes doivent redoubler d'attention et, si possible, éviter tout contact.

Calmer la douleur, l'inflammation et la démangeaison. Prenez de l'acétaminophène. Un ou deux comprimés d'acétaminophène (325 mg ou 500 mg) quatre fois par jour, jusqu'à un maximum de 4 g par jour, aideront à soulager la douleur. Appliquez des compresses humides ou prenez des bains tièdes (l'ajout de bicarbonate de soude est facultatif). Procurez-vous des antihistaminiques vendus sans ordonnance (comme le Benadryl). Utilisez des savons doux et non parfumés. Portez des vêtements amples en coton ou autre fibre naturelle. Abstenez-vous de consommer de la caféine, des mets épicés et de l'alcool, qui augmentent les démangeaisons. Évitez de vous gratter, pour ne pas étendre l'éruption et aggraver les symptômes. À noter que la calamine n'est utile que pour soulager la varicelle. Attention : en aucun cas on doit utiliser une crème à base de calamine contenant un antihistaminique (type Caladryl) à cause des risques de dermatite de contact allergique. En fait, il est difficile de connaître et de contrôler le degré d'absorption d'antihistaminique.

Utiliser une crème. Si les lésions sont sèches, vous pouvez appliquer une crème non parfumée pour hydrater la peau. Dans certains cas (dermatite atopique, miliaire rouge et érythème fessier du nourrisson), la crème d'hydrocortisone à 0,5 % que l'on trouve en vente libre dans les pharmacies peut soulager les symptômes et assouplir la peau.

Dans les cas de maladies infectieuses bactériennes (comme l'impétigo ou un zona), vous pouvez appliquer une crème antibiotique vendue sans ordonnance, telle que le Baciguent.

Bien choisir son savon. Préférez les pains nettoyants non parfumés (Dove, Neutrogena, Ivory, etc.). En cas d'infection bactérienne, utilisez des savons antiseptiques (Hibidil, Phisoderm, etc.).

Faire vacciner son enfant. Il existe des vaccins contre la rougeole, la rubéole et, depuis peu, contre la varicelle. Contre la roséole et la scarlatine, il n'existe aucun vaccin.

QUAND CONSULTER ?

- Une éruption accompagnée de fièvre, de nausées, de vomissements, de difficultés respiratoires nécessite une consultation immédiate.
- Les symptômes sont très incommodants ou persistants.
- Vous vous inquiétez.

QUE SE PASSE-T-IL LORS DE L'EXAMEN ?

Le médecin notera les informations pertinentes et procédera à un examen général. Des prélèvements (grattage, biopsie, etc.) peuvent être nécessaires et des analyses sanguines sont parfois requises.

QUEL EST LE TRAITEMENT ?

Éruptions inflammatoires (allergies ou irritations)

Dermatite de contact

Il faut d'abord tenter d'éviter la substance responsable de l'éruption cutanée. Des crèmes à base de corticostéroïdes peuvent être prescrites pour maîtriser la réaction allergique ou irritative.

Érythème fessier du nourrisson

Pour les cas graves et persistants, le médecin pourra prescrire des corticostéroïdes doux, des émollients et des crèmes qui font barrière avec la peau.

Intertrigo

L'application de crèmes dermocorticoïdes faibles associées ou non à un antifongique (contre le champignon) donne de bons résultats, mais l'inflammation peut récidiver. Le traitement de l'obésité, le cas échéant, aide à prévenir les récidives.

Réaction médicamenteuse

Le médecin pourra changer la prescription. Les symptômes devraient alors disparaître.

Urticaire

L'élimination de la cause est le meilleur traitement. Toutefois, il n'est pas toujours possible de l'identifier (les tests d'allergie sont habituellement peu utiles pour l'urticaire non aiguë). Le médecin pourra alors prescrire des antihistaminiques à court, moyen ou long terme pour maîtriser les symptômes. L'utilisation de corticostéroïdes par voie orale peut également être envisagée (par voie intraveineuse dans les cas très importants).

Éruptions infectieuses (virus, bactéries, champignons ou parasites)

Herpès buccal (feux sauvages) et génital.

Pour les «feux sauvages», le traitement n'est pas obligatoire puisque les lésions disparaissent toutes seules (le virus, lui, demeure en permanence dans l'organisme et provoque des récidives). On peut cependant utiliser une pommade à base de médicaments antiviraux ou de la vaseline pour soulager les symptômes. Des antiviraux à prendre par la bouche sont parfois aussi prescrits. Dans les cas d'herpès génital, le médecin prescrira un antiviral en comprimés (acyclovir, famcyclovir ou valacyclovir). Une crème antivirale est quelquefois utilisée. En outre, une crème analgésique et des analgésiques en comprimés peuvent être requis pour maîtriser la douleur de l'herpès génital. Pour les cas très graves d'herpès génital, on peut traiter par antiviral en intraveineuse.

Mégalérythème épidémique (cinquième maladie)

Aucun traitement spécifique n'est nécessaire, l'éruption disparaissant habituellement d'elle-même.

Varicelle, rubéole, roséole et rougeole

Habituellement, aucun traitement spécifique n'est nécessaire. Si la varicelle frappe un adolescent ou un adulte, le médecin pourra prescrire un antiviral à prendre par la bouche, car les symptômes et l'éruption sont plus accentués après l'enfance. On doit administrer le médicament dans un délai maximal de 24 à 48 heures après l'apparition de l'éruption.

Verrues

Les deux tiers des verrues disparaissent d'elles-mêmes, sans aucun traitement, en un ou deux ans. On peut toutefois les détruire avec des préparations à l'acide salicylique vendues sans ordonnance (plusieurs traitements sont souvent nécessaires). Le médecin peut aussi recourir à l'azote liquide, à la chirurgie par électrodessication (pour brûler la verrue) au curetage (pour gratter la verrue) et au laser CO_2. Les verrues anogénitales (condylomes acuminés) nécessitent des applications d'acide trichloroacétique, de podophylline ou d'Aldara.

Zona (ou Herpes zoster*)*

Traiter le plus rapidement possible (moins de 72 heures après l'apparition des lésions. Après quatre jours, le médicament sera inefficace). Les antiviraux aident à enrayer l'éruption et les symptômes de douleur aiguë ou chronique. Ce traitement est surtout indiqué pour les personnes de 50 ans et plus, chez qui les risques de douleur chronique sont beaucoup plus grands.

Impétigo

On soigne l'impétigo par des antiseptiques et/ou des antibiotiques (en comprimés ou topiques). Le mode d'administration est déterminé essentiellement par le nombre de lésions.

Scarlatine

Des antibiotiques par voie orale seront nécessaires.

Mycose (ou teigne, ou Tinea*)*

On utilisera un antifongique en crème ou en comprimés, selon l'étendue et l'emplacement des lésions.

Gale

Elle se traite avec des produits appliqués sur la peau, surtout le lindane et la perméthrine. Chez les femmes enceintes ou chez les enfants en bas âge, on peut recourir à une préparation à base de soufre.

Poux du pubis (morpions)

Une crème ou un shampooing antiparasitaire (lindane ou perméthrine) en vente sans ordonnance suffisent à enrayer l'infestation.

Éruptions de maladies cutanées

Dermatite atopique (eczéma atopique)

Des crèmes corticostéroïdes, des immunosuppresseurs, parfois des antibiotiques (parce que des bactéries peuvent contaminer les lésions de l'eczéma) ainsi que des antihistaminiques aident à soulager les épisodes eczémateux. La peau sèche doit être hydratée en prenant des bains tièdes et brefs, de même qu'avec des crèmes émollientes.

Lichen plan

Selon la gravité de l'éruption, on traite cette maladie avec des crèmes à base de dermocorticoïdes, avec des corticostéroïdes par voie orale ou encore par de la photothérapie (irradiation de la zone atteinte par des rayons ultraviolets).

Miliaire rouge

Ce trouble ne nécessite aucun traitement médical; il disparaît de lui-même après quelques heures ou quelques jours si on évite la chaleur et l'humidité.

Psoriasis

Il se traite par des crèmes et des pommades (goudron, corticostéroïdes, anthraline, etc.) ou par des produits administrés par voie orale ou par injection (méthotrexate, étrétinate, cyclosporine, etc.). La photothérapie et la photochimiothérapie sont une autre option pour les cas graves. La photochimiothérapie consiste à employer sur des lésions une molécule activée par un faisceau lumineux de laser médical.

Essoufflement d'origine cardiaque

La dyspnée – essoufflement ou difficulté à respirer – est un des symptômes qui peuvent signaler diverses formes de maladies cardiaques. Bien entendu, l'essoufflement peut également être la manifestation d'un problème non cardiaque: maladie pulmonaire, anémie, angoisse ou mauvaise forme physique.

Dans les cas de troubles cardiaques, on parle d'une dyspnée d'apparition récente (jours, semaines ou quelques mois), plutôt que d'un essoufflement évoluant depuis plusieurs années. Lorsqu'elle se présente à l'effort, la dyspnée disparaît habituellement au repos. Si elle se manifeste au repos ou si elle provoque le réveil pendant le sommeil, la dyspnée indique un problème cardiaque encore plus sérieux. Fatigue, douleurs thoraciques, palpitations et syncope (évanouissement) sont les autres symptômes les plus fréquents de troubles cardiaques.

QUELLES SONT LES CAUSES ?

- ***Insuffisance cardiaque.*** La maladie coronarienne, l'hypertension artérielle et toutes les maladies du cœur, si elles ne sont pas maîtrisées ou corrigées, évolueront à court ou à moyen terme vers l'insuffisance cardiaque. Il s'agit d'une réduction de la force de contraction du cœur ou d'un défaut de relaxation du muscle cardiaque (les parois du cœur sont devenues trop rigides). Le cœur affaibli ne pompe plus assez de sang pour nourrir l'organisme et, comme il est rigide au moment où il doit se détendre, il s'accumule une pression de sang excessive dans les poumons, d'où la dyspnée, principal symptôme de l'insuffisance cardiaque. Fatigue, besoin d'utiliser plusieurs oreillers pour dormir (afin de mieux respirer la nuit), expectorations teintées de sang et apparition d'œdème (enflure) au niveau des jambes et des pieds peuvent aussi se manifester. Si on tarde à voir un médecin, le cœur pourra flancher soudainement et provoquer un état de congestion intense, nommé œdème aigu pulmonaire: essoufflement grave et impression intense d'étouffement. C'est un problème très sérieux qui nécessite une consultation immédiate à l'urgence;

- ***Angine de poitrine.*** L'angine de poitrine est une manifestation de la maladie coronarienne, soit l'obstruction des artères du cœur par l'accumulation progressive (sur plusieurs années) de dépôts de cholestérol. L'angine se manifeste habituellement par une dyspnée et une douleur thoracique intense sous forme de lourdeur, de pression ou d'écrasement, souvent à l'effort mais parfois aussi au repos ou durant le sommeil. Chez certains sujets, notamment les diabétiques, l'angine n'entraînera pas de douleur, seulement de la dyspnée. L'angine de poitrine étant dans de nombreux cas annonciatrice d'une crise cardiaque, il faut consulter un médecin dès les premiers symptômes. Les personnes présentant un ou plusieurs facteurs de risque de la maladie coronarienne (tabagisme, taux de cholestérol élevé, hypertension artérielle, diabète, obésité et sédentarité) doivent être particulièrement vigilantes. Sont aussi à risque les personnes qui ont des antécédents familiaux de maladie coronarienne précoce et celles qui ont déjà un trouble cardiaque connu;
- ***Arythmie.*** Ce terme général englobe tous les troubles du rythme cardiaque, des plus bénins (causés par le stress ou par certains médicaments, par exemple) aux plus graves, résultant d'un trouble de la conduction ou de l'activation électrique à l'intérieur du cœur. Les tachycardies (accélération du rythme cardiaque) se manifestent souvent par de la dyspnée, des palpitations, des étourdissements et, parfois, des syncopes. Les bradycardies (ralentissement du rythme cardiaque) se traduisent par une grande faiblesse, des étourdissements, de la dyspnée et aussi la syncope. Les arythmies peuvent accompagner une maladie cardiaque préexistante;
- ***Maladies valvulaires.*** Il y a quatre valvules à l'intérieur du cœur qui assurent la bonne circulation du sang: les valvules tricuspide, pulmonaire, mitrale et aortique. Les patients porteurs d'un souffle cardiaque (manifestation d'un défaut valvulaire noté à l'auscultation) ou ceux qui ont présenté en bas âge un rhumatisme inflammatoire risquent de voir, avec le temps, une ou même plusieurs valvules cardiaques rétrécir ou avoir une fuite. Lorsque le problè-

me devient sérieux, le patient peut souffrir de dyspnée, d'abord à l'effort puis, progressivement, au repos et même durant le sommeil. Dans certains cas, des palpitations, une syncope et des douleurs thoraciques se présentent également.

CONSEILS PRATIQUES

Être vigilant. Être essoufflé après avoir rapidement monté un escalier, c'est normal et il ne faut pas s'en inquiéter. Par contre, si vous constatez un essoufflement inhabituel à l'effort, au repos ou même la nuit, voyez rapidement votre médecin ou allez immédiatement à l'urgence si le phénomène est intense et persistant. L'essoufflement peut signaler un problème cardiaque ou précéder une crise cardiaque, même s'il n'y a aucune douleur à la poitrine.

Adopter de bonnes habitudes. Cessez de fumer ; cela augmentera sensiblement votre longévité et diminuera le risque de maladie coronarienne. Ayez une bonne alimentation, basée sur le *Guide alimentaire canadien,* et faites de l'exercice tous les jours pour maintenir un poids santé. Trente à 40 minutes de marche rapide trois ou quatre fois par semaine (minimum) sont un « pas » dans la bonne direction.

Demander un bilan de santé. À partir de 40 ans, les hommes devraient demander un bilan de santé complet, pour dépister le diabète, une hypertension artérielle ou des problèmes de cholestérol. Chez les femmes, comme les hormones féminines protègent de la maladie coronarienne, le bilan de santé est suggéré à partir de 50 ans.

QUAND CONSULTER ?

- Vous constatez un essoufflement inhabituel à l'effort, particulièrement s'il est apparu récemment.
- L'essoufflement se manifeste au repos ou vous réveille la nuit.
- Vous êtes diabétique et avez constaté un essoufflement important, inhabituel et nouveau.
- Vous présentez des facteurs de risque reconnus de maladie coronarienne.
- Vous souffrez ou avez déjà souffert d'un trouble cardiaque.

QUE SE PASSE-T-IL LORS DE L'EXAMEN ?

Le médecin procédera à un examen physique et recueillera les détails importants. Il s'assurera qu'il ne s'agit pas d'un problème pulmonaire, d'une anémie, d'angoisse ou d'un déconditionnement physique. Certains examens sont essentiels: analyses du sang, électrocardiogramme (enregistrement de l'activité électrique du cœur), radiographie cardio-pulmonaire, échographie cardiaque. Associée ou non à des tests en médecine nucléaire, l'épreuve d'effort sur tapis roulant sera souvent prescrite, surtout si l'on soupçonne une maladie coronarienne.

S'il le juge nécessaire, le médecin pourra aussi demander l'opinion d'un cardiologue qui prescrira peut-être des examens plus sophistiqués (cathétérisme cardiaque ou coronarographie).

QUEL EST LE TRAITEMENT ?

Étant donné qu'on ne guérit pas les maladies cardiaques, les traitements ont pour objectif de ralentir la progression de la maladie, de soulager les symptômes, d'améliorer la qualité de vie et, si possible, de prolonger une existence productive et agréable. Les médicaments sont habituellement prescrits à vie.

Insuffisance cardiaque

Il s'agit d'une maladie insidieuse qui requiert qu'on respecte le traitement. La majorité des cas requièrent une médication multiple (inhibiteurs de l'enzyme de conversion de l'angiotensine, certains diurétiques, lanoxin, bêtabloquants ou inhibiteurs calciques). Toutefois, selon le problème à l'origine de l'insuffisance cardiaque, une dilatation coronarienne, un pontage coronarien ou un remplacement de valvules peuvent être requis. Dans les cas extrêmes, le traitement peut aller jusqu'à la greffe cardiaque. Chez certaines personnes, la simple maîtrise de leur tension artérielle suffira à corriger les signes et symptômes d'insuffisance cardiaque.

Angine de poitrine

La nitroglycérine (en pilules ou en vaporisateur) servira à soulager ponctuellement l'essoufflement et les crises d'angine. À noter que si on a de plus en plus besoin d'utiliser ce médicament, il faut revoir son médecin. Par ailleurs, il faut aller d'urgence à l'hôpital si on prend trois doses successives de nitroglycérine et que les symptômes ne disparaissent pas.

La prévention des crises d'angine nécessitera l'usage de médicaments (nitrates, bêtabloquants, inhibiteurs calciques) et, dans les cas graves ou difficiles à maîtriser, la dilatation coronarienne ou la chirurgie de pontage coronarien peuvent s'imposer. L'aspirine sera essentielle pour réduire les risques de crise cardiaque.

Arythmie

Le médecin pourra envisager la pose d'un stimulateur cardiaque permanent (*pacemaker*) pour corriger la bradycardie symptomatique. La tachycardie, pour sa part, se maîtrise par des médicaments anti-arythmiques ou, dans les cas plus graves, par une intervention chirurgicale pour interrompre l'arythmie ou encore par la pose d'un défibrillateur implantable.

Si ce sont des médicaments pour un trouble cardiaque qui sont responsables de l'arythmie, il s'agira de modifier la prescription.

Maladies valvulaires

Une chirurgie pour remplacer ou réparer la ou les valvules déficientes peut s'imposer. De plus, une médication à vie, d'anticoagulants notamment, peut être nécessaire.

Étourdissement

Il est souvent difficile de faire la différence entre les pertes d'équilibre, les vertiges et les étourdissements. Mais il s'agit bien de problèmes distincts dont les causes sont distinctes.

Les pertes d'équilibre se définissent par une difficulté à se maintenir droit et stable en position debout. Les vertiges sont une sensation de mouvement circulaire, une impression que l'on tourne ou que les objets tournent autour de soi. Ces derniers s'accompagnent souvent de nausées et de vomissements.

Quant aux patients qui éprouvent des étourdissements, ils se plaignent des symptômes suivants :

- sensation bizarre de « tête légère » ;
- impression que « ça tourne à l'intérieur de la tête » ;
- impression que l'on va s'évanouir ;
- parfois, vision trouble et perte de l'équilibre.

QUELLES SONT LES CAUSES ?

- ***Certains médicaments,*** tels que les sédatifs, les neuroleptiques, les antihypertenseurs et les antiépileptiques ;
- ***Élévation ou diminution de la tension artérielle ;***
- ***Syndrome d'hyperventilation ;***
- ***Anémie ;***
- ***Hypoglycémie ;***
- ***Déshydratation ;***
- ***Maladies cardiaques.***

CONSEILS PRATIQUES

Prévenir les chutes. Les étourdissements et les vertiges peuvent entraîner des chutes. Les personnes âgées, plus sujettes aux fractures, doivent prendre certaines précautions : une rampe dans le couloir, une canne ou une marchette, un tapis antidérapant dans la baignoire, etc. N'hésitez pas à demander conseil à votre médecin ou à votre CLSC.

En cas d'élévation ou de diminution de la tension artérielle. Allongez-vous quelques minutes, la tête plus basse que le reste du corps. Cela permet à l'oxygène de se rendre au cerveau plus facilement. Le matin, au réveil, prenez l'habitude de vous relever doucement, de vous asseoir sur le bord de votre lit, puis d'attendre en comptant au moins jusqu'à trois avant de vous lever (l'important est de faire une pause avant de se mettre debout). Faites de même si vous êtes assis depuis longtemps. Évitez de vous lever brusquement pour aller répondre à la porte ou au téléphone.

Pour maîtriser les crises d'hyperventilation. Dès que vous en ressentez les premiers symptômes, inspirez et expirez normalement dans un sac en papier pendant 5 à 10 minutes.

Vous souffrez ou croyez souffrir d'anémie? Un régime alimentaire équilibré devient alors votre principal allié pour vous remettre en forme. Privilégiez des repas et des collations qui font place aux quatre grands groupes alimentaires (fruits et légumes, viandes et substituts, produits laitiers, céréales). Et consultez votre médecin pour confirmer le diagnostic.

Dans les cas d'hypoglycémie. La chute du taux de sucre dans le sang s'accompagne souvent d'étourdissements. Pour mieux prévenir l'hypoglycémie, ayez toujours avec vous des aliments sucrés : raisins secs, jus, chocolat, bonbons ou sucre en sachet.

En cas de déshydratation. Une chaleur extérieure élevée, des efforts physiques intenses ou une bonne grippe entraînent souvent déshydratation et étourdissements. Buvez souvent et reposez-vous. Que faut-il boire ? De l'eau, des jus de fruits, du bouillon ou des boissons pour sportifs contenant des électrolytes (sels minéraux).

QUAND CONSULTER ?

- Les étourdissements sont répétitifs ou très incommodants.
- Ils s'accompagnent d'autres symptômes (difficulté d'élocution, douleur dans un bras, vision double).

QUE SE PASSE-T-IL LORS DE L'EXAMEN ?

Le médecin prendra note des informations importantes et procédera à un examen complet (prise de la tension artérielle, examen des oreilles et des yeux, vérification de l'équilibre et tests neurologiques). Il pourra ensuite déterminer s'il s'agit d'étourdissements, de perte de l'équilibre ou de vertiges.

Des examens plus approfondis ou une consultation chez un spécialiste peuvent être requis pour préciser le diagnostic.

QUEL EST LE TRAITEMENT ?

Si ce sont les médicaments qui sont responsables des étourdissements, le médecin choisira de les remplacer.

L'élévation ou la diminution de la tension artérielle, l'anémie, le syndrome d'hyperventilation, l'hypoglycémie et les maladies cardiaques nécessiteront des traitements médicaux appropriés.

Évanouissement

L'évanouissement (ou syncope) est une perte complète de connaissance qui peut durer jusqu'à 30 minutes ; il est causé par une baisse de l'apport sanguin au cerveau. Les symptômes qui l'accompagnent dépendent de la cause de l'évanouissement.

Il existe plusieurs types d'évanouissements, mais les plus fréquents sont les suivants :

Évanouissement vagal (de type commun)

- le plus fréquent de tous ;
- s'accompagne d'un relâchement musculaire et d'une pâleur du visage ;
- souvent précédé, pendant une ou deux minutes, d'une sensation de chaleur, d'étourdissements, de faiblesse, de sudation et d'un flou visuel.

Évanouissement d'origine cardiaque

- peut être précédé de palpitations ou de douleurs thoraciques ;
- souvent accompagné de sudation et d'une pâleur du visage ;
- peut se manifester par de brèves convulsions (secousses rythmées d'une ou de plusieurs parties du corps) lorsque la personne n'est pas allongée.

Évanouissement secondaire à une crise d'épilepsie

- peut survenir sans aucun avertissement ou être précédé d'une aura (hallucinations visuelles, auditives ou olfactives), d'engourdissements ou de convulsions ;
- s'accompagne, dans la plupart des cas, de convulsions et d'une raideur généralisée qui durent de 30 à 60 secondes, d'une révulsion des yeux, d'une rougeur ou d'une coloration bleutée du visage, d'écume à la bouche, d'une morsure de la langue et d'un relâchement des sphincters (perte d'urine).

Évanouissement secondaire à une baisse de tension (hypotension orthostatique)

- Ne survient que lorsque la personne est en position debout, surtout le matin ou la nuit, par exemple lorsqu'elle se lève pour aller aux toilettes ;
- Peut être précédé pendant quelques secondes d'étourdissements et d'une vision trouble.

Évanouissement secondaire à l'accouchement, la toux ou la défécation

- Plutôt rare ;
- Ne dure en général que quelques secondes.

QUELLES SONT LES CAUSES ?

Évanouissement vagal

- ***Émotion forte, douleur intense, chaleur, station debout prolongée, stress, faim, fatigue et consommation d'alcool ;***
- ***Migraine classique,*** dans de rares cas

Évanouissement d'origine cardiaque

- ***Arythmie ou infarctus.*** L'évanouissement peut survenir pendant ou après un effort physique ou encore de façon spontanée.

Évanouissement secondaire à une crise d'épilepsie

- ***Trouble neurologique.*** La crise survient habituellement spontanément, mais peut être déclenchée, à l'occasion, par une stimulation lumineuse fluctuante ;
- ***Sevrage de certains médicaments et de l'alcool.***

Évanouissement secondaire à une baisse de tension (hypotension orthostatique)

- ***Médicaments.*** Il s'observe surtout chez les personnes âgées prenant de nombreux médicaments, dont certains antidépresseurs, antihypertenseurs ou antiparkinsoniens ;
- ***Diabète ou polynévrite.***

Évanouissement secondaire à l'accouchement, la toux ou la défécation

- ***Causes précises incertaines.*** On pense que la pression thoracique aggravée par l'effort respiratoire (Valsalva) pourrait entraîner un évanouissement en réduisant le retour sanguin vers le cœur.

CONSEILS PRATIQUES

Ne pas maintenir la personne en position debout ou assise. Allongez-la plutôt sur le sol.

Ne rien faire avaler à quelqu'un qui vient de s'évanouir. Tant que la personne est inconsciente, ne lui donnez rien par la bouche, comme, par exemple, des liquides, des médicaments ou de la nitroglycérine. Si elle a des convulsions, n'introduisez rien dans sa bouche (doigts, objets, crayon, etc.).

Ne pas se relever trop vite. Il faut attendre d'être bien rétabli.

Ne pas chercher l'endroit idéal où s'allonger. Si vous êtes victime d'un évanouissement, vous ne disposez que de quelques secondes avant de perdre connaissance. Il est conseillé de vous allonger tout de suite par terre, à l'endroit où vous vous trouvez.

Éviter de respirer trop vite et trop fort. Vous risquez ainsi d'hyperventiler. Respirez plutôt normalement.

Éviter la station debout prolongée, la chaleur, la déshydratation et les boissons alcoolisées. Ces mesures préventives peuvent être utiles aux gens qui ont des pertes de connaissance fréquentes.

Savoir quoi faire pour quelqu'un d'autre. Si vous êtes témoin d'un évanouissement, placez, si possible, la personne sur le dos et surélevez ses jambes. Pour l'aider à retrouver ses esprits, vous pouvez appliquer une serviette d'eau froide sur son front. Si elle ne se réveille pas rapidement, vérifiez sa respiration et son pouls et pratiquez éventuellement les techniques de réanimation cardiorespiratoire (CPR). Si elle a des vomissements ou si ses de sécrétions sont abondantes, tournez sa tête sur le côté. Si elle a des convulsions, protégez sa tête et tentez de tourner son corps sur le côté.

Appelez le 911. Il s'agit d'un cas d'urgence si la personne ne se réveille pas dans les deux à trois minutes qui suivent, si elle a des convulsions, des évanouissements à répétition, des douleurs dans la poitrine, une paralysie d'un côté du corps ou un mal de tête intense.

Pour aider à prévenir l'évanouissement secondaire à une baisse de tension (hypotension orthostatique). Il importe que la personne aux prises avec ce type de problème reste assise sur le bord de son lit pendant une à deux minutes, le matin, lorsqu'elle se réveille et qu'elle se lève lentement.

QUAND CONSULTER ?

- Vous venez de perdre connaissance.
- Vous avez subi un traumatisme récent (dans les 48 heures), vous avez des convulsions, vous êtes victime d'évanouissements prolongés ou à répétition, vous souffrez de douleurs dans la poitrine ou d'un mal de tête intense ou encore vous êtes paralysé : consultez rapidement un médecin, c'est une urgence.

QUE SE PASSE-T-IL LORS DE L'EXAMEN ?

Dans le cabinet du médecin

Afin de déterminer la cause de l'évanouissement, le médecin cherchera à obtenir des renseignements sur les événements qui ont eu lieu avant, pendant et après l'évanouissement. Pour plus de précisions, il est nécessaire qu'un témoin soit présent pendant l'entrevue. Lors de la rencontre avec le médecin, la personne doit apporter tous ses médicaments et tous les documents résumant son état de santé. Le type d'examen à effectuer ainsi que l'étendue de l'investigation dépendent des causes possibles, de l'âge de la personne et de ses antécédents médicaux. Le médecin fera également certaines recommandations au patient en ce qui concerne son emploi et la conduite automobile.

À l'urgence

Le médecin tentera d'abord de stabiliser l'état du patient et d'éliminer les causes graves d'évanouissement (p. ex. : arythmie, infarctus). Il procédera à un examen physique, cardiaque ou neurologique complet. Il pourra également évaluer l'activité cardiaque, vérifier la tension artérielle, demander des analyses sanguines, un électrocardiogramme ou un électroencéphalogramme. Selon les circonstances, on administrera de l'oxygène et on installera une voie veineuse. Si la cause n'est pas évidente, si l'on soupçonne une cause grave ou si des examens plus approfondis s'avèrent nécessaires, le patient devra être hospitalisé.

QUEL EST LE TRAITEMENT ?

Évanouissement vagal (de type commun)

Il pose rarement problème. Dans certains cas rares, des médicaments, tels que les bêtabloquants, peuvent être prescrits.

Évanouissement d'origine cardiaque

L'arythmie peut être traitée par certains médicaments ou par la pose d'un stimulateur cardiaque (*pacemaker*).

Évanouissement secondaire à une crise d'épilepsie

On le traite au moyen d'agents antiépileptiques.

Évanouissement secondaire à une baisse de tension (hypotension orthostatique)

On pourra le prévenir en vérifiant le traitement médicamenteux du patient, en élevant la tête du lit de 15 cm (il faut mettre des planches ou des briques, par exemple, sous les pieds de la tête du lit pour obtenir une élévation égale et efficace) et en ajoutant du sel dans l'alimentation.

Expectorations

En théorie, une personne en bonne santé ne crache pas. Les expectorations (crachats ou sécrétions) sont produites à la suite d'une réaction de défense de l'organisme face à une quelconque agression due à un problème interne ou en provenance du milieu extérieur.

Les voies respiratoires sont tapissées d'une muqueuse, appelée épithélium, constituée de cellules munies de milliers de petits cils vibratiles. Lors d'une agression, la muqueuse sécrète du mucus, qui est expulsé par le mouvement des cils. C'est à ce moment-là que surviennent la toux et les expectorations.

Les expectorations contiennent 95 % d'eau et 5 % de protéines. Elles peuvent être colorées ou non, teintées de sang ou encore malodorantes.

QUELLES SONT LES CAUSES ?

- ***Médicaments.*** Les inhibiteurs de l'enzyme de conversion de l'angiotensine, utilisés pour le traitement de l'hypertension artérielle, peuvent provoquer de la toux et, par irritation, des sécrétions blanchâtres ou colorées (jaunâtres, verdâtres, brunâtres ou grisâtres).
- ***Corps étranger.*** Logés dans les voies respiratoires, un petit objet ou un morceau de nourriture irriteront les bronches, entraînant une toux sèche, mais sans sécrétions. Si le corps étranger bouche un orifice pulmonaire, une infection se développera, causant une toux grasse, de la fièvre et des expectorations blanchâtres ou colorées ;
- ***Infections.*** En cas de grippe, de pneumonie, de rhinite ou de sinusite, les expectorations sont blanchâtres, colorées ou parfois même teintées de sang, et s'accompagnent généralement d'autres symptômes, comme la fièvre, la fatigue, les maux de tête, la congestion nasale et les frissons ;
- ***Bronchite aiguë.*** L'inflammation des bronches par un virus, une bactérie ou des substances toxiques (comme le chlore) entraîne des symptômes progressifs : toux grasse, expectorations colorées

ou teintées de sang, fièvre, frissons, essoufflement et douleur thoracique à force de tousser;

- ***Asthme.*** Cette maladie peut causer une toux sèche ou une toux grasse avec expectorations. La nature des symptômes dépend principalement du degré d'exposition aux allergènes (substances responsables de l'allergie). La toux sèche témoigne de l'irritation bronchique, tandis que la toux productive (avec expectorations colorées) indique une inflammation des bronches. De plus, la crise d'asthme se traduit par de la toux, une respiration sifflante, une oppression thoracique et une sensation d'étouffement;
- ***Bronchite chronique.*** Cette affection est causée la plupart du temps par le tabagisme. Les personnes qui travaillent en milieu pollué ou qui sont souvent en contact avec des produits toxiques irritants (comme le chlore) sont aussi plus susceptibles de développer une bronchite chronique, qui peut évoluer vers l'emphysème et l'insuffisance respiratoire. Cette maladie se manifeste par une toux chronique accompagnée d'expectorations blanchâtres ou colorées, parfois teintées de sang;
- ***Emphysème.*** La perte d'élasticité et la destruction progressive des alvéoles du tissu pulmonaire (là où se font les échanges d'oxygène entre l'air inspiré et le sang) se rencontrent habituellement chez les fumeurs de longue date. Outre la toux et les expectorations blanchâtres, colorées ou teintées de sang, l'emphysème se reconnaît par une respiration sifflante et un essoufflement constant;
- ***Bronchiectasie.*** Il s'agit d'une dilatation des bronches résultant, en général, d'anciennes infections des bronches mal ou non guéries. Selon le lobe pulmonaire atteint (supérieur ou inférieur), les sécrétions sont plus abondantes dans certaines positions (lorsqu'on est couché, par exemple). Les expectorations contiennent du pus; elles sont colorées ou teintées de sang. Les personnes atteintes de bronchiectasie sont sujettes aux bronchites aiguës à répétition;
- ***Abcès pulmonaire.*** Il commence la plupart du temps par une pneumonie qui, si elle est mal ou pas du tout soignée, peut dégénérer et entraîner progressivement les symptômes suivants: expectorations purulentes (présence de pus), nauséabondes, colorées ou teintées de sang; détérioration de l'état général; fièvre et frissons;

- ***Embolie pulmonaire.*** Un caillot sanguin s'est formé et obstrue une artère pulmonaire. Le taux d'oxygène dans le sang diminue, entraînant subitement toux et expectorations colorées ou teintées de sang, essoufflement et importante douleur thoracique. L'embolie pulmonaire est une maladie relativement fréquente et parfois mortelle ;
- ***Fibrose kystique.*** Cette maladie héréditaire, dans laquelle les glandes à mucus produisent des sécrétions épaisses, colorées ou teintées de sang, amène une obstruction des voies respiratoires et une bronchiectasie ;
- ***Reflux gastro œsophagien (RGO).*** Pour digérer, l'estomac sécrète de l'acide chlorhydrique. Si le sphincter (une valve) situé entre l'œsophage et l'estomac qui s'ouvre et se referme pour laisser passer les aliments fonctionne mal, l'acide remonte dans l'œsophage et vient irriter la gorge, provoquant de la toux et des expectorations habituellement blanchâtres ;
- ***Insuffisance cardiaque.*** Il s'agit d'une maladie chronique qui survient lorsque le cœur devient incapable de pomper correctement le sang pour en assurer la distribution dans l'organisme. L'insuffisance cardiaque se caractérise par des symptômes progressifs d'expectorations spumeuses (aspect de l'écume), colorées et souvent teintées de sang, par de la fatigue, de la difficulté à respirer et de l'essoufflement à l'effort ou au repos, surtout en position couchée ;
- ***Cancer du poumon.*** Présenter des expectorations fortement teintées de sang de façon répétitive, perdre du poids rapidement et avoir le bout des doigts déformé (doigts en baguette de tambour) peut signaler un cancer du poumon.

CONSEILS PRATIQUES

Cesser de fumer. La cigarette est la principale cause de la toux et des expectorations. Le tabagisme raccourcit l'espérance de vie et entraîne la bronchite chronique, l'emphysème et le cancer du poumon. Si vous voulez cesser de fumer, discutez-en avec votre médecin, qui saura vous recommander des techniques efficaces.

Se faire vacciner contre la grippe et la pneumonie. Si vous avez 65 ans et plus ou si vous souffrez de problèmes cardiaques ou de diabète, il est préférable de vous faire vacciner une fois par an, à l'automne, contre la grippe et la pneumonie. Deux vaccins différents sont utilisés. Parlez-en à votre médecin ou renseignez-vous auprès de votre CLSC.

Soigner la grippe. Comme une grippe non soignée peut dégénérer, dormez ou reposez-vous le plus possible en cas d'état grippal. Mangez légèrement, buvez beaucoup pour ne pas vous déshydrater (surtout des jus de fruits riches en vitamines) et prenez de l'acétaminophène. Si vous toussez mais ne crachez pas, vous pouvez prendre un sirop antitussif.

Faire attention aux sirops. Si vous crachez, les sirops ne sont pas recommandés. En vous empêchant de tousser, les antitussifs provoquent l'accumulation des sécrétions dans les poumons et risquent de causer une détérioration de la condition pulmonaire. Quant aux expectorants, ils ne sont pas vraiment utiles. En cas de sécrétions bronchiques, la meilleure chose à faire est de bien s'hydrater pour liquéfier les expectorations et faciliter leur expulsion. Si la toux et les expectorations s'éternisent au-delà de trois semaines, il s'agit peut-être du signe d'un problème chronique.

Prendre en note les symptômes. Si vous expectorez de plus en plus souvent, notez la couleur, l'odeur et la quantité des expectorations (le nombre de fois où vous crachez par jour). Prenez aussi en note à quel moment de la journée les expectorations surviennent ainsi que les autres symptômes qui les accompagnent. N'oubliez pas ces informations lorsque vous consultez votre médecin. De plus, le jour de votre rendez-vous, apportez un échantillon de crachat dans un contenant propre pour faciliter le diagnostic.

Modifier ses habitudes en cas de reflux gastro-œsophagien. Consommez moins de matières grasses, de chocolat, de menthe, d'alcool et de caféine. Évitez de manger et de boire deux heures avant de vous coucher. Prenez de plus petits repas, mais plus souvent. Ne portez pas de vêtements trop étroits (ou une ceinture trop serrée), car ils font une pression sur l'abdomen, ce qui pourrait pousser l'estomac vers la cage thoracique et augmenter le RGO. De plus, relevez la tête de votre lit d'une quinzaine de centimètres (en surélevant les pieds de la tête du lit, pas en ajoutant des oreillers). C'est plus efficace et plus égal. Par ailleurs, cessez de fumer et maintenez un poids santé.

QUAND CONSULTER ?

- Vous toussez et crachez sans raison apparente.
- Votre toux productive (avec sécrétions) empire ou dure depuis plus de trois semaines.
- Il y a du sang dans vos expectorations.
- Vos expectorations s'accompagnent d'une douleur thoracique ou d'essoufflement.
- Vous fumez et vous avez constaté un changement dans votre toux et vos expectorations.

QUE SE PASSE-T-IL LORS DE L'EXAMEN ?

Le médecin notera les informations pertinentes et procédera à un examen clinique. Au besoin, il pourra recourir à une radiographie des poumons, à une recherche de germes en faisant une culture des expectorations ou à une scintigraphie pulmonaire (image des poumons après injection d'un élément radioactif).

QUEL EST LE TRAITEMENT ?

Médicaments

Si des médicaments causent la toux ou les expectorations, le médecin veillera à changer la prescription.

Corps étranger

Lorsqu'il y a un corps étranger dans les voies respiratoires, il faut procéder à une bronchoscopie, une intervention qui se fait à l'hôpital, pour l'extraire en insérant un petit tube par la bouche.

Infections et bronchite aiguë

Le médecin prescrira des antihistaminiques pour améliorer les symptômes d'une grippe persistante et, parfois, des antitussifs. Des antibiotiques seront nécessaires dans les cas de pneumonie, de bronchite aiguë, de bronchite chronique surinfectée et de sinusite ou de rhinite surinfectées.

Asthme, bronchite chronique et emphysème

Ces maladies se maîtrisent bien avec des bronchodilatateurs (produits qui dilatent les bronches) et des médicaments anti-inflammatoires. Si la bronchite chronique est liée au milieu de travail, il faut bien identifier l'irritant et tenter d'en minimiser les effets sur le travailleur. Cela peut prendre la forme d'une meilleure ventilation, le port d'un masque et, dans les cas extrêmes, le retrait du travailleur du milieu irritant. En cas de bronchite chronique due à la cigarette, la seule façon d'améliorer la condition pulmonaire est de cesser de fumer.

Bronchiectasie et abcès pulmonaire

Ces affections se soignent par des antibiotiques et un drainage postural, qui consiste à évacuer les sécrétions et à vider l'abcès par une position inclinée.

Embolie pulmonaire

Une personne souffrant d'embolie pulmonaire devra être hospitalisée immédiatement et traitée par des anticoagulants.

Fibrose kystique

La fibrose kystique nécessite l'emploi de bronchodilatateurs, un drainage postural et une antibiothérapie au moindre signe d'infection.

Reflux gastro-œsophagien (RGO)

Le médecin pourra prescrire des médicaments qui réduisent, neutralisent ou aident à évacuer l'acidité de l'estomac.

Insuffisance cardiaque

Lorsque la toux et les expectorations sont secondaires à de l'insuffisance cardiaque, des vasodilatateurs (médicaments qui augmentent le calibre des vaisseaux sanguins) et des diurétiques (médicaments qui augmentent le volume d'urine) permettent de maîtriser la maladie.

Cancer du poumon

Le traitement adéquat (la chirurgie, la radiothérapie ou la chimiothérapie, selon le degré d'évolution) sera rapidement entrepris. Évidemment, le patient devra cesser de fumer, si c'est le cas.

Faiblesse musculaire

La faiblesse musculaire se définit comme une sensation de manque de force. Elle survient quand un ou plusieurs muscles fonctionnent peu ou pas, ou lorsqu'on se sent épuisé. Elle peut toucher uniquement un muscle, un groupe musculaire (épaule, poignet, genou, pied, etc.), un membre entier ou tout le corps.

On distingue trois grandes catégories de faiblesses musculaires: les faiblesses sous forme de fatigue, les faiblesses d'origine musculo-squelettique et les faiblesses d'origine neuromusculaire.

En cas de faiblesse sous forme de fatigue, les muscles eux-mêmes ne sont pas touchés. La personne se sent trop malade ou trop épuisée pour fonctionner normalement.

La faiblesse d'origine musculo-squelettique est fréquente et presque toujours associée à de la douleur dans la même région du corps. C'est la douleur qui est à l'origine de la faiblesse: on évite de se servir du membre douloureux puis celui-ci s'ankylose (devient raide), s'atrophie (le muscle perd de sa masse) et devient faible.

La faiblesse d'origine neuromusculaire se présente comme une paralysie ou une parésie (paralysie partielle ou légère). Le muscle perd sa capacité à se contracter, donc à accomplir des mouvements. Le problème peut prendre origine dans le cerveau, la moelle épinière, les racines nerveuses, les nerfs ou les maladies des muscles et les défauts de leur métabolisme.

QUELLES SONT LES CAUSES ?

Faiblesse sous forme de fatigue

- ***Différents abus.*** Une trop grande consommation d'alcool ou de drogues de même qu'un excès d'activités physiques, surtout chez une personne non entraînée, risquent de causer une faiblesse musculaire inoffensive et passagère;
- ***Épuisement général.*** Très souvent, les personnes atteintes d'une grande fatigue (p. ex.: épuisement professionnel) souffrent de faiblesse musculaire, de stress, d'anxiété, de dépression avec

perturbation du sommeil, de l'appétit et de l'humeur. Ces symptômes peuvent durer des semaines, voire des mois ;

- ***Maladies.*** De très nombreuses maladies peuvent se manifester, entre autres, par une faiblesse musculaire. Grippe, rhume, anémie, gastroentérite, maladies infectieuses, troubles métaboliques (soit des troubles de réactions biochimiques du corps), problèmes de glandes surrénales, hyperthyroïdie, diabète et insuffisance de la fonction de certains organes (foie, reins, etc.) ;
- ***Malnutrition.*** On peut comparer les muscles à un réservoir d'énergie. En cas de jeûne ou de malnutrition prolongée, l'énergie (les calories) pour maintenir la fonction musculaire devient insuffisante, d'où la faiblesse musculaire.

Faiblesse d'origine musculo-squelettique.

- ***Traumatismes.*** Les fractures entraînent presque toujours de la faiblesse musculaire. Plus que le traumatisme lui-même, c'est surtout l'immobilisation dans le plâtre qui est responsable de la faiblesse du membre fracturé. Les tendinites, bursites, entorses et déchirures ligamentaires constituent d'autres causes de faiblesse ;
- ***Arthrose.*** C'est l'usure normale, mais souvent douloureuse des articulations, habituellement due au vieillissement. En plus de la faiblesse, une douleur au niveau du genou ou de la hanche peut entraîner une boiterie, un ralentissement ou une diminution de la marche. Le déconditionnement, un effort excessif et l'obésité risquent d'amplifier les conséquences de l'arthrose. En outre, l'inflammation des articulations (arthrite) peut survenir à tout âge et s'accompagner de douleur, gonflement, raideur et faiblesse.

Faiblesse d'origine neuromusculaire

- ***Compression d'un nerf ou d'une racine nerveuse.*** Cela peut se manifester par une parésie du membre due, par exemple, à une fracture ou à une hernie discale qui coince une racine nerveuse de la moelle. Ces problèmes sont habituellement réversibles ;
- ***Traumatisme de la moelle épinière.*** Des paralysies ou parésies plus graves peuvent survenir lorsqu'il y a blessure de la moelle épinière associée ou non à une fracture de la colonne vertébrale (sou-

vent à la suite d'un accident de moto ou de voiture). La paralysie correspond à la hauteur de la blessure (cou, dos, bas du dos) et peut résulter en une quadraplégie (paralysie des quatre membres) ou paraplégie (paralysie des deux jambes) ;

- ***Traumatisme craniocérébral.*** Une blessure accidentelle au niveau du cerveau, avec ou sans fracture du crâne, risque de causer une paralysie ou une parésie de la moitié du corps (bras et jambes) ou de tout le corps. Quand la moelle épinière ou le cerveau sont touchés et causent une paralysie, celle-ci s'associe à la spasticité, c'est-à-dire des contractions involontaires des muscles ;
- ***Maladies neurologiques.*** La polynévrite (inflammation des nerfs) peut entraîner une faiblesse musculaire qui commence souvent au niveau des jambes. Le syndrome de Guillain-Barré est une maladie infectieuse qui paralyse tout le corps en quelques jours, y compris les muscles respiratoires. La dystrophie musculaire est une affection héréditaire et chronique qui entraîne une faiblesse musculaire irréversible et progressive. De cause encore inconnue, la sclérose en plaques est une maladie chronique qui progresse très lentement ou rapidement et qui cause des paralysies très diverses. Des infections ou des tumeurs peuvent comprimer la moelle épinière ou le cerveau et causer des paralysies. Au niveau du cerveau, l'accident vasculaire cérébral reste la cause la plus fréquente. La paralysie touche habituellement la moitié du corps (bras et jambe).

CONSEILS PRATIQUES

Se reposer. Si la faiblesse générale survient à cause de l'épuisement ou d'une grippe, par exemple, il faut boire beaucoup d'eau afin de bien s'hydrater et se reposer pendant 24 à 48 heures.

Garder le membre au repos. Si la faiblesse est localisée à un membre (l'épaule ou le coude, par exemple) et qu'elle résulte d'une bursite, d'une tendinite ou d'un trop grand effort physique, il est suggéré de garder le membre au repos pendant 24 à 48 heures.

Pour soulager la douleur. Un ou deux comprimés d'acétaminophène (325 mg ou 500 mg) quatre fois par jour, jusqu'à un maximum de

4 g par jour, aideront à soulager la douleur. Des anti-inflammatoires peuvent aussi être utilisés, selon la dose recommandée par le fabricant. Vous pouvez prendre un des deux médicaments ou les deux si la douleur est difficile à maîtriser. En outre, le plus souvent possible pendant les deux premiers jours, appliquez de la glace (enroulée dans une serviette) sur la zone douloureuse.

Recommencer doucement à bouger. Un muscle ne doit pas rester inactif plus de trois jours, car il risque de s'affaiblir davantage. Donc, après deux jours de repos, recommencez doucement à reprendre vos activités et à bouger le membre affaibli.

Prendre de bonnes habitudes de vie. Une alimentation saine et équilibrée et une activité physique régulière maintiennent la masse musculaire en forme et contrôlent l'obésité. Choisissez un sport que vous aimez et pratiquez-le deux à trois fois par semaine, au minimum. Les gens alités, surtout les personnes âgées, devraient se lever au moins deux fois par jour pour marcher. Une heure de marche par jour à l'extérieur aide à prévenir l'ostéoporose et préserve le tonus musculaire.

À éviter. Abstenez-vous de consommer des substances toxiques (alcool, nicotine et autres drogues). Une règle absolue : évitez de conduire si vous avez bu de l'alcool.

QUAND CONSULTER ?

- Vous avez subi un traumatisme important (accident, chute, etc.).
- Vous êtes incapable de bouger un membre.
- Vous ressentez une faiblesse musculaire soudaine, sans raison apparente.
- La faiblesse musculaire dure plus d'une semaine.
- La faiblesse s'étend à d'autres parties du corps.
- La faiblesse s'accompagne de douleur.

QUE SE PASSE-T-IL LORS DE L'EXAMEN ?

Le médecin recueillera les informations pertinentes et procédera à un examen physique complet. Des radiographies et des analyses sanguines sont habituellement requises. Dans certains cas, des tests plus poussés sont nécessaires : ponction lombaire, tomodensitométrie, imagerie par résonance magnétique, échographie, etc.

QUEL EST LE TRAITEMENT ?

Faiblesse sous forme de fatigue

Plusieurs des problèmes de faiblesse rentrent dans l'ordre après quelques jours. Un cas d'épuisement nécessitera toutefois une période plus grande de repos et certains médicaments peuvent être prescrits (comme les antidépresseurs et les anxiolytiques, si le problème est d'origine psychologique).

Des maladies comme l'anémie, le diabète, les troubles métaboliques, les problèmes des glandes surrénales et l'hyperthyroïdie nécessitent un traitement médical spécifique.

Faiblesse d'origine musculo-squelettique

Traumatismes

Un plâtre, une attelle ou un bandage pourront être requis pour favoriser la guérison d'une fracture, d'une tendinite, d'une bursite, etc. La physiothérapie pourra éventuellement être envisagée.

Arthrose

Dans les usures articulaires, la physiothérapie est d'une grande utilité parce qu'elle offre des moyens pour diminuer la douleur (dos, épaule, etc.) et pour que le membre reste fonctionnel.

Faiblesse d'origine neuromusculaire

Compression d'un nerf ou d'une racine nerveuse, traumatisme de la moelle épinière, traumatisme craniocérébral, maladies neurologiques

Après les soins aigus, les problèmes de paralysie ou de parésie d'origine neuromusculaire relèvent pratiquement toujours de la réadaptation, pour permettre au patient de récupérer ses fonctions et de rester autonome.

La physiothérapie est importante pour, par exemple, rééduquer à la marche. Outre le physiothérapeute et le médecin, la réadaptation peut aussi intégrer dans une équipe un ergothérapeute, un psychologue et un travailleur social, qui travaillent tous avec le patient et son entourage. L'environnement physique ainsi que les moyens de se déplacer doivent s'adapter au patient, souvent grâce aux aides techniques (rampes dans le couloir, barre d'appui dans la baignoire, etc.).

Fatigue

La fatigue est une réponse de l'organisme à une dépense excessive d'énergie. Elle est le plus souvent due à de mauvaises habitudes de vie ou à des troubles psychologiques. C'est un symptôme, une sonnette d'alarme qui avertit que quelque chose ne va pas. Elle peut augmenter au fur et à mesure que la journée avance, ou encore se manifester fortement dès le réveil.

QUELLES SONT LES CAUSES ?

Mauvaises habitudes de vie

- ***Mauvaises habitudes alimentaires.*** Le fait de sauter des repas ou d'être perpétuellement au régime entraîne une baisse d'énergie. Une alimentation pauvre en substances nutritives et riche en sucres et en graisses peut priver le corps d'éléments nutritifs dont il a besoin ;
- ***Manque d'exercice physique ;***
- ***Manque de sommeil (décalage horaire, quarts de travail, etc.) ;***
- ***Abus de substances stimulantes, telles que café, tabac, alcool, drogues.*** Ces substances peuvent perturber le sommeil, créer une dépendance ou entraîner une certaine léthargie lorsque l'effet est passé.

Excès de travail

- ***Le fait d'avoir plusieurs emplois ;***
- ***Le fait de vouloir être performant à tout prix.*** La société actuelle encourage la performance, ce qui peut entraîner un épuisement professionnel (*burn-out*).

Troubles psychologiques

- ***Excès de stress,*** tels que tensions au travail, soucis financiers, problèmes conjugaux ou familiaux ;
- ***Difficultés d'adaptation à une nouvelle situation,*** telles que changement d'école, divorce, déménagement dans une nouvelle ville, nouveau patron, etc. ;
- ***Anxiété, dépression et autres troubles mentaux ;***

- *Ennui ou manque de stimulation* causé par le chômage ou par un emploi non satisfaisant.

Médicaments

- *Certains médicaments,* tels que les somnifères, les anxiolytiques, les antihypertenseurs, de même que les antihistaminiques, provoquent parfois une sensation de fatigue. Un abus de médicaments peut également produire cet effet.

Maladies physiques

- *Anémie, diabète, arthrite, hypothyroïdie, infection, cancer, insuffisance cardiaque, syndrome de fatigue chronique, etc.* En général, dans de tels cas, la fatigue s'accompagne de plusieurs autres symptômes. Dans le cas d'une maladie chronique, comme le diabète, l'insuffisance cardiaque, etc., l'organisme dépense de l'énergie pour lutter contre celle-ci.

CONSEILS PRATIQUES

Faire un bilan de la situation. Avant de penser à une maladie, il faut d'abord éliminer toutes les sources de contrariété responsables de votre fatigue. Mais vous pourriez avoir besoin d'aide pour déceler les causes possibles de fatigue, car des problèmes importants peuvent en être l'origine.

Prendre trois repas par jour. Le corps humain est comme un véhicule automobile : il a besoin d'être alimenté régulièrement pour bien fonctionner. Non seulement il faut avoir une saine alimentation, mais il est primordial de manger en quantité suffisante.

Avoir une alimentation saine et variée. Nourrissez-vous de viandes maigres, de poisson, de volaille et de légumineuses. Consommez davantage de fruits et de légumes. Préférez le pain et les produits céréaliers à grains entiers ainsi que les produits laitiers faibles en matières grasses.

Éviter les régimes stricts. Les régimes qui imposent de nombreuses restrictions épuisent l'organisme.

Ne pas consommer d'aliments trop gras ni trop sucrés. Ces aliments, bien qu'ils soient riches en calories, contiennent peu d'éléments nutritifs. Les aliments très sucrés, surtout s'ils sont pris avec du café (qui maintient un taux de sucre plus élevé dans le sang), entraînent une augmentation de la production d'insuline ; lorsque l'insuline diminue, cela provoque une fatigue réactionnelle.

Ne pas consommer de café et d'alcool de façon excessive et éviter le tabagisme. Bien qu'il s'agisse de substances stimulantes, elles peuvent perturber votre sommeil et vous empêcher de récupérer pleinement.

Éviter les drogues. La marijuana entraîne une certaine baisse d'énergie. Les drogues stimulantes – la cocaïne, par exemple – dérèglent l'organisme et provoquent de la fatigue lorsque leur effet cesse.

Ne pas abuser des médicaments. Même les médicaments en vente libre peuvent provoquer des effets secondaires comme la fatigue.

Faire de l'exercice physique. Choisissez un sport qui vous plaît et pratiquez-le régulièrement. Il vaut mieux pratiquer un sport peu violent de façon régulière qu'un sport violent de façon occasionnelle. L'exercice quotidien est également important, comme jardiner, monter et descendre les escaliers, marcher pour aller prendre l'autobus, etc.

Dormir suffisamment. N'écourtez pas vos heures de sommeil pour pouvoir travailler davantage.

Ne pas consacrer toute son énergie à son travail. Si votre travail devient une obsession et qu'il prend toute votre énergie, vous ne pourrez échapper à la fatigue et vous risquez de devenir moins performant.

Pratiquer une certaine forme de relaxation. Si vous êtes stressé, choisissez un exercice ou une activité qui vous aidera à vous détendre. Évitez de vous inquiéter outre mesure. Les tracas de la vie quotidienne peuvent vous faire gaspiller inutilement votre énergie.

Trouver un intérêt particulier à la vie. Si la vie vous semble morne et sans intérêt, essayez de trouver une activité – un travail, un loisir – qui vous apportera davantage de satisfaction.

Se réserver du temps pour les loisirs. Il est important de garder un peu de place dans votre emploi du temps pour la détente et les loisirs. N'attendez pas la période des vacances annuelles pour vous adonner à des activités en famille ou avec vos amis.

Savoir reconnaître ses limites. Ne vous sentez pas obligé d'aider les autres au-delà de vos capacités. Pensez d'abord à vous.

Être patient. Une amélioration de vos habitudes de vie vous demandera du temps et de la patience.

QUAND CONSULTER ?

- Vous éprouvez une telle fatigue que vous êtes incapable de vaquer à vos occupations habituelles.
- Votre fatigue vous cause une certaine détresse (c'est peut-être le signe d'une dépression).
- Même après avoir changé vos habitudes de vie, vous continuez à vous sentir fatigué.
- Votre fatigue est accompagnée de changements dans les selles, de fièvre, d'une perte ou d'un gain de poids non désiré, de saignements menstruels abondants, d'une soif marquée ou de tout autre symptôme.

QUE SE PASSE-T-IL LORS DE L'EXAMEN ?

Le médecin interrogera le patient afin de savoir si sa fatigue est due à de mauvaises habitudes de vie, à des tensions excessives, à des médicaments, ou encore si elle est la conséquence d'une maladie. Un examen physique complet peut s'avérer nécessaire ainsi qu'une analyse de sang.

QUEL EST LE TRAITEMENT ?

Le traitement varie selon la cause. Une modification des habitudes de vie peut nettement diminuer la sensation de fatigue et améliorer la qualité de vie. Dans certains cas, des modifications de la médication peuvent être bénéfiques. En cas de tensions psychologiques persistantes, le médecin pourra diriger le patient vers une personne-ressource en santé mentale, qu'il s'agisse d'un psychologue, d'un conseiller en orientation, d'un travailleur social ou d'un psychiatre. Si nécessaire, des antidépresseurs pourront être prescrits. Si la fatigue est secondaire à une maladie, le traitement variera en fonction de celle-ci.

Fatigue des yeux

La fatigue des yeux est souvent due à une lassitude à l'effort. En général, elle n'est pas grave. Elle peut aussi indiquer une affection oculaire chez les enfants ou un problème de vieillissement chez les personnes de plus de 50 ans. Dans des cas plus rares, la fatigue oculaire est due à la présence d'une maladie ou à la prise de médicaments.

Les symptômes se manifestent par des yeux qui chauffent, qui piquent ou qui brûlent, parfois par une sensation de lourdeur dans les paupières ou par une pression dans l'œil.

Quelquefois, la fatigue oculaire peut s'accompagner de maux de tête, d'étourdissements et de nausées.

QUELLES SONT LES CAUSES ?

Environnement

- ***Air climatisé;***
- ***Système de chauffage;***
- ***Fumée de cigarette ou en usine;***
- ***Poussière industrielle ou autre.***

Type d'activité

- ***Passer plusieurs heures par jour devant la télévision ou un terminal vidéo;***
- ***Travailler régulièrement à l'ordinateur;*** 15 % des personnes qui travaillent longtemps à l'ordinateur éprouvent de la fatigue oculaire; 20 minutes devant un écran d'ordinateur causent, chez plus de 60 % des personnes, une fatigue des yeux accompagnée de maux de tête, d'étourdissements et parfois même de nausées.

Vieillissement

- ***Principal responsable de la fatigue oculaire après 50 ans;*** le corps sécrète moins de larmes, ce qui cause un assèchement des yeux.

Déviation ou faiblesse de l'œil

- ***Strabisme latent ou phorie,*** c'est-à-dire un problème de mise au point de la vision, caractérisé par une tendance à la déviation externe ou interne de l'œil. La personne qui en souffre a de la difficulté à garder les yeux alignés, on dira qu'elle « louche » ;

- *Spasme d'accommodation ou vue qui s'embrouille,* qui provient d'une difficulté de l'œil à faire sa mise au point, que ce soit de près ou de loin. Cela se produit surtout chez l'enfant de sept ou huit ans, lorsqu'il regarde trop longtemps au tableau de l'école ;
- *Insuffisance de convergence,* une autre faiblesse de l'œil rencontrée chez l'enfant, qui ne parvient pas à bien voir de près avec ses deux yeux en même temps. Ainsi, dans l'effort d'essayer de lire, sa vision se brouille et il finit par avoir mal à la tête ;
- *L'hypermétropie,* ou anomalie de la vision qui a pour résultat de ne pas voir de près, et l'astigmatisme, un défaut de la courbure de la cornée, peuvent, lorsque non corrigés, générer une fatigue des yeux, dans leur effort à bien voir.

Maladies ou médicaments

- ***Certaines maladies peuvent amener une sécheresse dans les yeux :***
  - polyarthrite rhumatoïde ;
  - médicaments, tels les diurétiques ;
  - antidépresseurs, tels que l'atropine, le lithium et le bentylol.

CONSEILS PRATIQUES

Appliquer des compresses d'eau tiède sur les paupières, si les yeux sont secs. Vous pouvez également laisser couler un filet d'eau tiède dans chacun des yeux. Il n'est pas nécessaire d'utiliser de l'eau stérile : celle du robinet convient. Assurez-vous que l'eau n'est pas trop chaude.

Utiliser des larmes artificielles. Elles calmeront temporairement les yeux sensibles et irrités. Vous les trouverez en vente libre à la pharmacie.

Battre des paupières et cligner des yeux. La tendance à fixer le regard, sur un écran d'ordinateur ou de télévision, par exemple, fait oublier de battre des paupières et cause la déshydratation des yeux. Clignez souvent des yeux afin de rétablir leur film lacrymal.

Humidifier l'air de la chambre durant la nuit. Installez un humidificateur ou placez un bol d'eau sur le radiateur de votre chambre. Vos yeux resteront plus humides pendant votre sommeil. Vous éviterez ainsi de vous réveiller avec les yeux rougis, collés ou qui brûlent.

Prévoir une pause de travail à l'ordinateur. Détournez-vous de l'écran, durant quelques minutes, après chaque heure de travail. Vous diminuerez ainsi le risque de fatiguer vos yeux à fixer trop longtemps un écran cathodique.

Améliorer son environnement de travail. Abaissez la luminosité de votre écran d'ordinateur ou installez un écran antireflet. Réglez-en l'intensité, de sorte que les lettres soient beaucoup plus contrastées que le fond de l'écran. La hauteur de votre bureau devrait être adaptée à votre taille et l'écran rapproché du clavier afin de diminuer le champ visuel.

Ne pas fréquenter des lieux pollués. Ils peuvent augmenter la sécheresse des yeux : fumée de cigarette, chaufferette dans l'auto, air climatisé, poussière.

Consulter un médecin quand il y a un problème. Souvent, les gens regrettent de n'avoir pas vu un médecin plus tôt, car l'examen n'est pas douloureux et le remède est efficace.

Pourquoi a-t-on moins de larmes en vieillissant ?

Le liquide des larmes, appelé film lacrymal, est constitué de trois couches : une couche externe, une huile sécrétée par la glande lacrymale, qui aide à prévenir l'assèchement des yeux ; une couche moyenne et aqueuse qui oxygène la cornée ; et une couche interne, dite mucineuse, qui sécrète un agent mouillant naturel qui permet de répandre uniformément les larmes. En vieillissant, le nombre de cellules, constituant chacune de ces trois couches, diminue, ce qui provoque un assèchement des yeux.

QUAND CONSULTER ?

- Vos yeux sont irrités, rouges, secs, démangent et pleurent abondamment.
- Vous avez la vue qui s'embrouille.
- Vous avez des migraines quand vous lisez.
- Vous voyez des taches brillantes et des zigzags scintillants.
- Vous êtes très sensible à la lumière.
- Vous souffrez de polyarthrite rhumatoïde et vous avez la bouche sèche.

QUE SE PASSE-T-IL LORS DE L'EXAMEN ?

Afin de déterminer le degré de sécheresse de vos yeux, le médecin vous fera passer le test de Shirmer ou de Rose Bengale, qui consiste à évaluer le degré de sécheresse des yeux (on met une petite bande de papier buvard dans le coin interne de l'œil et on mesure après quelques minutes la longueur du papier imprégnée par les larmes).

Pour les cas de strabisme ou autres déviations de l'œil, un examen spécialisé de la vue sera effectué.

Enfin, il est recommandé de faire passer un examen oculaire complet aux enfants vers l'âge de quatre ans, parfois plus jeunes.

Les spasmes ou le tressautement des paupières

Les spasmes musculaires des paupières – ce tressautement incontrôlable médicalement est appelé « blépharospasme » – sont associés à la fatigue, au stress et à l'anxiété. Ils se manifestent aussi chez les personnes qui souffrent de migraine.

Habituellement, les contractions spasmodiques ne durent pas longtemps et cessent d'elles-mêmes. Le repos et la diminution du stress aident à améliorer la situation. Dans les cas très incommodants et récalcitrants à tout traitement, il y a parfois lieu de prescrire des injections de Botox pour paralyser le muscle qui contracte la paupière. Cela ne nuit aucunement au fonctionnement normal de la paupière et l'effet dure entre quatre et six mois.

QUEL EST LE TRAITEMENT ?

Traitement habituel

Dans 99 % des cas de fatigue des yeux, des larmes artificielles ou un lubrifiant en pommade seront prescrits. Des médicaments plus spécifiques pourront aussi être prescrits en présence de problèmes majeurs de sécheresse de l'œil.

Déviation et faiblesse de l'œil

Pour traiter les problèmes de strabisme et d'insuffisance de convergence, le médecin prescrira des exercices de rééducation de la motricité des yeux, exécutés sous la surveillance d'un technicien (un orthoptiste) pour améliorer la vision avec les deux yeux.

Dans le cas de spasmes d'accommodation, il sera recommandé à l'enfant de se détendre, de changer d'activité ou de fermer les yeux quelques instants afin de ramener la vision normale. Le port de lunettes sera conseillé pour corriger l'hypermétropie et l'astigmatisme.

Fièvre

Lorsque l'organisme combat une agression par des agents infectieux, les globules blancs sécrètent des substances pyrogènes (qui produisent de la chaleur). Celles-ci vont alors stimuler l'hypothalamus (région du cerveau qui, entre autres fonctions, règle la température interne). Il s'ensuit alors une élévation anormale de la température du corps qu'on appelle fièvre.

La température normale du corps fluctue au cours de la journée. Elle se situe en moyenne autour de 37 °C si elle est prise par voie orale, et de 37,5 °C si elle est prise par voie rectale.

Il ne faut pas confondre la fièvre avec l'hyperthermie. Celle-ci consiste également en une élévation de la température corporelle, mais elle est due à des facteurs extérieurs, tels que des activités physiques intenses ou une ambiance surchauffée.

La fièvre se manifeste comme suit:

- température orale de 38 °C et plus;
- température rectale de 38,5 °C et plus;
- peut être accompagnée de frissons, de courbatures, d'une impression de grande fatigue ou d'un mauvais état général.

QUELLES SONT LES CAUSES ?

- ***Infections*** *causées par des virus,* des bactéries, des champignons ou des parasites, responsables de plusieurs maladies (grippe, rhume, otite, pneumonie, bronchite, infection urinaire, infection du foie, gastroentérite, etc.). L'infection est la cause la plus fréquente de la fièvre;
- ***Certains médicaments*** donnés à trop forte dose pour le patient (dont ceux pour la thyroïde et les excitants du système nerveux central, comme le Ritalin) ou l'association de plusieurs médicaments;
- ***Épisodes aigus de maladies inflammatoires,*** telles que l'arthrite et la maladie de Crohn;
- ***Certains cancers*** peuvent se manifester par une fièvre persistante;
- ***Drogues,*** comme l'ecstasy, la cocaïne et les amphétamines (speeds).

CONSEILS PRATIQUES

Attendre. Comme la fièvre est un mécanisme de défense, il n'est pas nécessaire de la traiter si elle se situe entre 38 °C et 39 °C. On fait baisser la fièvre soit pour se sentir mieux, soit parce qu'elle dépasse les 39 °C par voie orale ou 39,5 °C par voie rectale.

Ne pas utiliser d'alcool à friction. Il est déconseillé d'utiliser ce produit pour frictionner quelqu'un, car il y a risque d'intoxication par les vapeurs d'alcool. En fait, durant un massage, la peau absorbe l'alcool. Ce traitement n'est d'ailleurs pas très efficace.

Bien choisir son thermomètre. Vous pouvez utiliser les thermomètres au mercure ou à affichage électronique. Les thermomètres que l'on colle sur le front ne sont pas très efficaces, car ils ne prennent que la température de la peau. Il existe des thermomètres buccaux et des thermomètres rectaux. La température rectale est la plus fiable, surtout chez les enfants. Avec un thermomètre au mercure, il faut attendre deux minutes par voie rectale et cinq minutes par voie orale pour connaître la température exacte. Avec un thermomètre électronique, suivez le mode d'emploi.

Se reposer. Votre corps combat une agression. Il a besoin de forces et vous devez l'aider. Gardez le lit ou, du moins, réduisez vos activités.

Prendre des médicaments. Un ou deux comprimés d'acétaminophène (325 mg ou 500 mg) quatre fois par jour, jusqu'à un maximum de 4 g par jour, aideront à faire baisser la fièvre. Des anti-inflammatoires peuvent aussi être utilisés selon la dose recommandée par le fabricant. Vous pouvez prendre un des deux médicaments ou les deux si la fièvre est difficile à maîtriser. Donnez de l'acétaminophène aux enfants. Pour faire tomber la fièvre chez les enfants, utilisez l'acétaminophène avant l'ibuprofène, qui est un anti-inflammatoire à prendre avec précaution par les adultes. L'acétaminophène, que l'on connaît bien, est le médicament tout indiqué. Il faut calculer 15 mg par kilogramme (poids de l'enfant) pour chaque dose. À prendre toutes les quatre à six heures, avec un maximum de cinq doses par jour.

Si l'acétaminophène ne donne pas de résultats, vous pouvez vous tourner vers l'ibuprofène. Le dosage est différent: 30 mg par kilogramme par jour, répartis en trois ou quatre doses qui doivent être espacées de six à huit heures. Ne donnez pas d'ibuprofène à un enfant déshydraté, car cela pourrait causer des dommages rénaux.

Pas d'aspirine pour les enfants. L'aspirine, même l'aspirine pour bébé, est à proscrire. En effet, ce médicament peut provoquer le syndrome de Reye (une maladie très grave – avec atteintes neurologiques, rénales et hépatiques – qui touche surtout les enfants) en présence d'une infection virale. La varicelle est l'infection la plus «dangereuse» dans ce syndrome, mais les autres comportent certains risques. Comme ces infections peuvent se manifester par de la fièvre, il ne faut jamais donner d'aspirine. L'acétaminophène reste le meilleur médicament. On peut commencer à donner de l'aspirine lorsque l'enfant a 14 ans et qu'il a déjà eu la varicelle (s'il n'a jamais eu la maladie, il faut le faire vacciner afin qu'il soit immunisé).

S'hydrater. Il est important de boire pour ne pas se déshydrater (au moins huit verres de liquide par jour). Buvez ce qui vous plaît: eau, jus de fruits ou de légumes, bouillons, boissons gazeuses, café, thé, tisane, etc. Les enfants adorent les jus de fruits surgelés en «popsicle». C'est un bon truc s'ils refusent de boire.

Se rafraîchir. Un bain ou une douche froide, un ventilateur, des compresses humides froides ou même quelques minutes dans la piscine contribuent à réduire la température du corps. Les jeunes enfants supportent mal les bains froids. Préférez les bains à la température ambiante ou faites-leur des compresses tièdes que vous changerez régulièrement.

Éponger la sueur. L'évaporation peut aider à faire baisser la température interne du corps. Épongez le corps du malade à l'eau froide, surtout les régions qui dégagent le plus de chaleur (aisselles et aine).

Chercher le confort. La fièvre peut, tour à tour, vous faire frissonner ou vous donner très chaud. Dans tous les cas, il ne faut pas trop se couvrir pour permettre une diminution de la chaleur.

Manger à son rythme. Si vous vous hydratez bien, vous n'êtes pas obligé de manger si vous n'en avez pas envie. Mais si vous avez faim, mangez légèrement et prenez plusieurs petites collations plutôt que trois gros repas.

Noter l'évolution de la température. Vous comptez aller consulter un médecin? Préparez votre visite en prenant note de votre température, du moment de la prise de la température, de sa durée et des symptômes associés. Cela aidera grandement le médecin à poser un bon diagnostic.

QUAND CONSULTER ?

- La personne atteinte est un bébé de moins de trois mois ou une personne âgée.
- La température se maintient au-dessus de 39 °C depuis plus de 48 heures, malgré la prise de médicaments.
- La fièvre s'accompagne d'une raideur du cou et de maux de tête.
- Vous constatez une détérioration de l'état général ou l'apparition d'autres symptômes, tels qu'une grande fatigue, de la torpeur, des vomissements, etc.
- Vous souffrez d'une maladie cardiaque, de diabète ou de toute autre maladie chronique.

QUE SE PASSE-T-IL LORS DE L'EXAMEN ?

Le médecin procédera à un examen physique complet et notera les informations importantes afin de préciser l'origine de la fièvre. Une formule sanguine, une analyse d'urine et d'autres examens peuvent s'avérer nécessaires. Il arrive parfois que l'on doive hospitaliser le patient pour faire le bilan.

QUEL EST LE TRAITEMENT ?

La fièvre est un symptôme; elle signifie que l'organisme se défend contre une agression. Il faut donc rechercher et déterminer la cause de cette agression puis la traiter adéquatement.

Frissons

Les frissons se définissent comme un tremblement généralisé, fin, irrégulier et passager, accompagné d'une sensation de froid. Ils ne sont pas nécessairement liés à une maladie, surtout s'ils ne durent pas longtemps. Ils peuvent être le signe d'un refroidissement, d'une infection ou d'une maladie sous-jacente, en particulier lorsqu'ils sont accompagnés d'autres symptômes (fièvre, maux de tête, douleurs musculaires).

QUELLES SONT LES CAUSES ?

- ***Refroidissement.*** C'est la principale cause. Lorsqu'il a froid, l'organisme déclenche la contraction de tous les muscles du corps pour augmenter la température. En se contractant, les muscles situés à la base des poils provoquent la chair de poule et les frissons. S'ils deviennent incontrôlables, les frissons peuvent indiquer le premier stade de l'hypothermie ;
- ***Maladies infectieuses***, telles que la grippe, une infection gynécologique ou urinaire, une diarrhée infectieuse, la pneumonie, la bronchite, la sinusite, etc. Dans la plupart des cas, les frissons sont rapidement suivis de fièvre, dans un délai d'environ 15 minutes. Maux de tête et douleurs musculaires peuvent parfois aussi se manifester en cas d'infection virale. L'envahissement de l'organisme par un virus ou une bactérie entraîne une élévation de la température corporelle et une constriction des vaisseaux sanguins. La vasoconstriction cutanée donne la sensation d'avoir la peau froide. Chez les personnes âgées, les frissons peuvent être le signe d'une infection, même en l'absence de fièvre, et entraîner une certaine confusion ;
- ***Malaria ou fièvre typhoïde.*** Ces maladies, contractées lors d'un voyage à l'étranger, se manifestent par des frissons et de la fièvre ;
- ***Diabète.*** Les diabétiques sont sujets aux infections. Des frissons peuvent survenir en présence d'une plaie qui ne guérit pas ;
- ***Intoxication par les stupéfiants.*** Une intoxication à l'héroïne, à la cocaïne, à l'ecstasy, au PCP (phencyclidine) ou à toute autre drogue va provoquer des frissons et de la fièvre, mais également une diminution de l'état de conscience, une grande agitation de tout le corps ainsi que des convulsions ;

- ***Allergies médicamenteuses.*** Dans ce cas, les frissons sont accompagnés de symptômes tels qu'une éruption cutanée, de la fièvre et, parfois, un œdème ;
- ***Maladies sous-jacentes,*** telles qu'un cancer ;
- ***Stress soudain***, tel que celui vécu, par exemple, par quelqu'un qui a failli se faire renverser par une voiture.

CONSEILS PRATIQUES

Maîtriser les symptômes. Un ou deux comprimés d'acétaminophène (325 mg ou 500 mg) quatre fois par jour, jusqu'à un maximum de 4 g par jour, aideront à atténuer les frissons, à faire baisser la température, à soulager les douleurs musculaires et les maux de tête qui peuvent y être associés. Des anti-inflammatoires peuvent également être utilisés selon la dose recommandée par le fabricant. À noter : il faut prendre toutes les doses recommandées si l'on veut éviter le retour des symptômes. Si la température ne baisse pas de façon significative, il peut s'agir d'une infection importante et il faut alors consulter un médecin.

Donner de l'acétaminophène aux enfants. Pour faire tomber la fièvre chez les enfants, utilisez l'acétaminophène avant l'ibuprofène, qui est un anti-inflammatoire que les adultes doivent prendre avec précaution. L'acétaminophène, que l'on connaît bien, est le médicament tout indiqué. Il faut calculer 15 mg par kilogramme (poids de l'enfant) pour chaque dose. À prendre toutes les quatre à six heures, pour un maximum de cinq doses par jour. Si l'acétaminophène ne donne pas de résultats, vous pouvez vous tourner vers l'ibuprofène. Le dosage est différent : 30 mg par kilogramme par jour, répartis sur trois ou quatre doses qui doivent être espacées de six à huit heures. Ne donnez pas d'ibuprofène à un enfant déshydraté, car cela pourrait causer des dommages rénaux.

Pas d'aspirine pour les enfants. L'aspirine, même l'aspirine pour bébés, est à proscrire. En effet, ce médicament peut provoquer le syndrome de Reye (une maladie très grave avec atteintes neurologiques, rénales et hépatiques qui touche surtout les enfants) en présence d'une infection virale. La varicelle est l'infection la plus « dangereuse » pour ce syndrome, mais les autres comportent certains risques. Comme ces infections peuvent se manifester par de la fièvre, il ne faut jamais donner d'aspirine. L'acétaminophène reste le meilleur médicament. On peut commencer à donner de l'aspirine lorsque l'enfant a atteint 14 ans et qu'il a déjà eu la varicelle (s'il n'a jamais eu la maladie, il faut le faire vacciner afin qu'il soit immunisé).

Ne pas utiliser d'alcool à friction. Il est déconseillé d'utiliser ce produit pour frictionner quelqu'un, car il y a risque d'intoxication par les vapeurs d'alcool. Durant un massage, la peau absorbe l'alcool. Ce traitement n'est d'ailleurs pas très efficace.

S'hydrater. Si la fièvre ou l'hypothermie est accompagnée de frissons, il est essentiel de bien vous hydrater.

Ne pas boire d'alcool. L'alcool affecte les facultés mentales et peut masquer d'autres symptômes potentiellement dangereux. Il peut entraîner une perte de connaissance ou provoquer une chute. De plus, par temps froid, l'alcool procure une sensation de chaleur, mais il entraîne éventuellement une perte de chaleur accélérée.

Ne pas utiliser les médicaments prescrits pour une autre personne. Même si vous pensez souffrir du même mal que votre conjoint, par exemple, ne prenez ni ses antibiotiques ni un autre médicament sans l'avis d'un médecin.

Se détendre. En cas de stress important, il faut essayer de se détendre. Au besoin, rassurez la personne éprouvée et laissez-la exprimer ses émotions.

Prendre un bain. Prenez un bain à la température de votre corps pour faire diminuer les frissons.

Se reposer. Si vous avez une infection virale comme la grippe, votre système immunitaire est plus vulnérable au fur et à mesure que la fatigue augmente.

QUAND CONSULTER ?

- Votre enfant a des frissons, de la fièvre, est irritable et léthargique. Si, après avoir reçu des doses suffisantes d'acétaminophène ou d'ibuprofène, l'enfant ne réagit pas beaucoup, consultez un médecin sans délai, car il peut s'agir d'une méningite ou d'une encéphalite. Chez l'enfant, une élévation de la température au-delà de 40 °C peut provoquer des convulsions.
- Vos frissons réapparaissent sans cesse.
- Vous avez des frissons et de la fièvre plus d'une heure après les avoir traités adéquatement.
- La température se maintient au-dessus de 39 °C depuis plus de 48 heures, malgré la prise de médicaments.
- Vos frissons sont accompagnés de troubles respiratoires, de toux et de douleur.
- Vos frissons sont tellement violents que vous en claquez des dents.
- Vous êtes secoué de frissons et vous souffrez d'une maladie qui affecte votre système immunitaire, comme le diabète, un cancer, un lymphome ou la leucémie.
- Vous avez reçu une prothèse de hanche ou une prothèse d'une valve cardiaque (les frissons peuvent être le signe d'une infection).
- Vous prenez des corticostéroïdes oraux (la cortisone, par exemple, diminue l'immunité) et vous avez des frissons.
- Vous avez des frissons après avoir été mordu par un chien ou un chat.
- Vous êtes traité pour un cancer ou êtes en rémission depuis moins de cinq ans et vous avez des frissons.

QUE SE PASSE-T-IL LORS DE L'EXAMEN ?

Le médecin recueillera les informations importantes et procédera à un examen physique complet afin de mettre en évidence d'autres symptômes tels que la douleur, la toux, la fièvre, etc. Des analyses du sang ainsi que des examens de laboratoire pourront être demandés. En cas d'intoxication par des stupéfiants, des examens supplémentaires permettant de mesurer le taux de certaines drogues dans le sang ou dans l'urine peuvent s'avérer nécessaires.

QUEL EST LE TRAITEMENT ?

Maladies infectieuses

On peut prescrire des antibiotiques.

Malaria ou fièvre typhoïde

On trouve sur le marché des médicaments destinés au traitement de ces maladies.

À titre préventif, certains médicaments peuvent être pris avant le départ pour un pays tropical ainsi qu'au retour.

Intoxication par des stupéfiants

Une intoxication à la cocaïne, au PCP ou à toute autre drogue requiert une surveillance – en milieu hospitalier – des fonctions rénale, hépatique et cardiaque jusqu'à ce que le patient ait repris connaissance.

Allergies médicamenteuses

On procédera à un lavage d'estomac dans les six heures qui suivent l'ingurgitation des substances ou, de préférence, on administrera du charbon activé afin qu'il absorbe les médicaments et les empêche de se répandre dans l'organisme.

Maladies sous-jacentes

Le traitement variera en fonction de celles-ci.

Gerçure des lèvres

Les lèvres sont naturellement recouvertes d'une couche protectrice de gras. Leur déshydratation peut entraîner la perte de cette couche protectrice et causer un dessèchement.

Elles peuvent alors se couvrir de petites peaux mortes qui se soulèvent et se détachent, entraînant la formation de fissures plus ou moins profondes. Il s'ensuit des rougeurs ainsi qu'une irritation parfois accompagnée de la formation de croûtes. Ces gerçures peuvent causer des démangeaisons et de l'inconfort. Il arrive parfois même qu'elles s'étendent autour des lèvres ou encore qu'elles persistent plusieurs semaines voire plusieurs mois.

QUELLES SONT LES CAUSES ?

- ***Facteurs héréditaires*** tels qu'une fragilité naturelle, une prédisposition à l'eczéma, une peau sensible et fragile ;
- ***Le fait de se lécher constamment les lèvres.*** La salive contient des substances irritantes qui ont pour but de préparer les aliments à la digestion. Le fait de se lécher les lèvres sans arrêt a pour effet de détruire leur protection naturelle ;
- ***Froid et excès de chauffage en hiver ;***
- ***Certains troubles des voies respiratoires supérieures*** comme la sinusite ou la rhinite allergique, obligeant à respirer par la bouche. Le passage constant de l'air cause un dessèchement des muqueuses ;
- ***Élément déclencheur tel que la pratique d'un sport d'hiver chez les jeunes.*** Ces derniers ne pensent pas toujours à hydrater leurs lèvres au cours de leurs activités sportives et auront tendance à les mouiller avec leur salive ;
- ***Allergies à certains dentifrices, rince-bouche ou rouges à lèvres.*** En général, l'intérieur de la bouche n'est pas touché. L'allergie se manifeste plutôt sur les lèvres, le menton ou aux commissures de la bouche. Certains rouges à lèvres peuvent même provoquer une photodermite après une exposition au soleil ;
- ***Fruits et légumes*** tels que la mangue, le céleri et la lime ;

- ***Certains médicaments,*** l'Accutane, par exemple, utilisé dans le traitement de l'acné, peuvent dessécher les lèvres. Les antihistaminiques, les antidépresseurs et les médicaments utilisés pour abaisser le taux de cholestérol peuvent également produire le même effet ;
- ***Carence en vitamine B.*** Elle se rencontre rarement dans les pays développés.

CONSEILS PRATIQUES

Éviter de se lécher constamment les lèvres. Plus vous les mouillez, plus vous les desséchez.

Éviter de gratter, d'arracher les peaux ou de toucher ses lèvres. Vous empêchez ainsi la cicatrisation et augmentez le risque d'infection des plaies et d'aggravation du problème.

Utiliser un humidificateur. Il peut aider à conserver l'hydratation naturelle des lèvres.

Qu'est-ce que la perlèche ?

La perlèche est une gerçure qui se forme à la commissure des lèvres. Dans certains cas, elle peut être due à des bactéries (streptocoques, staphylocoques) ou à des champignons (*Candida albicans*). Elle est caractérisée par la formation de fissures et de croûtes humides aux coins des lèvres. On la confond parfois avec le « feu sauvage » ou herpès, caractérisé par la présence de petites vésicules transparentes, groupées sur une tache congestive. Provoqué par un virus, l'herpès peut également s'observer sur les lèvres ou leurs commissures. De façon générale, la forme des lèvres est responsable de la perlèche. Celle-ci provient souvent d'un mauvais ajustement des prothèses dentaires, ce qui cause à la longue une atrophie progressive des gencives et de l'ossature supportant la prothèse, entraînant la formation d'un pli à la commissure des lèvres. Il s'ensuit alors un contact constant de cette partie des lèvres avec la salive qui provoque une irritation (*voir la section Quel est le traitement ?*).

Appliquer un corps gras. Il protégera vos lèvres de la déshydratation. Ayez toujours sur vous un baume pour les lèvres et appliquez-le régulièrement au besoin.

Éviter les mouvements brusques ou qui étirent les lèvres. Du moins avant d'avoir appliqué un corps gras. Ils risquent d'ouvrir les plaies ou les fissures présentes.

Éviter les boissons chaudes et les aliments acides. Ils peuvent causer brûlures et irritations.

QUAND CONSULTER ?

- Vous avez toujours les lèvres gercées même après avoir suivi les conseils mentionnés ci-dessus.
- Vos lèvres deviennent gercées à la suite d'une maladie de peau ou de la prise de médicaments.

QUE SE PASSE-T-IL LORS DE L'EXAMEN ?

Le médecin posera différentes questions concernant l'hygiène buccale et les produits utilisés. Il vérifiera si le problème est d'origine héréditaire, s'il existe une déficience vitaminique ou une maladie sous-jacente. Si le patient éprouve des démangeaisons, le médecin procédera à des analyses pour déterminer s'il s'agit d'une maladie ou

Attention au soleil !

Les personnes ayant une peau sensible au soleil comme celles aux cheveux blonds ou roux, les personnes âgées ou encore celles ayant une profession qui les expose au soleil pendant de longues périodes, comme les travailleurs de la construction, peuvent constater des changements de l'état de leurs lèvres. Il s'agit parfois de signes précancéreux qui peuvent apparaître au départ comme une simple sécheresse des lèvres. L'application d'un baume muni d'un écran solaire permet d'éviter une aggravation. Néanmoins, tout changement notable de l'aspect des lèvres nécessite une consultation médicale.

d'une allergie. Selon les résultats, il vérifiera avec le patient les produits qui peuvent être en cause.

QUEL EST LE TRAITEMENT ?

De façon générale, un baume pour les lèvres avec ou sans cortisone, de la vaseline ou un corps gras doit être appliqué régulièrement, selon le besoin.

Facteurs héréditaire

Un onguent protecteur et hydratant avec cortisone ainsi que des anti-inflammatoires seront prescrits.

Perlèche

Il faut traiter la gerçure et l'infection. La bactérie sera traitée à l'aide d'un onguent antibiotique et les champignons à l'aide d'un antifongique topique. Dans le cas d'un problème relié aux prothèses, il faudra au besoin corriger la forme de celles-ci. La perlèche est également fréquente chez les trisomiques. Lorsque la fissure est profonde, le médecin peut appliquer un diachylon pour immobiliser la lésion et ainsi favoriser sa cicatrisation.

Changement précancéreux

En cas de doute, le médecin pourra confirmer le diagnostic en utilisant le 5-fluorouracile topique, un agent chimique qui réagit peu aux cellules normales. Au besoin, une biopsie permettra de préciser le diagnostic.

Gonflement des yeux

Le gonflement des paupières supérieures et inférieures est un problème généralement sans gravité.

Il se présente de la façon suivante :

- gonflement des yeux, surtout le matin ;
- parfois accompagné de rougeur et de démangeaisons.

QUELLES SONT LES CAUSES ?

- ***Habitudes de vie,*** telles que l'abus d'alcool, la consommation d'aliments salés avant de se coucher, le manque de sommeil et une piètre qualité de repos ;
- ***Allergies*** aux oreillers de plume, au tissu des draps ou aux crèmes pour le visage, par exemple ;
- ***Certaines maladies ou affections*** telles que la blépharite (inflammation de la paupière), la cellulite orbitaire (infection des tissus de l'orbite), une affection rénale, des troubles de la glande thyroïde, un chalazion (petite tumeur bénigne sur les paupières) ;
- ***Vieillissement et changement hormonal.*** Avec l'âge, la peau perd de son élasticité et peut s'accumuler autour des yeux ; c'est un phénomène irréversible. En outre, le changement hormonal pendant les règles et la période qui les précède entraîne parfois une rétention d'eau, qui se traduit notamment par le gonflement des yeux.

CONSEILS PRATIQUES

Faire des compresses. Appliquez des compresses tièdes sur les yeux quatre fois par jour ou lavez-vous le visage à l'eau froide. Cela active la circulation du sang et peut donc aider à diminuer le gonflement.

Éviter de pincer les paupières. Cela aggraverait l'œdème.

Tapoter doucement. Une légère pression du bout des doigts autour des yeux pourra stimuler la circulation des vaisseaux sanguins.

Utiliser un masque. Vous pouvez acheter en pharmacie un masque pour les yeux – masque rempli d'eau froide – ou un gel calmant que vous appliquerez pendant quelques minutes au réveil. Si vous n'en avez pas, des cuillères très froides feront l'affaire.

Essayer les sachets de thé. Bien essorés et bien refroidis, des sachets de thé posés sur les yeux fermés pendant 15 minutes permettront de diminuer le gonflement. L'acide tannique contenu dans le thé maîtrise l'inflammation. De fait, son effet vasoconstricteur fait contracter les vaisseaux sanguins, donc il y a moins d'enflure.

Prendre des diurétiques. Si vous avez tendance à être gonflée quelques jours avant vos règles, des diurétiques obtenus sans ordonnance, comme le Midol, pourront également être efficaces. Il est conseillé de faire vérifier sa tension artérielle avant de prendre ces médicaments, car ils peuvent la faire diminuer.

Se maquiller. Pour dissimuler le gonflement des paupières supérieures, commencez par appliquer un masque cerne plus foncé que votre carnation sur la paupière mobile, puis votre maquillage habituel. Pour cacher des poches sous les yeux, utilisez la même technique.

Prévenir le gonflement des yeux. Si vous êtes sujet à avoir les yeux gonflés le matin, prenez certaines précautions :

- surélevez la tête de votre lit pour favoriser la circulation sanguine ;
- évitez de boire avant de vous mettre au lit, car, si vous avez déjà de l'œdème aux yeux, boire avant de vous coucher accentuera le problème ;
- évitez de consommer de la nourriture salée à l'heure du coucher ;
- préférez des fonds de teint à base d'eau plutôt qu'à base d'huile, car ces derniers irritent la peau délicate autour de l'œil ;
- en cas d'allergie aux oreillers de plume, choisissez des oreillers de fibres synthétiques ;
- si vous êtes allergique aux crèmes pour le visage, utilisez une crème hypoallergique.

QUAND CONSULTER ?

- Vous avez les yeux bouffis, rouges et irrités depuis plus d'une semaine.

QUE SE PASSE-T-IL CHEZ LE MÉDECIN ?

Un examen complet des yeux est d'ordinaire suffisant au médecin pour poser un diagnostic et recommander un traitement.

QUEL EST LE TRAITEMENT ?

Dans le cas d'allergies, des antihistaminiques seront prescrits.

La blépharite sera soignée à l'aide de pommades antibiotiques sur la paupière.

La cellulite orbitaire se traite à l'aide d'antibiotiques par voie orale.

S'il s'agit d'un chalazion, une intervention chirurgicale mineure pourra être effectuée si les médicaments se sont révélés inefficaces. Il faut aller drainer (ouvrir) la glande sébacée qui a gonflé et causé la petite tumeur bénigne. L'intervention se fait sous la paupière et ne laisse aucune cicatrice.

Pour un problème d'esthétique, comme le vieillissement prématuré, une blépharoplastie pourra être suggérée. Il s'agit d'une opération mineure, qui consiste à enlever le tissu de peau superflu sur les paupières.

Grosseur à l'aine

Une grosseur à l'aine peut avoir plusieurs origines, mais, dans la plupart des cas, il s'agit d'un problème bénin. Il ne faut donc pas s'en inquiéter outre mesure. Cela peut survenir même si l'on est en parfaite santé.

Une grosseur à l'aine se manifeste comme suit :

- apparition d'une bosse à l'aine, parfois aux deux aines ;
- avec ou sans douleur ;
- de consistance molle ou dure ;
- de taille variable, comme une noisette, un œuf, un citron et même davantage ;
- peut s'accompagner de fièvre et d'une rougeur à l'aine.

QUELLES SONT LES CAUSES ?

- ***Hernie.*** La hernie est une protubérance causée par un organe, ou une partie d'organe, sorti de la cavité abdominale qui le contient normalement. Deux types de hernies peuvent entraîner des grosseurs à l'aine : la hernie inguinale, la plus courante, et la hernie crurale (ou fémorale). Dans les deux cas, la masse peut être molle ou dure, douloureuse ou non et de taille variable. Chez l'adulte, les hernies de l'aine se produisent lors d'efforts physiques excessifs en raison d'une faiblesse de la paroi abdominale. Une hypertrophie de la prostate, qui oblige l'homme à forcer pour uriner, augmente aussi les risques de voir le péritoine (membrane qui tapisse la cavité abdominale) s'engager dans le canal inguinal (zone située à deux travers de doigt au-dessus du pli de l'aine). Chez les bébés de sexe masculin, la hernie inguinale reste un phénomène relativement fréquent. Elle se produit lorsque le canal inguinal ne se referme pas après la migration du testicule (parfois des deux) dans le scrotum (bourses) avant la naissance ;
- ***Inflammation ganglionnaire.*** La défense de l'organisme est assurée par les ganglions du cou, des aisselles et des aines. Ensemble ou séparément, les ganglions gonflent pour bloquer une infection. Ils grossissent et deviennent douloureux ; ils s'accompagnent parfois

de fièvre et de rougeur locale. Et si un ganglion de l'aine comprime les nerfs de la jambe et des cuisses, la douleur peut irradier jusque-là. Les infections transmissibles sexuellement (ITS), les blessures, les virus et différentes bactéries peuvent déclencher une réaction ganglionnaire ;

- *Cancer.* Dans certains cas plus rares, les ganglions gonfleront pour se défendre contre le cancer. Il peut s'agir d'un cancer des ganglions – la ou les bosses à l'aine seront très évidentes –, mais tous les cancers de la prostate, du foie, du côlon, du rectum, de l'anus et du canal anal peuvent donner des métastases à l'aine. Ces métastases se présentent sous forme de bosses dures, irrégulières (mal définies), parfois agglomérées (rapprochées les unes des autres) et rarement douloureuses.

CONSEILS PRATIQUES

Ne pas négliger de consulter un médecin. Même si la grosseur n'est pas douloureuse ou si elle est peu apparente, consultez votre médecin.

Vérifier s'il s'agit d'une hernie. Il existe un moyen très simple de vérifier s'il s'agit d'une hernie inguinale ou fémorale : couchez-vous sur le dos. Si la bosse disparaît – si elle rentre dans l'aine –, c'est une hernie à coup sûr. Si la bosse est douloureuse et ne disparaît pas lorsque vous êtes en position couchée, il peut s'agir soit d'un autre problème de santé, soit, mais c'est très rare, d'une hernie irréductible.

Garder la forme. Une bonne musculature constitue une protection contre les hernies, parce que les tissus sont plus solides. Un exercice physique pratiqué régulièrement permet de conserver une bonne musculature. Mais si vous êtes sédentaire, recommencez les activités physiques graduellement. Méfiez-vous au début des sports violents, car des efforts excessifs pourraient vous causer une hernie.

Se méfier des griffes des animaux. Une égratignure provoquée par un chat ou un chien risque de transmettre un virus dans votre organisme. Le système ganglionnaire devra se défendre et il est fréquent que les ganglions de l'aine enflent, même si la plaie a été désinfectée. Pour plus de sûreté, vous pouvez faire dégriffer votre chat et limer les griffes de votre chien. N'oubliez pas de faire régulièrement vacciner vos animaux domestiques.

Mener une vie sexuelle protégée. Avoir un comportement sécuritaire aide à prévenir les inflammations ganglionnaires des aines causées par les infections transmissibles sexuellement (ITS).

QUAND CONSULTER ?

- Vous constatez que vous avez une bosse à l'aine.
- Une grosseur douloureuse nécessite une consultation immédiate.

QUE SE PASSE-T-IL LORS DE L'EXAMEN ?

Pour diagnostiquer une hernie, un examen physique suffit généralement. S'il le juge nécessaire, le médecin aura recours à des analyses sanguines ainsi qu'à une biopsie. Le résultat de la biopsie permettra de vérifier la nature des cellules et de connaître la cause de l'augmentation de volume des ganglions. D'autres tests, comme le *scanner* ou l'échographie abdominale et de l'aine, sont de plus en plus utiles pour un diagnostic précis.

QUEL EST LE TRAITEMENT ?

Hernies

La hernie inguinale ou fémorale, ainsi que la hernie irréductible sont corrigées par une intervention chirurgicale afin de replacer l'organe dans la cavité abdominale et de réparer la paroi abdominale. Après l'opération, des analgésiques et un repos de quelques jours sont nécessaires. De plus, le patient ne devra pas forcer pendant six semaines et éviter les sports de contact durant deux à trois mois.

Dans le cas d'une hernie inguinale chez un bébé, il faut descendre le testicule qui n'a pas bien migré et le fixer dans le scrotum au cours de l'intervention. Il importe de savoir qu'il y a des dangers pour la fertilité si le testicule reste trop longtemps dans le canal inguinal (cryptorchidie). S'il est replacé avant l'âge de cinq ou six ans, la hernie sera sans conséquence pour le testicule. Par contre, à la préadolescence, un testicule non descendu devra être enlevé afin d'éviter l'apparition d'un cancer. Toutefois, l'autre testicule sera souvent suffisant pour garantir la fertilité.

Inflammation ganglionnaire

L'infection ganglionnaire sera traitée à l'aide d'antibiotiques.

Cancer

Dans un tel cas, le traitement requis sera entrepris sans délai.

Gueule de bois

Presque tous les adultes ont connu au moins une fois dans leur vie ce qu'on appelle «le lendemain de veille», c'est-à-dire le lendemain pénible qui suit une fête bien arrosée. Si la «gueule de bois» classique est sans conséquence, il en va autrement si elle est fréquente ou si elle fait suite à une consommation d'alcool trop élevée: dans les cas extrêmes, l'individu peut même tomber dans le coma. Par ailleurs, les études médicales se contredisent quant à savoir si la gueule de bois peut entraîner ou non des anomalies comportementales.

La tolérance à l'alcool varie selon les individus: les quantités quotidiennes à ne pas dépasser sont de trois consommations pour les hommes, et de deux pour les femmes, sauf en cas de grossesse, bien sûr (une consommation correspond environ à un verre de vin ou à une bière). La gueule de bois est une période d'inconfort caractérisée par les malaises suivants:

- perturbation du sommeil (habituellement, le sujet s'endort rapidement et se réveille très tôt). Le sommeil est non réparateur;
- sensation de soif;
- maux de tête;
- humeur maussade;
- irritabilité et nervosité;
- nausées et vomissements;
- étourdissements;
- irritation de l'œsophage;
- irritation de l'estomac;
- odeur acétonique (acide) dégagée par l'haleine et le corps;
- ralentissement des réflexes;
- amnésie (oubli de tout ce qui est survenu après le début de la consommation – *black out*);
- tremblements;
- parfois vomissement de sang;
- palpitations cardiaques dans les cas graves;
- coma dans les cas extrêmes.

QUELLES SONT LES CAUSES ?

- ***Déshydratation.*** À des doses excessives, l'alcool a un effet déshydratant ;
- ***Destruction de la vitamine C*** ;
- ***Troubles électrolytiques.*** Les électrolytes, tels que le phosphore, le potassium ou le calcium, sont les sels minéraux de l'organisme. Ils permettent la transmission des influx nerveux vers les muscles. L'excès d'alcool rompt l'équilibre entre ces substances ;
- ***Chute de la glycémie (taux de sucre sanguin).*** L'alcool fait augmenter la sécrétion d'insuline, ce qui fait baisser le taux de sucre ;
- ***Acidose.*** Le pH de l'organisme devient plus acide. Ce phénomène, qui peut être attribuable à un excès d'alcool ou à une maladie telle que le diabète, interagit avec le déséquilibre des électrolytes, ce qui entraîne notamment un ralentissement des réflexes ;
- ***Irritation de l'œsophage ou gastrite hémorragique.*** L'action toxique de l'alcool cause des vomissements de sang dans les cas graves ;
- ***Les maux de tête (céphalées)*** pourraient s'expliquer par une substance toxique (l'acétaldéhyde) qui se libère durant la dégradation de l'alcool dans le sang, par des additifs présents dans certains produits ou par les impuretés que l'on peut trouver dans les alcools distillés.

CONSEILS PRATIQUES

Boire beaucoup. L'une des premières causes de la gueule de bois, c'est la déshydratation causée par l'alcool. Avant de vous coucher et quand vous vous levez, buvez beaucoup d'eau. Vous pouvez aussi boire du Gatorade, utilisé par les sportifs, ou du bouillon salé (de bœuf, de poulet ou de légumes), qui remplaceront les sels minéraux (surtout le sodium) que vous avez perdus. Boire beaucoup est la plus importante mesure à prendre pour éviter les maux de tête, bien tolérer l'alcool et récupérer de ses effets sans problème.

Éviter tous les mets acides. Ce n'est pas particulièrement le moment de boire du jus d'orange !

Éviter le café. En plus d'être irritant, le café est un diurétique qui ne fera qu'aggraver la déshydratation.

Ne pas prendre d'aspirine ni d'acétaminophène. L'aspirine risque d'augmenter la concentration d'alcool dans le sang et d'irriter davantage votre estomac. Quant à l'acétaminophène (p. ex. : Tylenol), dans votre état, il peut être toxique pour le foie.

Ne pas faire confiance aux recettes de nos grands-mères. Les remèdes du genre bière et jus de tomate pour un «lendemain de veille» ne feront qu'aggraver le problème. Par ailleurs, si vous êtes obligé de recourir à ces recettes pour diminuer vos tremblements, il faut probablement y voir un symptôme de sevrage dû à un phénomène de dépendance à l'alcool.

Renoncer à sa journée de travail si son emploi met en jeu la sécurité du public. Si vous êtes chauffeur d'autobus ou pilote d'avion, vous pourriez mettre en péril la sécurité des passagers. De même, si votre travail exige une motricité fine, vous risquez d'avoir un très mauvais rendement et d'être compromis dans vos habiletés.

Prendre de la vitamine C. L'alcool réduit la quantité de vitamine C dans l'organisme. Prenez-en cependant à faibles doses, car la vitamine C est acide et vous devez, dans votre cas, éviter les substances acides. Les complexes de vitamines B peuvent aussi être utiles, en particulier la thiamine.

Prendre un antiacide au besoin. Cela soulagera vos maux d'estomac et vos douleurs œsophagiennes.

Éviter de manger certains aliments lors d'une soirée bien arrosée. Se bourrer de croustilles (*chips*) ou d'autres amuse-gueules salés, comme des bretzels, n'est pas une bonne idée puisqu'ils donnent très soif et vous risquez de vouloir vous désaltérer en prenant plus de consommations alcoolisées. C'est d'ailleurs pourquoi, dans de nombreux bars ou discothèques, on offre gracieusement un bol de croustilles ou d'arachides. La consommation d'alcool avec les aliments salés accélère le processus de déshydratation.

Éviter les endroits enfumés. L'effet combiné de la fumée et de l'abus d'alcool est déconseillé. Ils contiennent tous deux de l'acétaldéhyde, qui exerce une action particulièrement toxique sur le foie, qui participe au phénomène de la gueule de bois.

Faire attention si on prend des médicaments. Combinés à l'alcool, les antidépresseurs, neuroleptiques ou sédatifs peuvent empirer la gueule de bois.

QUAND CONSULTER ?

- Vos malaises persistent au-delà de 36 heures, malgré les conseils d'usage.

QUE SE PASSE-T-IL LORS DE L'EXAMEN ?

Le médecin procédera à un examen clinique. S'il soupçonne une acidose diabétique, il pourra demander une analyse en conséquence. Dans certains cas, il demandera un dosage des électrolytes ou une analyse du pH veineux ainsi qu'un dosage de la glycémie.

QUEL EST LE TRAITEMENT ?

Outre les conseils d'usage, le médecin pourra prescrire un antiacide et des inhibiteurs de la pompe à protons (des médicaments qui empêchent la production d'acide par l'estomac). Dans les cas très graves, si le patient vomit du sang ou s'il a des selles noires, une investigation plus en profondeur devrait être faite à l'urgence d'un hôpital.

Hallucinations

L'hallucination est une altération des sens de la vue et de l'ouïe qui fait voir ou entendre des choses qui n'existent pas, comme le fait de percevoir un bruit dans une pièce tout à fait silencieuse. De tels phénomènes touchent parfois aussi l'odorat, le goût et le toucher. La personne peut ainsi avoir l'impression d'être frôlée alors qu'elle se trouve seule. Elle peut aussi sentir une odeur de cuisine quand aucun mets ne mijote sur la cuisinière ou dans le four.

L'hallucination se produit lorsque le cerveau n'est plus capable de saisir et d'interpréter correctement les sensations provenant du milieu extérieur. Mais la personne ne se rend pas toujours compte que ce qu'elle voit ou entend est irréel. Elle n'est donc pas capable de critiquer ses hallucinations ni de les mettre en doute. Par conséquent, elle n'ira pas nécessairement voir le médecin.

Mis à part les phénomènes hallucinatoires dits «normaux» qui surviennent lorsque le cerveau s'endort ou s'éveille (p. ex.: avoir une vision fugitive juste avant l'endormissement ou bien se réveiller la nuit en sursaut, certain d'avoir entendu la sonnerie du téléphone), les autres genres d'hallucinations doivent être considérés comme anormaux et requièrent une consultation médicale.

Même si les causes d'hallucinations sont multiples, elles peuvent se regrouper en trois grandes catégories: les hallucinations liées à des problèmes de santé mentale, les hallucinations liées à des troubles organiques et les hallucinations liées à la consommation de drogues, d'alcool ou de médicaments.

QUELLES SONT LES CAUSES ?

- ***Problèmes de santé mentale.*** La schizophrénie, la dépression majeure, un choc émotionnel profond (deuil) et la manie (excitation pathologique qui se manifeste, entre autres, par des idées de grandeur, par le besoin de dépenser excessivement…) sont les principaux désordres psychologiques qui peuvent causer des hallucinations. Il y a aussi les démences telles que la maladie d'Alzheimer;

- ***Troubles organiques.*** Diverses affections organiques, comme la cataracte, le glaucome, les tumeurs au cerveau, l'épilepsie, l'insuffisance rénale, le surmenage, la diminution de l'ouïe, ainsi que la déshydratation grave (le fameux mirage de l'oasis dans le désert!) peuvent entraîner une altération des sens;
- ***Drogues et alcool.*** La consommation de certaines drogues (LSD, cocaïne, marijuana, champignons hallucinogènes) peut amener des hallucinations passagères. La consommation invétérée d'alcool ou de drogues risque aussi d'entraîner des hallucinations chroniques, qui surviennent même lorsque l'effet des substances s'est dissipé;
- ***Médicaments.*** Plusieurs médicaments – antihistaminiques, antidépresseurs, anxiolytiques, hypnotiques – peuvent causer des hallucinations, surtout si la dose est excessive ou s'ils sont pris avec d'autres médicaments ou avec de l'alcool.

CONSEILS PRATIQUES

Consulter le médecin. Libérez-vous de la gêne et confiez au médecin que vous avez des hallucinations. Il en recherchera les causes.

Demeurer attentif. Si vous croyez qu'un de vos proches souffre d'hallucinations, dépistez les attitudes bizarres: observer ou écouter quelque chose dans le vide, parler à un interlocuteur invisible, etc. Si vous avez des doutes, posez-lui directement la question. Vous pouvez aussi lui suggérer d'aller voir le médecin et n'hésitez surtout pas à l'accompagner. De lui-même, il ne se rend pas forcément compte de ce qu'il se passe.

Chercher de l'aide. Plusieurs associations viennent en aide aux personnes atteintes d'une maladie mentale, d'une démence ou de toxicomanie. Elles vous fourniront informations, conseils et soutien. Informez-vous auprès de votre CLSC.

Ne pas écouter les «voix». Parfois, les hallucinations auditives ont un caractère impératif: des voix suggèrent et même ordonnent d'accomplir des gestes, par exemple d'ouvrir une porte, d'aller au sous-sol ou encore de téléphoner à quelqu'un. Mais les « ordres » peuvent prendre une allure plus grave. Ils peuvent dicter à la personne de se suicider, d'attaquer quelqu'un, de mettre le feu, etc. Si l'un de vos proches vous confie qu'il entend des voix, informez-vous de la teneur des messages. Si les messages comportent des ordres de commettre des agressions sur soi ou sur autrui, il s'agit d'une urgence médicale. Cela est particulièrement important s'il s'agit d'un phénomène récent et que la personne n'a pas l'habitude de composer avec de tels messages et, surtout, d'y résister. Dans un tel cas, une consultation médicale dans les plus brefs délais est recommandée.

QUAND CONSULTER ?

- Vous voyez ou entendez des choses que les autres ne voient pas ou n'entendent pas.
- Vos hallucinations ne disparaissent pas avec la fin de l'effet de l'alcool ou de la drogue.

QUE SE PASSE-T-IL LORS DE L'EXAMEN ?

Un examen physique et psychologique suffit parfois à découvrir la cause des hallucinations. Néanmoins, des examens complémentaires (comme un *scanner* cérébral) sont souvent requis afin de préciser le diagnostic.

QUEL EST LE TRAITEMENT ?

Un traitement ne peut être suggéré qu'après identification du problème par le patient. Pour cela, le médecin lui donnera des outils afin qu'il soit capable de critiquer ses sensations irréelles, c'est-à-dire de les mettre en doute et, éventuellement, de les considérer comme des symptômes. Il s'agit là d'un élément important de l'intervention médicale.

Problèmes de santé mentale

Le médecin prescrira des médicaments qui traiteront la maladie initiale, atténuant ainsi les hallucinations.

Troubles organiques

Dans le cas d'une affection organique, il faut d'abord soigner la maladie responsable des hallucinations pour voir disparaître les perceptions anormales.

Drogues et alcool

Lorsque les hallucinations sont causées par la consommation de drogues ou d'alcool, il est recommandé de cesser de consommer ces substances. Selon l'importance de la dépendance, une cure de désintoxication sous supervision médicale peut être envisagée.

Médicaments

Le médecin pourra modifier la dose des médicaments ou les remplacer s'ils sont à l'origine des hallucinations.

Hoquet

Le hoquet est une contraction subite et involontaire des muscles inspiratoires (intercostaux et diaphragme) qui se termine par une fermeture de l'épiglotte, produisant un « hic » caractéristique. Il se produit plus souvent chez l'homme que chez la femme. La fréquence des hoquets est très variable (de 4 à 60 par minute).

Aussi surprenant que cela puisse paraître, le corps humain possède un centre du hoquet, situé entre la troisième et la cinquième vertèbre cervicale. C'est la stimulation des nerfs qui se rendent à ce centre qui provoque le hoquet. Et, contrairement aux réflexes de la toux, de l'éternuement et du vomissement, le hoquet ne semble pas avoir une fonction protectrice ou utile.

Il existe trois types de hoquet :

Hoquet bénin

- bref et intermittent ;
- dure de quelques secondes à quelques minutes.

Hoquet persistant

- dure 48 heures et plus ;
- récidive fréquemment.

Hoquet réfractaire

- dure depuis des mois ou des années ;
- peut entraîner une perte de poids et de la fatigue (à cause de la difficulté à manger) ;
- peut causer de l'insomnie.

QUELLES SONT LES CAUSES ?

Hoquet bénin

- ***Distension de l'estomac*** provoquée par un repas copieux, de la nourriture solide ou liquide avalée rapidement, des boissons gazéifiées ou de l'aérophagie (avaler de l'air en mangeant). Les médecins croient que la distension gastrique peut stimuler les nerfs de l'estomac qui se rendent au centre du hoquet, ou irriter le diaphragme ;

- ***Changement subit de la température*** (boire très froid ou très chaud, passer immédiatement d'un endroit froid à un endroit chaud, ou vice versa) qui rend le centre du hoquet hypersensible ;
- ***Absorption excessive d'alcool*** qui peut distendre l'estomac ainsi que neutraliser les inhibiteurs naturels du hoquet au niveau du cerveau ;
- ***Tabagisme excessif (plus d'un paquet par jour).*** La toux que provoque le tabagisme vient irriter le diaphragme ;
- ***Causes psychologiques (variation d'humeur, stress).*** On ne sait pas vraiment pourquoi cela provoque le hoquet.

Hoquet persistant et hoquet réfractaire

(généralement liés à une maladie qui peut provoquer une compression, une irritation ou une atteinte du nerf phrétique, qui est le nerf du diaphragme).

- ***Trouble gastro-intestinal*** (reflux gastro-œsophagien, obstruction ou inflammation de l'œsophage, tumeur au thorax, maladies de l'estomac, du pancréas et de la vésicule biliaire) ;
- ***Atteinte du système nerveux central*** (maladie de Parkinson, tumeur, hémorragie ou thrombose cérébrale) ;
- ***Causes toxiques ou métaboliques*** (diabète, insuffisance rénale, alcoolisme) ;
- ***Irritation du diaphragme*** *(infarctus, abcès sous le diaphragme, hernie hiatale, dilatation de la rate) ;*
- ***Causes infectieuses*** (grippe, méningite, pharyngite, laryngite, pneumonie, pleurésie, bronchite) ;
- ***Certains médicaments*** (tranquillisants de type Valium et librium) ;
- ***Anesthésie générale ;***
- ***Chirurgie abdominale ;***
- ***Troubles psychologiques graves*** (p. ex. : anxiété grave et troubles de la personnalité). On ignore encore les facteurs qui entraînent le hoquet ;
- ***Antécédents familiaux.*** Si des membres de la famille ont tendance à avoir le hoquet, cela révèle certaines prédispositions.

CONSEILS PRATIQUES

Ne pas prendre de médicaments. Certaines personnes croient que les tranquillisants feront cesser le hoquet. Cela est tout à fait inutile et, en plus, c'est dangereux (sauf exception : *voir la partie « Quel est le traitement »*).

Ne pas provoquer un vomissement. Provoquer le haut-le-cœur est efficace, mais évitez de vous faire vomir : les régurgitations risquent de pénétrer dans les bronches et cela est dangereux.

Ne pas prendre de substances nocives. Contrairement à ce que veulent certains vieux trucs, vous devez absolument éviter de respirer ou d'ingérer des substances nocives, telles que l'ammoniaque, le vinaigre et l'éther.

Stimuler le pharynx. La stimulation du palais modifie les influx nerveux du centre du hoquet, ce qui peut faire cesser le hoquet. Voici des façons d'y arriver :

- tirez vigoureusement sur votre langue jusqu'à ce que le hoquet cesse ;
- buvez un ou plusieurs verres d'eau froids ;
- prenez 1 c. à soupe (15 mL) de sucre granulé, sans eau. Pour les bébés, faites dissoudre une demi-cuillérée à thé de sucre dans 125 mL d'eau ;
- sucez un bonbon ou un glaçon ;
- provoquez un éternuement, en respirant du poivre, par exemple ;
- mettez un doigt dans le fond de votre bouche pour provoquer un haut-le-cœur ;
- gargarisez-vous avec de l'eau froide ;
- buvez à l'envers : prenez un verre d'eau, penchez-vous vers l'avant et essayez de boire du côté opposé où vous buvez normalement (du côté opposé du verre) ;
- mastiquez du pain sec, puis avalez-le.

Détourner l'attention. Bien souvent, oublier qu'on a le hoquet suffit à le faire passer :

- faites sursauter la victime du hoquet ;
- chatouillez les enfants pour les faire rire ;
- pariez avec la personne qu'elle ne sera pas capable d'arrêter son hoquet d'ici cinq minutes.

Modifier sa respiration. Le principe consiste à inspirer le maximum de dioxyde de carbone. En effet, il semble que le CO_2 diminue la fréquence du hoquet. Pour ce faire :
- retenez votre souffle le plus longtemps possible ;
- expirez plus lentement ;
- respirez dans un sac de papier brun : inspirez et expirez une dizaine de fois, aussi profondément que possible. Faites-le rapidement en veillant à ce qu'il n'y ait pas d'air de l'extérieur qui entre dans le sac.

Comprimer le diaphragme. Pour faire cesser les contractions qui causent le hoquet :
- asseyez-vous par terre ou sur une chaise, ramenez les genoux sur la poitrine et penchez-vous vers l'avant pendant quelques minutes ;
- placez un sac de glace sur le diaphragme, juste au-dessous de la cage thoracique.

Stimuler la luette (saillie charnue en forme de « V » au fond de la bouche) si le hoquet persiste pendant plus de 60 minutes :
- frottez le palais avec votre doigt, un abaisse-langue ou un coton-tige ;
- soulevez la luette à l'aide d'une cuillère.

Ne pas respirer rapidement. Adopter une respiration très courte et très rapide, un truc que l'on conseille fréquemment, est inutile et même néfaste. Cela a pour effet de diminuer le dioxyde de carbone (CO_2) dans vos poumons et ainsi de faire empirer le hoquet ; en plus, vous pouvez devenir étourdi et perdre connaissance.

QUAND CONSULTER ?

- Le hoquet dure depuis plus de 48 heures.
- Le hoquet est intermittent (il revient toutes les semaines, par exemple).
- Vous éprouvez une douleur à la poitrine, des brûlures d'estomac ou de la difficulté à avaler.

QUE SE PASSE-T-IL LORS DE L'EXAMEN ?

Le médecin notera les informations pertinentes et procédera à un examen physique complet. Une radiographie pulmonaire, un examen de l'estomac ainsi que des tests sanguins permettant de déceler un diabète ou une insuffisance rénale seront peut-être nécessaires.

QUEL EST LE TRAITEMENT ?

Les médecins diagnostiquent une maladie dans 90 % des cas de hoquet persistant ou réfractaire. Le traitement est alors immédiatement entrepris. Pour les 10 % restant, différentes approches peuvent être envisagées afin de faire cesser les épisodes de hoquet :

Modification des habitudes

Il faut éviter les repas copieux, diminuer sa consommation de boissons gazeuses, d'alcool et de cigarettes, et prendre le temps de manger lentement.

Diverses thérapies

Pour les cas d'origine psychologique et en cas d'échec de la psychothérapie, l'hypnose et l'acupuncture peuvent s'avérer efficaces.

Médicaments

Si on ne constate aucune amélioration, des tranquillisants ou relaxants majeurs (anticonvulsivants, relaxants musculaires, antidépresseurs) peuvent être prescrits.

Impatiences musculaires

Les impatiences musculaires – cette désagréable sensation qui se traduit par un besoin irrésistible de bouger les jambes – sont connues de tous. On les appelle également syndrome des jambes sans repos, syndrome d'Ekbom, mouvement périodique du sommeil ou acathésie.

Ce phénomène, qui se produit lorsque les jambes sont immobiles (lorsqu'on est couché ou assis au cinéma, par exemple), se manifeste surtout à partir de l'âge de 30 ans. Les femmes y sont un peu plus sujettes que les hommes, sans qu'on en connaisse encore la raison. Avec l'âge, les impatiences musculaires deviennent plus fréquentes. Il s'agit toutefois d'un réflexe intermittent tout à fait bénin, qui n'est lié d'habitude à aucune maladie.

Les impatiences musculaires se présentent généralement de la manière suivante :

- fourmillements et inconfort au niveau des cuisses et des mollets ;
- besoin irrésistible de bouger les jambes ;
- douleur (rare).

QUELLES SONT LES CAUSES ?

- ***Problème organique.*** Selon les dernières études, il s'agirait d'une irritabilité des fibres du système nerveux et non d'un problème d'origine vasculaire, comme le craignent souvent les gens. Il y a des antécédents familiaux dans un bon nombre de cas ;
- ***Certains facteurs de risque.*** Si les impatiences musculaires peuvent survenir à tout moment, on observe toutefois l'apparition de facteurs qui pourraient les provoquer, tels que la fatigue, le stress, certains médicaments (notamment les neuroleptiques qui sont utilisés dans le traitement de la dépression nerveuse), le tabagisme (selon certaines études) et les excitants (café, thé, chocolat, alcool).

CONSEILS PRATIQUES

Ne pas s'inquiéter. Le syndrome des jambes sans repos est bénin, sans aucune conséquence pour la santé. On pourrait le comparer aux nerfs du visage qui tressautent ou à la rougeur qui nous envahit lorsqu'on est gêné ou mal à l'aise.

Se lever et marcher quelques minutes. C'est la meilleure façon de faire disparaître les impatiences musculaires.

Prendre un bain chaud. Cela peut aider au relâchement des muscles. Et si vous êtes fatigué ou stressé, c'est doublement indiqué.

Faire des massages. Se masser les jambes – avec ou sans huiles essentielles – constitue une forme efficace de relaxation musculaire.

Modifier certaines habitudes de vie. Si vous êtes sujet aux impatiences musculaires, vous gagneriez sans doute à diminuer votre consommation d'excitants (thé, café, chocolat, alcool), à cesser de fumer et à vous procurer des moments de détente.

Se tourner vers certains médicaments. Si le problème nuit régulièrement à votre sommeil ou à celui de votre conjoint, vous pouvez prendre de l'acétaminophène ou un anti-inflammatoire avant de vous coucher. Prenez un ou deux comprimés d'acétaminophène (325 mg ou 500 mg). Pour les anti-inflammatoires, respectez la dose recommandée par le fabricant. Cela peut aider à diminuer la fréquence des impatiences.

QUAND CONSULTER ?

- Les conseils pratiques pour diminuer les impatiences musculaires ne fonctionnent pas et cela nuit à la qualité de votre sommeil ou de celui de votre conjoint.

QUE SE PASSE-T-IL LORS DE L'EXAMEN ?

Le médecin s'informera des détails importants et procédera à un examen physique complet. Comme le diagnostic est facile à établir, aucun examen supplémentaire n'est habituellement requis.

QUEL EST LE TRAITEMENT ?

Trois classes de médicaments peuvent être utilisées pour traiter les impatiences musculaires.

Benzodiazépines et propoxyphène

Le médecin pourra prescrire des benzodiazépines (pour aider à relâcher les muscles), des analgésiques comme le propoxyphène, qui est indiqué pour diminuer les sensations désagréables des impatiences.

Antiparkinsoniens

Si ces deux médicaments ne donnent pas les résultats escomptés, des antiparkinsoniens pourront être prescrits. Ces médicaments ont tout simplement la propriété de soulager les impatiences musculaires. Il n'y a aucun lien à faire avec la maladie de Parkinson.

Incontinence anale

L'apprentissage de la continence anale est une activité de contrôle très complexe qui se fait entre l'âge de deux et trois ans. Elle implique le cerveau, la moelle épinière, les nerfs sensitifs de l'anus et du rectum, les muscles du rectum (appelés sphincters) et même l'intestin grêle et le côlon.

L'appareil sphinctérien, qui joue le rôle principal dans la continence, comprend les sphincters interne et externe. Le sphincter interne est presque toujours en contraction. Il empêche les petites pertes et aide à discerner un gaz qu'on peut laisser aller d'une selle que l'on veut retenir. Pour ne pas déféquer, on contracte aussi le sphincter externe et le muscle pubo-rectal. Les hémorroïdes (dilatation des veines de l'anus et du rectum), en jouant le rôle de petits coussins vasculaires, sont aussi très importantes pour prévenir l'incontinence.

Puisque chaque composante du mécanisme de continence peut se dérégler, en partie ou complètement, l'incontinence anale n'est pas toujours facile à traiter. Certes, on ne meurt pas d'incontinence anale, mais cette affection reste traumatisante. Le nombre exact de cas d'incontinence anale reste inconnu parce que les gens sont gênés de consulter. Certaines personnes sont même portées à s'isoler et, dans les cas extrêmes, mais heureusement très rares, ce comportement peut mener à l'hospitalisation dans un établissement pour malades chroniques. En outre, l'incontinence anale est souvent associée à l'incontinence urinaire, ce qui perturbe encore plus la personne atteinte.

Il y a quatre types d'incontinence anale :

Incontinence vraie

- selles normales qui s'échappent sans qu'on s'en aperçoive ou sans qu'on puisse les retenir ;
- parfois accompagnée d'incontinence urinaire.

Incontinence de trop-plein

- selles liquides, difficiles à retenir.

Incontinence de stress

- besoin impérieux d'aller à la selle très rapidement ;

- selles souvent plutôt liquides.

Incontinence partielle

- passage involontaire de mucus (liquide transparent, visqueux et filant) ou de gaz, rarement de selles ;
- présence de sang ou de mucus dans les sous-vêtements.

QUELLES SONT LES CAUSES ?

Causes communes aux quatre types d'incontinence anale

- ***Maladies neurologiques,*** telles que la sclérose en plaques, le spina-bifida et le diabète de longue date. Ce dernier entraîne une perte de sensibilité au niveau de l'anus, donc une diminution des contractions musculaires pour retenir les selles. Le diabète peut aussi changer la consistance des selles (selles plus liquides), car l'intestin devient plus excitable ;
- ***Affections des intestins,*** comme la maladie de Crohn (maladie inflammatoire du tube digestif) et le syndrome de l'intestin irritable (associé à des troubles digestifs – douleurs, ballonnements, troubles du transit – sans cause organique) ;
- ***Utilisation abusive de laxatifs.***

Incontinence vraie

- ***Affaiblissement du plancher pelvien.*** Le plancher pelvien est constitué de trois muscles qui ont pour fonction de soutenir la vessie et les intestins, de même que l'utérus chez la femme. L'affaiblissement du plancher pelvien est un problème typiquement féminin, d'une part parce que les muscles ont davantage d'organes à supporter et, d'autre part, parce que les accouchements, les épisiotomies ou déchirures du périnée et la chute du taux d'hormones à la ménopause nuisent à la tonicité de ces muscles. Lorsque l'intestin est plein et se dilate, il pousse sur le plancher pelvien. Si celui-ci n'a pas assez de tonus, il est incapable de retenir les selles ;
- ***Vieillissement.*** Il entraîne une baisse de la coordination des mécanismes de continence ;
- ***Accident vasculaire cérébral.*** L'atteinte du cerveau occasionne un dérèglement de l'élimination intestinale et urinaire ;
- ***Déchirure majeure de l'anus.*** L'accouchement provoque parfois

une déchirure du périnée jusqu'à l'anus, tout comme les relations sexuelles anales ou l'insertion d'un corps étranger dans l'anus (p. ex. : vibrateur) ;

- ***Détérioration du mécanisme sphinctérien.*** Les relations sexuelles anales ou les corps étrangers dans l'anus risquent, de plus, d'endommager le mécanisme sphinctérien. Les épisiotomies qui s'infectent peuvent également provoquer un traumatisme sphinctérien ;
- ***Prolapsus rectal.*** Chez les personnes âgées, surtout les femmes qui ont un affaiblissement du plancher pelvien, il arrive que le rectum ou l'anus sortent hors du corps (prolapsus rectal), les muscles n'étant plus assez forts pour les maintenir en place. Ce phénomène se caractérise par la sortie de masses rondes et rouges, qui peuvent devenir très grosses (parfois jusqu'à atteindre la taille d'un pamplemousse), au moment de la défécation ou tout simplement lorsque la personne se penche ou s'accroupit. Ce problème est habituellement non douloureux et les organes se replacent souvent d'eux-mêmes s'ils ne sont pas trop enflés. Mais, à force de se produire, le prolapsus rectal finit par dilater les sphincters, qui ont alors de la difficulté à retenir les selles. Le rectum et l'anus peuvent alors rester sortis du corps en permanence.

Incontinence de trop-plein

- ***Constipation.*** Le ralentissement du transit intestinal se produit chez les personnes qui ne boivent pas assez. Des fécalomes (selles dures bloquées dans le rectum ou dans le côlon) peuvent alors se former, ne laissant le passage qu'à des selles liquides, difficiles à retenir.

Incontinence de stress

- ***Diarrhée du voyageur ou* turista.** Elle est causée par une intoxication alimentaire survenant souvent lors d'un voyage. La fatigue, le décalage horaire et le simple changement alimentaire contribuent aussi au problème ;
- ***Gastroentérite.*** Cette diarrhée est due à un virus ou à une bactérie. Elle s'accompagne habituellement de vomissements, de fièvre et de frissons ;

- ***Chirurgies du rectum.*** Les opérations pour les cancers du rectum, les interventions pour corriger une proctite (inflammation du rectum) ainsi que les anastamoses (réunion chirurgicale de deux parties de l'intestin) peuvent entraîner de l'incontinence ;
- ***Radiothérapie.*** Toutes les radiations faites dans la région génitale (traitement d'un cancer de la prostate, de l'anus, du rectum ou de l'utérus) risquent de causer de l'incontinence de stress parce qu'elles entraînent une hyperdilatation du rectum.

Incontinence partielle

- ***Vieillissement ;***
- ***Hémorroïdectomie (ablation chirurgicale des hémorroïdes).***

CONSEILS PRATIQUES

Bien s'alimenter. La consistance des selles est importante pour la continence ; personne ne peut retenir des selles trop liquides. Si vos selles sont diarrhéiques, réduisez d'abord votre consommation de fibres (céréales au son de blé, pain complet, légumes, fruits et légumineuses) que vous réintroduirez progressivement par la suite. Par contre, si vous souffrez d'incontinence de trop-plein, ne réduisez pas les fibres, car elles favoriseront votre transit intestinal et vous aideront à produire des selles molles et pâteuses. Les pommes, les fraises, les pruneaux et les dattes évitent aussi la constipation en régularisant le transit.

Boire de l'eau. Une bonne hydratation est essentielle pour prévenir la constipation. Buvez au moins six verres d'eau par jour.

Diminuer la consommation de certains aliments. Le café, le thé, les boissons gazeuses, le chocolat et les épices peuvent causer du prurit (démangeaisons) dans la région anale. Le grattage risque alors de provoquer de petites lésions qui pourraient s'infecter et entraîner une diminution de la sensibilité de l'anus. Sentant moins venir les selles, l'appareil sphinctérien se contracte plus difficilement et l'incontinence s'installe progressivement. Si vous êtes sujet aux démangeaisons anales, réduisez encore plus votre consommation de caféine.

Renforcer le plancher pelvien. Les épisiotomies peuvent causer une incontinence vraie, à cause de la perte de tonicité du plancher pelvien. Pour éviter l'épisiotomie, faites des massages du périnée afin de lui donner une certaine souplesse et d'éviter les déchirures lors de l'accouchement. Pratiquez également l'exercice de Kegel, qui est très efficace pour renforcer le plancher pelvien. Il est aussi très simple : chaque fois que vous urinez, retenez-vous quelques secondes, à une ou deux reprises, pendant la miction. Vous pouvez aussi contracter les muscles pelviens à n'importe quel moment de la journée.

Modifier vos activités sexuelles. Évitez les pénétrations dans l'anus.

Éviter les laxatifs. Si vous êtes constipé, commencez par consommer des fruits et des légumes et par boire beaucoup d'eau. Les laxatifs vendus en pharmacie provoquent des contractions intestinales qui, sur un intestin bloqué, augmenteront la douleur sans faire évacuer les selles. Évitez aussi les herbes trop laxatives, comme le séné, qu'on trouve dans certaines tisanes.

Ne pas rester trop longtemps aux toilettes. Rester longtemps assis sur les toilettes fait descendre et étire les muscles du plancher pelvien, entraînant leur affaiblissement à long terme. En outre, cela risque de provoquer une congestion veineuse, qui fait ressortir les hémorroïdes. Aussi faut-il s'abstenir de lire aux toilettes !

QUAND CONSULTER ?

- Vous avez de la difficulté à retenir vos selles.

QUE SE PASSE-T-IL LORS DE L'EXAMEN ?

Le médecin procédera à un examen clinique complet (incluant le toucher rectal) et recueillera les informations pertinentes. Il posera des questions relatives aux habitudes du patient : passe-t-il beaucoup de temps aux toilettes ? Force-t-il beaucoup pour évacuer ses selles ? A-t-il des relations sexuelles anales ? Etc.

Pour préciser le diagnostic, certains tests pourront être nécessaires, comme une anuscopie ou une rectoscopie (inspection interne de l'anus ou du rectum avec une petite lampe) et un lavement baryté (radiographie du côlon après introduction d'une substance radioopaque par le rectum). Au besoin, le médecin aura recours à des examens plus sophistiqués.

QUEL EST LE TRAITEMENT ?

Incontinence vraie et incontinence partielle

Ces deux types d'incontinence se traitent par de la physiothérapie et par des techniques de relaxation (biofeedback). La physiothérapie consiste en une série d'exercices qui renforcent le plancher pelvien et remettent en état l'appareil sphinctérien. Les techniques de relaxation sont une forme de rééducation douce qui vise à améliorer la continence grâce à des exercices de stimulation permettant aux nerfs sensitifs du rectum et de l'anus de retrouver leur sensibilité.

Incontinence de trop-plein

Un lavement et des suppositoires sont nécessaires pour évacuer les fécalomes. Ensuite, une bonne hydratation et un supplément de fibres sont recommandés pour prévenir la formation d'autres fécalomes. Les fibres absorbent l'eau que l'on boit, ce qui augmente la grosseur des selles et déclenche le réflexe naturel d'évacuation.

Incontinence de stress

Cette forme d'incontinence peut être traitée à l'aide de médicaments antidiarrhéiques. Dans certains cas, tels le syndrome de l'intestin irritable, la maladie de Crohn et les chirurgies du rectum, un supplément de fibres peut également être prescrit.

Les chirurgies correctrices de l'incontinence anale

Cinq techniques chirurgicales peuvent être envisagées dans les cas de problèmes persistants, surtout d'incontinence vraie. Le choix d'une chirurgie dépend de l'état du patient et de l'expertise du médecin.

- dans la cure du prolapsus rectal, qui peut se faire par voie abdominale ou périnéale, le chirurgien fixe le rectum ou l'anus pour les empêcher de ressortir après chaque selle ou après un léger effort;
- la réparation des sphincters consiste à resserrer le muscle

pubo-rectal. Les résultats immédiats semblent acceptables, mais, après trois ou quatre ans, le tout risque de se relâcher. On doit donc souvent recommencer. La chirurgie peut aussi corriger les déchirures survenues lors de traumatismes (post-accouchement, pénétration anale). Cela donne de bons résultats à court et à moyen terme. Mais, ici encore, après quelques années, les sphincters risquent de s'affaiblir de nouveau ;

- la transposition d'un muscle de la cuisse autour de l'anus est une méthode assez récente, réservée à des centres très spécialisés ;
- la pose d'un sphincter artificiel (pompe qui contracte le canal anal et que le patient doit dégonfler pour laisser passer les selles) demeure encore une technique expérimentale ;
- le chirurgien peut aussi recourir à la colostomie, c'est-à-dire l'installation d'un anus artificiel sur l'abdomen (sac de plastique) qui, dans la plupart des cas, règle définitivement le problème.

Incontinence urinaire

L'incontinence urinaire se décrit comme la difficulté constante à maîtriser la rétention de la vessie (le contrôle est en grande partie assuré par le cerveau), que l'on perde un peu ou beaucoup d'urine. Il y a trois types d'incontinence; quelques-uns sont communs aux hommes et aux femmes, d'autres sont spécifiques à chaque sexe. Ce sont parfois des problèmes qui risquent de s'amplifier avec le vieillissement.

Voici comment ils se présentent:

Incontinence à l'effort

- perte involontaire d'urine, que l'on laisse échapper par exemple lorsqu'on tousse ou éternue:
  - problème presque exclusivement féminin, mais se retrouvant aussi chez les hommes qui ont subi une chirurgie de la prostate.

Incontinence par impériosité

- besoin urgent d'uriner;
- autant les hommes que les femmes peuvent en être affectés.

Incontinence par trop plein

- difficulté à uriner, diminution du jet urinaire, goutte à goutte (signe d'obstruction);
- l'obstruction affecte principalement les hommes, mais aussi parfois les femmes;
- perte d'urine continuelle sans qu'on s'en rende compte. La vessie «déborde» (signe de diminution de la contraction de la vessie):
  - cette diminution touche autant les hommes que les femmes.

QUELLES SONT LES CAUSES ?

- ***Affaiblissement du plancher pelvien.*** Problème typiquement féminin. Le plancher pelvien est composé de muscles qui ont pour fonction de soutenir la vessie, les intestins et l'utérus. Avec l'obésité, les accouchements ou la ménopause (la baisse d'œstrogènes fragilise les mécanismes naturels de l'urètre), le plancher pelvien risque de perdre de son tonus, ce qui entraîne, entre autres, une «descente» de la vessie et même de l'urètre (l'urètre s'extériorise, comme un doigt de gant dont on ferait ressortir l'intérieur). S'ensuivra alors une incontinence à l'effort ou par impériosité. Cela s'accompagne parfois d'une incontinence anale. Environ 30 % des femmes de plus de 65 ans ont ce type de problème, qui s'amplifie avec les années;

- ***Insuffisance du sphincter interne.*** Chez les femmes, l'insuffisance peut être primaire (c'est l'affaiblissement du plancher pelvien) ou secondaire à un traumatisme (accident, viol) ou à une rigidité (due surtout à une chirurgie antérieure ou à un traitement par radiothérapie). Parce que le sphincter a de la difficulté à se contracter pour retenir l'urine, il en résulte de l'incontinence à l'effort ou par impériosité;
- ***Hypertrophie de la prostate.*** La prostate est un organe de la taille d'une noix. À partir de la trentaine, elle commence à grossir – phénomène normal, mais encore inexpliqué – et peut, avec les années, mais seulement chez 25 % des hommes, gonfler jusqu'à obstruer l'urètre, empêchant la vessie de se vider normalement. L'incontinence par trop-plein (phénomène d'obstruction) ou par impériosité est possible;
- ***Blocage de l'urètre.*** Outre l'hypertrophie de la prostate, un corps étranger dans la vessie (calculs ou objets), un traumatisme de l'appareil urinaire ou dans la zone pelvienne (chirurgie qui guérit mal, installation d'une sonde, accident de vélo ou de moto) et même des problèmes psychologiques (blocages plus ou moins conscients) risquent d'obstruer l'urètre. L'incontinence par trop-plein (phénomène d'obstruction) ou par impériosité est possible;
- ***Troubles neurologiques.*** La maladie de Parkinson, la maladie d'Alzheimer, la sclérose en plaques, la paralysie cérébrale, les atteintes de la moelle épinière, etc., risquent de nuire à la capacité de coordonner l'influx nerveux. Il peut alors en résulter de l'incontinence par impériosité neurogène (parce que la cause est neurologique) ou par trop-plein (phénomène de diminution de la contraction de la vessie);

- ***Médicaments.*** Les antidépresseurs et antipsychotiques peuvent rendre la vessie «paresseuse» (ils inhibent ses capacités), de sorte qu'elle arrive plus ou moins bien à se contracter normalement, entraînant de l'incontinence par trop-plein;
- ***Infections.*** La cystite (infection de la vessie) et les infections transmissibles sexuellement peuvent irriter l'urètre, ce qui entraîne des envies urgentes d'uriner (incontinence par impériosité);
- ***Constipation chronique.*** Surtout chez les enfants, la constipation chronique peut causer de l'incontinence urinaire par impériosité. Les spécialistes pensent que la dilatation du rectum entraîne un étirement des nerfs de la vessie et crée un réflexe nerveux de contraction.

CONSEILS PRATIQUES

Consulter un médecin. Un problème d'incontinence par obstruction qui n'est pas traité peut provoquer une pression si élevée dans la vessie (qui ne se vide pas) que le niveau d'urine peut remonter jusqu'aux reins, les empêchant de bien fonctionner. Cela peut entraîner une insuffisance rénale.

Ne pas s'abstenir de boire. Cesser de boire ou boire moins ne réglera pas le problème d'incontinence. Vous devez continuer à vous hydrater.

Proscrire caféine et alcool. Les gens qui souffrent d'incontinence par impériosité idiopathique (idiopathique signifie qu'on n'en connaît pas la cause) devraient éviter la caféine et l'alcool. Ce sont des diurétiques, c'est-à-dire qu'ils stimulent la vessie pour qu'elle élimine encore plus. Ils ne font donc qu'empirer le problème d'incontinence.

Reconditionner sa vessie. Si vous souffrez d'incontinence par impériosité idiopathique, vous pouvez essayer vous-même de rééduquer votre vessie afin qu'elle se contracte au bon moment. C'est une forme de biofeedback. Pour ce faire, allez aux toilettes à heures fixes – toutes les trois heures, par exemple; essayez de vous retenir dans l'intervalle. Urinez jusqu'à ce que vous ayez la sensation que votre vessie est vide. Pour vous en assurer, levez-vous, rasseyez-vous et tentez d'uriner une deuxième fois.

Faire l'exercice de Kegel. Pour les gens qui sont aux prises avec une incontinence à l'effort, l'exercice de Kegel peut donner des résultats au bout de 10 semaines environ. Il s'agit simplement de contracter les muscles pelviens et sphinctériens, de compter jusqu'à 10 et de relâcher. Faites-le le plus souvent possible pendant la journée (même en urinant), un minimum de trois séances de 10 contractions. L'avantage de cet exercice, c'est qu'on peut le pratiquer n'importe où, n'importe quand: personne ne s'en rend compte. Vous ne savez pas au juste de quels muscles il s'agit? Ils sont très faciles à localiser: lorsque vous irez aux toilettes, arrêtez volontairement la miction, contractez-vous comme pour vous empêcher de déféquer, puis relâchez les muscles. Vous aurez alors trouvé quels sont vos muscles pelviens et sphinctériens.

Prévenir les petits accidents. Si vous avez envie de tousser, d'éternuer ou si vous devez vous pencher, pensez d'abord à contracter vos muscles pelviens et sphinctériens. D'autre part, vous trouverez en pharmacie et dans les grands magasins des culottes et des serviettes hygiéniques conçues pour l'incontinence urinaire. Enfin, vous pouvez garder un pot de chambre près de votre lit.

Favoriser la régularité. Pour éviter la constipation chez l'enfant, privilégiez une alimentation saine et variée, où la teneur en fibres est très élevée.

Prévenir les problèmes de prostate. À partir de 50 ans, tous les hommes devraient subir un examen annuel de la prostate.

Prévenir l'affaiblissement du plancher pelvien. Après chaque accouchement, il est bon de faire au moins trois séances de rééducation périnéale avec un physiothérapeute spécialisé. En fait, les exercices enseignés à l'hôpital ne sont habituellement pas suffisants pour préserver la tonicité du plancher pelvien. Maintenez un poids santé et, si vous approchez de la ménopause, parlez avec votre médecin des solutions qui s'offrent à vous.

QUAND CONSULTER ?

- Vous êtes un homme.
- Vous avez des problèmes neurologiques.
- Il y a du sang dans vos urines.
- Vous êtes fortement incommodé par les symptômes.

QUE SE PASSE-T-IL LORS DE L'EXAMEN ?

En plus de noter les informations nécessaires et de faire l'examen physique, le médecin procédera à une analyse d'urine et à une cytologie urinaire (analyse des cellules de l'urine) et, selon le cas, à une évaluation endo-urologique (examen approfondi de la vessie).

Chez l'homme, l'examen clinique comprend un toucher rectal pour évaluer la dimension de la prostate. Le médecin pourra aussi prescrire d'autres examens, comme la débitmétrie, qui consiste à mesurer la quantité d'urine éliminée par rapport à la durée de la miction et à mesurer le résidu après la miction. Ainsi, s'il n'y a que peu d'urine sur un laps de temps assez long, il y a sans doute blocage de la vessie par la prostate.

QUEL EST LE TRAITEMENT ?

Affaiblissement du plancher pelvien et insuffisance du sphincter interne

Des exercices de rééducation périnéale avec un physiothérapeute permettent habituellement d'améliorer la situation. Le traitement suivant est particulièrement recommandé : il consiste à stimuler les muscles pelviens et sphinctériens au moyen de petits courants électriques non douloureux. D'ordinaire, le problème s'améliore chez 60 % à 70 % des femmes préménopausées parce que les œstrogènes aident à tonifier les muscles. Les résultats sont donc moins bons chez les femmes ménopausées, mais celles-ci peuvent bénéficier d'une hormonothérapie (les œstrogènes prescrits remplaceront les hormones naturelles).

Dans quelques cas, selon la gravité et la cause du problème, les médecins peuvent se tourner vers la chirurgie. Il peut s'agir de remonter la vessie, de prélever une bande musculaire de la cuisse ou du ventre pour la poser sous la vessie ou le sphincter interne, ou, encore, d'injecter du collagène pour resserrer l'urètre. La pose d'un sphincter artificiel est parfois envisagée.

Hypertrophie de la prostate

Pour régler le problème d'incontinence, le traitement le plus courant consiste à enlever chirurgicalement la partie hypertrophiée (gonflée) de la prostate (on enlève du tissu autour de l'urètre pour diminuer l'obstruction). D'autres techniques sont aussi disponibles : la thermothérapie, la cryothérapie et le laser (on brûle, on gèle ou on détruit à l'aide d'une sonde la partie excédente de la prostate).

Toutefois, chez l'homme encore assez jeune, la prostate peut avoir le temps de recommencer à grossir. Environ 30 % des hommes qui ont subi une ablation prostatique devront, un jour ou l'autre, recommencer le même traitement.

En outre, il existe des médicaments qui permettent de réduire le volume de la prostate et d'autres qui ont la propriété de relâcher les muscles au niveau de la prostate (car les muscles contractés provoquent un rétrécissement du canal urinaire), ce qui aide la vessie à se vider normalement. Le patient qui opte pour le traitement pharmaceutique doit savoir qu'il devra prendre ces médicaments toute sa vie.

Blocage de l'urètre

S'il y a un corps étranger dans la vessie, il faudra recourir à une chirurgie sous anesthésie générale pour l'enlever. Un traumatisme de l'appareil urinaire ou dans la zone pelvienne nécessitera une chirurgie endoscopique pour réparer le dommage ou une chirurgie plastique de l'urètre (pour reconstruire l'urètre). Quant aux problèmes psychologiques, ils nécessitent le soutien d'un professionnel. Dans tous ces cas, la plupart du temps, les problèmes d'incontinence peuvent être réglés.

Troubles neurologiques

S'il s'agit d'une incontinence par impériosité neurogène, le médecin pourra prescrire, sur une base temporaire ou permanente, des médicaments pour relaxer la vessie (anticholinergiques et antispasmodiques). S'il s'agit d'une incontinence par trop-plein, un cathéter (sonde pour vider la vessie) pourra être utilisé à intervalles réguliers (toutes les quatre heures, par exemple), jusqu'à ce que le problème soit réglé, le cas échéant. C'est le patient lui-même qui installe le cathéter et qui l'enlève tout de suite après avoir terminé.

Médicaments

Le médecin veillera à modifier la médication en prescrivant des médicaments ayant la même action, mais ne provoquant pas d'incontinence comme effet secondaire.

Infections

Elles se traitent habituellement bien avec des antibiotiques. Le problème d'incontinence disparaîtra à la fin du traitement.

Constipation chronique

Chez les enfants, la constipation chronique disparaît généralement avec une modification de l'alimentation. Une rencontre avec un diététicien est parfois nécessaire.

Insomnie

Tout le monde n'a pas besoin de sept ou huit heures de sommeil par nuit pour être reposé. Certaines personnes n'ont besoin que de quelques heures de sommeil pour bien fonctionner durant la journée. Lorsqu'une personne subit des changements dans la durée ou la qualité de son sommeil ayant des répercussions pendant la journée, on parle d'insomnie.

Les conséquences de ce trouble du sommeil ressenties pendant la journée sont une fatigue importante, de la somnolence, de l'irritabilité et des troubles de la concentration. Selon les circonstances, l'insomnie peut s'installer de façon brutale (décalage horaire) ou progressive, sans qu'il soit possible d'identifier de facteur déterminant. L'insomnie peut être aiguë (présente depuis moins de deux semaines), subaiguë (présente depuis deux semaines à six mois) ou chronique (présente depuis six mois ou plus).

Elle se divise en trois catégories :

Insomnie initiale

- La personne ne réussit pas à s'endormir avant un temps prolongé, soit plus de 30 minutes.

Insomnie de maintien

- La personne se réveille plusieurs fois au cours de la nuit et son temps d'éveil total est supérieur à 30 minutes.

Insomnie terminale

- La personne se réveille plus tôt le matin, soit 30 minutes avant son heure habituelle.

QUELLES SONT LES CAUSES ?

- ***Stress, anxiété, dépression*** ;
- ***Impatiences musculaires*** ou besoin irrésistible de bouger les jambes, ce qui empêche la personne de s'endormir ;
- ***Apnée du sommeil*** ou diminution de la fréquence respiratoire au cours du sommeil pouvant réveiller la personne et lui don-

ner l'impression d'étouffer. Cette affection se rencontre plus fréquemment chez les hommes d'âge moyen souffrant d'embonpoint ;

- ***Mouvements périodiques du sommeil*** ou mouvements répétitifs des membres inférieurs au cours de la nuit pouvant réveiller la personne ;
- ***Douleurs***, telles que douleurs de l'arthrite, douleurs chroniques, etc. ;
- ***Troubles digestifs***, tels que brûlures d'estomac ou reflux acide ;
- ***Nycturie*** ou besoin d'uriner plusieurs fois au cours de la nuit ;
- ***Troubles cardiaques ou pulmonaires*** causant un essoufflement qui empêche de bien dormir ;
- ***Démangeaisons*** ;
- ***Substances psychoactives (café, nicotine, alcool, drogue)*** et médicaments, tels que ceux utilisés dans le traitement de l'hypertension, de l'angine de poitrine ou de l'asthme, ainsi que les anti-inflammatoires, les antidépresseurs et, dans de rares cas, les antiparkinsoniens ;
- ***Perturbations du cycle du sommeil***, comme le décalage horaire, le travail de nuit ou par quarts variables, le retard ou l'avance de la phase veille-sommeil (la personne s'endort à 2 h ou 3 h du matin et est incapable de se réveiller tôt le lendemain matin ou, au contraire, elle se couche très tôt en soirée et termine sa nuit de sommeil vers 3 h du matin) ;
- ***Facteurs environnementaux***, tels que le bruit, la lumière, un matelas inconfortable, une température ambiante inconfortable ou un partenaire bruyant ;
- ***Mauvaise hygiène de sommeil***, telle que des horaires irréguliers ou une sieste prolongée pendant la journée ;
- ***Perturbations émotionnelles*** : problème au travail, divorce, décès, etc. ;
- ***Changements dans le rythme de vie*** (bébé, maladie d'un proche, etc.).

CONSEILS PRATIQUES

Éviter de prendre des somnifères. Évitez de prendre ceux qui sont en vente libre et n'utilisez jamais les médicaments d'un proche. Essayez, dans la mesure du possible, de résoudre votre problème de sommeil par les moyens décrits dans cette section. Consultez votre médecin si vous croyez avoir besoin de médicaments pour dormir.

Se coucher seulement lorsqu'on est fatigué et prêt à dormir. Ne vous mettez pas au lit trop tôt sous prétexte qu'une dure journée vous attend le lendemain.

Cesser toute activité stimulante sur les plans physique et intellectuel avant de se coucher. Cessez d'utiliser l'ordinateur, d'étudier ou de faire du sport au moins une heure avant de vous coucher.

Utiliser son lit uniquement pour dormir. Quand le lit est associé à d'autres activités comme la lecture, la télévision, le fait de prendre un repas, cela ne favorise pas le sommeil. Utilisez plutôt le salon. L'activité sexuelle demeure la seule exception à la règle.

Après 20 minutes. Levez-vous et allez dans une autre pièce. Attendez d'être prêt à dormir et retournez vous coucher.

Éviter de manger avant de se coucher. Surtout si vous avez de la difficulté à digérer ou un problème d'embonpoint. Si vous avez une fringale, vous pouvez prendre une collation légère.

Éviter de consommer de l'alcool pour vous aider à dormir. Bien qu'il favorise parfois l'endormissement, il est prouvé qu'il rend le sommeil léger et de mauvaise qualité.

Régler le réveil et se lever toujours à la même heure, quelle que soit la durée du sommeil. Évitez de vous lever à 6 h pendant la semaine et à midi les fins de semaine. Vous risquez de ne pas parvenir à vous endormir le dimanche soir parce que vous aurez dormi trop longtemps dans la matinée. Ajouter plus d'une heure à votre heure de réveil habituelle risque de déstabiliser votre sommeil.

Ne pas dramatiser la situation. Essayez de vous détendre en prenant un bain chaud ou en recevant un massage.

Faire de la relaxation. Toutes les méthodes sont efficaces, que ce soit le yoga, la relaxation progressive, l'imagerie mentale, la méditation, etc. Choisissez celle qui vous convient le mieux et utilisez-la régulièrement.

Ne pas faire de sieste au cours de la journée. Ou faites-la avant trois heures de l'après-midi et ne dormez pas plus de 45 minutes.

Avoir une bonne hygiène de vie. Boire peu de café, d'alcool et ne pas fumer avant de vous endormir. Se dépenser pendant la journée et pratiquer une activité physique (marche, natation) améliorent la qualité du sommeil.

Dormir dans un environnement inspirant calme et repos. Ayez des stores ou des rideaux opaques, un matelas confortable, installez votre chambre dans un lieu sans bruit et choisissez des couleurs pastel pour la décoration.

Se lever progressivement de plus en plus tôt. Ou retardez l'heure où vous vous couchez pour remettre votre horloge biologique à l'heure. Vous pouvez aussi consulter une clinique du sommeil et y recevoir un programme sur mesure.

QUAND CONSULTER ?

- Vous souffrez d'insomnie depuis plusieurs jours.
- Vous éprouvez une anxiété importante face à votre sommeil (peut être un symptôme de la dépression).
- Vous faites de l'insomnie et vous vous sentez déprimé.
- Votre problème de sommeil a un impact sur votre fonctionnement (fatigue, somnolence importante, troubles de concentration, changement d'humeur).
- Vous avez recours à l'alcool ou aux somnifères pour dormir.
- Vous avez des troubles respiratoires ou des impatiences musculaires.
- Votre partenaire vous informe que votre respiration est irrégulière pendant la nuit (apnée du sommeil) et que vous bougez sans cesse (mouvements périodiques du sommeil).

- Vous vous réveillez brusquement au cours de la nuit avec la sensation d'étouffer (apnée du sommeil).

QUE SE PASSE-T-IL LORS DE L'EXAMEN ?

Le médecin fera l'historique de l'insomnie et essaiera d'identifier les causes physiques, psychologiques, médicamenteuses et environnementales qui sont à l'origine de l'insomnie. Dans certains cas, des analyses seront nécessaires. On pourra faire une évaluation dans une clinique de sommeil si le médecin pense qu'il s'agit d'un problème d'apnée du sommeil. Parfois, il demandera une consultation à un spécialiste (oto-rhino-laryngologiste). Afin d'évaluer le problème, il pourra demander au patient de tenir un journal de son sommeil pendant une à deux semaines.

QUEL EST LE TRAITEMENT ?

Selon le type d'insomnie, les conseils pratiques énumérés ci-dessus corrigeront les causes modifiables d'insomnie identifiées par le médecin.

Si la personne souffre d'impatiences musculaires ou de mouvements périodiques du sommeil très incommodants, des médicaments pourront être prescrits.

Les problèmes d'apnée du sommeil peuvent être corrigés soit par une médication, soit par un appareil respiratoire installé à domicile, soit par une intervention chirurgicale.

En cas d'insomnie rebelle, le médecin pourra conseiller au patient d'avoir recours à un psychologue. S'il le juge nécessaire, il prescrira des hypnotiques. En général, leur utilisation n'est pas recommandée pour plus de quelques semaines en raison des risques de dépendance et de la diminution de leur efficacité au bout d'un certain temps.

Irritation de l'œil

L'œil est constamment exposé à des facteurs comme la pollution, la fumée, le maquillage, les bactéries, les virus, etc., qui risquent de causer des irritations et d'entraîner le développement de certaines affections. Généralement, ces problèmes sont sans gravité et se traitent bien.

L'œil peut présenter un ou plusieurs des symptômes suivants:

- sécheresse;
- irritation;
- rougeur ou injection de sang;
- douleur, sensation de brûlure;
- larmoiement ou suintement (mucus jaunâtre et épais).

QUELLES SONT LES CAUSES ?

- ***Insuffisance des glandes lacrymales.*** Elle se manifeste par la sécheresse de l'œil, l'irritation et la rougeur. Les larmes sont formées par trois types de glandes et chacune d'elles est nécessaire à la lubrification de l'œil. À partir de 40 ans, l'œil produit beaucoup moins de larmes et le changement hormonal semble en être la cause;
- ***Obstruction des canaux lacrymaux.*** Ces derniers servent à drainer les larmes au niveau de la paupière ou du nez. L'obstruction est caractérisée par le larmoiement;
- ***Médicaments.*** Comme certains antihistaminiques, antidépresseurs, décongestifs, diurétiques ou bêtabloquants;
- ***Maladies ou infections.*** Tels que les allergies, la conjonctivite, la blépharite (infection des paupières), la kératite (infection de la cornée), la sinusite, l'acné rosacée, les virus, l'uvéite (inflammation de l'iris), le glaucome aigu, l'hypertension artérielle et les troubles de la coagulation;
- ***Arthrite rhumatismale.*** Cette maladie chronique peut s'accompagner du syndrome de Gougerot-Sjögren, lequel se manifeste notamment par une sécheresse de la peau, de la bouche et des yeux (absence de larmes et irritation). Les autres formes d'arthrite sont peu touchées par ce syndrome;

- ***Habitudes et milieu de vie.*** On pense notamment à la fatigue, au manque de sommeil, à la pollution, aux reflets sur l'écran d'ordinateur, au chlore de la piscine, au maquillage, à la fumée, à l'alcool, à certaines drogues, à la climatisation, aux maisons surchauffées, au port prolongé de lentilles de contact et aux efforts physiques trop intenses;
- ***Coups de soleil.*** Les rayons ultraviolets peuvent brûler les cellules à la surface de l'œil et provoquer le larmoiement ou une sensation de brûlure.

CONSEILS PRATIQUES

Ne pas négliger une rougeur de l'œil. C'est un signe que l'œil a des problèmes, surtout lorsqu'il y a douleur, sécrétions et baisse de la vision. Consultez le plus rapidement possible votre médecin.

Éviter les gouttes antibiotiques en vente libre. Elles peuvent causer des infections plus sérieuses. Ces médicaments risquent de créer des résistances aux antibiotiques, rendant le traitement médical plus compliqué. Elles peuvent aussi causer des allergies aux antibiotiques.

Ne pas utiliser de vasoconstricteurs. Ce sont des gouttes qui vont rétrécir les vaisseaux sanguins et donner l'impression que l'œil est blanc et non pas rouge. Lorsque l'effet aura disparu, l'œil sera encore plus rouge. Les vasoconstricteurs ne font donc que masquer le problème.

S'abstenir de se frotter les yeux. Il n'y a rien de pire pour aggraver une irritation.

Utiliser des larmes artificielles. Vendues sans ordonnance en pharmacie, ces larmes empêchent l'œil de sécher, évitent d'endommager la surface de la cornée (l'épithélium) et soulagent des irritations. À utiliser plusieurs fois par jour, au besoin. Préférez les produits qui ne contiennent pas de thimérosal, un agent qui peut causer des conjonctivites allergiques chez certaines personnes.

Faire des compresses. Des compresses tièdes ou froides appliquées sur les paupières trois ou quatre fois par jour peuvent faire diminuer l'irritation et la rougeur. En cas de douleur intense, prenez un analgésique.

Nettoyer les croûtes. Si vos yeux sont collés le matin au réveil (par la contamination des bactéries qui se sont multipliées durant la nuit, lorsque les yeux sont au repos et que les larmes sont stagnantes dans l'œil), vous pouvez nettoyer vos cils avec un coton-tige trempé dans du shampooing pour bébés (ce shampooing, très doux, aidera à décoller les cils. Il faut rincer après). Certains produits sont spécialement conçus à cet effet (comme le Cil-net). Vous pouvez également les frotter doucement avec une serviette humide. N'oubliez surtout pas de vous laver les mains afin d'éviter de contaminer d'autres personnes.

Utiliser des antihistaminiques. En cas d'allergie, de sensibilité à la fumée, à la pollution ou à d'autres facteurs environnementaux, vous pouvez recourir aux antihistaminiques vendus sans ordonnance en pharmacie. En outre, choisissez des produits pour la maison non parfumés : mouchoirs en papier, savons et détergents pour la lessive.

Cligner des yeux. Certaines activités – coudre, travailler à l'ordinateur – sont si absorbantes qu'on peut oublier de cligner des yeux. Pourtant, il est essentiel de cligner des yeux, car cela stimule la lubrification de l'œil et évite les irritations.

Reposer ses yeux. Si l'irritation est causée par une fatigue visuelle – des heures passées devant l'ordinateur, par exemple – laissez reposer vos yeux plusieurs fois dans la journée : bougez les yeux en évitant de vous concentrer sur un point, puis fermez-les et massez-vous doucement les tempes. Vous pouvez aussi fixer votre regard sur un crayon que vous déplacerez lentement, latéralement ou devant vous.

Pour une bonne nuit de sommeil. S'il vous arrive souvent de vous réveiller les yeux secs et irrités, vous pouvez, le soir, avant de vous mettre au lit, appliquer un onguent qui remplace les larmes. Ce produit, en vente libre en pharmacie, contient de la vaseline et de l'huile minérale, ce qui permet d'hydrater les paupières. En outre, assurez-vous que votre chambre est suffisamment humidifiée. Si vous avez un humidificateur, dirigez le bec vers le plafond, l'air y étant plus sec.

En cas de coup de soleil. Appliquez une compresse froide sur les yeux et prenez un analgésique. Pour éviter ce genre d'incident, choisissez des lunettes anti-UV. Achetez celles qui protègent même le côté des yeux. Portez-les aussi par grand vent. Lorsque vous faites du bateau ou du ski, choisissez des lunettes de soleil polarisées, qui reflètent les rayons du soleil.

Faire le ménage de ses cosmétiques. Avec le temps, les cosmétiques se contaminent et risquent de causer des infections. Le maquillage pour les yeux devrait être remplacé tous les six mois. Si vos yeux sont irrités, cessez temporairement de vous maquiller et préférez le maquillage conçu expressément pour les yeux sensibles.

Augmenter l'éclairage. Si vos yeux sont souvent irrités sans raison apparente, vérifiez si votre éclairage est suffisant. Des ampoules trop faibles font forcer et fatiguer les yeux, entraînant ainsi une irritation. Recherchez une lumière douce et suffisamment forte pour vous permettre de lire confortablement.

Bien ajuster ses lunettes. Des lunettes qui descendent sur le nez forcent les muscles des yeux à travailler deux fois plus fort pour compenser la déviation anormale de l'œil. De plus, vos verres doivent toujours être bien adaptés à votre vision. Consultez régulièrement votre optométriste.

Vérifier ses verres de contact. S'ils sont responsables de l'irritation, ne les portez pas pendant quelques jours. Pour éviter les infections, veillez à bien les nettoyer avec les produits conçus à cette fin. Lors du maquillage, appliquez le fixatif avant de mettre vos lentilles et démaquillez-vous après les avoir enlevées. Si les problèmes persistent, consultez votre optométriste. Les verres de contact à port prolongé peuvent finir par égratigner la cornée et entraîner des infections. Pour prévenir le problème, enlevez-les tous les soirs avant de vous mettre au lit. Par ailleurs, si vous allez dans des endroits poussiéreux, des particules peuvent s'infiltrer sous les verres de contact et irriter l'œil. Dans ce cas, portez plutôt vos lunettes.

QUAND CONSULTER ?

- Les larmes artificielles ne vous procurent aucun soulagement.
- Vous êtes sensible à la lumière.
- Vous éprouvez de la douleur, vous avez des sécrétions jaunâtres et persistantes, et vous constatez une baisse de vision.
- Vous avez une sensation de brûlure, une douleur ou un écoulement persistant.
- Vous avez les paupières gonflées, rouges ou douloureuses.
- Vous souffrez d'arthrite rhumatismale et de sécheresse de la bouche.
- Vos lentilles cornéennes vous irritent les yeux.

QUE SE PASSE-T-IL LORS DE L'EXAMEN ?

Le médecin ou l'optométriste procédera à un examen oculaire complet. Il vérifiera s'il n'y a pas de cause prédisposante qui peut être traitée pour diminuer les symptômes.

QUEL EST LE TRAITEMENT ?

Selon la cause diagnostiquée, le médecin ou l'optométriste pourra suggérer d'autres types de larmes artificielles ou encore placer un tampon en silicone microscopique dans le conduit lacrymal afin que le peu de larmes produites reste plus longtemps dans l'œil. Cette intervention est rapide (environ cinq minutes), sans douleur ni inconfort. Le tampon est invisible, n'affecte en rien la vision et doit être porté aussi longtemps que le médecin le jugera nécessaire.

Par contre, un blocage des canaux lacrymaux pourra nécessiter une petite chirurgie.

Quant aux infections, elles seront traitées par des antibiotiques. En cas d'uvéite, on prescrira de la cortisone et un médicament pour dilater la pupille. Le glaucome sera traité par des médicaments qui diminuent la pression de l'œil. On pourra aussi faire une iridotomie au laser.

Le traitement de l'arthrite rhumatismale aidera à maîtriser le syndrome de Gougerot-Sjögren.

Jambes douloureuses

Une douleur dans les jambes peut survenir de façon soudaine (douleur aiguë), à la suite d'un effort par exemple, ou plus graduellement (douleur chronique). Son origine sera nerveuse, musculaire ou circulatoire.

QUELLES SONT LES CAUSES ?

Douleur aiguë

- ***Élongation ou déchirure musculaire.*** Elles peuvent être dues à un effort important ou survenir à la suite d'un faux mouvement provoquant un saignement à l'intérieur du muscle. La douleur est très forte au début et diminue avec le temps, mais le moindre effort peut la réveiller ;
- ***Thrombophlébite superficielle ou profonde.*** Elle survient lorsqu'un caillot bloque le sang dans les veines. Elle est dite superficielle si elle affecte les petites veines près de la peau. Le plus souvent, ces thrombophlébites superficielles surviennent là où se trouvent aussi des varices et elles ne sont pas graves. Mais une thrombophlébite peut toucher une veine profonde. Le caillot est plus gros et, s'il se détache et repart vers le cœur, il peut causer une embolie pulmonaire très souvent mortelle. Dans ce cas, la douleur est diffuse et s'accompagne de lourdeur, d'œdème de la jambe et d'une coloration rougeâtre ;
- ***Obstruction artérielle aiguë.*** Elle est provoquée par l'arrivée d'un caillot qui vient généralement du cœur. Le caillot se forme dans le cœur (le plus souvent à cause de la fibrillation auriculaire, qui est le type d'arythmie le plus fréquent), peut se détacher de la paroi et suivre les grosses artères pour descendre dans la jambe. L'obstruction se manifeste par des douleurs, une baisse de sensibilité et de motricité, et une froideur de la jambe ;
- ***Crampes nocturnes.*** La cause est inconnue et il ne s'agit pas d'un problème médical majeur.

Douleur chronique

- ***Diabète ou abus d'alcool.*** Ils peuvent entraîner une dégénérescence de certains nerfs au niveau des jambes, ce qui se traduit par des douleurs ou une perte de sensibilité ;

- ***Athérosclérose.*** Cet encrassement des artères signifie que les muscles des jambes ne reçoivent pas un apport suffisant en sang lors d'un exercice. La personne va ressentir des douleurs – notamment au mollet, après un certain temps de marche – qui vont ensuite disparaître après un peu de repos (claudication intermittente) ;
- ***Pincement d'un nerf dans le bas du dos.*** La douleur irradie dans les jambes. On parle de douleur projetée parce qu'elle trouve son origine dans la colonne vertébrale. La douleur suit le trajet du nerf qui a été pincé et qui descend et se termine dans la jambe. L'exemple le plus connu est la sciatalgie (sciatique).

CONSEILS PRATIQUES

Ne pas masser la jambe. Si la douleur est due à une thrombophlébite, le fait de masser la jambe pourrait déloger le caillot, qui risquerait alors d'aller causer des problèmes bien plus graves au niveau des poumons.

Marcher régulièrement. Un exercice régulier va entretenir une bonne circulation sanguine dans les jambes et diminuer ainsi les risques de thrombophlébite et d'athérosclérose. C'est d'ailleurs l'une des fonctions des muscles que d'aider à pomper le sang vers le cœur.

Renforcer les abdominaux. Cela favorise le maintien du bas du dos et diminue le risque qu'un nerf s'y coince.

Utiliser des sièges rembourrés. Cela peut éviter de coincer un nerf dans le bas du dos.

Perdre du poids. Des kilos en trop signifient une usure accrue des articulations, un risque plus grand de fracture de stress et s'accompagnent souvent d'artères en mauvais état.

Élever les jambes. Il peut être utile d'élever le pied du lit de quelques centimètres pour aider le retour du sang vers le cœur durant la nuit chez les personnes à risque de thrombophlébite.

Bouger durant les voyages assis. Lorsque vous voyagez en avion, en autobus ou en train, il est recommandé de bouger les jambes souvent, de ne pas les croiser de façon prolongée (le creux du genou pardessus l'autre genou) et de marcher le plus souvent possible pour activer la circulation du sang. Vous êtes en voiture ? Alors, faites un arrêt toutes les heures ou toutes les deux heures pour vous dégourdir si vous avez déjà un problème de jambes douloureuses. Sinon, arrêtez-vous de temps en temps (la fréquence est un peu moins importante qu'en avion, en autobus ou en train parce qu'il y a plus de place pour les jambes dans une voiture). Cependant, il est contre-indiqué de se croiser les jambes.

Porter des bas de compression. Ils favorisent la circulation et diminuent la douleur, mais ils ne peuvent pas prévenir les récidives de phlébite.

Boire de l'eau. Si vous faites de l'exercice, il est important de boire régulièrement de l'eau, mais sans excès. Les boissons reconstituantes destinées aux sportifs contiennent du potassium, des électrolytes et du glucose, et peuvent être utiles lors d'un effort intense et prolongé.

« RISE » pour les douleurs musculaires. Cet acronyme anglais signifie « Rest, Ice, Compression, Elevation » et résume bien le traitement de base des douleurs musculaires : du repos, de la glace (pas plus de 20 minutes à la fois, sinon le muscle va mettre en branle des mécanismes de défense contre le froid), un bandage de compression et l'élévation du membre atteint. Ce traitement peut être répété trois à quatre fois par jour.

De la quinine au coucher contre les crampes nocturnes. Dans certains cas, l'utilisation de quinine (sur ordonnance), associée à de la vitamine E, peut réduire la fréquence des crampes nocturnes, mais il faut voir avec son médecin s'il n'y a pas de contre-indications. La quinine est un antiarythmique qui a la propriété de provoquer une vasodilatation sanguine (le sang circule mieux).

Étirer la jambe en cas de crampe nocturne. Le meilleur moyen de venir à bout d'une crampe nocturne est d'étirer la jambe tout en pointant les orteils vers le haut. Si cela est possible, il est bon de contracter et de relâcher le mollet. Enfin, des exercices d'étirement du mollet, trois fois par jour, devraient réduire le risque de souffrir de crampes durant la nuit.

Ne pas fumer. Le tabagisme provoque des spasmes au niveau des artères, tout en augmentant la coagulabilité du sang (il rend le sang plus épais). Tout cela nuit à la circulation sanguine.

Éviter les contraceptifs oraux. Il vaut mieux recourir à une autre méthode contraceptive si vous avez souffert de thrombophlébite, car la pilule peut affecter la coagulabilité du sang. De toute façon, votre médecin vous conseillera certainement un autre type de contraception si vous avez déjà eu une thrombophlébite.

Ne pas porter de pantalons trop serrés. Un pantalon assez ample à la taille évitera de comprimer les nerfs dans le bas du dos.

Éviter les suppléments de sel en cas de transpiration. Une ingestion trop importante de sel tend à déshydrater les muscles et peut provoquer des douleurs dans les jambes.

QUAND CONSULTER ?

- Vous ressentez pour la première fois une douleur avec sensation de pesanteur et d'œdème dans une jambe. Il s'agit d'une urgence.
- Vous ressentez des douleurs superficielles à l'emplacement des varices.
- Vous souffrez du diabète depuis de nombreuses années et vous avez des douleurs aux jambes qui sont apparues récemment, surtout si elles sont accompagnées de rougeurs ou de plaies.
- Vous avez des douleurs aiguës.

QUE SE PASSE-T-IL LORS DE L'EXAMEN ?

Le médecin cherchera à savoir si la douleur dans les jambes est due à l'obstruction d'une veine profonde ou d'une artère, car un traitement peut être urgent. Il comparera l'aspect des deux jambes, leur couleur, leur température et leur volume, et il recherchera la présence ou l'absence d'un pouls dans les jambes.

Il interrogera son patient afin de savoir comment est apparue la douleur. Le diagnostic pourra être confirmé par une échographie Doppler, qui permet de visualiser la circulation dans les jambes.

Le médecin en profitera aussi pour évaluer l'état général des veines et des artères, et pour voir si certains facteurs de risque pourraient être corrigés afin d'éviter des complications plus graves.

QUEL EST LE TRAITEMENT ?

Douleur aiguë

Les élongations et les déchirures musculaires guérissent avec le temps. Le repos du membre atteint, des applications de glace, un bandage ou le port d'un bas de compression et l'élévation de la jambe vont faciliter le processus de guérison. L'exercice devra être repris graduellement.

Une thrombophlébite superficielle sera traitée le plus souvent par des compresses chaudes, l'élévation de la jambe et la prise d'anti-inflammatoires.

Une thrombophlébite profonde requiert pour sa part un traitement d'urgence par voie intraveineuse (on peut maintenant aussi procéder par injections dans l'abdomen d'un médicament appelé Lovenox ou Fragmin) pendant quelques jours, qui sera suivi d'un traitement de plusieurs semaines par voie orale afin d'empêcher le sang de coaguler. Aujourd'hui, ce traitement anticoagulant peut, dans bien des cas, être effectué à la maison sans que la personne soit obligée de rester au lit.

L'obstruction aiguë d'une artère nécessite aussi un traitement rapide, soit par l'administration d'un médicament antithrombine pour dissoudre le caillot, soit par chirurgie quand il faut agir vite, avant que les muscles ne souffrent trop du manque de sang.

Douleur chronique

Les douleurs neurologiques reliées au diabète se traitent par des analgésiques.

L'athérosclérose peut nécessiter une dilatation de la lésion obstructive ou un pontage par chirurgie.

La douleur projetée peut être calmée par le repos, les relaxants musculaires ou la physiothérapie.

Jaunisse

La jaunisse est une affection pour laquelle il est nécessaire de consulter un médecin. Elle se caractérise par une coloration jaune de la peau et des muqueuses, plus ou moins intense, surtout visible au niveau du blanc des yeux.

Ce changement de coloration est dû à une imprégnation des tissus par la bilirubine, un pigment de la bile. Ce pigment de couleur jaune-verdâtre résulte de la destruction normale des globules rouges (dont la durée de vie est de 120 jours). Il est ensuite transformé chimiquement par le foie, emmagasiné dans la vésicule biliaire et, finalement, expulsé dans l'intestin au moment de la digestion. Lorsque le taux de bilirubine contenu dans le plasma sanguin devient trop élevé, le foie ne parvient pas à transformer tout le pigment et la jaunisse fait son apparition.

La jaunisse peut s'accompagner de signes physiques, tels que la fièvre, les frissons, les nausées, les vomissements, la perte de l'appétit, l'amaigrissement, une douleur inhabituelle dans la partie supérieure de l'abdomen, des selles pâles et des urines foncées (pouvant avoir la couleur du thé ou du café).

La jaunisse est-elle grave ? C'est plutôt la maladie qui la provoque qui peut être grave. C'est pourquoi il faut consulter un médecin pour en trouver la cause. Dans la plupart des cas, plus la consultation est précoce, meilleur est le pronostic.

QUELLES SONT LES CAUSES ?

- ***Maladies qui entraînent un excès de bilirubine.*** On pense, par exemple, à l'hémolyse (destruction des globules rouges) et à l'hypersplénisme (séquestration et destruction des globules rouges par la rate) ;
- ***Maladies atteignant le foie et l'empêchant de transformer la bilirubine.*** L'hépatite est une inflammation du foie d'origine virale et elle peut causer la jaunisse, tout comme l'hépatite alcoolique, la cirrhose hépatique d'origine alcoolique ou virale, de même que certaines maladies congénitales, comme la maladie de Gilbert (2 % à 10 % de la population) ;

- ***Certains médicaments.*** Une réaction toxique à l'isoniazide (pour la tuberculose), aux sulfamides, à l'halothane (anesthésique) et à l'érythromycine (antibiotique) peut se traduire par une jaunisse;
- ***Obstruction des canaux biliaires.*** La colique hépatique (plus communément appelée crise de foie) due à des pierres ou à une tumeur au pancréas qui envahit ou comprime les voies biliaires risque de déclencher une jaunisse.

La jaunisse physiologique du nouveau-né

Au début de la vie, l'organisme fonctionne avec de l'hémoglobine fœtale (le sang du fœtus, en fait). Au fur et à mesure de la croissance intra-utérine, l'hémoglobine fœtale est progressivement remplacée par l'hémoglobine « adulte ». À la naissance, les bébés n'ont plus besoin de ce qui reste d'hémoglobine fœtale et leur organisme la détruit, faisant ainsi augmenter le taux de bilirubine. Habituellement, ce phénomène normal passe inaperçu.

Les bébés prématurés, justement parce qu'ils sont nés trop tôt, ont une plus grande quantité d'hémoglobine fœtale à détruire. Le taux de bilirubine dans le plasma sanguin s'élève donc beaucoup et la jaunisse fait son apparition. Certains nourrissons à terme sont aussi susceptibles de faire une jaunisse. Cela se produit en cas d'absence passagère d'une enzyme indispensable à la transformation de la bilirubine qui empêche le foie de la métaboliser. La quantité de bilirubine se trouve donc augmentée.

Dans un cas comme dans l'autre, la jaunisse apparaît généralement entre le troisième et le cinquième jour suivant la naissance. Ce trouble physiologique se résorbe habituellement de lui-même et ne dure en général pas plus de deux semaines. La plupart du temps, le nouveau-né est gardé pendant quelques jours à l'hôpital. On l'exposera aux rayons d'une lampe solaire, car les rayons ultraviolets ont la propriété de faciliter l'excrétion de la bilirubine par la vésicule biliaire et par l'intestin (elle est donc évacuée plus facilement). On bande les yeux du nourrisson pour les protéger des rayons de la lampe.

CONSEILS PRATIQUES

Se méfier de la «fausse» jaunisse. Un changement de coloration de la peau peut aussi résulter d'une ingestion excessive de carotène (pigment retrouvé dans la carotte et le jus de tomate). Cette situation est banale, sans conséquence et s'estompe généralement d'elle-même avec le temps.

Ne pas négliger les remarques de ses proches. Cette modification de la coloration de la peau et du blanc des yeux est fréquemment remarquée par un proche de la personne atteinte de jaunisse.

QUAND CONSULTER ?

- Vous observez une modification anormale et plutôt jaune de la coloration de votre peau et du blanc de vos yeux.
- Vous constatez l'apparition d'une jaunisse accompagnée d'un ou de plusieurs des symptômes suivants : fièvre, frissons, nausées, vomissements, perte d'appétit, amaigrissement, douleur inhabituelle au foie, selles pâles et urines foncées (ayant la couleur du thé ou du café).

QUE SE PASSE-T-IL LORS DE L'EXAMEN ?

Afin de déterminer la cause de la jaunisse, le médecin notera les informations importantes et procédera à un examen physique complet en insistant sur l'examen abdominal. L'investigation sera dictée par la situation particulière du patient et par les résultats de l'examen physique. Le médecin pourra ensuite demander des analyses biochimiques à la suite de prises de sang et de prélèvements urinaires.

Il nécessitera peut-être également des examens en imagerie, tels qu'une échographie, une tomodensitométrie (*scanner*), un examen endoscopique, une biopsie hépatique, etc. Au besoin, il pourra adresser le patient à un spécialiste : hématologue, gastroentérologue, interniste, chirurgien ou autre.

QUEL EST LE TRAITEMENT ?

Maladie entraînant un excès de bilirubine

Le traitement sera déterminé en fonction des causes sous-jacentes.

Maladies atteignant le foie ainsi que certains médicaments

Le traitement peut consister en l'interruption de la prise d'un agent responsable, tel que l'alcool, un médicament, l'utilisation d'agents antiviraux, etc.

Obstruction des canaux biliaires

Une chirurgie mineure comme l'ablation de la vésicule biliaire et, si nécessaire, une chirurgie majeure du foie, des voies biliaires et des organes voisins, comme le pancréas et l'intestin, peut être pratiquée.

Lésions cutanées

Dans la plupart des cas, les signes de pigmentation cutanée sont sans conséquence, ces lésions ne sont pas contagieuses non plus, mais certaines sont potentiellement dangereuses, surtout les grains de beauté qu'une exposition abusive aux rayons solaires peut transformer en cancers de la peau.

On répartit les lésions de la peau en trois grandes catégories.

Grains de beauté

- apparaissent surtout à la puberté ;
- quantité largement déterminée par l'hérédité ;
- taches planes ou surélevées, de couleur et de taille variables ;
- siègent sur l'ensemble du corps, y compris, bien que rarement, sous les pieds et sur les organes génitaux ;
- pilosité possible et sans danger ;
- avec le temps, deviennent plus foncés, plus épais, surélevés, parfois inesthétiques ;
- peuvent être apparents pendant 10 ou 40 ans et régresser spontanément (disparaître complètement ou diminuer de façon importante) ;
- bénins, sauf évolution contraire.

Taches brunes

Lentigos séniles

- communément appelés « taches de vieillesse » ;
- apparaissent entre 30 et 40 ans ;
- siègent sur le visage, les avant-bras, le dos des mains, la poitrine et les épaules ;
- s'accompagnent de rides (ou encore la peau devient plissée ou fripée) ;
- souvent groupés en foyers là où la peau est fragile ;
- quantité, couleur plus ou moins foncée, taille et emplacement selon l'exposition aux rayons solaires ;
- bénins, sauf évolution contraire.

Taches d'hyperpigmentation

- apparaissent lors d'une grossesse (masque de grossesse) ou de la prise d'anovulants (temporaires dans ces circonstances);
- plus fréquentes chez les personnes au teint foncé;
- apparaissent parfois sur les cicatrices;
- bénignes.

Kératose séborrhéique

- taches verruqueuses (qui ressemblent à des verrues et sont de la taille de l'ongle du petit doigt) à peau sèche et rugueuse;
- beiges au début, elles foncent au soleil;
- peuvent siéger n'importe où sur le corps;
- bénignes.

Taches secondaires à une infection à champignons

- taches beiges qui pèlent;
- siègent sur l'ensemble du corps ou seulement à deux ou trois endroits;
- ne bronzent pas;
- peuvent devenir rouges en cas d'irritation;
- bénignes.

Taches de vin les plus communes (angiomes)

Taches de vin communes

- taches planes d'étendue variable;
- les petites siègent sur les paupières, la nuque ou le front;
- les grandes, sur les joues ou, plus rarement, le thorax;
- existent à la naissance ou apparaissent plus tard;
- de couleur rouge ou violacée;
- bénignes (le problème est esthétique).

Taches rubis ou angiomes séniles

- lésions fréquentes;
- se caractérisent par des petits points rouges qui peuvent grossir;
- se manifestent dans la trentaine;

- peuvent siéger n'importe où sur le corps (mais généralement pas sur le visage);
- bénignes.

Hémangiomes (connus sous le nom de « fraises »)

- de naissance (disparaissent vers l'âge de 4 à 5 ans);
- surélevés;
- rougeâtres;
- grossissent durant le premier mois;
- peuvent siéger n'importe où sur le corps;
- sans danger.

Granulomes pyogéniques (ou hémangiomes hyperplasiques)

- petites tumeurs consécutives à une plaie légère (comme, par exemple, une coupure, une piqûre de moustique, un vaccin qui a entraîné de la démangeaison et du grattage);
- surélevés;
- saignent facilement et abondamment quand on les accroche;
- de couleur rouge ou violacée;
- bénins.

QUELLES SONT LES CAUSES ?

Grains de beauté

- ***Origine congénitale ou héréditaire;***
- ***Exposition excessive aux rayons solaires.***

Taches brunes

Lentigos séniles

- ***Rayons solaires.***

Taches d'hyperpigmentation

- ***Rayons solaires associés à la prise d'anovulants, à la grossesse, au teint foncé et au parfum;***
- ***Plaie exposée aux rayons solaires.***

Kératose séborrhéique

- ***Héréditaire.***

Taches secondaires à une infection à champignons

- ***Infection à champignons.***

Taches de vin

Taches de vin communes

- ***Congénitales ou prédisposition héréditaire;***
- ***Dues à une accumulation de vaisseaux sanguins embryonnaires anormaux.***

Taches rubis

- ***Héréditaires.***

Hémangiomes ou fraises

- ***Origine congénitale;***
- ***Malformation très rare des vaisseaux sanguins.***

Granulomes pyogéniques

- ***Cicatrisation anormale d'une blessure;***
- ***Formation subséquente de vaisseaux sanguins anormaux.***

CONSEILS PRATIQUES

Ne pas fréquenter les salons de bronzage. Ils présentent des risques encore plus élevés que les rayons solaires.

Ne pas exposer aux rayons solaires les lésions traitées. Pendant le traitement de vos lésions, trois ou quatre heures d'exposition aux rayons solaires signifient le retour à la case départ. Lorsque le traitement est terminé, vous pouvez recommencer à vous exposer au soleil.

Ne pas manipuler un grain de beauté. L'irritation fréquente pourrait être source de problèmes.

Fuir les rayons solaires dès l'enfance. Si vous avez de nombreux grains de beauté, le risque de développer un mélanome (le cancer de la peau le plus virulent) est de 15 % supérieur à la normale. Si vous ne pouvez éviter l'exposition aux rayons solaires, portez des vêtements couvrants, un chapeau, des lunettes de soleil et utilisez les écrans solaires les plus forts (30 FPS et plus) sur les régions découvertes, tout en sachant qu'ils ne protègent pas à 100 %. Appliquez-les 15 minutes avant de sortir. Cela donne à la peau le temps de les absorber. Lors de baignades, portez un t-shirt jusqu'au moment d'entrer dans l'eau.

Connaître l'abcde du grain de beauté. Ce sont les caractéristiques d'une lésion qui doivent vous alarmer. Gardez à l'esprit que tout changement d'aspect d'un grain de beauté est le premier indice de danger.

a pour asymétrie (pas parfaitement rond) ;
b pour bordure irrégulière ou floue ;
c pour couleur noire ;
d pour diamètre supérieur à 6 mm ;
e pour évolution rapide (1 à 3 mois).

Faire un auto-examen mensuel. Utilisez un miroir et soyez particulièrement vigilant en ce qui concerne votre dos, car vous ne le voyez pas en temps normal. Or, les mélanomes peuvent se former à partir de grains de beauté, mais aussi surgir de nulle part. Demandez à un proche de faire des photos en couleur ou un film vidéo de votre dos et datez-les afin de pouvoir comparer.

Appliquer du shampooing Head & Shoulders sur les taches secondaires à une infection à champignons. Vous pouvez également utiliser du Selsun ou du Nizoral. Laissez pénétrer 15 minutes et rincez. Répétez tous les jours pendant 15 jours ; cela peut éventuellement faire disparaître les taches. Si elles ne disparaissent pas, il est recommandé de consulter un médecin et de ne pas vous faire traiter pendant l'été, car les taches beiges ne bronzent pas et contrasteront avec votre teint hâlé.

Épiler, si on le désire, un grain de beauté poilu. Cela est sans danger. Avec l'électrolyse, toutefois, il est plus difficile d'aller chercher les poils sur ce genre de lésion.

QUAND CONSULTER ?

- Un grain de beauté ou un lentigo sénile devient asymétrique, sa bordure devient irrégulière ou floue, il devient noir totalement ou en partie, ou encore son diamètre augmente jusqu'à 6 mm (diamètre de la gomme à effacer qui se trouve au bout d'un crayon) au cours d'une période de un à trois mois. Il saigne facilement, cause une sensation de brûlure, vous démange ou se transforme en un kyste ou une plaie. (Ces critères doivent faire penser à la possibilité d'un mélanome, l'une des formes les plus virulentes de cancer de la peau. Une consultation urgente s'impose.)
- Vous avez un grain de beauté mal placé et vous l'accrochez très souvent, ou encore il est franchement inesthétique.
- Votre enfant a une tache de vin.
- Vous avez des taches beiges qui pèlent et ne foncent pas au soleil.

QUE SE PASSE-T-IL LORS DE L'EXAMEN ?

Les lésions douteuses de type grain de beauté ou tache brune font l'objet d'un prélèvement, qui est envoyé au laboratoire pour être analysé. Ou bien elles sont examinées par le médecin à l'aide d'un nouvel appareil appelé dermatoscope. Pour ce qui est des taches de vin, dans les rares cas où les vaisseaux semblent très profonds, on peut utiliser le *scanner,* le Doppler ou l'échographie afin de déterminer s'il y a danger ou non.

QUEL EST LE TRAITEMENT ?

Grains de beauté

Situés dans des zones où ils sont constamment irrités par le frottement (des vêtements, par exemple) ou simplement inesthétiques, ils sont enlevés sous anesthésie locale au cabinet du médecin puis analysés par mesure de prudence. Selon l'aspect (surélevé ou profond), on égalise la peau puis on cautérise le grain, ou bien on fait une petite incision et on referme la plaie avec des points de suture. Les mélanomes font évidemment l'objet d'une chirurgie urgente, avec le suivi qui s'impose.

Taches brunes

Les lentigos séniles en nombre limité sont brûlés à l'azote liquide. On commence aussi à utiliser le laser, mais cette méthode est très coûteuse. Dans les deux cas, les lentigos peuvent guérir en formant des taches blanches. Avec de la patience, on peut en venir à bout avec du gel de trétinoïne (il faut compter de six mois à deux ans) en y ajoutant si on le désire un agent de dépigmentation comme l'Ultraquin ou l'Eldoquin à 4 %. On peut potentialiser l'effet avec la lotion Neostrata HQ. Autre possibilité : le peeling à l'acide glycolique ou le peeling chimique. L'efficacité à long terme dépend de la prudence dans l'exposition au soleil après le traitement.

Les taches secondaires à une infection à champignons répondent bien au Nizoral, principalement, au Head & Shoulders et au Selsun. On peut aussi prendre du Nizoral en comprimés. Il existe également un autre médicament contre les champignons à prendre en comprimés, le Sporanox, pour les cas rebelles aux traitements classiques.

Taches de vin

Quand elles ne partent pas d'elles-mêmes, il est recommandé de traiter les taches de vin le plus tôt possible, car elles grandiront avec l'enfant et le traitement deviendra plus compliqué. Elles se traitent au laser, qui les efface presque complètement selon leur taille. Il faut compter de 1 à 20 séances. Le traitement est couvert par l'assurance maladie avant l'âge de 21 ans. Les taches rubis se traitent également au laser. Les hémangiomes ne nécessitent aucun traitement, car ils disparaissent d'eux-mêmes avant l'âge de quatre ans.

Les granulomes pyogéniques disparaissent souvent spontanément. Par contre, il faut les éliminer sans faute la plupart du temps, car ils peuvent saigner facilement et abondamment. Ils s'enlèvent par une simple incision sous anesthésie locale.

Malaises d'estomac

D'une capacité de deux litres environ, l'estomac est le réceptacle dans lequel arrive la nourriture. C'est un milieu acide où les sucs gastriques préparent les aliments pour la digestion, ce qui dure en moyenne de deux à trois heures.

Une mauvaise digestion peut entraîner trois genres de malaises d'estomac : les brûlures, qui apparaissent lorsque des sucs gastriques remontent de l'estomac jusque dans l'œsophage (reflux gastro-œsophagien), les crampes, qui surviennent lorsque l'estomac se dilate, et les rots (ou éructations), qui sont l'expulsion, parfois bruyante, de l'air avalé.

Les malaises peuvent être accompagnés des symptômes suivants :

Brûlures d'estomac

- peuvent être associées à une digestion lente ;
- peuvent s'accompagner de maux de ventre, de nausées, de douleurs dans la poitrine et, dans certains cas, d'une perte de poids ;
- peuvent donner un goût acide dans la bouche en cas de régurgitation, un changement de la voix ou de la toux et une difficulté (dysphagie) ou une douleur à la déglutition (odynophagie);

Crampes d'estomac

- se manifestent habituellement par un inconfort à la partie supérieure de l'abdomen ;
- peuvent être accompagnées par une diarrhée, de la constipation ou des ballonnements ;
- peuvent se manifester de manière intermittente ou constante (p. ex. : ulcère).

Rots (ou éructations)

- phénomène banal et sans gravité, mais pouvant devenir inconfortable ;
- peuvent être associés aux brûlures d'estomac.

QUELLES SONT LES CAUSES ?

Brûlures d'estomac

- ***Reflux gastro-œsophagien.*** Il est dû à un mauvais fonctionnement de la valve qui sépare l'estomac de l'œsophage et qui entraîne une irritation de l'œsophage par l'acidité gastrique. La valve se fermant mal, les sucs gastriques remontent et viennent irriter les muqueuses de l'oesophage ;
- ***Acidité.*** En même temps que des brûlures, l'acidité contenue dans l'estomac peut créer une plaie dans la paroi de l'estomac causant un ulcère. Elle peut également entraîner certains types d'asthme et des troubles dentaires ou une œsophagite dans les cas de régurgitation ;
- ***Certains médicaments.*** Les inhibiteurs calciques (contre l'hypertension artérielle et les maladies cardiaques), les nitrates (prescrits contre l'insuffisance cardiaque), la progestérone (hormone contenue dans les contraceptifs oraux), la plupart des anti-inflammatoires et l'aspirine risquent de causer des brûlures ;
- ***Mauvaises habitudes de vie.*** Les excès de table, une alimentation riche en gras ou en épices, des repas pris à n'importe quelle heure et le tabagisme ;

Le rôle de l'œsophage dans les brûlures d'estomac

L'œsophage est séparé de l'estomac par une valve, habituellement fermée, qui porte le nom de sphincter œsophagien. Lorsqu'on avale une boisson ou un aliment, la valve s'ouvre pour laisser passer la nourriture et se referme immédiatement après. Il arrive que la valve n'accomplisse pas son travail et se relâche, lorsque le muscle est trop faible, lorsqu'il n'est pas à la bonne place (si l'estomac est déphasé vers la cage thoracique, comme cela se produit parfois chez les obèses), ou s'il fonctionne de façon anormale : il permet alors au liquide de l'estomac de remonter jusque dans l'œsophage. Ce liquide est composé d'acide et d'autres substances participant à la digestion. L'estomac est bien protégé contre les acides qu'il produit, mais l'œsophage ne l'est pas, d'où la sensation de brûlure lorsqu'il se produit un reflux.

- ***Hernie hiatale.*** Elle est due à la pression abdominale qui fait remonter l'estomac dans le diaphragme. Ce phénomène empêche la valve (sphincter) qui sépare l'estomac de l'œsophage de se refermer correctement et entraîne des reflux gastro-œsophagiens ;
- ***Stress.*** En augmentant la production de sécrétion d'acide dans l'estomac, le stress peut entraîner des brûlures.

Crampes d'estomac

- ***Comportements alimentaires.*** Ingurgitation trop rapide de nourriture, de mets épicés ou d'aliments acides sont les principales causes des crampes d'estomac ;
- ***Ulcères d'estomac (maladie acidopeptique).*** Si les inconforts ou les crampes disparaissent pour une courte période après avoir mangé, il peut s'agir d'un problème relié à l'acidité laissant suggérer une maladie ulcéreuse. Les ulcères peuvent être la conséquence d'une consommation d'anti-inflammatoires ou d'aspirine, mais aussi de la présence de la bactérie *Helicobacter pylori* ;

Et les gargouillements ?

Les gargouillements (ou borborygmes), mal connus, sont des bruits étranges provenant du ventre. Ils sont dus à des mouvements de l'intestin et à de l'air et des liquides ingurgités présents dans l'estomac.

La très grande majorité du temps, il s'agit d'un phénomène tout à fait bénin dont les causes sont :

- **aérophagie, soit de l'air avalé en mangeant ;**
- **estomac vide (surtout le matin) ;**
- **intolérance aux aliments causant de la fermentation, comme certains légumes (chou, chou-fleur et maïs) ;**
- **intolérance au lactose et au sorbitol chez certains. Le sorbitol est un sucre synthétique.**

Cependant, si les gargouillements sont accompagnés de crampes et soulagés par la prise d'aliments, on peut soupçonner un ulcère d'estomac. Il faut alors voir un médecin.

- ***Intoxication alimentaire.*** Elle entraîne une contraction involontaire de l'estomac qui réagit contre le virus, la bactérie ou la toxine en présence ;
- ***Troubles de motilité de l'estomac.*** Il s'agit d'une perturbation des mouvements de l'estomac pour évacuer les aliments. Cela se manifeste après les repas, par une sensation d'inconfort, accompagnée d'une impression de digestion lente, de satiété précoce, de nausées et de ballonnement abdominal.

Rots (ou éructations)

- ***Aérophagie.*** Mauvaise habitude ou tic qui consiste à avaler trop d'air en mangeant et en buvant. Une trop grande quantité d'air dans l'intestin entraînera une sensation de ballonnement, des gaz et des rots. Il faut savoir que la gomme à mâcher active la salivation et favorise l'absorption d'air ;
- ***Consommation de bière et de boissons gazeuses.*** Ces boissons et la majorité des liquides pétillants peuvent causer des rots, parce qu'ils contiennent d'infimes bulles d'air. Et les bulles qui entrent dans l'estomac doivent inévitablement en ressortir.

CONSEILS PRATIQUES

Brûlures d'estomac

Modifier son alimentation. Il est important de faire plusieurs petits repas par jour pour éviter de surcharger l'estomac. Portez attention à ce que vous mangez et tentez de découvrir quels sont les aliments qui peuvent provoquer des brûlures d'estomac. Ils peuvent varier d'une personne à l'autre, mais, en règle générale, ceux-ci en sont particulièrement responsables : fritures et autres aliments gras, chocolat, menthe, café, thé, boissons gazeuses, lait, bière, vin, tomates et aliments épicés. Consommez-les avec modération.

Éviter les repas tardifs. Comme la position allongée fait inévitablement remonter les sucs gastriques dans l'estomac ou dans l'œsophage, veillez à manger au moins trois heures avant de vous coucher. Et abstenez-vous de repas trop copieux : plus on surcharge l'estomac, plus les sucs gastriques remontent dans l'œsophage.

Utiliser des antiacides. Si le besoin se fait sentir, n'hésitez pas à recourir temporairement aux antiacides et à des médicaments appelés anti-H_2, qui sont en vente libre. Ils ont pour but de neutraliser ou de diminuer les sécrétions de sucs gastriques. Les antiacides ne remplacent pas le traitement médical. Si les brûlures ne cessent pas, il faut consulter un médecin.

Surélever la tête du lit. En élevant la tête de votre lit d'une douzaine de centimètres, vous contribuez à faire diminuer le reflux. Pour que l'élévation soit égale et efficace, il faut placer des morceaux de bois ou des briques sous les pieds de la tête du lit (dormir avec des oreillers supplémentaires ne suffit pas, car les oreillers bougent, finissent par s'aplatir et risquent de tomber par terre).

Perdre du poids. Comme l'embonpoint crée une pression abdominale qui favorise les brûlures d'estomac, le problème pourrait aisément disparaître si vous perdez quelques kilos.

Prendre quelques petites habitudes. Desserrer votre pantalon pendant que vous mangez vous aidera à prévenir ou à soulager les symptômes.

Attention à l'aspirine et aux anti-inflammatoires. Des recherches ont démontré que des doses importantes d'aspirine peuvent faire saigner l'estomac et entraîner des brûlures d'estomac. Par exemple, si vous prenez deux aspirines par semaine pour soulager un mal de tête, vous risquez peu, mais si vous prenez de l'aspirine tous les jours, demandez à votre médecin qu'il vous propose une solution de rechange ou prenez de l'acétaminophène.

Cesser de fumer. La nicotine et tous les produits chimiques contenus dans la cigarette peuvent augmenter la sécrétion d'acidité de l'estomac et provoquer ou aggraver le reflux. Demandez l'aide de votre médecin si vous éprouvez des difficultés à cesser de fumer.

Apprendre à maîtriser le stress. Il y a différentes façons de limiter l'impact négatif du stress sur notre vie : faire de l'exercice, avoir une alimentation équilibrée, s'accorder de bonnes nuits de sommeil, réduire ou éliminer l'alcool et le tabac, s'attribuer un horaire réaliste de travail, prendre du temps pour soi, accomplir ses activités préférées, etc. Surtout, prendre un jour à la fois.

Crampes d'estomac

Porter une attention particulière à l'alimentation et au stress. Suivez les conseils d'usage touchant une alimentation saine et équilibrée; par exemple, café, cola, chocolat, alcool et matières grasses peuvent favoriser des troubles de motilité de l'estomac en augmentant l'irritation. Vous devez également réduire votre consommation d'aliments épicés.

Être à l'écoute de son corps. Avant de consulter un médecin, tentez de découvrir ce qui peut provoquer vos crampes. Notez l'intensité, la fréquence, la durée des crampes, le moment où elles arrivent, si elles sont localisées ou si elles irradient ailleurs dans votre corps ainsi que les facteurs qui les soulagent. Ces renseignements aideront votre médecin à poser son diagnostic.

Boire beaucoup d'eau dans le cas d'une intoxication alimentaire. Il est important de boire de petites quantités de liquide à intervalles réguliers en augmentant les quantités de manière progressive.

Rots (ou éructations)

Éviter certaines boissons. La bière, les boissons gazeuses et tous les autres liquides pétillants produisent des bulles dans l'estomac. Préférez-leur l'eau ou les jus. Ne pas utiliser de paille pour boire: cela augmente la quantité d'air absorbée avec le liquide.

Bannir la gomme à mâcher. Mâcher de la gomme augmente la quantité de salive dans la bouche. Quand vous avalez cette salive, vous avalez aussi de l'air.

Mâcher lentement et la bouche fermée. Vous éviterez ainsi d'avaler de l'air et vous favoriserez une bonne digestion. Buvez après les repas.

Chassez la nervosité. Certaines personnes font des rots sans arrêt lorsqu'elles sont nerveuses. Si c'est votre cas, efforcez-vous de retrouver votre calme.

QUAND CONSULTER ?

- Vos brûlures d'estomac persistent malgré la modification de vos habitudes.
- Les antiacides ne sont d'aucune utilité.
- Vous avez perdu du poids.
- Vous avez de la difficulté à avaler.
- Les crampes persistent, elles nuisent à votre qualité de vie et vous inquiètent.

QUE SE PASSE-T-IL LORS DE L'EXAMEN ?

Le médecin prendra note des informations importantes et procédera à un examen clinique complet comprenant une palpation de l'abdomen. Dans certains cas, pour trouver la maladie en cause, il prescrira des examens complémentaires tels que des analyses de sang, des radiologies ou une gastroscopie qui permettra de voir l'intérieur de l'estomac et de l'œsophage à l'aide d'une caméra.

QUEL EST LE TRAITEMENT ?

Brûlures d'estomac

Si le changement de certaines habitudes de vie ou encore les antiacides n'ont pas marché, le médecin prescrira des inhibiteurs de la pompe à protons qui empêcheront la production d'acide. Si certains médicaments sont la cause des brûlures, la prescription pourra être modifiée. La chirurgie est rarement indiquée.

Crampes d'estomac

Si les crampes persistent malgré le changement des habitudes alimentaires, le médecin tentera d'identifier la maladie sous-jacente qui en est la cause pour appliquer le traitement adéquat. Par exemple, un ulcère sera traité par un inhibiteur de la pompe à protons. On ajoutera des antibiotiques si on soupçonne la présence de la bactérie *Helicobacter pylori*. Une intoxication alimentaire grave peut nécessiter une réhydratation par voie intraveineuse et une médication par voie intraveineuse ou intramusculaire.

Dans le cas d'un trouble de motilité de l'estomac, le médecin pourra recourir à certains médicaments qui modifient les contractions du système digestif.

Rots (ou éructations)

Il n'existe pas de médicament pour améliorer les éructations. La solution au problème est la diminution de l'aérophagie.

Mauvaises postures

Les mauvaises postures ne sont pas que disgracieuses, elles provoquent de la douleur, des déformations et des troubles fonctionnels. Elles se manifestent le plus souvent au cours de l'adolescence. Elles se définissent par rapport à la courbure normale de la colonne vertébrale vue de profil. Cette courbure a la forme d'un « S » allongé : de haut en bas, on observe un creux au niveau du cou, puis un léger renflement en haut du dos et, enfin, un deuxième creux au bas du dos, dans la région lombaire.

Les mauvaises postures sont dans la plupart des cas des accentuations de ces courbures normales. Elles sont généralement attribuables à la négligence, mais elles peuvent aussi être le résultat d'une maladie.

Les déformations de la colonne vertébrale dues à de mauvaises postures en position debout, assise ou couchée sont de trois types : la lordose, la cyphose et la scoliose. Elles entraînent avec le temps une perte du tonus abdominal et le relâchement de certains muscles. Il est fréquent que deux des trois déformations coexistent. L'exemple classique est celui du bossu de Notre-Dame, qui souffrait d'une hypercyphose dorsale doublée d'une scoliose. Les adolescents qui se tiennent mal pourront également présenter une légère lordose, de même qu'une légère cyphose.

Lordose

- accentuation du creux du cou et extension de la tête vers l'arrière ;
- accentuation du creux de la région lombaire et cambrure du dos ;
- s'accompagne souvent des déformations suivantes : genoux qui se touchent, pieds affaissés et tournés vers l'intérieur ;
- douleurs au niveau des régions cervicale et lombaire.

Cyphose

- accentuation du renflement du haut du dos, flexion de la tête et des épaules vers l'avant ;
- douleurs au niveau de la région dorsale, aux omoplates et aux côtes.

Scoliose

- déviation latérale (en «forme de serpent») d'une partie de la colonne. Contrairement à la lordose et à la cyphose, une telle déviation n'est pas l'accentuation des deux courbures normales;
- s'associe parfois à une longueur inégale des membres inférieurs;
- souvent sans inconfort ni douleur.

QUELLES SONT LES CAUSES ?

Lordose

- ***Tendance héréditaire***;
- ***Obésité abdominale.*** Elle entraîne une hyperlordose en exerçant une tension indue sur les muscles de la colonne vertébrale. L'obésité abdominale change le centre de gravité et oblige la personne à se pencher en arrière pour garder son équilibre;
- ***Habitude de se tenir le dos trop cambré;***
- ***Faiblesse des muscles abdominaux;***
- ***Contraction excessive des muscles de la partie arrière du corps;***
- ***Arthrite.*** L'arthrite est une inflammation des articulations qui peut affecter la colonne vertébrale. L'inflammation crée de l'œdème (enflure) autour et entre les vertèbres. Avec le temps, cela change la courbure de la colonne et entraîne un déséquilibre musculaire puisque les muscles attachés se déplacent de leur emplacement habituel;
- ***Syndrome de Cushing.*** Cette maladie rare se caractérise notamment par un embonpoint au niveau de l'abdomen, ce qui, comme l'obésité, entraîne une accentuation de la courbure de la colonne lombaire.

Cyphose

- ***Tendance héréditaire;***
- ***Ostéoporose*** chez la femme âgée («bosse cervicodorsale de la veuve», appelée aussi «bosse de bison», à la jonction des colonnes cervicale et dorsale);
- ***Habitude de garder les épaules enroulées vers l'avant.*** Par exemple, la jeune fille embarrassée par une forte poitrine qui s'est développée rapidement aura tendance à ramener les épaules vers l'avant

pour la dissimuler; l'adolescent qui grandit trop vite cherche à réduire sa taille en voûtant le dos;

- ***Contraction excessive des muscles antérieurs de la colonne vertébrale.*** Prédisposition qui se manifeste à l'adolescence; une cyphose apparaît et le dos se voûte;
- ***Arthrite;***
- ***Maladie de Scheuermann.*** Elle apparaît à l'adolescence; pendant la croissance, les vertèbres s'écrasent en forme de coin, entraînant une hypercyphose (dos exagérément voûté).

Scoliose

- ***Postures inadéquates,*** par exemple, ne pas se tenir droit ou se tenir toujours appuyé sur un coude;
- ***Inégalité des membres inférieurs.*** Il s'agit d'un facteur aggravant;
- ***Prédisposition qui peut être héréditaire*** et qui se manifeste à l'adolescence, pendant la poussée de croissance;
- ***Traumatismes à la colonne vertébrale*** à la suite d'une chute, par exemple.

CONSEILS PRATIQUES

Éviter de se coucher sur le ventre. Cette position exagère les courbures cervicale et lombaire (lordose).

Ne pas porter de talons dont la hauteur dépasse trois à cinq centimètres. Les talons hauts ont tendance à accentuer la lordose.

Adopter de bonnes postures. En position debout, gardez le dos droit et les muscles abdominaux rentrés. Portez des chaussures confortables, qui assurent un bon équilibre. Si vous devez rester debout pendant une longue période, appuyez un pied sur un petit banc et alternez d'un pied à l'autre. Soulevez un poids en le tenant le plus près possible du corps et pliez les genoux au lieu de vous pencher vers l'avant. En position assise, tenez votre dos droit au moyen d'un coussin plat et ferme ou d'une serviette roulée et placée dans le bas du dos. Gardez les genoux pliés, légèrement plus élevés que le bassin, et utilisez un repose-pied (pieds à plat). En position couchée, privilégiez la position du fœtus et utilisez un bon oreiller, ferme mais malléable, qui épouse le creux du cou et soutient la tête. Sur le dos, utilisez un oreiller plus mince et un autre sous les genoux, et relevez-vous en roulant d'abord sur le côté. Vous pouvez aussi vous reposer moitié sur le ventre, moitié sur le côté en gardant une jambe repliée.

Changer souvent de position. Si vous travaillez dans un bureau, évitez de rester trop longtemps assis dans la même position. Mais déplacez-vous sans brusquerie, en évitant la torsion du tronc.

Enseigner les bonnes postures aux enfants dès l'âge de trois ou quatre ans. Vous leur rendrez service pour la vie.

Lire et mettre en pratique les exercices décrits dans le livre de Bob Anderson sur le stretching. Cet ouvrage est reconnu depuis plus de 15 ans comme la bible du stretching. On y conseille divers exercices de renforcement des abdominaux ainsi que des exercices d'étirement adaptés aux différents problèmes posturaux.

Maîtriser son poids. L'obésité accentue la lordose lombaire.

Utiliser un mobilier adéquat. Une bonne chaise de travail, des fauteuils rembourrés, un matelas et un oreiller fermes sont essentiels.

QUAND CONSULTER ?

- Vous avez des douleurs chroniques au dos ou au cou.
- Vous constatez sur vous ou chez un de vos proches une déformation de la courbure naturelle de la colonne vertébrale.

QUE SE PASSE-T-IL LORS DE L'EXAMEN ?

La radiographie constitue l'examen de base. On procède parfois à une orthodiagraphie (mesure de la longueur des membres inférieurs) ainsi qu'à des tests de flexibilité des muscles atteints.

QUEL EST LE TRAITEMENT ?

Lordose

Le port d'orthèses plantaires (semelles spéciales portées à l'intérieur des chaussures) aide à corriger la position. Des exercices d'étirement pourront assouplir les muscles postérieurs de la colonne vertébrale s'ils sont rétractés ; on prescrira aussi des exercices pour renforcer les abdominaux. On recommandera de perdre du poids, s'il y a lieu. Dans le cas d'un syndrome de Cushing, le médecin traitera la maladie en cause.

Cyphose

La rééducation des muscles antérieurs de la colonne se fera au moyen du stretching. Chez la femme ménopausée, l'hormonothérapie permettra de prévenir l'ostéoporose. En cas de contre-indication, le médecin aura recours à un autre traitement médicamenteux.

Pour la maladie de Scheuermann, on aura recours à la physiothérapie ou à la rééducation posturale globale (RPG), traitement consistant à renforcer, au moyen d'exercices, les divers groupes musculaires du corps ; certains cas graves nécessiteront le port d'un corset.

Scoliose

Les cas légers feront l'objet d'une surveillance. Une fois la croissance terminée, la scoliose cesse d'évoluer. Parfois, le patient devra fréquenter un centre de rééducation posturale. Des orthèses plantaires pourront servir à corriger la longueur inégale des membres inférieurs. Les cas graves nécessiteront une intervention chirurgicale ou le port d'un corset.

Douleurs

Le traitement de la douleur est le même pour les trois déformations. En phase aiguë, on prescrira des relaxants musculaires, des analgésiques ou des anti-inflammatoires. Pour prévenir la douleur, le médecin ou le physiothérapeute pourra enseigner certains exercices à pratiquer.

Maux de gorge

Un mal de gorge se localise, plus précisément, au niveau du larynx (organe où se situent les cordes vocales), du pharynx (l'arrière de la bouche) ou de la cavité buccale. Il peut être accompagné de fièvre, d'une augmentation du volume des ganglions, de congestion nasale, d'une difficulté à avaler, de rougeur de la gorge, de taches blanches sur la langue ou à l'intérieur de la gorge. L'intensité de la douleur est variable. Les manifestations liées au mal de gorge étant nombreuses, ne seront énumérées ici que les plus fréquentes.

Irritation ou traumatisme répété

- Douleur latente chronique ou intermittente parfois accompagnée d'inflammation et de rougeur des parois internes de la gorge.

Infection

- Douleur intense et progressive accompagnée d'inflammation, de rougeur, de fièvre et, parfois, de taches blanches localisées sur la langue, à l'intérieur des joues ou de la gorge.

Épiglottite

- Forme d'infection s'observant surtout chez l'enfant;
- Caractérisée par une inflammation aiguë du larynx, du pharynx et de l'épiglotte (partie de la gorge qui ferme le larynx au moment où la nourriture est avalée). Cette inflammation de l'épiglotte a pour effet de bloquer la respiration et peut aller jusqu'à l'asphyxie.

Cancer

- Douleur latente au début qui augmente de façon progressive au fil des jours pour devenir localisée et persistante;
- Généralement accompagné d'une douleur à l'oreille, d'un changement dans la voix, d'une difficulté à avaler, de sang dans les sécrétions, d'une masse dans le cou et d'une perte de poids inexpliquée;
- Se manifeste surtout chez les fumeurs et presque exclusivement après l'âge de 40 ans. Les fumeurs de marijuana sont encore plus

susceptibles de développer un cancer de la gorge, car ils aspirent une fumée plus chaude que celle de la cigarette et ils la gardent dans la bouche plus longtemps. De plus, la marijuana est très souvent contaminée par toutes sortes de substances nocives.

QUELLES SONT LES CAUSES ?

Irritation ou traumatisme répété

- ***Certains tics,*** comme se racler la gorge ou cracher constamment, qui finissent par irriter la muqueuse de la gorge ;
- ***Ronflements.*** En provoquant une vibration du palais mou, ils peuvent entraîner une inflammation de la gorge qui entraînera une douleur durant la journée ;
- ***Cigarette, alcool, reflux gastro-œsophagien ;***
- ***Allergies ;***
- ***Maladies auto-immunes*** (les maladies auto-immunes surviennent quand le système immunitaire ne distingue plus ses propres cellules des cellules étrangères), telles que la sclérodermie (c'est une maladie des fibres collagènes du derme, qui durcit la peau et réduit sa souplesse et sa mobilité, causant notamment de la douleur et de la difficulté à avaler).

Infection

- ***Virus (amygdalite, mononucléose infectieuse)*** dans la plupart des cas ;
- ***Bactéries (streptocoque) ou champignons (pharyngite et laryngite à* Candida albicans*).*** Le muguet est une infection à champignons courante surtout chez les bébés (la langue, les joues et le palais se couvrent de taches blanches). Les bactéries et les champignons peuvent aussi entraîner une rougeur de la gorge ;
- ***Abcès.*** Dû à une infection pas ou mal guérie, un abcès de la gorge ou des amygdales peut causer de la douleur et de la fièvre. Habituellement, on ne voit pas l'abcès, mais l'intérieur de la gorge et le cou sont rouges et enflés.

Épiglottite

- *Hæmophilus influenzæ.*

Cancer

- *Hérédité ;*
- *Mutation génétique ;*
- *Tabac et alcool.*

CONSEILS PRATIQUES

Ne pas crier et ne pas forcer sa voix. Vous risquez d'irriter votre gorge ou encore de devenir aphone.

Éviter de se racler la gorge ou de cracher constamment. Vous risquez d'aggraver l'irritation parce que vous contractez la gorge et vous faites entrer de l'air, ce qui l'assèche encore plus.

Éviter les aliments épicés, la gomme à mâcher à la cannelle ou à la menthe. Ils risquent de contribuer à augmenter l'irritation de votre gorge.

Ne pas se brosser la langue ou les amygdales avec une brosse à dents. Vous créerez ainsi un traumatisme supplémentaire.

Ne pas fumer et éviter les endroits enfumés. La cigarette et la fumée secondaire sont des irritants qui ne peuvent qu'accentuer votre mal de gorge.

Chez l'enfant

Procéder soi-même à une vérification de routine. Prenez d'abord la température de l'enfant. À l'aide d'un bâtonnet appuyé sur la langue et d'une lampe de poche, vérifiez s'il y a inflammation de la gorge.

Observer si l'enfant manifeste une baisse d'énergie et d'activité. Un enfant subitement inactif est souvent un enfant qui couve quelque chose.

S'assurer que l'enfant ne se déshydrate pas. Donnez-lui à boire régulièrement.

Cesser de fumer en sa présence. La fumée secondaire est peut-être la cause de ses maux de gorge.

S'assurer que son enfant se lave les mains régulièrement. Une bonne hygiène des mains est une excellente protection contre les bactéries.

S'assurer qu'il se mouche régulièrement. Le fait de renifler constamment et d'avaler ses propres sécrétions peut contribuer à irriter sa gorge.

Calmer sa douleur. Donnez-lui des comprimés d'acétaminophène. Il faut calculer 15 mg par kilogramme (poids de l'enfant) pour chaque dose. À prendre toutes les quatre à six heures, pour un maximum de cinq doses par jour. Évitez l'aspirine chez les enfants, car elle peut induire le syndrome de Reye, une maladie neurologique très grave d'origine virale qui a des répercussions sur le foie, les reins et le cerveau.

Consulter de nouveau un médecin si la situation s'aggrave. Cette aggravation peut faire soupçonner une épiglottite.

Chez l'adulte

Procéder à un autoexamen. À l'aide d'un bâtonnet et d'une lampe de poche, vérifiez s'il y a inflammation de votre gorge et si elle est couverte de taches blanches.

Évaluer soi-même la cause potentielle. Si cela est possible, éliminez-la. Par exemple, s'il s'agit d'un reflux gastrique, diminuez votre taux d'acidité en éliminant le café, l'alcool, les aliments épicés, etc.

Analgésiques, repos et hydratation donnent de bons résultats. Les premiers calmeront la douleur, les deux autres contribueront à améliorer votre état. Il est important de boire beaucoup de liquides pour éviter de se déshydrater.

Faire des vaporisations d'eau et d'eucalyptus. L'eucalyptus est un lubrifiant naturel qui aidera à diminuer la douleur due à l'irritation. Faites bouillir de l'eau avec de l'eucalyptus et respirez-en la vapeur.

On en trouve en vente libre dans les pharmacies et chez les marchands de produits naturels.

Faire des inhalations de camphre. Cela aidera à dégager les voies nasales et respiratoires, et vous apportera un certain soulagement.

Se gargariser à l'eau salée. Les gargarismes permettent de déloger les sécrétions qui peuvent adhérer aux parois internes de la gorge. La préparation est simple. Il suffit de faire bouillir de l'eau. Une fois qu'elle est arrivée à ébullition, retirez-la du feu et ajoutez-y une quantité de sel suffisante pour que l'eau en prenne la saveur. Laissez tiédir le mélange avant de vous en servir pour vous gargariser. Ne vous gargarisez pas avec un rince-bouche ni avec de l'alcool à friction. Le rince-bouche ne fera qu'aggraver l'irritation. Quant à l'alcool, il peut causer une intoxication.

Éliminer tapis, moquette, poussières, etc. Bref, tout ce qui peut être, pour vous, source d'allergie.

QUAND CONSULTER ?

Chez l'enfant

- Le bébé a des taches blanches sur la langue, les joues ou la gorge.
- La douleur persiste au-delà de 48 heures ou encore elle s'intensifie.
- Plus l'enfant est jeune, plus il faut consulter un médecin tôt.

Chez l'adulte

- Les symptômes sont associés à des complications telles que de la fièvre et de la difficulté à avaler ou à se nourrir.
- La douleur persiste au-delà de quatre à huit semaines.
- La douleur est chronique et latente et vous êtes fumeur.

QUE SE PASSE-T-IL LORS DE L'EXAMEN ?

Chez l'enfant

Le médecin procédera à la prise des signes vitaux (température, pouls et rythme respiratoire). S'il soupçonne une épiglottite, il demandera une radiographie de la gorge.

Chez l'adulte

Le médecin procédera à l'examen des oreilles et du nez. Il vérifiera le degré de congestion des fosses nasales ainsi que l'état de la cavité buccale. Il pourra également procéder à l'examen du pharynx et à la palpation du cou pour vérifier si les ganglions ont augmenté de volume. S'il soupçonne une infection au streptocoque, il effectuera un prélèvement. Il demandera une prise de sang s'il soupçonne la présence d'une mononucléose. Le médecin pourra demander à revoir le patient dans les 24 à 48 heures suivantes afin de suivre l'évolution de la maladie.

QUEL EST LE TRAITEMENT ?

Irritation ou traumatisme répété

Des traitements visant à calmer la douleur comme sucer de la glace ou manger des aliments froids ainsi que des analgésiques seront prescrits. S'il y a lieu, le médecin pourra également prescrire un anesthésique. Si c'est le reflux gastro-oesophagien qui cause l'irritation de la gorge, le médecin pourra prescrire des médicaments qui réduisent, neutralisent ou aident à évaluer l'acidité de l'estomac. Dans le cas d'une allergie, le médecin prescrira des stéroïdes topiques ou oraux (cortisone) ou un antihistaminique. Le traitement des maladies autoimmune vise à soulager les symptômes qu'elles causent.

Infection

Des antibiotiques oraux seront prescrits. Le traitement peut varier de 3 à 10 jours. Il est à noter que certains antibiotiques ne doivent pas être pris avec des produits laitiers, car ces derniers empêchent leur absorption par l'organisme. Les allergies à la pénicilline doivent toujours être signalées au médecin. La mononucléose infectieuse nécessite du repos, des antibiotiques et, dans certains cas, de la cortisone pour aider à désenfler la gorge. Les infections à champignons seront soignées avec un médicament antifongique. Les abcès nécessiteront la prise d'antibiotiques oraux ou intraveineux. Un drainage sera parfois nécessaire.

Épiglottite

Si elle n'est pas traitée rapidement, l'épiglottite peut entraîner la mort. Toutefois, l'arrivée sur le marché du vaccin contre l'*Hæmophilus influenzæ* a permis d'observer une diminution des cas. Un traitement antibiotique intraveineux sera administré pendant 7 à 10 jours. On pourra également avoir recours à l'intubation de façon préventive pendant trois à sept jours, c'est-à-dire placer un tube dans la trachée pour permettre la respiration.

Cancer

Il sera traité en fonction de son emplacement, de la taille de la tumeur, de l'âge du sujet et de son état général. Habituellement, un traitement combiné de chimiothérapie/radiothérapie ou de radio thérapie/chirurgie est institué.

Maux de tête et migraines

Il existe plusieurs types de maux de tête ou céphalées : les migraines, les maux de tête musculaires (appelés céphalées de tension), les maux de tête d'origine cervicale, les maux de tête consécutifs à un traumatisme crânien et de nombreux autres types liés à certaines maladies spécifiques. Les maux de tête peuvent être épisodiques ou chroniques, affectant grandement, dans ce dernier cas, la qualité de vie du patient.

La migraine est la céphalée la plus accablante, car la douleur à la tête peut s'accompagner de nausées, de larmoiements, de vomissements ou d'intolérance à la lumière et au bruit. Elle touche 16 % des femmes et 6 % des hommes. Il faut donc retenir que ce n'est qu'une faible proportion des maux de tête qui sont de vraies migraines. On ne connaît pas encore les causes exactes de la migraine, mais, dans au moins 60 % des cas, on rapporte des antécédents familiaux. Il y a donc possiblement un facteur génétique.

Les manifestations des maux de tête sont très diverses : pulsations ou martèlements insupportables (avec la migraine, surtout), douleur à un endroit précis du crâne, impression d'avoir un bandeau trop serré autour de la tête, douleur qui part du cou et qui passe de chaque côté de la tête, élancement continu, etc.

Les mécanismes qui déclenchent la douleur peuvent être très différents. Par exemple, la douleur de la migraine proviendrait d'une dilatation des artères de la base du cerveau, accompagnée d'une inflammation de la paroi de ces artères. Autre exemple : des spasmes des muscles autour de la boîte crânienne et de la nuque contribueraient à la douleur ressentie dans les céphalées de tension et les maux de tête d'origine cervicale.

QUELLES SONT LES CAUSES ?

Migraine

- ***Fluctuations hormonales*** chez les femmes, telles que celles causées par la puberté, l'ovulation, les menstruations, la grossesse, l'accouchement, la ménopause. Les œstrogènes et les progestatifs contenus dans les contraceptifs ou l'hormonothérapie de substitution en sont parfois aussi responsables ;

- ***Stress lié au décès d'un proche,*** à des problèmes familiaux, à l'apparition d'une maladie, à des soucis financiers ou relatifs au travail, etc. ;
- ***Certains aliments et certaines boissons ;***
- ***Odeurs fortes,*** telles que la fumée du tabac, le parfum et celles que dégage la pollution industrielle ;
- ***Froid,*** par exemple, manger de la crème glacée ou s'exposer la tête à une basse température ;
- ***Effort fourni lors de la pratique de sports exigeants (course, football, poids et haltères, tennis), d'un long travail intellectuel ou d'un orgasme.***

Maux de tête musculaires (céphalées de tension)

- ***Anxiété excessive ;***
- ***Dépression.***

Maux de tête d'origine cervicale

- ***Mauvaises postures*** dues à une immobilisation prolongée – à un poste de travail sur ordinateur qui n'est pas ergonomique, par exemple –, à des mouvements répétitifs, à la position couchée sur le ventre pendant le sommeil, à des oreillers inadéquats (trop épais ou trop minces) ou à une déviation de la colonne vertébrale.

Maux de tête consécutifs à un traumatisme crânien

- ***Coups à la tête*** qui peuvent entraîner des lésions de la colonne cervicale ou secouer violemment le cerveau et ses enveloppes.

Céphalées toxiques ou de sevrage

- ***Abus d'alcool ;***
- ***Sevrage du café ;***
- ***Intoxication au monoxyde de carbone.***

Céphalées liées au métabolisme

- ***Repas pris à heures irrégulières ou saut d'un repas ;***
- ***Hypoglycémie ;***
- ***Manque d'oxygène (céphalée d'altitude).***

Céphalées d'origine médicamenteuse (ou céphalées de rebond)

- ***Recours continuel à certains médicaments,*** tels que l'aspirine, l'acétaminophène, les tranquillisants, le Viagra, les sédatifs et l'ergotamine. Cela peut augmenter la fréquence et, parfois, l'intensité des maux de tête;
- ***Certains médicaments*** utilisés dans le traitement des maladies cardiovasculaires, tels que la nitroglycérine et les anticalciques.

Céphalées d'origine vasculaire

- ***Hypertension artérielle importante;***
- ***Anévrisme cérébral (dilatation artérielle);***
- ***Hémorragie cérébrale.***

Céphalées d'origine infectieuse

- ***Fièvre;***
- ***Infections diverses,*** comme la méningite, la sinusite, etc.

CONSEILS PRATIQUES

Ne pas abuser des analgésiques. Il est tout à fait indiqué de prendre un ou deux comprimés d'aspirine ou d'acétaminophène pour soulager un mal de tête occasionnel. Cependant, il faut savoir que le recours continuel à ces médicaments ne soulage la douleur qu'en partie et pour une

La céphalée de Horton : surtout les fumeurs

La céphalée de Horton, forme rare de céphalée, touche le sexe masculin dans une proportion de cinq à huit hommes (généralement de gros fumeurs) pour une femme. La douleur intense à l'œil ou à la tempe s'accompagne de rougeur et de larmoiement, de congestion nasale et de sudation faciale. Comme le tabagisme constitue l'un des éléments déclencheurs de la céphalée de Horton, il est essentiel d'entreprendre un traitement pour cesser de fumer. Par ailleurs, comme pour tous les types de maux de tête, il s'avère important d'agir sur les autres éléments déclencheurs.

courte période. L'utilisation prolongée des analgésiques augmente la fréquence et, parfois, l'intensité des maux de tête. La présence quasi constante du médicament dans l'organisme crée une accoutumance, et chaque nouvelle dose devient de moins en moins efficace et agit moins longtemps. La diminution du taux d'analgésique dans le sang au cours du sommeil provoque au réveil une céphalée de rebond, qui sera calmée de façon temporaire par la prise d'une autre dose. Mais celle-ci n'aura pour conséquence que de faire réapparaître le mal de tête.

Éviter les décongestifs oraux. Même s'ils peuvent soulager la sinusite et le mal de tête qui l'accompagne, les décongestifs oraux ne doivent pas être considérés comme des médicaments pour traiter le mal de tête. Ils contiennent de la pseudoéphédrine, un médicament qui aide à décongestionner, mais qui, parce qu'il fait contracter les vaisseaux sanguins, risque d'entraîner de l'hypertension artérielle à moyen terme. Parlez-en à votre pharmacien.

Ne pas faire d'effort physique exagéré. Si vous souffrez de douleurs au cou, n'entreprenez pas de grands travaux (rénovations, ménage du printemps, etc.) pendant votre traitement.

Chercher le calme. Trop de bruit peut devenir une source de tension et entraîner des maux de tête.

Manger à heures fixes. Prenez vos repas chaque jour aux mêmes heures, autant le petit-déjeuner que les autres repas de la journée.

Se reposer. Dans la plupart des cas, ceux qui souffrent d'un mal de tête vont s'étendre quelques heures parce qu'ils ne se sentent pas suffisamment bien pour poursuivre leurs activités. Ce repos forcé a des effets bénéfiques puisqu'il a été démontré que le sommeil contribue à soulager les céphalées.

Repenser son hygiène de vie. Adoptez une saine alimentation, faites quotidiennement des exercices non violents, comme la marche, et des exercices pour assouplir le cou et le dos.

Réagir au stress au jour le jour. Au lieu d'accumuler les frustrations, réglez les conflits au fur et à mesure qu'ils se présentent. Ménagez-vous chaque jour une période de détente.

Se distraire. À l'inverse, si vous vous ennuyez, augmentez vos activités pour vous changer les idées et ne plus être obsédé par vos maux de tête.

Tenir un journal. Notez sur un papier les informations concernant vos maux de tête : le moment de leur apparition, les aliments ou autres facteurs qui ont pu les déclencher, etc. En relisant vos notes, vous pourrez peut-être mettre en évidence certains moyens de prévention.

Prendre soin de son cou. Si vos maux de tête sont dus à un dysfonctionnement cervical, pratiquez des exercices d'étirement pour le cou (élévation des épaules, épaules en arrière et en avant, rotation de la tête et inclinaison, menton vers l'arrière). Ces exercices peuvent être faits sous le jet d'eau chaude de la douche (arrêtez si une douleur apparaît). Pour dormir, utilisez un oreiller ni trop épais ni trop mince, que vous placerez sous votre cou (et non sous la tête) pour remplir le creux. Abandonnez les sacs à dos ou en bandoulière et les porte-documents trop lourds.

Attention aux aliments déclencheurs. Plusieurs aliments ou additifs alimentaires sont reconnus pour déclencher des migraines chez certaines personnes. Citons l'alcool, le vin rouge (à cause du tanin qu'il contient), la tyramine (dans les fromages forts ou vieillis, le poisson mariné ou fumé, le foie de poulet, les agrumes), le chocolat, les nitrites (dans la saucisse à hot-dog et les charcuteries), le glutamate monosodique (dans la cuisine chinoise), la caféine en excès (dans le café, le thé, le cola et le chocolat), les noix, les oignons et l'aspartame (dans les boissons diététiques). Notez les aliments que vous avez consommés dans les deux jours qui ont précédé la migraine. Ensuite, éliminez de votre régime les aliments suspects. Observez les effets de cette exclusion sur la fréquence et la durée de vos maux de tête. Vous pourrez alors manger de nouveau ces aliments ou les écarter définitivement.

Répenser sa méthode contraceptive. Les femmes qui commencent à prendre la pilule risquent de souffrir de migraines pour la première fois de leur vie ou de voir leurs migraines habituelles s'aggraver. Cependant, tous les contraceptifs oraux ne sont pas contre-indiqués. Certains, telle la « minipilule », ne contiennent pas d'œstrogènes. Discutez aussi des autres moyens contraceptifs avec votre médecin.

Ralentir la cadence. Quelle que soit la nature des maux de tête, ils ne diminueront pas si vous maintenez un rythme d'enfer. Dans bien des cas, vous ne devriez pas chercher plus loin l'élément déclencheur.

Consulter un médecin. Si vos maux de tête perturbent vos activités quotidiennes, consultez un médecin afin d'obtenir un diagnostic ainsi qu'un traitement approprié, car le mal de tête n'est pas un phénomène normal.

Combattre le fatalisme. Vous n'avez pas à vivre avec votre douleur. La médecine comprend de mieux en mieux les maux de tête et un diagnostic posé il y a cinq ans est peut-être moins valable aujourd'hui. De plus, de nouveaux médicaments contre la migraine et les maux de tête graves ont fait leur apparition sur le marché au cours des dernières années. Dans 90 % des cas, vous pouvez espérer un soulagement de vos maux de tête avec des soins appropriés.

QUAND CONSULTER ?

- Vous n'avez jamais souffert de maux de tête auparavant.
- Vous devez réduire vos activités et même vous absenter de votre travail à cause de vos maux de tête.
- Vos maux de tête deviennent de plus en plus fréquents et de plus en plus intenses.

QUE SE PASSE-T-IL LORS DE L'EXAMEN ?

Le médecin notera les détails importants des antécédents personnels et familiaux et il procédera à un examen clinique complet (comprenant le système nerveux, la colonne cervicale, les sinus, etc.). Dans de rares cas, il pourra adresser son patient à l'urgence d'un hôpital en demandant de procéder à une ponction lombaire pour s'assurer qu'il n'y a pas eu de rupture d'un vaisseau sanguin, donc d'hémorragie cérébrale. Selon le diagnostic, il prendra lui-même en charge le traitement ou il orientera le patient vers le spécialiste approprié (physiatre, neurologue, ophtalmologiste, oto-rhino-laryngologiste, dentiste, etc.).

QUEL EST LE TRAITEMENT ?

Traitement habituel

Le traitement des maux de tête comprend forcément un changement des habitudes de vie, l'élimination d'éléments déclencheurs et la correction des mauvaises postures durant le sommeil ou au travail. Le traitement médical est toujours individualisé et basé sur le diagnostic ainsi que sur la fréquence et l'intensité des crises.

Pour les céphalées de tension, les différents types d'analgésiques en vente libre ou sur ordonnance, tels que l'aspirine, l'acétaminophène, l'ibuprofène, la codéine et les anti-inflammatoires sont efficaces pour soulager une douleur légère ou modérée. Ne pas les prendre plus de deux jours par semaine afin d'éviter les céphalées de rebond.

Pour traiter une crise aiguë de migraine ou une céphalée de Horton, le médecin prescrira un agoniste des récepteurs de la sérotonine, tel que le tartrate d'ergotamine, la DHE (dihydroergotamine) ou des médicaments qu'on appelle «triptans». Ces derniers ont révolutionné le traitement de la crise de migraine parce qu'ils sont très efficaces et qu'ils ont peu d'effets indésirables. Dans certains cas, un traitement pharmacologique de prévention est envisageable. Les antidépresseurs tricycliques, les bêtabloquants et les inhibiteurs calciques sont également au nombre des médicaments préventifs.

Si les céphalées impliquent des facteurs psychologiques importants, le traitement peut comprendre une psychothérapie de soutien selon l'approche comportementale – le médecin ou le psychologue analyse avec le patient les facteurs de stress et l'aide à identifier des solutions – et l'apprentissage de techniques de relaxation par biofeedback ou autres.

Céphalées d'origine médicamenteuse (ou de rebond)

Le retrait progressif de certains médicaments en vente libre ou sur ordonnance est indiqué dans ces cas. Cette désintoxication nécessite un suivi médical et un engagement de la part du patient. Au terme du sevrage, le médecin pourra mieux cerner la source des douleurs initiales et la traiter adéquatement.

Céphalées d'origine cervicale

Dans la profession médicale, c'est le physiatre qui est le plus à même d'évaluer et de traiter ce type de maux de tête. Selon le cas, il prescrira physiothérapie, thérapie par la chaleur ou par le froid, tractions cervicales, massothérapie, exercices thérapeutiques pour le cou, manipulations vertébrales et injections d'anesthésiques ou de cortisone le long des nerfs occipitaux. Une approche telle que l'ostéopathie s'avère très efficace. Quant à l'acupuncture et à la chiropraxie, elles n'ont pas encore prouvé leur utilité de façon scientifique.

Nausée

Nausée, mal de cœur, haut-le-cœur, dégoût : tous ces termes traduisent la sensation désagréable qu'est l'envie de vomir. Elle résulte d'une stimulation du centre du vomissement, situé dans le bulbe rachidien.

La nausée peut s'accompagner des symptômes suivants :

- augmentation de la sécrétion de salive ;
- vomissements ;
- maux de tête ;
- douleurs abdominales ;
- fièvre ;
- raideur de la nuque.

QUELLES SONT LES CAUSES ?

- ***Troubles digestifs*** tels que l'ulcère gastroduodénal, les maladies des voies biliaires (crise de foie) ou du pancréas, les calculs à la vésicule, l'appendicite, une intoxication alimentaire, le diabète mal maîtrisé, la chirurgie gastrique, l'abus d'alcool ou de nourriture, l'obstruction intestinale (tumeur, abcès, etc.), le syndrome de l'intestin irritable ;
- ***Troubles neurologiques*** tels que la migraine, les odeurs désagréables, les affections de l'oreille interne (p. ex. : la labyrinthite), le mal des transports, la méningite, la maladie de Ménière, des tumeurs ;
- ***Médicaments et agents chimiques*** tels que la chimiothérapie, la morphine, la codéine, les médicaments pour la maladie de Parkinson ;
- ***Intoxication à la digitale (tonique cardiaque)*** ;
- ***Troubles psychiques*** tels que la peur, le stress, l'anorexie, la boulimie ;
- ***Douleur intense*** ;
- ***Grossesse***.

CONSEILS PRATIQUES

Attendre que ça passe. Si vos malaises ne sont pas trop prononcés, modérez simplement vos activités, le temps que ça aille mieux. Et le fait de vomir enraye souvent la nausée.

Ne pas se forcer à manger. Manger un peu aide souvent à soulager une nausée légère. Mais n'insistez pas. Ne vous forcez pas à manger si vous n'en êtes pas capable. Toutefois, vous devez boire pour ne pas vous déshydrater.

Se détendre. Si votre nausée survient à des moments de stress, essayez de vous détendre.

Que boire et que manger? À éliminer d'emblée, que vous vomissiez ou non: lait et produits laitiers, jus et boissons très sucrés, viande rouge, sucreries, fritures et légumes frais. Ces aliments sont difficiles à assimiler par le système digestif.

En l'absence de vomissements. Grignotez et buvez légèrement pour vous aider à stabiliser votre estomac (biscuits secs, tranche de pain non beurrée, fruit, thé, eau, jus de fruits, etc.).

En cas de vomissements. Évitez de manger pendant 12 à 24 heures. Mais hydratez-vous en buvant 1,5 litre par jour de liquides légèrement salés, comme du bouillon et du jus de tomate. Commencez par de très petites quantités que vous augmenterez toutes les 20 minutes selon votre tolérance. Mais rien de très sucré, pour ne pas aggraver la nausée.

Après les vomissements. Quand vous commencerez à aller mieux, consommez soupes légères, tartines de beurre d'arachide, pâtes, riz, pommes de terre, poulet et poisson. Ce sont des aliments que l'estomac assimile facilement. Prenez plusieurs petits repas par jour, pour ne pas surcharger votre appareil digestif. Revenez progressivement à votre alimentation habituelle.

Prendre certains médicaments. Un antinauséeux, comme le dimenhydrinate (p. ex.: Gravol), pourra atténuer la nausée. Attention: ce médicament peut causer de la somnolence; évitez donc de conduire.

QUAND CONSULTER ?

- Votre nausée persiste ou augmente.
- Vous vomissez sans arrêt.
- Raideur du cou, douleurs abdominales, fièvre ou maux de tête se manifestent.
- Votre état général se détériore.

Le mal des transports

Le mal des transports (par mer, terre et air) résulte d'une stimulation excessive de l'appareil vestibulaire (oreille interne). Il se traduit par des nausées, des étourdissements et des vomissements.

Que faire ?

Le Gravol. Les comprimés antihistaminiques antinauséeux sont très efficaces s'ils sont pris quelques heures avant le départ. Attention: ils peuvent entraîner de la somnolence. À éviter si vous devez conduire.

Les timbres de scopolamine. Ils peuvent quelquefois être efficaces contre la nausée. On peut se les procurer en pharmacie sans ordonnance. Somnolence, sécheresse de la bouche et accélération du rythme cardiaque sont les principaux effets secondaires. Attention: ces timbres sont déconseillés aux enfants et aux personnes souffrant de glaucome ou de prostatisme.

Manger un peu avant de partir. Comme le font les femmes enceintes, manger légèrement peut contribuer à diminuer les maux de cœur. Que peut-on manger? Des biscottes, des fruits, du pain, des crudités, par exemple.

S'arrêter pour prendre l'air. Lorsque c'est possible, il est recommandé de faire une halte toutes les deux ou trois heures.

Prendre certaines précautions. Évitez tout ce qui pourrait aggraver la nausée: les mauvaises odeurs, la fumée de cigarette, les repas trop copieux, le manque de sommeil et l'alcool pris en grande quantité.

QUE SE PASSE-T-IL LORS DE L'EXAMEN ?

Le médecin recueillera les informations pertinentes et procédera à un examen physique complet pour trouver l'origine du problème. La prise de la tension artérielle, une analyse de sang, un examen abdominal et neurologique de base constituent les examens pratiqués d'emblée. Des examens plus approfondis (radiographies, échographie, etc.) pourraient s'avérer nécessaires.

QUEL EST LE TRAITEMENT ?

Si la nausée est la manifestation d'une maladie sous-jacente, le traitement médical indiqué sera immédiatement entrepris.

Il arrive que la nausée et les vomissements aigus nécessitent d'hospitaliser la personne afin qu'elle soit réhydratée par voie intraveineuse.

Il existe plusieurs médicaments pour enrayer une nausée qui perdure, comme le métoclopramide (Maxeran), qui fait contracter l'estomac pour empêcher son contenu de remonter (ce produit est toutefois déconseillé aux personnes âgées puisqu'il peut entraîner de la confusion), et le prochlorpérazine (Stemetil), qui est un antinauséeux.

Nausées et vomissements de la grossesse

Les nausées et les vomissements de la grossesse sont caractérisés par un trouble de l'appétit et un dégoût pour la nourriture. Typiquement, ils apparaissent dès la quatrième semaine de gestation et diminuent graduellement vers la fin du premier trimestre. Ce phénomène touche au moins la moitié des femmes enceintes et environ 20 % d'entre elles continueront à éprouver ces symptômes après cette période.

Des études ont révélé que 83 % des femmes qui ont des nausées de la grossesse estiment que les symptômes sont suffisamment incommodants pour affecter leurs activités quotidiennes. Le tiers d'entre elles doivent même s'accorder un temps d'arrêt ou de repos. Les nausées matinales de la grossesse sont un phénomène réel et non une invention de la femme enceinte. Toutes les futures mères devraient en discuter avec leur médecin.

Les nausées et les vomissements ne sont aucunement nuisibles pour le fœtus. Au contraire, ils signifient que la grossesse se déroule normalement.

Dans 1 % des cas, les vomissements deviennent suffisamment importants pour causer une perte de poids, une déshydratation et un déséquilibre électrolytique de l'organisme. C'est ce qu'on appelle l'hyperémèse gravidique (ou vomissements incoercibles de la grossesse).

Les nausées et les vomissements de la grossesse peuvent survenir le matin, à n'importe quel moment de la journée ou même durer toute la journée.

QUELLES SONT LES CAUSES ?

- ***Différents facteurs.*** Les causes exactes ne sont pas encore connues, mais les changements hormonaux produits par le fœtus et le placenta, des troubles digestifs et des facteurs psychologiques (stress et fatigue) en sont possiblement responsables ;
- ***Vitamines prénatales.*** Leur grande concentration en fer peut irriter l'estomac. C'est pour cette raison qu'elles ne sont souvent prescrites qu'après le premier trimestre de la grossesse.

CONSEILS PRATIQUES

Manger en petites quantités et fréquemment. Oubliez la règle des trois repas par jour. Mangez dès que l'appétit se fait sentir. L'important, c'est de ne jamais avoir l'estomac vide ni trop plein. De plus, comme l'estomac produit plus de sucs gastriques (sécrétions) durant la grossesse, il est bon de grignoter souvent au cours de la journée pour neutraliser les sécrétions gastriques.

Consommer ce dont on a envie. Ne vous forcez pas à manger des aliments s'ils vous donnent la nausée. L'important, c'est que vous arriviez à garder quelque chose dans l'estomac. Laissez-vous tenter par des aliments que vous mangez avec plaisir. Lorsque l'estomac sera en partie rempli, la sensation de dégoût s'atténuera ; vous pourrez alors vous mijoter un petit repas « santé ».

Des aliments « antinausée ». Les aliments suivants sont reconnus pour ne pas provoquer de dégoût chez les femmes enceintes. Vous en trouverez certainement quelques-uns qui vous conviendront. Ayez-en toujours à portée de la main (et sur votre table de chevet) :

- croustilles
- cornichons
- riz brun
- bâtonnets de céleri
- pain
- gâteau
- jus
- craquelins
- amandes crues (salées ou non)
- bretzels
- limonade
- soupe aux champignons
- pommes
- pâtes alimentaires
- céréales sucrées
- « popsicle »
- pommes de terre en purée

Ne pas manger d'aliments gras, frits ou trop riches. Les fritures, le beurre, la mayonnaise, etc., sont plus difficiles à digérer. Ils séjournent plus longtemps dans l'estomac, entraînant souvent des nausées.

Ne pas trop boire aux repas. Le fait de trop mélanger liquides et solides stimule l'estomac et amplifie la sensation de trop-plein, provoquant nausées et vomissements. Un verre ou deux de liquide durant le repas est suffisant. Entre les repas, vous pouvez boire à satiété.

Essayer les suppléments alimentaires liquides. Si les aliments solides vous donnent beaucoup de nausées, vous trouverez en pharmacie des suppléments alimentaires liquides riches en éléments nutritifs.

S'hydrater. Quand on tolère mal la nourriture, boire devient primordial pour ne pas se déshydrater : on peut boire de l'eau, des bouillons, des jus de fruits ou de légumes, des boissons sucrées destinées aux sportifs.

Se reposer. La fatigue semble augmenter les nausées et les vomissements. Il est important de s'accorder du repos et de limiter les tâches domestiques. Dans certains cas, quelques jours de repos sont nécessaires.

Un supplément de vitamine B_6 (pyridoxine). À raison de 25 mg toutes les huit heures, ce supplément s'avère efficace, car il favorise une meilleure digestion des aliments. Ne dépassez surtout pas la dose recommandée, car cela pourrait vous causer plus de nausées et des maux de tête. N'hésitez pas à en parler avec votre médecin. Vous trouverez les suppléments de vitamine B_6 en vente libre dans les pharmacies.

Consommer du gingembre. La racine de gingembre en poudre (250 mg quatre fois par jour) a des effets bénéfiques sur les nausées et les vomissements. Vous en trouverez dans les magasins d'aliments naturels et dans la plupart des pharmacies. Notez qu'il n'a pas été établi que les boissons gazeuses au gingembre et la racine utilisée en cuisine ont les mêmes propriétés. Attention : à trop fortes doses, la racine de gingembre est susceptible de causer des dommages neurologiques au fœtus ! Ne dépassez pas la dose recommandée !

Essayer les bracelets d'acupression. Vendus en pharmacie (sans ordonnance) et dans les magasins d'aliments naturels, ils stimulent par pression le point d'acupuncture connu sous le nom de point de Neiguan ou péricardium 6 (P6). Malgré l'absence de preuves établissant scientifiquement leur efficacité, ces bracelets pourraient atténuer les nausées. Ils sont sans danger pour la mère et pour le fœtus.

Boire des tisanes. Dans certains cas, des tisanes de feuilles de framboisier, de camomille ou de mélisse apportent un soulagement. Ce sont des produits naturels sans aucun danger, mais leur efficacité n'est pas scientifiquement reconnue.

Éviter les endroits mal ventilés. Comme la femme enceinte est sensible aux odeurs, il faut éviter les endroits où règnent des odeurs de cuisson, de cigarette ou de parfum.

QUAND CONSULTER ?

- Les conseils de base ne fonctionnent pas.
- Vous commencez à présenter des signes de déshydratation (sécheresse de la bouche, des lèvres et de la langue, urines plus rares).
- Vous vomissez jusqu'à quatre à six fois par jour et vous perdez du poids.
- Vous vomissez du sang ou vous avez des douleurs abdominales.

QUE SE PASSE-T-IL LORS DE L'EXAMEN ?

Après avoir noté des informations pertinentes, le médecin procédera à un examen complet, avec analyse du sang si nécessaire.

QUEL EST LE TRAITEMENT ?

Si les vomissements persistent, le médecin aura recours au Diclectin (succinate de doxylamine/vitamine B_6). Plusieurs études ont prouvé que ce médicament constitue un traitement sûr contre les nausées et les vomissements de la grossesse. En outre, il est sans danger pour la mère et le fœtus. Il peut toutefois causer de la somnolence chez certaines patientes, qui doivent donc éviter de conduire. Actuellement, le Diclectin est le seul antinauséeux approuvé par Santé Canada pour les femmes enceintes.

En cas de reflux gastro-œsophagien (brûlures d'estomac), le médecin pourra prescrire un antiacide adapté à l'état de la patiente.

Si ce sont les vitamines prénatales qui sont responsables, le médecin pourra les remplacer ou simplement interrompre le traitement un certain temps.

Lorsque les symptômes sont graves, une hospitalisation devra peut-être être envisagée. Le traitement consistera à réhydrater la patiente avec un soluté, à soulager ses nausées avec un médicament et à recommencer progressivement l'alimentation par la bouche. Dans de très rares cas extrêmement graves, il sera nécessaire de nourrir la femme enceinte avec un petit tube inséré directement dans l'estomac.

Odeurs corporelles

En dehors des odeurs causées par une maladie, les odeurs corporelles sont un héritage que nous ont transmis nos lointains ancêtres, auxquels elles servaient de signaux de reconnaissance... ou de séduction. Aujourd'hui, on cherche surtout à les éliminer.

Contrairement à une croyance répandue, la transpiration est inodore. Elle a pour but de régulariser la température du corps. Seules les sécrétions des glandes apocrines, situées aux aisselles et à l'aine (les femmes en ont aussi un peu sous les seins), dégagent une odeur qui devient encore plus prononcée quand les sécrétions sont colonisées par des bactéries. Les odeurs de la transpiration ne concernent que les adultes, car elles n'apparaissent qu'à la puberté, lorsque les glandes apocrines se développent.

Les autres types d'odeurs corporelles, que l'on dit généralement désagréables, sont produites par des bactéries et des champignons ou par la peau elle-même.

Odeurs « primaires » (non attribuables à une maladie) :

- odeurs dégagées par les aisselles ou les pieds et plus ou moins prononcées selon les personnes ;
- odeurs d'ail ou d'épices dégagées par la peau.

Odeurs « secondaires » (causées par une maladie ou un agent externe et dégagées par la peau)

- odeurs inhabituelles (fruitée, sucrée, acide ou de pomme pourrie) ;
- toute odeur non identifiable.

QUELLES SONT LES CAUSES ?

Odeurs primaires

- ***Prédisposition génétique*** ;
- ***Hygiène inadéquate des pieds.*** Cela entraîne la croissance de bactéries et de champignons qui, ensemble, donnent une odeur désagréable aux pieds ;

- ***Hyperactivité des glandes apocrines.*** Elle favorise la colonisation et la croissance des bactéries. Aux aisselles, l'odeur est accentuée par la présence de poils, qui retiennent les sécrétions et procurent un milieu propice à la multiplication des bactéries;
- ***Alimentation riche en épices.*** L'ail, le cari et le cumin, en particulier, peuvent dégager une odeur par la peau jusqu'à 24 heures après qu'on les a consommés.

Odeurs secondaires

- ***Kératolyse ponctuée.*** Il s'agit d'une infection aux pieds caractérisée par une peau macérée, blanchâtre, percée de petits trous et présentant des petits «cratères» au niveau de la plante des pieds. Ce type d'infection touche surtout les adolescents et dégage une odeur très prononcée;
- ***Diabète ou infections urinaires***, qui peuvent être associés à une odeur fruitée ou sucrée;
- ***Certaines infections ou plaies de décubitus,*** communément appelées «plaies de lit», qui peuvent dégager une odeur de pomme pourrie;
- ***Consommation excessive d'alcool***, qui peut entraîner une odeur acide caractéristique;
- ***Problèmes gastro-intestinaux (rots et flatulences) ou maladies du rein ou du foie,*** qui sont souvent associées à des odeurs inhabituelles. Les personnes qui souffrent d'insuffisance rénale peuvent exhaler une odeur acide, tandis que les personnes atteintes d'insuffisance hépatique dégagent une odeur de pomme pourrie.

CONSEILS PRATIQUES

Utiliser un déodorant et un antisudorifique. Le déodorant sert uniquement à masquer l'odeur dégagée par les glandes apocrines. Quant à l'antisudorifique, il vise à réduire les sécrétions des glandes exocrines. Assurez-vous qu'il contient du chlorure d'aluminium ou de zirconium (attention! ces substances peuvent causer de l'irritation chez certaines personnes).

Recourir à des poudres absorbantes pour les pieds. En vente libre, ces poudres sont utiles pour absorber la transpiration. Il existe aussi des produits pour les pieds en aérosol. Pour les champignons, vous trouverez en vente libre des médicaments antifongiques sous forme de crèmes et de poudres ou en aérosol, que vous choisirez en fonction de l'endroit où se trouvent les champignons.

Employer un savon antibactérien. Si les savons doux, de type Dove ou Ivory, ne suffisent pas, on peut employer des savons antibactériens, qui risquent toutefois d'être irritants. Privilégiez des produits contenant du triclosan (Tersaseptic ou Lever 2000) ou de la chlorhexidine (Spectro Gram « 2 », pHisoHex, Hibitane, etc.).

Ne pas se laver compulsivement trois ou quatre fois par jour. Cela entraînerait des problèmes d'irritation.

Éviter l'application de parfum directement sur la peau. Cela pourrait être irritant ou provoquer des allergies de contact.

Se raser. Les poils favorisant la multiplication des bactéries, les hommes comme les femmes ont intérêt à se raser les aisselles.

Changer souvent de chaussettes. Cela ralentira le développement des bactéries. Portez des chaussettes de coton, car elles absorbent mieux l'humidité. Vous pouvez aussi changer de chaussures une ou deux fois par jour.

Prendre des bains de pieds. Une recette de grand-mère efficace : de l'eau tiède à laquelle on ajoute un peu de solution de Burow. On peut aussi prendre des bains de pieds au thé : l'acide tannique contribue à éliminer les odeurs.

Demander au médecin un produit sur ordonnance. Pour les cas résistants d'odeurs aux pieds ou aux aisselles, on peut prescrire du Drysol ou des préparations à base de chlorure d'aluminium. Ces produits n'empêchent pas de transpirer, mais ils neutralisent efficacement les odeurs.

Ne pas sombrer dans la «bromophobie». C'est-à-dire l'obsession de l'odeur corporelle. Certaines personnes sont persuadées, à tort, qu'elles répandent des odeurs désagréables. Une thérapie peut être nécessaire.

QUAND CONSULTER ?

- Les odeurs persistent malgré l'observance des conseils d'usage.
- Les odeurs sont inhabituelles.
- Les pieds dégagent une odeur très prononcée ; la peau des pieds est macérée, parsemée de petits trous et blanchâtre, et vous remarquez des petits «cratères» sur la plante des pieds.
- Les odeurs aux aisselles apparaissent avant la puberté (cela peut indiquer un diabète ou une insuffisance rénale).

QUE SE PASSE-T-IL LORS DE L'EXAMEN ?

Le médecin procède à un examen cutané de la région ainsi qu'à un examen physique complet. S'il soupçonne la présence d'une maladie organique, il demande des analyses en conséquence.

QUEL EST LE TRAITEMENT ?

Odeurs primaires

Si les odeurs dégagées par les aisselles et les pieds résistent aux conseils d'usage, le médecin peut prescrire de la clindamycine, un antibiotique peu irritant dont on fait des applications topiques aux aisselles et aux pieds. Dans les cas extrêmes (aux aisselles), on peut faire appel à la chirurgie (électrochirurgie ou liposuccion superficielle) pour enlever les glandes apocrines ou les nerfs qui y sont rattachés.

Odeurs secondaires

Kératolyse ponctuée

Le médecin prescrira un antibiotique en application locale. Dans la plupart des cas, l'infection disparaîtra, mais il peut y avoir des récidives.

Diabète ou infections urinaires

Une bonne maîtrise du diabète permettra de faire diminuer les odeurs éventuelles. Dans le cas des infections urinaires, le problème se réglera avec la guérison de la maladie.

Certaines infections ou plaies de décubitus
Le médecin appliquera sur les plaies des produits favorisant la cicatrisation, tels que des crèmes et des pansements spécifiques.

Problèmes gastro-intestinaux ou maladies du rein ou du foie
Il faudra traiter la maladie en cause pour faire disparaître ou atténuer les odeurs.

Pâleur

La pâleur est un symptôme qui se caractérise par un changement de coloration de la peau par rapport à l'aspect habituel. C'est le flux sanguin qui donne une couleur rosée à la peau des personnes de race blanche et un beau teint. Si ce flux sanguin est insuffisant ou moins concentré que d'habitude, la peau du visage devient plus pâle. Il y a également des variations naturelles: les gens aux cheveux blonds ou roux et les personnes âgées ont généralement un teint pâle et certains facteurs, comme l'état de santé de la personne, sont aussi à prendre en considération.

QUELLES SONT LES CAUSES ?

- ***Stress émotif ou physique.*** L'organisme répond au stress en contractant les vaisseaux sanguins au niveau de la peau (ce qui entraîne une diminution du flux sanguin) de façon à concentrer le sang dans les organes vitaux, comme le cœur, le foie, les reins ou le cerveau ;
- ***Manque d'activité physique*** ;
- ***Anémie ferriprive.*** L'insuffisance en fer entraîne la pâleur du teint parce que le sang devient moins concentré. La pâleur s'accompagne généralement de symptômes tels que la fatigue et l'essoufflement. L'anémie peut être la conséquence d'une alimentation déficiente en fer, comme cela se rencontre chez les personnes âgées qui se nourrissent mal, les végétariens et les alcooliques. Elle s'observe également chez les personnes qui ont davantage besoin de fer, comme les femmes enceintes ou qui allaitent, ou les enfants en pleine croissance. Des pertes de sang dues à des menstruations très abondantes, à des hémorroïdes qui saignent, à un fibrome utérin ou à des troubles digestifs causés par la prise d'aspirine ou d'anti-inflammatoires en quantité excessive peuvent causer une pâleur secondaire à l'anémie ;
- ***Épuisement par la chaleur.*** Exposé à des températures élevées, le corps réagit de façon à protéger les organes vitaux en diminuant le flux sanguin au niveau de la peau. Par exemple, les coureurs de marathon ou les personnes âgées travaillant à la chaleur pendant

de longues périodes sans s'hydrater suffisamment deviennent très pâles, suent abondamment et se sentent sur le point de perdre connaissance ;

- ***Infarctus du myocarde.*** Une pâleur subite, accompagnée de palpitations, d'essoufflement et d'une douleur thoracique, est caractéristique de l'infarctus du myocarde ;
- ***Accident vasculaire cérébral.*** La pâleur est en général accompagnée de troubles de l'élocution ou de paralysie.

CONSEILS PRATIQUES

Augmenter les sources de fer. Consommez davantage d'aliments riches en fer, tels que les légumes verts, surtout si vous êtes dans une période où les besoins de votre organisme sont accrus (grossesse, allaitement, période de croissance intense). Complétez votre alimentation par des suppléments de fer au besoin. Les multivitamines, qui ne sont pas nécessaires dans la majorité des cas, peuvent être utiles aux personnes âgées qui ne mangent pas suffisamment.

Ne pas prendre d'alcool. Evitez de prendre de l'alcool comme remontant après une émotion forte ou un coup de chaleur. Dans un cas comme dans l'autre, l'alcool peut faire baisser la pression artérielle et, entre autres, causer ou augmenter la pâleur.

Éviter de prendre de l'aspirine. Si vous faites de l'anémie à cause de pertes de sang, l'aspirine et les autres médicaments qui ont tendance à fluidifier le sang vous feront saigner davantage et pourront même provoquer un ulcère d'estomac.

Bouger. En cas de pâleur chronique, faites de l'exercice au moins deux fois par semaine, de 15 à 20 minutes à chaque fois, pour améliorer votre circulation sanguine. Vous pouvez choisir des activités simples, comme la marche.

En cas d'épuisement causé par la chaleur. Pour faire rapidement disparaître la sensation de malaise, les étourdissements et la pâleur, il faut amener le sang vers le cerveau. Pour y arriver, la meilleure façon est de vous allonger par terre en surélevant les jambes. Tout le sang du corps se dirige vers la tête et il n'y a pas de danger de tomber sur le sol. Vous pouvez aussi vous mettre la tête entre les jambes, debout ou assis, pour que le sang descende par gravité vers le cerveau. Buvez des liquides frais, enlevez les vêtements superflus après avoir cherché un endroit ombragé.

Ne pas s'improviser végétarien. Si vous décidez de ne plus manger de viande, renseignez-vous afin de bien choisir vos aliments et assurez-vous que vous consommez suffisamment d'aliments contenant du fer. Au besoin, prenez des suppléments de fer.

QUAND CONSULTER ?

- La pâleur est soudaine et elle est accompagnée de palpitations, de sueurs abondantes, d'essoufflement, d'une douleur thoracique ou d'une sensation de mauvaise digestion (rendez-vous rapidement à l'urgence, car il peut s'agir d'une crise d'angine de poitrine ou d'un infarctus du myocarde).
- Vous êtes pâle, vous vous sentez fatigué et vous avez tendance à vous essouffler facilement.
- Vos proches vous font remarquer votre pâleur.
- Vous avez des pertes de sang abondantes ou prolongées.
- Vous soupçonnez un épuisement dû à la chaleur chez un enfant ou une personne âgée.

QUE SE PASSE-T-IL LORS DE L'EXAMEN ?

Après avoir pris note des détails importants, le médecin procédera à un examen physique. Il pourra également vérifier les médicaments du patient. Des analyses de sang et des examens de laboratoire pourront être demandés, selon le cas. Un électrocardiogramme et d'autres investigations peuvent s'avérer nécessaires.

QUEL EST LE TRAITEMENT ?

Le traitement variera selon la cause. Dans les cas d'anémie, le médecin augmentera la prise de fer par l'alimentation ou par des comprimés. Certains contraceptifs oraux peuvent réduire l'abondance des menstruations et les rendre plus régulières. Un traitement chirurgical peut s'avérer nécessaire si la pâleur est la manifestation d'une anémie due à des pertes de sang secondaires à la présence d'un fibrome utérin ou d'une tumeur intestinale bénigne ou maligne. Le traitement de l'épuisement causé par la chaleur consiste à réhydrater la personne. Dans le cas d'un infarctus, il existe divers médicaments pour soulager la douleur et arrêter l'évolution de l'infarctus.

Peau grasse

Il y a trois types de peau : la peau sèche, la peau normale (ou mixte) et la peau grasse. Cette dernière résulte d'une surproduction de sébum par les glandes sébacées.

La peau grasse présente certains avantages : elle est moins sensible aux irritations et aux maladies de la peau (p. ex. : eczéma). D'autre part, selon la croyance populaire (qu'aucune étude scientifique n'a cependant permis d'attester), elle vieillit mieux et se ride moins que les autres types de peau.

Cependant, bien que la peau grasse ne soit pas toujours associée à des lésions d'acné, elle constitue un facteur de risque significatif pour ce problème.

La peau grasse est caractérisée par les signes suivants :

- points noirs situés dans l'axe médian du visage (front, nez, menton) ;
- texture plus épaisse ;
- dilatation des pores ;
- aspect luisant ;
- peut s'accompagner de boutons rouges (acné).

QUELLES SONT LES CAUSES ?

- ***Hérédité.***
- ***Changements hormonaux.*** À l'adolescence, des variations hormonales contribuent à stimuler la production de sébum. Les nouveau-nés ont parfois la peau grasse à la naissance et pendant les premiers mois de leur vie sous l'effet des hormones maternelles ;
- ***Acné rosacée.*** Mieux connue sous le nom de couperose, l'acné rosacée entraîne parfois une surproduction de sébum, surtout au niveau du nez ;
- ***Troubles endocriniens.*** La peau grasse est souvent due à un surplus d'hormones mâles. Elle s'accompagne également d'autres symptômes : forte pilosité, voix grave, tendance particulière à l'obésité. Cela peut se rencontrer aussi bien chez la femme que chez l'homme ;

- ***Environnement.*** Les milieux chauds et humides favorisent la surproduction de sébum ;
- ***Maladies neurologiques.*** Sans qu'on en connaisse vraiment les raisons, certaines maladies neurologiques, comme l'épilepsie et la maladie de Parkinson, s'accompagnent parfois d'une peau grasse.

CONSEILS PRATIQUES

Bien nettoyer la peau. La peau grasse peut être nettoyée à l'eau un peu plus chaude, ce qui permet de mieux dissoudre le sébum. Il est recommandé, pour commencer, d'utiliser un savon doux et non parfumé (Dove, Neutrogena, Aveeno) ou des gels nettoyants sans savon (Spectrojel, Keracnyl, Effaclar, Cleanance, Cetaphil) pour enlever le surplus de sébum sans trop irriter l'épiderme. Si la peau reste très grasse malgré cela, on peut utiliser des produits contenant des kératolytiques, comme l'Effaclar K, Cleanance K, le gel nettoyant de Reversa ou le Neostrata. Ce sont des agents potentiellement plus asséchants. Même si le savon enlève l'excès de sébum, il n'a aucun effet sur sa surproduction.

Enlever les points noirs. On peut facilement se débarrasser d'un point noir en le pinçant doucement. Faites le à l'aide d'un papier-mouchoir, car les ongles nus risquent de léser la peau. Vous pouvez aussi consulter une esthéticienne. Les produits kératolytiques et sébo-régulateurs mentionnés ci-dessus sont aussi efficaces pour les points noirs. Mais, ici encore, cela n'a aucun effet sur la surproduction de sébum.

Bien choisir son maquillage. Si vous avez la peau grasse, évitez les produits à base d'huile. Procurez-vous des fonds de teint et des fards à base d'eau et non comédogènes. Maquillez-vous légèrement et le moins souvent possible. N'oubliez pas de vous démaquiller au savon (Dove, Neutrogena, Aveeno, Spectrojel) ou bien, si la peau est très grasse, à l'aide de nettoyants à base d'acide salicylique ou de peroxyde de benzoyle. Utiliser les masques. Les masques de boue ou d'argile ont la propriété de rendre la peau sèche et d'enlever les couches de peau morte. Mais il faut préciser que ce nettoyage en surface est inefficace contre la surproduction de sébum et contre l'acné à long terme.

Et l'alimentation? Malgré la croyance populaire, aucune étude scientifique n'a pu établir de lien entre une mauvaise alimentation et une peau grasse. Les boissons gazeuses, le fast-food ou les croustilles ne joueraient donc aucun rôle. Cependant, les excès ne sont jamais conseillés.

QUAND CONSULTER ?

- Vous avez la peau grasse et cela vous gêne beaucoup.
- Vous commencez à avoir de l'acné.

QUE SE PASSE-T-IL LORS DE L'EXAMEN ?

Le médecin notera les détails pertinents et procédera à un examen clinique complet.

QUEL EST LE TRAITEMENT ?

Si la peau est très grasse, elle peut être traitée à l'aide de crèmes à base de trétinoïne ou d'adapalène. Une amélioration se fera sentir au bout de deux ou trois mois et les risques d'avoir de l'acné seront moindres.

En présence d'acné, le traitement dépendra de la nature et de la quantité des lésions. S'il y a présence de lésions inflammatoires, on peut utiliser des antibiotiques (topiques ou oraux, selon la gravité) en plus des kératolytiques déjà mentionnés. Dans les cas plus graves avec des lésions cicatrisantes, les médecins ont recours à l'Accutane. Ce médicament doit être prescrit avec prudence à cause de certains effets secondaires et des risques de malformation chez le fœtus.

Perception de points noirs et de taches

Les points noirs, les taches noires ou lumineuses qui apparaissent dans le champ visuel et entraînent des troubles de la vision s'appellent « scotomes ».

Il existe quatre types de scotomes, chacun pouvant toucher un seul œil ou les deux yeux à la fois.

Scotome central

- tache noire ;
- perte de la vision au centre du champ visuel : seule la vision en périphérie de la tache est conservée.

Hémianopsie

- perte de la vision dans une moitié du champ visuel (côté gauche ou côté droit) ou dans un secteur moindre (partie supérieure ou inférieur) : la vision centrale est intacte.

Scotomes mobiles (corps flottants)

- petits points noirs ;
- bougent à chaque mouvement des yeux ou de la tête (mouches volantes) ;
- touchent la majorité des gens un jour ou l'autre ; il s'agit en général d'un phénomène sans gravité et nullement inquiétant.

Scotome scintillant

- perception d'une tache lumineuse qui s'apparente à l'éblouissement provoqué par le flash d'un appareil photo ;
- persiste pendant 20 à 40 minutes ;
- peut arriver plusieurs fois par jour ;
- peut être accompagné de maux de tête.

QUELLES SONT LES CAUSES ?

Scotome central

- ***Dégénérescence maculaire.*** Il s'agit d'un phénomène de sécheresse de la rétine principalement dû au vieillissement qui touche les individus de plus de 60 ans et entraîne une perte progressive de la vision. Le phénomène peut aussi être la conséquence de l'hérédité, d'une mauvaise circulation sanguine dans la rétine ou d'une exposition excessive aux rayons solaires ;
- ***Atteinte subite du nerf optique.*** Cette anomalie est attribuable à une infection virale, à une maladie inflammatoire ou héréditaire, ou, encore, à la sclérose en plaques. Elle frappe principalement les gens vers la trentaine, ne touche qu'un œil et s'accompagne de douleurs ;
- ***Pression sur le chiasma optique.*** Les nerfs optiques se croisent derrière les yeux (on appelle cela le « chiasma optique »). Une lésion qui entraîne une pression sur le chiasma (comme un accident vasculaire cérébral, une hémorragie, une tumeur au cerveau ou une tumeur au chiasma lui-même) se traduit, entre autres, par un scotome central. Dans certains cas graves, la pression peut provoquer une perte complète de la vue.

Hémianopsie

- ***Accident vasculaire cérébral***. Dans un tel cas, les deux yeux sont atteints de façon symétrique. Le tabagisme, le diabète, l'hypertension artérielle, un taux de cholestérol élevé et des antécédents personnels ou familiaux de maladie cardiaque ou vasculaire constituent des facteurs de risque d'accident vasculaire cérébral ;
- ***Accident vasculaire du nerf optique ou de la rétine*** (thrombose de l'œil). Dans ce cas, l'atteinte périphérique ne touche qu'un œil.

Scotomes mobiles (corps flottants)

- ***Décollement du vitré*** (masse gélatineuse à l'intérieur de l'œil) secondaire au vieillissement, à une forte myopie, à une intervention chirurgicale au niveau des yeux (p. ex. : opération des cataractes), à un traumatisme à la tête ou à des antécédents familiaux de maladie de la rétine ;

- ***Hémorragie interne de l'œil*** secondaire au diabète (rétinopathie diabétique), à un traumatisme à la tête ou à l'hypertension artérielle.

Scotome scintillant

- ***Migraine*** (chez les moins de 60 ans) ;
- ***Mauvaise circulation cérébrale*** (ischémie cérébrale transitoire). Cette anomalie touche les personnes de plus de 60 ans et est attribuable au diabète, à l'hypertension artérielle ou à un taux de cholestérol élevé ;
- ***Décollement du vitré.*** Dans ce cas, les flashs lumineux ne durent qu'une fraction de seconde.

CONSEILS PRATIQUES

Demander un bilan médical. Si vous avez plus de 40 ans, vous devez faire un bilan médical une fois par an afin de vous assurer que toute affection vasculaire ou cardiaque, qui est souvent à l'origine de troubles de la vision, est bien maîtrisée.

Maîtriser son diabète. Si vous souffrez de diabète, vous devez faire faire un examen ophtalmologique une fois par an afin de dépister précocement une rétinopathie diabétique (atteinte de la rétine due au diabète) pouvant se manifester par l'apparition de scotomes mobiles.

Porter des verres fumés. Les rayons ultraviolets du soleil endommagent la rétine et peuvent entraîner à la longue une dégénérescence maculaire. Les lunettes de soleil réduisent l'éblouissement, accentuent les contrastes et protègent la vision.

Utiliser une loupe. Il est possible de pallier la perte progressive de la vision causée par la dégénérescence maculaire en utilisant une loupe qui vous permettra de voir les détails.

Consommer des antioxydants. Prenez l'habitude de manger des fruits, des légumes et des aliments riches en antioxydants, c'est-à-dire en zinc, en vitamines C, E et A ainsi qu'en bêtacarotène, ou d'ajouter des suppléments d'antioxydants à votre alimentation. Ils peuvent contrer certains effets du vieillissement de la rétine.

Ne pas fumer. Le tabac est à éviter, car il constitue un facteur déclenchant de nombreuses affections entraînant une perte de la vision à la suite d'une thrombose de l'œil ou du cerveau. De fait, la nicotine provoque une constriction des vaisseaux sanguins et, de plus, elle favorise le dépôt de cholestérol dans les artères.

QUAND CONSULTER ?

- Vous avez subi un traumatisme à la tête ou aux yeux et vous voyez des points noirs persistants. Consultez immédiatement un médecin, car il peut s'agir d'une atteinte de la rétine.
- Vous êtes diabétique et votre vision est brusquement gênée par l'apparition de petits points noirs. Consultez votre ophtalmologiste, car il pourrait s'agir d'une hémorragie interne de l'œil.
- Vous voyez des éclairs lumineux qui durent de quelques secondes à quelques heures.
- Vous voyez des points noirs mobiles.

QUE SE PASSE-T-IL LORS DE L'EXAMEN ?

Le médecin procédera à un examen ophtalmologique standard : vérification de l'acuité visuelle, aspect externe de l'œil et, à l'aide d'une lampe à fentes, de l'intérieur de l'œil. Il évaluera la vision du patient en lui faisant lire des lettres de l'alphabet. L'utilisation de lumières et d'écrans, fixes ou mobiles, permettra d'identifier le secteur du champ visuel atteint ainsi que le type de scotomes. L'angiographie (rayons X avec un colorant de contraste) est parfois utilisée pour vérifier la région atteinte. Le médecin devra, dans de nombreux cas, procéder à une dilatation des pupilles afin d'examiner la rétine et le nerf optique. Les gouttes utilisées pour dilater les pupilles rendent la vision trouble pendant quatre ou cinq heures et les yeux sensibles à la lumière. Il est donc préférable de se faire accompagner lors de l'examen, la conduite automobile n'étant pas recommandée, et de se munir de verres fumés pour se protéger les yeux.

QUEL EST LE TRAITEMENT ?

Scotome central

Dégénérescence maculaire

Il n'existe aucun traitement spécifique. Toutefois, dans certains cas, on aura recours à la chirurgie au laser.

Atteinte du nerf optique

Des analgésiques seront prescrits. La récupération se fait spontanément sans traitement et elle n'entraîne aucune séquelle permanente. Dans les rares cas où les deux yeux sont touchés, le médecin pourra prescrire un traitement par la cortisone.

Pression sur le chiasma optique

Le traitement de la cause (accident vasculaire cérébral, hémorragie, tumeur) sera immédiatement entrepris et, généralement, il fera disparaître le scotome central. Cependant, si la pression a été grave au point de faire perdre la vue au patient, il n'y a pas de récupération possible.

Hémianopsie

Accident vasculaire cérébral ou atteinte vasculaire du nerf optique

On prescrira de l'aspirine à raison d'un comprimé par jour pendant une période prolongée. Le bisulfate de clopidogrel (Plavix), un médicament antiplaquettaire, est aussi utilisé pour empêcher la formation de caillots sanguins. Des traitements médicamenteux spécifiques y seront associés selon le cas. La récupération dépendra du degré de l'atteinte.

Scotomes mobiles (corps flottants)

Décollement du vitré

Il n'existe aucun traitement, quelle qu'en soit l'origine. La personne doit donc s'habituer à vivre avec ces petits points noirs.

Hémorragie interne de l'œil secondaire au diabète (rétinopathie diabétique)
Le médecin pourra recourir au traitement chirurgical (vitrectomie) pour retirer et remplacer le vitré opacifié par l'hémorragie ou au laser pour détruire les vaisseaux qui en sont responsables. Habituellement, la vision redevient normale. Par ailleurs, comme le vitré et la rétine sont collés l'un sur l'autre, du sang peut se glisser entre les deux et provoquer un décollement. Si le décollement a entraîné une déchirure de la rétine, on pourra faire un traitement au laser pour la réparer. La plupart du temps, il y a un retour normal de la vision. S'il y a eu décollement du vitré, il n'y a aucun traitement possible.

Scotome scintillant

Migraine
Le traitement est individualisé selon ce qui a été convenu avec le médecin traitant. S'il n'y a plus de migraine, il n'y aura plus de scotome.

Mauvaise circulation cérébrale (ischémie cérébrale transitoire)
Le traitement classique consiste à prescrire de l'aspirine enrobée (pour éviter les problèmes d'estomac) pendant une période prolongée. On pourra aussi prescrire du Plavix. La récupération dépendra du degré de l'atteinte.

Dans ce cas aussi, s'il y a eu décollement du vitré, aucun traitement n'est possible.

Perte d'équilibre

Chez l'être humain, l'équilibre est un état de stabilité en position debout. C'est le résultat neutre de la rencontre de deux forces : la pesanteur (qui nous attire vers le sol) et les contractions musculaires (qui nous maintiennent à la verticale). La perte d'équilibre correspond à la difficulté de se maintenir dans la position debout.

Les mécanismes qui assurent l'équilibre constituent un remarquable modèle de traitement de l'information. Dès que l'on se lève, commencent à circuler des messages qui proviennent de la plante des pieds, des muscles, des articulations, de la tête, du cou, du labyrinthe (une partie de l'oreille interne, là où se trouve le circuit de l'équilibre), de l'appareil visuel, du cervelet (qui contrôle et affine le mouvement) et des structures profondes du cerveau (là où passent les informations). Une fois la donnée enregistrée, le cerveau périphérique (le cortex) commande aux muscles de soutenir le corps afin qu'il ne tombe pas.

Un problème à une de ces parties du corps risque d'entraîner des pertes d'équilibre. Celles-ci ne sont donc pas une maladie en soi, mais un symptôme.

Les pertes d'équilibre peuvent s'accompagner de :

- vertiges ;
- étourdissements ;
- baisse de l'audition ;
- acouphènes (bruit dans l'oreille) ;
- instabilité du regard (l'image danse, bouge) ;
- nausées ;
- chutes ;
- d'autres symptômes peuvent se manifester, selon l'origine du problème.

QUELLES SONT LES CAUSES ?

- ***Troubles de la vision.*** Un bon équilibre suppose une vision adéquate. Ainsi, toute baisse de la vision entraîne une perturbation de l'équilibre parce que le cerveau ne reçoit pas les bons messages.

Il en est ainsi pour les gens qui ont des cataractes ou un glaucome et pour ceux dont la vision diminue beaucoup lorsque l'éclairage est faible. En outre, les personnes souffrant de strabisme, d'un problème thyroïdien ou encore celles qui ont eu un traumatisme (accident, coup sur la tête) peuvent avoir une faiblesse musculaire de l'appareil visuel, qui entraîne une vision double ou une instabilité du regard avec des secousses rythmiques involontaires des globes oculaires (nystagmus);

- ***Troubles de l'oreille interne.*** Il y a plusieurs problèmes qui touchent le labyrinthe et le circuit de l'équilibre: le vertige paroxystique positionnel bénin (provoqué par des changements rapides de position ou par le maintien prolongé d'une même position), la labyrinthite (inflammation de l'oreille interne), la maladie de Ménière (congestion avec rétention d'eau au niveau de l'oreille interne), le traumatisme crânien (peut entraîner une commotion du labyrinthe et une fracture du rocher, un des os de l'oreille interne), le neurinome de l'acoustique (tumeur bénigne qui touche les nerfs auditifs) et la thrombose des artères auditives;
- ***Troubles de la posture.*** Ils sont responsables du déplacement du centre de la gravité (qui se trouve ordinairement dans le bassin), entraînant par conséquent une perte d'équilibre:
  - par atteinte motrice: l'hémiplégie (paralysie de la moitié du corps), l'hémiparésie (faiblesse de la moitié du corps), la maladie de Parkinson;
  - par atteinte ostéoarticulaire (les os et les articulations): fracture du fémur, arthrose aux genoux, ostéoporose;
  - par atteinte musculaire: les myopathies (terme générique donné aux maladies du muscle, comme la dystrophie musculaire et la maladie de Duchenne, par exemple);
  - par atteinte nerveuse: polynévrite sensitive (infection, inflammation ou carence de vitamines qui affecte les nerfs).
- ***Lésions du cervelet et du cerveau.*** Les affections suivantes perturbent toutes la posture et l'équilibre: sclérose en plaques, infarctus du cervelet ou du cerveau (AVC), hydrocéphalie, infections (encéphalites, méningites, par exemple), tumeurs et traumatismes;

- ***Troubles métaboliques et vasculaires.*** Le cholestérol, le diabète et l'hypertension artérielle favorisent l'athérosclérose, laquelle entraîne une obstruction des vaisseaux sanguins et une moins bonne oxygénation du cerveau ;
- ***Anxiété.*** Une trop grande source d'anxiété peut inhiber tout le système nerveux et peut entraîner, entre autres, l'apparition de nausées, d'étourdissements et de perte d'équilibre. Cela se produit chez les personnes subitement effrayées ou qui traversent des moments très difficiles ;
- ***Origine toxique et médicamenteuse.*** Médicaments (certains antidépresseurs, anxiolytiques et antibiotiques), alcool et drogues nuisent à l'éveil du cerveau ;
- ***Vieillissement.*** À partir de 65 ans, les causes des pertes d'équilibre ne sont pas claires. Il pourrait s'agir d'une baisse de la vision, accompagnée d'une polynévrite et doublée par l'effet des médicaments.

CONSEILS PRATIQUES

Se rassurer. Il arrive que la perte d'équilibre soit normale. Si vous manquez d'équilibre au milieu de la nuit quand vous allez aux toi-

Vertige ou étourdissement ?

On confond facilement un vertige et un étourdissement.

Il est donc important de les différencier.

Le vertige se caractérise par une illusion de mouvement. Cela peut être une impression que tout tourne autour de soi ou que l'on tourne soi-même (comme lorsqu'on est dans un manège). Cela peut être aussi une impression de tangage (sensation de mouvement d'avant en arrière) ou de roulis (sensation de balancement). La durée du vertige est très variable.

L'étourdissement est une sensation de « flottement » dans la tête. Les images et les idées sont floues dans la tête. C'est la sensation, par exemple, que le plancher est instable et que l'on va tomber. Il s'agit habituellement d'un phénomène de brève durée.

lettes, ne vous inquiétez pas. Ou bien votre cerveau n'est pas tout à fait réveillé et il ne décode pas correctement les messages reçus, ou bien l'appareil visuel a du mal à s'adapter à la pénombre.

Faire faire un bilan de santé annuel. À partir de 40 ans, les hommes et les femmes devraient subir un examen de santé complet une fois par an, sans oublier bien sûr une évaluation de la vision.

Privilégier de bonnes habitudes de vie. Les règles de vie choisies marquent l'état de santé. Une alimentation saine et variée, une activité physique pratiquée régulièrement ainsi qu'un bon équilibre entre travail et vie personnelle aideront à préserver la santé physique et mentale.

Il est également important de bien se connaître pour respecter ses limites en fonction des transformations biologiques d'un vieillissement normal, en se rappelant que le vieillissement n'est pas une maladie. Il ne faut pas oublier de développer des centres d'intérêt personnels (passe-temps).

Prévenir l'anxiété. Il convient de porter un regard philosophique sur toutes les grandes questions de la vie: naissance, santé, maladie et mort. Lorsqu'on a exagérément peur, on se crée des problèmes psychologiques qui peuvent entraîner des étourdissements et des pertes d'équilibre. Dit autrement, l'équilibre psychologique va de pair avec l'équilibre physique.

Favoriser un environnement sécuritaire. Si vous êtes sujet à de fréquentes pertes d'équilibre, il vaut mieux prendre certaines précautions à la maison pour éviter les chutes: rampes dans le couloir et dans l'escalier, tapis antidérapant sur les planchers glissants et dans la baignoire, etc. Une veilleuse dans votre chambre à coucher et dans le couloir saura aussi vous être utile.

Éviter les excès de stimulants. Trop souvent consommés, la caféine, le sucre et l'alcool peuvent empirer vos problèmes d'équilibre. Après la phase d'excitation, lorsque l'effet stimulant commence à s'estomper, le cerveau subit une légère baisse d'énergie, risquant d'entraîner des étourdissements et des pertes d'équilibre.

Faire attention à la consommation de médicaments. Bien des gens ont tendance à surconsommer des médicaments, notamment des calmants. Cela nuit à l'éveil du cerveau.

QUAND CONSULTER ?

- Vous avez manqué d'équilibre, ne serait ce qu'une fois.

QUE SE PASSE-T-IL LORS DE L'EXAMEN ?

En plus de noter les informations importantes, le médecin fera un examen physique complet. Selon la situation propre et unique à chaque personne, l'investigation et le traitement seront orientés en conséquence.

QUEL EST LE TRAITEMENT ?

Troubles de la vision

Les cataractes nécessitent une intervention chirurgicale appelée «phacoémulsification». Il s'agit d'une très petite incision dans l'œil permettant de broyer et d'aspirer le cristallin défectueux en le remplaçant par un cristallin artificiel. C'est une chirurgie d'un jour qui permet de reprendre rapidement les activités normales.

Les glaucomes aigus se guérissent avec une chirurgie au laser; les glaucomes chroniques se maîtrisent par des gouttes d'hypotenseurs ou de bêtabloquants.

La diminution de la vision lorsque l'éclairage est faible résulte d'habitude d'une carence en vitamines, ce qui se soigne facilement par une modification alimentaire et un supplément vitaminique.

Le strabisme se corrige par le port de verres adéquats.

Les problèmes thyroïdiens se traitent par des médicaments spécifiques.

Troubles de l'oreille interne

Le vertige paroxystique positionnel bénin ne requiert pas de traitement médical. Le médecin peut toutefois prescrire des antinauséeux, le cas échéant.

Une labyrinthite disparaît habituellement d'elle-même après un certain temps et ne demande aucun médicament. Simplement de l'acétaminophène et du repos. Certains produits comme le Serc, l'Antivert et le Gravol peuvent servir à traiter les symptômes et à procurer un soulagement. Dans certains cas, des exercices de reconditionnement de l'oreille, simples et faciles à faire à la maison, peuvent être requis.

Lorsque le médecin prescrit un médicament contre la maladie de Ménière, il en explique le mécanisme d'action et les effets secondaires. Cette maladie nécessite un suivi médical régulier.

Étant donné que le neurinome de l'acoustique est une tumeur bénigne, son ablation permet une récupération totale de l'équilibre.

Troubles de la posture

En cas d'hémiplégie et d'hémiparésie, la physiothérapie aide le patient à récupérer le maximum de ses capacités, alors que l'ergothérapie lui apprend à fonctionner avec ses nouvelles limites (par exemple, on enseigne des techniques pour apprendre à se lever du lit). Si le problème est d'origine vasculaire (caillot), des médicaments sont aussi prescrits pour empêcher la formation d'autres caillots. Si c'est une hémorragie qui est en cause, la physiothérapie est indiquée.

La maladie de Parkinson, qui est chronique, se maîtrise bien avec des médicaments antiparkinsoniens.

Une fracture du fémur nécessite une chirurgie et de la physiothérapie.

L'arthrose aux genoux se traite par des médicaments contre la douleur et l'inflammation ou par l'injection de produits qui aident les articulations à mieux glisser l'une sur l'autre (pour éviter les frottements et l'usure prématurée).

En cas d'ostéoporose, le médecin prescrit des médicaments qui aident à l'absorption du calcium par les os et qui favorisent la régénération du tissu osseux.

Le traitement des myopathies dépend des maladies sous-jacentes et, habituellement, la physiothérapie est utilisée pour permettre de renforcer la masse musculaire.

Quant aux polynévrites sensitives, il faut traiter la maladie en cause. Le rétablissement dépendra du degré de l'atteinte.

Lésions du cervelet et du cerveau

La sclérose en plaques est une maladie chronique et dégénérative qui se maîtrise à l'aide de différents médicaments.

Les accidents vasculaires cérébraux nécessitent une hospitalisation.

Les infections comme l'encéphalite et la méningite se soignent ordinairement bien avec des antibiotiques.

S'il y a une tumeur ou un traumatisme crânien, le traitement adéquat sera immédiatement entrepris.

Troubles métaboliques et vasculaires

La maîtrise du cholestérol, du diabète et de l'hypertension artérielle aide à améliorer la circulation sanguine, ce qui peut corriger les problèmes d'équilibre.

Anxiété

Si nécessaire, des anxiolytiques ou des antidépresseurs peuvent être prescrits.

Origine toxique et médicamenteuse

Des médicaments qui causent des pertes d'équilibre pourront être remplacés. Un programme de désintoxication peut être suggéré pour régler le problème d'alcool ou de drogue.

Perte de cheveux (alopécie)

Nous perdons en moyenne 100 cheveux par jour. Cela fait partie des quatre phases de la vie du cheveu : la pousse (anagen) – qui fait que nos cheveux poussent pendant deux à quatre ans (cela concerne 85 % des cheveux en tout temps) –, le repos (un mois pendant lequel les cheveux ne poussent pas ; cela concerne 5 % des cheveux), la chute (telogen) – au cours de l'année, 10 % des cheveux tombent et cette perte s'échelonne sur trois mois – et, enfin, la repousse. Les cheveux traversent ces phases à des moments différents, ce qui conserve à la chevelure sa densité normale.

Quand les cheveux perdent leur aspect uniforme, on a affaire à l'un des différents types de perte de cheveux (ou alopécie) :

Calvitie commune (alopécie androgénique)

- 95 % des hommes sont touchés à divers degrés ;
- les premiers signes apparaissent dans la vingtaine ;
- localisée d'abord sur les tempes, ensuite, le front et, enfin, le dessus de la tête ;
- le cheveu tombe et est remplacé par un petit duvet ;
- rare chez la femme (5 %) ; alors localisée sur le dessus de la tête ; la ligne de cheveux du front et des tempes est préservée.

Telogen effluvium

- la période de repos est prolongée ;
- les cheveux tombés ont un bulbe translucide au bout ;
- n'affecte généralement pas plus de 50 % des cheveux ;
- la perte est répartie également sur tout le scalp ;
- il y a absence d'inflammation ;
- problème ponctuel : la perte des cheveux commence soudainement et dure de deux à quatre mois.

Anagen effluvium

- touche les cheveux en phase de pousse ;
- les cheveux tombés sont en forme de point d'exclamation (plus larges à une extrémité), souvent démunis de bulbe au bout ;

- affecte jusqu'à 90 % des cheveux;
- la perte est répartie également sur tout le scalp;
- il y a absence d'inflammation;
- problème ponctuel: la perte commence soudainement et dure d'une à quatre semaines.

Teigne

- plus fréquente chez les enfants;
- cheveux cassés près de la racine;
- présence de plaques n'importe où sur la tête;
- ces plaques rugueuses peuvent démanger ou desquamer.

Pelade (Alopecia ærata)

- généralement localisée;
- cercles dépourvus de cheveux (les cheveux tombent par plaques, qui peuvent être grosses comme des pièces de 10 ¢ ou de 25 ¢ et même plus);
- peut aussi être diffuse, totale ou universelle (affecte le reste du corps).

Hirsutisme

- problème strictement féminin;
- récession des cheveux de la ligne fronto-temporale (perte de cheveux sur le front et les tempes);
- accompagné ou non de signes de virilisation: hyperpilosité de type masculin sur le reste du corps, acné, voix plus grave, aménorrhée (absence de règles), hypertrophie du clitoris, diminution du volume des seins, etc.

Trichotillomanie

- désordre compulsif;
- le patient ne peut s'empêcher de se tirer ou de se tortiller les cheveux;
- à force d'être arrachés, ils peuvent ne plus repousser.

Alopécie de traction

- présente chez les personnes qui se sont attaché les cheveux pendant longtemps de façon à exercer une traction.

Alopécie cicatricielle

- cicatrice sur le scalp dépourvue de cheveux;
- plaques ressemblant à celles de la pelade.

Alopécie sébhorréique

- chute progressive des cheveux;
- présence d'une affection de la peau sur le cuir chevelu (rougeur ou pellicules).

QUELLES SONT LES CAUSES ?

Calvitie commune (alopécie androgénique)

- ***Prédisposition génétique;***
- ***Hormone mâle (testostérone).***

Telogen effluvium

- ***Stress intense ou maladie*** (chirurgie majeure, accouchement, grosse fièvre, hypo ou hyperthyroïdie, etc.);
- ***Régimes draconiens*** (entraînant une carence en protéines, rare en Occident) ou une carence en fer;
- ***Médicaments*** (anticoagulants, médicaments pour le cœur, excès de vitamine A (plus de 5000 unités par jour), médicaments contre l'acné (Accutane) ou le psoriasis (effet rare).

Anagen effluvium

- ***Chimiothérapies et radiothérapies.*** La perte commence soudainement et dure d'une à quatre semaines, même si le traitement médical dure plus longtemps. Les cheveux repoussent lorsque le traitement est terminé;
- ***Intoxications.***

Teigne

- ***Infection à champignons provenant d'humains ou d'animaux.***

Pelade

- ***Réaction auto-immune*** (le patient sécrète des anticorps contre ses propres cheveux);

► *Maladies auto-immunes rares (lupus ou lichen planopilaire).*

Hirsutisme

► ***Sans signe de virilisation :***
  - ▷ origines méditerranéennes ;
  - ▷ grossesse, ménopause ;
  - ▷ médicaments : hormones masculines, cortisone, contraceptifs oraux avec progestérone, etc.

► ***Avec signes de virilisation :***
  - ▷ tumeurs ovariennes ;
  - ▷ maladies des glandes surrénales.

Trichotillomanie

► ***Trouble psychiatrique.***

Alopécie de traction

► ***Traction*** (causée par la coiffure) exercée pendant des années, de sorte que les cheveux peuvent ne pas repousser.

Alopécie cicatricielle

► ***Ancienne blessure ou brûlure profonde.***

Alopécie sébhorréique

► ***Affections de la peau*** (eczéma, urticaire, dermatites de contact) qui causent une inflammation de la peau. Le cheveu tombe parce que la peau malade le retient moins bien.

Autres causes

► ***Maladies rares*** comme le lupus ou le lichen planopilaire.

CONSEILS PRATIQUES

Laver les cheveux tous les jours, surtout s'ils sont gras. Contrairement à une opinion répandue, ce n'est pas nocif.

Utiliser un shampooing neutre et doux, sans colorant ni parfum. Cela aide à préserver les défenses naturelles du cuir chevelu. Fiez-vous aux résultats plus qu'aux étiquettes; le meilleur shampooing n'est pas nécessairement le plus cher. N'utilisez pas de shampooings trop décapants: ils assèchent les cheveux.

Se méfier des lotions miracles. Il ne faut rien attendre des lotions et des crèmes qui vous promettent une repousse. Elles n'ont pas d'autre effet que de vous faire perdre temps et argent.

Faire un test au préalable pour les colorations permanentes et semi-permanentes. Des allergies (dermatites de contact) peuvent se manifester, ainsi que des irritations et des brûlures chimiques.

Faire vérifier ses médicaments par son médecin. Plusieurs d'entre eux peuvent affecter votre chevelure.

Trouver un bon coiffeur. Il y a des secrets pour faire gonfler une chevelure clairsemée. Vous apprendrez à les connaître. Vous pouvez aussi faire fixer d'autres cheveux aux vôtres. Ce tissage donne une apparence très naturelle, mais il se défait à la repousse. Il faut retourner souvent faire faire un «resserrage».

Consulter une esthéticienne. Si vous optez pour un toupet ou une perruque, elle est la personne la mieux placée pour vous conseiller.

Ne pas se soumettre à des régimes draconiens faibles en protéines et en fer. Vous pourriez y laisser des cheveux!

Ne pas faire une permanente en même temps qu'une coloration. Vous courez le risque d'une brûlure au peroxyde.

QUAND CONSULTER ?

- Vous avez une perte de cheveux localisée.
- Vous avez une perte de cheveux diffuse, mais abondante.
- Vous avez des irritations, des desquamations ou des démangeaisons du cuir chevelu.

QUE SE PASSE-T-IL LORS DE L'EXAMEN ?

Le médecin procède à un examen dermatologique, parfois au microscope ou à la lampe fluorescente de Wood. Une culture mycologique ou une biopsie peuvent être envoyées au laboratoire. Le trichogramme consiste à arracher une petite quantité de cheveux, puis à les examiner pour voir s'il s'agit de cheveux en phase de repos ou de croissance. Les prises de sang servent au dépistage de maladies et de carences ainsi qu'à des dosages hormonaux.

QUEL EST LE TRAITEMENT ?

Calvitie commune (alopécie androgénique)

Un médicament, le Propecia, stabilise de 60 % à 70 % de la chevelure et il peut procurer 10 % de repousse cosmétique. Il faut le prendre à vie, son coût est de 60 $ par mois et il n'est pas remboursé. Il peut altérer la fonction sexuelle dans 2 % à 3 % des cas. Contre-indiqué chez la femme enceinte ou voulant le devenir. La microgreffe est très efficace. C'est une solution coûteuse, mais permanente. Il faut compter trois ou quatre séances pour prélever vos propres cheveux là où ils abondent et les réimplanter sur la zone dégarnie.

Telogen et anagen effluvium

Il faut trouver la cause et l'éliminer (médicaments, carences, problèmes de thyroïde, stress, etc.). Il n'y a pas d'autre traitement.

Teigne

On administre un antifongique par voie buccale et un shampooing traitant de style Nizoral.

Pelade

L'autorejet des cheveux est habituellement temporaire. Neuf cas sur 10 guérissent spontanément en 6 à 12 mois. Si l'attente paraît trop longue, la cortisone en lotion ou en injections locales peut aider. Si la perte est considérable, on songera à des traitements d'immunothérapie ou de photothérapie.

Hirsutisme

Si un excès d'hormones mâles est mis en évidence dans le sang, on prescrit une hormonothérapie (Diane 35) associée à d'autres médicaments. Outre les techniques cosmétiques, le laser à diodes résout le problème des poils inesthétiques.

Trichotillomanie

Il revient à la psychiatrie ou à la psychothérapie de supprimer la manie. On peut alors espérer une repousse.

Alopécie de traction

Le fait de modifier la coiffure peut permettre la repousse des cheveux dans plusieurs cas.

Alopécie cicatricielle

Comme les cheveux ne repoussent pas sur une cicatrice (la peau n'est plus vascularisée), la greffe de cheveu peut être envisagée. On greffe les cheveux juste à côté de la cicatrice de façon à bien la camoufler (la greffe ne prend pas sur une cicatrice).

Alopécie séborrhéique

Un shampooing comme le Nizoral ou le Selsun peut aider à faire diminuer l'inflammation du cuir chevelu. Le médecin traitera l'affection cutanée en cause et le problème rentrera dans l'ordre la plupart du temps. Dans le pire des cas, une greffe de cheveux peut être envisagée.

Perte de poids involontaire

Il ne s'agit pas ici d'une perte de poids consécutive à un régime amaigrissant ni d'anorexie mentale. La perte de poids involontaire non provoquée représente une perte d'environ 10 % à 15 % du poids initial. Cela correspond, par exemple, à une perte de 5 à 8 kg (de 11 à 18 lb) chez un sujet pesant 55 kg (120 lb) au départ ou encore de 7 à 10 kg (de 15 à 22 lb) chez une personne pesant 70 kg (155 lb) au départ.

En cas de maladie, la perte de poids est généralement accompagnée de signes ou de symptômes tels que perte de l'appétit, fatigue, présence de sang dans les selles, difficulté à avaler, douleurs abdominales, etc.

QUELLES SONT LES CAUSES ?

- ***Stress important.*** Il empêche parfois de s'alimenter convenablement et de dormir suffisamment;
- ***Changement d'alimentation (végétarisme)***;
- ***Malnutrition et pauvreté***;
- ***Dépression due au décès d'un être cher, à la perte d'un emploi, à un chagrin d'amour, à des soucis financiers, etc.*** La dépression peut parfois coexister avec une maladie physique;
- ***Isolement des personnes âgées.*** Elles perdent le goût de préparer les repas et de manger;
- ***Certains médicaments.*** Ils peuvent diminuer l'appétit, changer le goût des aliments ou causer des nausées et des vomissements (p. ex. : certains antibiotiques ainsi que certains médicaments utilisés dans le traitement du cancer). Des interactions indésirables entre différents médicaments peuvent également couper l'appétit;
- ***Alcoolisme.*** Les alcooliques s'alimentent mal et en quantité insuffisante;
- ***Parasites intestinaux attrapés lors d'un voyage à l'étranger, par exemple***;
- ***Gastroentérite.*** Une diarrhée aiguë entraîne des pertes d'eau provoquant une perte de poids rapide;
- ***Douleurs abdominales chroniques ou récidivantes en cas de calculs de la vésicule biliaire, par exemple***;

- ***Maladies inflammatoires de l'appareil digestif***, telles que la maladie de Crohn, la colite ulcéreuse, la pancréatite chronique, la maladie cœliaque, etc. ;
- ***Maladies inflammatoires***, telles que la polyarthrite rhumatoïde, le lupus érythémateux disséminé, etc. ;
- ***Toute maladie touchant des organes vitaux***, telle que l'insuffisance rénale, cardiaque, pulmonaire ou hépatique, le diabète, de même que l'hyperthyroïdie ;
- ***Maladies infectieuses***, comme la tuberculose, le sida, la pneumonie ;
- ***Tous les types de cancer***, en particulier les cancers du poumon, de l'estomac et de l'intestin, les cancers du sang (lymphome, leucémie) ;
- ***Maladie d'Alzheimer.*** Au stade avancé de la maladie, les patients oublient de manger.

CONSEILS PRATIQUES

Consulter sans tarder. Il ne faut pas différer le moment de consulter un médecin de crainte que sa maladie ne soit incurable. La cause peut être bénigne ou maligne. En cas de maladie grave, comme le cancer, un diagnostic et un traitement précoces augmentent vos chances de guérison.

En cas de stress important. Prévoyez des périodes de repos et de relaxation. Prenez le temps de vous nourrir convenablement. Évitez de fumer. Si vous parvenez à cesser de fumer, vous pourrez ainsi prévenir plusieurs maladies et cancers qui s'accompagnent d'une perte de poids. En période de stress intense, évitez surtout de fumer et de boire du café au lieu de manger.

En cas de gastroentérite d'origine virale. N'oubliez surtout pas de bien vous hydrater si votre perte de poids s'accompagne d'une diarrhée aiguë.

Consulter son médecin de famille régulièrement. Un examen médical annuel est recommandé à partir de l'âge de 40 ans. Il est préférable d'avoir un médecin de famille qui connaît déjà votre cas. Votre poids est probablement noté dans le dossier, de même que vos antécédents familiaux, les maladies antérieures, les résultats des examens de laboratoire déjà demandés, etc. Il ne faut pas se promener d'une clinique à l'autre sans suivi. Les cliniques sans rendez-vous sont conçues pour répondre à des urgences mineures.

Éviter l'isolement. Adressez-vous à votre CLSC ou à des groupes d'entraide communautaire pour obtenir de l'aide si vous en ressentez le besoin.

Limiter sa consommation d'alcool. Même si un apéritif ouvre l'appétit, une grande consommation d'alcool vous coupera l'appétit.

En présence d'une maladie déjà connue. Suivez les recommandations du médecin et prenez les médicaments déjà prescrits si vous souffrez d'une maladie comme le diabète, l'insuffisance pulmonaire, etc. Si vous éprouvez des difficultés particulières à respecter votre traitement, discutez-en avec votre médecin.

QUAND CONSULTER ?

- Vous avez subi une perte de poids correspondant à environ 10 % à 15 % de votre poids habituel.
- Votre perte de poids est accompagnée de fatigue, de sang dans les selles, de douleurs abdominales, de difficulté à avaler, etc.
- Vous avez perdu du poids et vous vous sentez déprimé.
- Votre enfant, un adolescent, a perdu du poids (l'absence même de gain de poids justifie une consultation médicale).
- Vous êtes enceinte et vous avez perdu du poids (dans ce cas également, le gain de poids est la norme).

QUE SE PASSE-T-IL LORS DE L'EXAMEN ?

Le médecin notera les informations importantes et procédera à un examen physique complet. Il demandera des analyses de sang et des examens de laboratoire. Des examens radiologiques peuvent s'avérer nécessaires, en particulier une radiographie pulmonaire chez un fumeur.

QUEL EST LE TRAITEMENT ?

Le traitement varie en fonction de la cause. Si la cause de la perte de poids est une dépression, des antidépresseurs peuvent être prescrits. S'il y a lieu, une consultation en psychologie ou en psychiatrie peut être demandée.

Il existe des médicaments efficaces pour le traitement de certaines maladies comme les maladies inflammatoires, l'insuffisance cardiaque ou pulmonaire, etc.

Des antibiotiques seront prescrits dans le cas d'une infection bactérienne.

En cas de diabète, une modification du régime, la pratique régulière d'un exercice physique avec, au besoin, l'ajout de médicaments, peuvent permettre de maîtriser la maladie. En présence d'un cancer, plusieurs traitements sont possibles, dont la chirurgie, la chimiothérapie et la radiothérapie.

Perte du goût et de l'odorat

Le goût et l'odorat sont intimement liés. Les papilles gustatives perçoivent les sensations de sucré, de salé, d'amer et d'acide, tandis que l'odorat détermine la nature de la substance. Par exemple, c'est la langue qui détecte le sucré, mais c'est le nez qui permet d'identifier le chocolat ou le caramel.

Dans 85 % des cas, la perte totale de l'olfaction (anosmie) s'accompagne d'une perte du goût. Mais il peut arriver que seul l'odorat diminue de façon importante (hyposmie), que l'on ait une sensation réelle ou hallucinatoire de mauvaise odeur (cacosmie objective ou subjective) ou encore que l'appareil nasal sente une odeur qui n'existe pas (phantosmie). Il arrive également que seul le goût soit perdu ou altéré (goût métallique ou désagréable).

Les troubles du goût et de l'odorat affectent la sécurité et la qualité de vie. Il en résulte une incapacité à reconnaître les odeurs de brûlé, de gaz ou de nourriture avariée, une diminution de la libido et, parfois même, un état dépressif, sans oublier la perte de saveur des aliments et la difficulté à cuisiner.

QUELLES SONT LES CAUSES ?

Anosmie (perte totale de l'odorat) et hyposmie (diminution de l'odorat)

- ***Infections***, telles que le rhume, la grippe et la sinusite. Les infections sont les causes les plus fréquentes ;
- ***Inflammations des fosses nasales***, telles que l'allergie respiratoire, la rhinite aiguë ou chronique, la polypose nasosinusale (formation de polypes – amas de tissus – dans les voies nasales) ;
- ***Traumatisme crânien*** pouvant sectionner les nerfs olfactifs, qui se trouvent entre le nez et le cerveau ;
- ***Intervention chirurgicale au cerveau*** ;
- ***Certains médicaments***, tels que la codéine, la morphine, la tétracycline, le méthotrexate, le clofibrate et autres, et certains traitements médicaux, tels que la radiothérapie cervicale, la chimiothérapie et l'hémodialyse ;

- ***Atteintes neurologiques***, telles que la maladie d'Alzheimer, les tumeurs des voies et des centres olfactifs, la sclérose en plaques, la maladie de Parkinson, la sclérose latérale amyotrophique ;
- ***Diabète et grossesse.*** Chez les diabétiques, les dommages neurologiques peuvent endommager les nerfs de l'olfaction. Chez les femmes enceintes, la congestion nasale peut entraver la fonction olfactive de façon passagère. Dans leur cas, les choses reviennent à la normale après la grossesse ;
- ***Inhalation de produits toxiques***, tels que le tabac, le gaz naturel, la poussière de ciment, le goudron, l'essence, le plomb, le zinc, le dioxyde de soufre, le chrome, etc. ;
- ***Le vieillissement***, surtout à partir de 80 ans.

Cacosmie objective (sensation réelle de mauvaise odeur)

- ***Corps étranger dans les voies nasales*** ;
- ***Infections bactériennes*** ;
- ***Tumeurs nasales nécrotiques surinfectées (bénignes ou malignes).*** Les tumeurs manquent d'oxygène, s'infectent et détruisent les tissus ;
- ***Atrophie chronique de la muqueuse nasale (ozène)*** s'accompagnant de croûtes brunes qui tapissent les parois des fosses nasales.

Cacosmie subjective (sensation hallucinatoire de mauvaise odeur) et phantosmie (odeur qui n'existe pas, agréable ou non)

- ***Troubles mentaux***, tels que l'hystérie, la psychose, la schizophrénie, l'hypocondrie, l'anxiété ;
- ***Lésion ou tumeur cérébrale*** ;
- ***Épilepsie***.

Perte ou altération du goût seulement

- ***Problèmes dentaires*** – tels qu'une carie, une gingivite, une parodontite –, les prothèses dentaires, les obturations, les amalgames et une mauvaise hygiène dentaire ;
- ***Infections ou maladies***, telles que l'otite moyenne, le diabète, une affection parasitaire caractérisée par la formation de champignons

sur les papilles gustatives, les infections de l'appareil respiratoire, l'anémie ou une tumeur sur les nerfs de la gustation;

- ***Certains médicaments et traitements médicaux***, tels que les antibiotiques, la radiothérapie et la chimiothérapie;
- ***Tabagisme et alcool.*** Ils peuvent endommager les papilles gustatives.

CONSEILS PRATIQUES

Attendre. Si vous souffrez d'un rhume, d'une grippe ou d'une sinusite, les choses devraient rentrer dans l'ordre en l'espace d'une dizaine de jours au maximum.

En cas de congestion nasale. Si vous avez le nez congestionné, des décongestifs à action rapide sous forme de comprimés libéreront vos sinus. Vous pouvez également vaporiser des gouttes de solution saline dans vos narines (à éviter si vous souffrez d'hypertension artérielle, car le sel peut faire monter la tension artérielle). Un taux d'humidité entre 40 % et 50 % aide à soulager la congestion nasale; un air ambiant trop sec fait dessécher les sécrétions. Par contre, s'il est trop humide, il favorise le développement des acariens de la poussière. Les douches à l'eau chaude aident également à décongestionner le nez.

Ne pas utiliser les décongestifs en vaporisateur pendant plus de cinq jours. Si les décongestifs sont utilisés de façon constante, le nez finit par s'obstruer de nouveau au bout de quelques heures, voire quelques minutes, provoquant une dépendance au médicament (rhinite médicamenteuse). De plus, à cause de leurs effets secondaires, ces décongestifs sont déconseillés chez les hypertendus, les diabétiques et les cardiaques.

En cas d'allergie respiratoire. Des antihistaminiques, sous forme de sirop ou de comprimés, permettront de réduire l'inflammation des voies nasales.

Porter un masque. Si vous travaillez avec des produits chimiques, portez toujours un masque afin de prévenir les dommages aux nerfs olfactifs.

Installer des détecteurs de fumée. Si vous ne pouvez plus vous fier à votre odorat, les détecteurs de fumée deviennent vos plus précieux amis. Installez-en plusieurs dans la maison (surtout dans la cuisine, le couloir et le sous-sol) et vérifiez les piles régulièrement.

Une hygiène personnelle encore plus soignée. Pour éviter les embarras, redoublez d'attention envers votre hygiène corporelle. Voyez aussi votre dentiste, qui pourra procéder à un examen de vos dents et évaluer votre hygiène dentaire.

Demander de l'aide. Vous avez perdu le sens du goût ou de l'odorat, ou les deux : vos activités quotidiennes en sont affectées. Faites-vous aider. Par exemple, demandez l'avis de votre conjoint ou d'un ami lorsque vous vous parfumez. Faites-lui assaisonner les plats cuisinés et vérifier la fraîcheur des aliments (fiez-vous aussi à la date de péremption).

Épicer davantage ses plats. Lorsqu'on est privé de goût ou d'odorat, les aliments perdent pratiquement toute saveur. N'hésitez pas à relever davantage vos propres plats : poivre, herbes, épices, moutarde, jus de citron, etc. (Mais attention au sel si vous souffrez d'hypertension !)

S'abstenir de fumer. Le tabac cause des dommages parfois irréversibles aux nerfs sensitifs de l'odorat et du goût.

QUAND CONSULTER ?

- Votre congestion nasale dure depuis plus de 10 jours.
- Votre odorat a diminué (sans qu'il y ait de congestion nasale).
- Vous sentez continuellement de mauvaises odeurs.
- Vous avez des hallucinations olfactives.
- Vous ne percevez plus le goût de la nourriture.

QUE SE PASSE-T-IL LORS DE L'EXAMEN ?

Le médecin tentera d'établir l'origine et la gravité de la perte du goût ou de l'odorat. Il procédera donc à un examen de la cavité nasale à la recherche de troubles mécaniques ou physiologiques. Il examinera également la cavité buccale et la gorge afin de vérifier les amygdales (des débris alimentaires peuvent s'accumuler dans les cavités et donner un mauvais goût dans la bouche) et il effectuera un examen neurologique pour s'assurer qu'il n'y a pas d'atteinte des nerfs crâniens. Une vérification de l'appareil digestif est aussi indiquée, car les gens qui ont des régurgitations ont souvent un mauvais goût dans la bouche.

Des tests d'allergie, une tomodensitométrie des sinus et une formule sanguine constituent les principales investigations de base. L'olfactométrie (test pour détecter certaines odeurs) est parfois nécessaire pour préciser le diagnostic.

QUEL EST LE TRAITEMENT ?

Anosmie et hyposmie

Les infections et les inflammations seront traitées par des antibiotiques ou des médicaments à base de cortisone (en vaporisateur nasal, notamment). Dans ce cas, on retrouve rapidementle goût et l'odorat.

Pour la polypose nasosinusale, l'administration de cortisone par voie orale rétablit habituellement l'odorat dans les 72 heures. Sinon, l'intervention chirurgicale visant à enlever les polypes, avec ou sans corticothérapie, peut aider à maîtriser l'affection. Notons toutefois que la polypose nasosinusale est chronique et qu'elle exige un suivi regulier, car elle a fortement tendance à récidiver.

Comme les nerfs crâniens de l'odorat ne se régénèrent pas, les personnes qui ont subi un traumatisme crânien ou une intervention neurologique ne doivent guère espérer retrouver leur odorat si celui-ci n'est pas revenu au bout de six mois.

Dans le cas de médicaments et de traitements médicaux, les choses rentrent ordinairement dans l'ordre à la fin du traitement.

Lorsqu'il s'agit d'une maladie neurologique ou du diabète, la récupération est rarement possible, car les dommages sont habituellement trop graves.

La perte de l'odorat des suites de l'inhalation de produits toxiques n'est malheureusement pas toujours récupérable ; tout dépend de la gravité de l'atteinte. C'est pourquoi, dans les milieux industriels où l'on utilise des produits dangereux (le gaz naturel, par exemple), les travailleurs ayant perdu l'odorat doivent être identifiés afin qu'on les équipe de moyens de détection des vapeurs nocives.

Pour l'hyposmie sans problème médical apparent, on peut s'attendre à retrouver l'odorat un an ou deux après l'apparition de la perte de ce sens. La cortisone peut apporter une certaine amélioration.

Cacosmie objective

Généralement, les infections bactériennes répondent bien aux antibiotiques et les choses rentrent dans l'ordre.

Une chirurgie est pratiquée pour enlever les tumeurs nasales nécrotiques.

Dans les cas d'atrophie chronique de la muqueuse nasale, des onguents à base d'hormones sont utilisés pour diminuer la formation des croûtes purulentes.

Cacosmie subjective et phantosmie

Les médicaments aident habituellement à maîtriser les symptômes des troubles mentaux et de l'épilepsie.

En cas de lésion ou de tumeur cérébrale, on entreprend le traitement adéquat et la récupération des sens dépend alors de la gravité de l'atteinte.

Perte ou altération du goût seulement

De façon générale, le traitement des troubles dentaires, des infections ou des maladies, la maîtrise du diabète, la fin de la médication et des traitements contre le cancer permettent de régler le problème. Pour ce qui est du tabagisme et de l'alcool, la récupération du goût dépendra de la gravité des dommages infligés aux papilles gustatives.

Pertes de mémoire

Il est tout à fait banal d'avoir des trous de mémoire de temps à autre. Par exemple, ignorer où l'on a posé ses clés, ne plus se souvenir de l'heure d'un rendez-vous ou oublier d'acheter certains articles à l'épicerie n'est pas inquiétant. Ces manques d'attention sans conséquences surviennent souvent lorsque la personne est préoccupée et elles augmentent avec l'âge.

En effet, à partir de 65 ans, le cerveau perd de sa capacité d'emmagasiner les nouvelles informations. Ainsi, la personne âgée peut oublier le nom des gens qu'elle vient de rencontrer ou ce qu'elle a mangé il y a quelques heures, mais elle se souviendra parfaitement des événements qui ont marqué sa vie.

En dehors de ces phénomènes normaux, il y a les pertes de mémoire anormales, qui perturbent la vie quotidienne. Habituellement, ces absences touchent aussi les autres capacités intellectuelles – le langage, le savoir-faire et les fonctions dites « d'exécution » (capacité d'organisation, de planification et d'autocorrection) , comme :

- oublier le mot juste, raccourcir ou simplifier ses phrases ;
- ne plus savoir manipuler le four à micro-ondes ou la télécommande du téléviseur ;
- ne plus se souvenir dans quel ordre employer les ingrédients de sa recette favorite ;
- oublier comment dresser sa liste d'épicerie ;
- ne pas s'apercevoir de ses propres déficiences

Si l'atteinte ne perturbe pas trop le fonctionnement de la personne, on parlera de déficience cognitive légère ou encore de troubles de mémoire isolés. Si l'atteinte est plus grave (p. ex. : oublier comment s'habiller, se laver, etc.), elle sera alors qualifiée de démence.

QUELLES SONT LES CAUSES ?

Déficience cognitive légère (troubles de mémoire isolés)

- ***Médicaments.*** Certains somnifères et tranquillisants, en « endormant le cerveau », peuvent nuire à la réception et à la transmission des informations ;

- ***Dépression nerveuse et angoisse.*** Ces troubles perturbent le fonctionnement général quotidien. De plus, il est plus difficile de retenir les informations lorsqu'il y a perte d'attention ou de motivation ;
- ***Hypothyroïdie.*** Le fonctionnement insuffisant de la glande thyroïde peut ralentir les fonctions intellectuelles. Outre les troubles de mémoire isolés, cette maladie se manifeste notamment par un manque d'appétit, de la fatigue chronique, une faiblesse musculaire, de la constipation, une intolérance au froid, une peau sèche et rugueuse, une voix rauque et des cheveux cassants ;
- ***Lésions cérébrales.*** Les accidents vasculaires cérébraux et les tumeurs au cerveau risquent d'endommager les neurones responsables des fonctions intellectuelles.

Démence

- ***Maladie d'Alzheimer.*** Cette maladie dégénérative, dont l'origine est mal connue, touche surtout les personnes âgées : 5 % des 65 ans et plus, 25 % des 85 ans et plus. L'hérédité semble jouer un rôle dans cette démence qui, habituellement, se traduit par un changement de personnalité. Les risques de développer la maladie d'Alzheimer sont de deux à quatre fois plus élevés s'il y a des cas dans la famille immédiate (parents, frères et sœurs) ;
- ***Démence vasculaire (artériosclérose cérébrale).*** Il s'agit d'une maladie dégénérative due à de petites hémorragies (saignements) ou à des thromboses (caillots) qui endommagent le cerveau. Ce type de démence survient surtout chez les personnes âgées qui souffrent d'hypertension artérielle, de diabète ou de maladie cardiaque. Selon la localisation de la lésion cérébrale, des symptômes tels qu'une difficulté à parler, la perte de la sensibilité dans un bras ou une jambe, etc., peuvent se manifester.

CONSEILS PRATIQUES

Petits trucs pour limiter les oublis. Si vous avez souvent des pertes de mémoire, prenez quelques bonnes habitudes : mettez toujours vos clés à la même place ; apprenez à noter ce que vous ne voulez pas oublier ; donnez-vous des points de repère (pour retrouver votre voiture dans un terrain de stationnement, par exemple) ; parlez-vous à voix haute (« Je ferme toutes les lumières en quittant la maison ») ; etc.

Apprendre à se détendre. Le stress et les préoccupations quotidiennes peuvent nuire à la mémoire. Réservez-vous des moments de détente chaque jour.

Garder le cerveau en forme. Les découvertes les plus récentes montrent qu'une activité intellectuelle soutenue tout au long de la vie pourrait aider à protéger contre la maladie d'Alzheimer. Lisez beaucoup, faites des mots croisés, jouez au scrabble... Bref, nourrissez votre cerveau !

Faire de l'exercice physique. Certaines recherches indiquent que l'activité physique peut aussi stimuler la mémoire. Adoptez une activité (vélo, natation, marche, etc.) et pratiquez-la au moins trois fois par semaine à raison de 20 minutes chaque fois.

Mieux vaut prévenir que guérir. Pour prévenir la démence vasculaire (l'artériosclérose cérébrale), le dépistage et le traitement de l'hypertension artérielle et du diabète s'avèrent très importants.

Consulter régulièrement un médecin. Les personnes qui souffrent de déficience cognitive légère (troubles de mémoire isolés) devraient être suivies annuellement par un médecin pour détecter une évolution possible vers la maladie d'Alzheimer.

Demeurer attentif au comportement des personnes âgées. Habituellement, une personne âgée présentant des pertes de mémoire anormales ne s'en aperçoit pas. Emmenez-la consulter un médecin et n'hésitez pas à l'accompagner lors de ses déplacements et de ses activités.

Prendre des dispositions juridiques. Tout le monde devrait prendre des dispositions pour protéger ses proches et pour se protéger soi-même contre une éventuelle inaptitude. Pour cela, on doit remplir un mandat d'inaptitude, que l'on peut se procurer gratuitement dans les cabinets d'avocats et de notaires. Cette démarche consiste à déléguer à une personne que vous avez choisie la responsabilité de gérer vos biens ou votre personne au cas où, pour une raison ou pour une autre, vous deviendriez incapable de le faire.

Demander l'assistance de la curatelle. Si l'un de vos proches a la maladie d'Alzheimer ou une démence vasculaire, vous devez prendre des dispositions juridiques quant à l'administration de ses biens. S'il avait auparavant rempli un mandat d'inaptitude, il faudrait le faire homologuer, c'est-à-dire le faire valider auprès d'un juge. Faute de ce document, vous pourrez demander la mise en place d'une curatelle (régime d'assistance juridique pour personnes inaptes à gérer leurs biens). Informez-vous auprès d'un avocat ou d'un notaire.

Chercher de l'aide extérieure. N'hésitez pas à prendre contact avec la Société Alzheimer de votre région. Vous y trouverez soutien et conseils.

QUAND CONSULTER ?

- Vous avez des pertes de mémoire qui perturbent votre fonctionnement quotidien.
- Vos autres fonctions intellectuelles sont atteintes (langage, savoir-faire, etc.).
- Les troubles de mémoire isolés se manifestent de plus en plus souvent.

QUE SE PASSE-T-IL LORS DE L'EXAMEN ?

Avant de diagnostiquer une maladie dégénérative, le médecin aura écarté toute possibilité de trouble physique ou mental qui affecterait les fonctions intellectuelles et qui serait potentiellement curable.

Il n'existe pas de tests spécifiques pour les maladies dégénératives. Elles se diagnostiquent par une série de critères, après une évaluation médicale et, le cas échéant, par des tests sanguins ou radiologiques. Une évaluation neuropsychologique plus détaillée est aussi parfois requise.

QUEL EST LE TRAITEMENT ?

Déficience cognitive légère (troubles de mémoire isolés)

Dans tous les cas, les activités intellectuelles et physiques régulières peuvent avoir des effets bénéfiques.

Médicaments

La liste des médicaments sera examinée et, au besoin, modifiée afin d'améliorer le fonctionnement cognitif.

Dépression nerveuse et angoisse

Le médecin pourra prescrire des antidépresseurs, souvent associés à du repos. Habituellement, la mémoire et les autres fonctions intellectuelles retrouvent toutes leurs capacités.

Hypothyroïdie

Le traitement consiste en une hormonothérapie de substitution des hormones thyroïdiennes. La récupération de la mémoire dépend de la précocité du traitement et du degré de l'atteinte.

Lésions cérébrales

Un accident vasculaire cérébral ou une tumeur au cerveau nécessitent un traitement spécifique. Selon la gravité de la lésion, les pertes de mémoire peuvent persister, diminuer ou disparaître avec l'aide de la rééducation (orthophonie, ergothérapie, etc.).

Démence

Maladie d'Alzheimer

Actuellement, trois médicaments sont sur le marché pour retarder la progression de la maladie lorsqu'elle en est à un stade léger ou modéré. Il s'agit du donépézil (Aricept), de la rivastigmine (Exelon) et de la galantamine (Réminyl). Le choix du produit repose sur les effets bénéfiques constatés et sur la tolérance aux effets secondaires. Comme ces médicaments sont encore récents, leur impact à long terme et dans les formes graves de la maladie est moins connu. D'autres produits prometteurs sont en cours d'expérimentation.

Démence vasculaire (artériosclérose cérébrale)

Il faut d'abord traiter de façon optimale l'hypertension artérielle et le diabète. De plus, les médicaments utilisés pour la maladie d'Alzheimer semblent être efficaces dans la démence vasculaire.

Pieds douloureux

Le pied est une mécanique complexe capable de supporter et d'absorber le poids du corps, de servir de levier de propulsion et d'adapter le contact du corps avec le sol. Toutefois, c'est l'une des parties anatomiques les plus négligées, du moins jusqu'à ce qu'un problème surgisse.

Voici les principaux problèmes associés aux pieds douloureux :

- douleur aux orteils ou à la voûte plantaire ;
- douleur au talon (il s'agit de l'épine de Lenoir, une calcification du tissu osseux qui favorise la formation d'un petit morceau de calcaire dans le talon) ou douleur diffuse qui part du talon et se dirige vers les orteils, sous le pied (c'est la fasciite plantaire, souvent associée à l'épine de Lenoir) ;
- déviation du gros orteil vers les autres (hallux valgus) ;
- déformation de l'extrémité du deuxième orteil vers le haut (orteil en marteau) ;
- orteils crochus (orteils en griffe). Les deux pieds sont souvent atteints ;
- pied très arqué et très arrondi (pied creux) ;
- voûte plantaire affaissée (pied plat).

QUELLES SONT LES CAUSES ?

- ***Surplus de pression ou de frottement dans les chaussures.*** Les chaussures trop étroites ou à talons hauts, la station debout prolongée (travail debout), l'obésité et les activités physiques intenses favorisent la douleur, l'hallux valgus, l'épine de Lenoir, la fasciite plantaire, les orteils en marteau ou en griffe ;
- ***Prédispositions familiales ou anatomiques.*** Les cas de déformation du pied – hallux valgus, pieds creux ou plats – sont souvent héréditaires. Les pieds creux s'accompagnent parfois d'orteils en griffe, alors que les pieds plats sont souvent associés à l'hallux valgus. Par ailleurs, l'orteil en marteau se présente habituellement chez les personnes dont le deuxième orteil (celui qui est à côté du gros orteil) est plus long que les autres. Son extrémité qui dépasse a parfois tendance à se déformer ;

- ***Diabète.*** L'évolution de la maladie peut entraîner une lésion des nerfs (polynévrite) qui provoque une insensibilité au niveau des pieds – d'où les blessures fréquentes aux pieds chez les diabétiques – et des déformations, comme les orteils en marteau ou en griffe et le pied creux. Ces affections s'accompagnent souvent aussi d'une mauvaise circulation sanguine dans les membres inférieurs (orteils bleutés) ;
- ***Polyarthrite rhumatoïde.*** Il s'agit d'une maladie chronique et évolutive, caractérisée par une inflammation articulaire (surtout aux mains et aux pieds) qui favorise des déformations telles que l'hallux valgus et les pieds plats. Le port de mauvaises chaussures, la station debout prolongée ou les activités physiques intenses peuvent aggraver la situation. Outre la douleur (souvent plus forte la nuit), la polyarthrite rhumatoïde entraîne rougeur, chaleur et gonflement des articulations ainsi qu'une raideur des pieds au lever ;
- ***Problèmes vasculaires.*** Lorsque les vaisseaux vieillissent, le sang circule moins bien. Une coloration bleutée au niveau des orteils et des pieds peut alors survenir ;
- ***Arthrose et ostéoporose.*** Ces maladies associées au vieillissement fragilisent le pied, le rendant vulnérable à la douleur et aux fractures. L'arthrose est l'usure des articulations qui fait perdre leur souplesse aux tissus. L'ostéoporose est la déminéralisation (manque de calcium) des os, qui peuvent devenir fragiles au point de se casser facilement ;
- ***Certaines maladies neurologiques.*** La maladie de Parkinson peut favoriser les orteils en griffe et les pieds creux en raison de la rigidité des membres, conséquence d'une insuffisance de relâchement de certains muscles lors des mouvements. La sclérose en plaques, en affectant des zones du système nerveux qui contrôlent la douleur et les muscles, risque de causer des douleurs aux pieds et des contractions musculaires involontaires qui rendent la marche difficile. Pour sa part, l'ataxie de Friedreich (dégénérescence héréditaire allant du cervelet jusqu'aux fibres nerveuses contenues dans la moelle épinière) peut entraîner une déformation des pieds (pieds creux) ;
- ***Problèmes lombaires ou tension musculaire des mollets.*** Ils causent quelquefois des douleurs qui irradient jusqu'aux pieds.

CONSEILS PRATIQUES

Porter de bonnes chaussures. Le choix d'une bonne chaussure constitue la meilleure prévention des problèmes de pieds. Choisissez de préférence des chaussures en tissu ou en cuir souple, lacées et à bout large. Pour un confort maximum, vos chaussures devraient avoir une semelle compensée (c'est-à-dire une semelle pleine), car elle absorbe mieux les chocs et le poids du corps ; elle garantit également une bonne stabilité. C'est le meilleur choix de chaussures que vous puissiez faire et vous pouvez en trouver à votre goût dans pratiquement tous les magasins. Sinon, optez pour une chaussure à talon large et pas trop haut (pas plus de 5 cm) et à contrefort rigide afin de stabiliser l'arrière du pied. Pour la promenade, les chaussures de sport ou de marche constituent un excellent choix. Pour le sport, procurez-vous des chaussures spécialement conçues pour votre type d'activité.

Acheter la bonne pointure. Afin d'éviter le frottement, il doit y avoir assez d'espace entre le gros orteil et le bout du soulier. Un petit truc : achetez vos chaussures en fin de journée, quand vos pieds ont légèrement enflé du fait de la marche et de la position debout. Ne choisissez jamais des souliers qui ne sont pas confortables lorsque vous les essayez, car des chaussures neuves qui font mal risquent fort de ne jamais convenir et peuvent même occasionner des blessures aux pieds.

Améliorer le confort. Procurez-vous des semelles rembourrées ou des talonnettes qui absorberont le poids du corps.

Perdre du poids. Les pieds vous supportent tout au long de votre vie. Il faut donc les ménager en conservant un poids santé.

Calmer la douleur. Frottez un talon douloureux avec de la glace. Au besoin, prenez un analgésique. Les bains de pieds à remous (en vente dans les grands magasins et les pharmacies) peuvent également vous procurer un certain soulagement grâce à l'action combinée de l'eau chaude ou tiède et du massage. Trempez-y les pieds pendant une quinzaine de minutes. Attention : en cas de plaie au pied, de diabète ou de trouble circulatoire grave, il vaut mieux demander l'avis du médecin.

Recourir aux massages et aux exercices. Pour soulager un pied endolori, massez-le doucement avec des huiles douces ou une crème de massage appropriée. Évitez les produits irritants. Pour un meilleur effet calmant, vous pouvez masser les mollets et faire de légers étirements. Vous pouvez aussi, en position assise, faire rouler une petite balle (de tennis, par exemple) sous le pied pendant une dizaine de minutes. Si vous souffrez de fasciite plantaire, faites des exercices de flexion des orteils (comme pour essayer d'attraper un objet avec les orteils).

Diminuer les activités physiques. Du moins pendant quelques jours.

Éviter de porter des chaussures pieds nus. Cela augmente les frottements.

QUAND CONSULTER ?

- Vos douleurs aux pieds persistent.
- Vous avez des déformations des pieds ou des orteils.
- Vous boitez.
- Vous vous blessez facilement les pieds.
- Vous constatez un changement de coloration, des rougeurs ou de l'enflure au niveau des pieds.
- Vous souffrez de raideur matinale ou de douleur nocturne dans les membres inférieurs.
- Vos pieds deviennent insensibles ou vous avez des plaies qui ne guérissent pas.
- Vous ressentez, en plus, une douleur au niveau lombaire ou dans les mollets.

QUE SE PASSE-T-IL LORS DE L'EXAMEN ?

Le médecin procédera à un examen des pieds et, selon les symptômes, à une évaluation de votre état général. S'il le juge nécessaire, il prescrira des examens complémentaires, comme des prises de sang, des radiographies, un scanner ou une scintigraphie osseuse.

QUEL EST LE TRAITEMENT ?

Douleurs au talon

L'épine de Lenoir peut être traitée à l'aide de talonnettes trouées (petites lamelles en matière absorbante insérées dans la chaussure, au niveau du talon), d'analgésiques, d'anti-inflammatoires, de semelles moulées (orthèses plantaires) ou d'injections de cortisone dans le talon.

La fasciite plantaire répond bien aux anti-inflammatoires et à la physiothérapie.

Déformations du pied ou des orteils (hallux valgus, orteil en marteau ou en griffe, pied creux, pied plat)

Les orthèses plantaires sont habituellement indiquées pour les déformations, mais, dans certains cas, le patient doit avoir recours à une intervention chirurgicale. Il y a trois types de semelles moulées : les orthèses préventives, qui évitent la déformation ; les orthèses correctives, qui visent à corriger une déformation sur un pied encore souple ; les orthèses palliatives, qui ne servent qu'à assurer un meilleur confort, car la déformation est trop installée pour être réduite.

Diabète, polyarthrite rhumatoïde, problèmes vasculaires, arthrose et ostéoporose, maladies neurologiques, problèmes lombaires ou tension musculaire des mollets

En plus de traiter l'affection responsable des pieds douloureux, le médecin peut prescrire des orthèses plantaires ou des chaussures spéciales.

Pouls lent

Le pouls est la manifestation palpable des contractions du cœur. On évalue les pulsations cardiaques en posant le doigt sur l'artère du poignet ou sur celle du cou (carotide). Si l'on perçoit difficilement le pouls, on peut le prendre au niveau de l'aine, là où passe l'artère fémorale.

Au repos, le pouls adopte une fréquence se situant le plus souvent entre 60 et 80 battements par minute. Un cœur qui bat sous le seuil des 60 battements par minute fait de la bradycardie, forme d'arythmie et terme médical signifiant littéralement « cœur lent ». Bien qu'il puisse parfois exiger l'intervention d'un médecin, un pouls lent sans autres symptômes est considéré comme normal. Il est intéressant de savoir que cela peut même aider à vivre plus vieux. En effet, comme le cœur bat plus lentement, l'organisme s'use moins vite. À noter aussi que pouls lent ne signifie pas nécessairement tension artérielle basse.

QUELLES SONT LES CAUSES ?

- ***Sérénité, repos.*** Un état de calme absolu, la méditation et le sommeil ralentissent le rythme cardiaque ;
- ***Grande forme physique.*** Faire régulièrement des activités physiques intenses, telles que le ski de fond, la course à pied, le cyclisme de compétition, peut contribuer à maintenir une fréquence cardiaque basse ;
- ***Réaction due à des situations déplaisantes.*** La peur, la douleur, la station debout prolongée (surtout dans un environnement chaud et humide) peuvent stimuler anormalement le système nerveux autonome, qui régit le fonctionnement des organes indépendamment de la volonté. Cela entraîne alors une cascade de symptômes, dont une bradycardie subite, une chute rapide de la tension artérielle, un voile noir devant les yeux, des bâillements, des sueurs et, souvent, une brève perte de connaissance ;
- ***Médicaments.*** Divers médicaments prescrits pour des troubles coronariens (angine de poitrine, infarctus du myocarde) peuvent ralentir de façon significative la fréquence des battements

cardiaques. Mais cette conséquence est un effet voulu du traitement par certains agents antihypertenseurs (pour abaisser la tension artérielle), certains médicaments antiarythmiques (pour régulariser le rythme cardiaque) et certains produits cardiotoniques (pour augmenter le tonus du muscle cardiaque), tels que les dérivés de la digitale. En dehors de la médication cardiovasculaire, d'autres produits, comme les sels de lithium, utilisés pour traiter des troubles affectifs, peuvent aussi ralentir le pouls, mais il s'agit alors d'effets secondaires indésirables ;

- ***Anomalies congénitales du système de conduction cardiaque.*** Ces anomalies, appelées aussi « blocs auriculo-ventriculaires », peuvent se manifester par de la bradycardie, mais, le plus souvent, elles n'ont pas de répercussions cliniques ;
- ***Maladie du sinus.*** Le sinus est situé dans la partie supérieure de l'oreillette (cavité supérieure du cœur), à la jonction de l'oreillette et du ventricule. Par un influx électrique, il intervient comme entraîneur du rythme cardiaque. Lorsqu'il fonctionne mal, cela occasionne des périodes de pouls lent, voire des pauses de quelques secondes sans battements cardiaques, entrecoupées d'un pouls rapide et irrégulier. Ces troubles du rythme cardiaque entraînent parfois une perte de connaissance lorsqu'on passe de la position couchée à la position assise ou de la position assise à la position debout. Cela se produit quand on a été couché ou assis pendant quelques heures. Même si la maladie du sinus est le plus souvent une conséquence du vieillissement, elle peut aussi se retrouver dans la maladie coronarienne, l'hypertension artérielle de longue date ou dans toute atteinte du muscle cardiaque (myocardiopathie) ;
- ***Crise cardiaque (infarctus du myocarde).*** Les artères du cœur, ou artères coronaires, forment le réseau d'alimentation en sang du muscle cardiaque. Lorsqu'elles durcissent et se rétrécissent à cause, entre autres, de l'accumulation de dépôts de cholestérol, le muscle cardiaque n'est plus assez irrigué et il peut arriver que l'infarctus se produise. Dans un premier temps, le pouls ira plus vite pour compenser la défaillance cardiaque. Mais si l'infarctus est majeur et qu'il y a un grave manque d'oxygénation, le cœur a de la

difficulté à fonctionner et le pouls ralentit, avant de cesser complètement. Généralement, l'infarctus s'accompagne de douleurs à la poitrine, au bras gauche et à la gorge, d'une pâleur extrême, d'une transpiration abondante, de l'impression de mort imminente, parfois de nausées et de vomissements;

- ***Hypothyroïdie.*** Dans le cas de cette maladie, c'est tout l'organisme qui fonctionne au ralenti;
- ***Hypothermie et malnutrition grave (anorexie).*** Ces affections peuvent avoir des répercussions sur le système électrique du cœur et provoquer un important ralentissement des battements cardiaques.

CONSEILS PRATIQUES

Traiter d'urgence tout signe d'infarctus du myocarde. Si vous présentez des symptômes qui vous font penser à une crise cardiaque, demandez immédiatement de l'aide et faites appeler une ambulance en composant le 911. N'attendez pas! Le temps reste le facteur le plus important pour améliorer vos chances de survie. Le personnel ambulancier vous prodiguera les soins nécessaires pour protéger votre cœur jusqu'à votre arrivée à l'hôpital.

Faire attention aux interactions médicamenteuses. Soyez toujours à l'affût des médicaments responsables de bradycardie et des interactions médicamenteuses. N'hésitez pas à demander à votre médecin ou à votre pharmacien si un médicament (sur ordonnance ou en

Le stimulateur cardiaque

Communément appelé «pacemaker», le stimulateur cardiaque est un ordinateur miniature placé sous la peau et relié au cœur par des électrodes. Il analyse constamment l'activité électrique du cœur et lui fournit au besoin l'impulsion nécessaire pour déclencher ses contractions. Cet appareil est le plus souvent implanté en raison de bradycardies importantes et symptomatiques, comme dans la maladie du sinus.

vente libre) qui s'ajoute à ceux que vous prenez déjà peut, par lui-même ou par effet d'addition, entraîner un pouls lent.

Éviter d'abandonner un traitement médicamenteux prescrit par le médecin. Avant d'abandonner un médicament qui fait ralentir le cœur, faites-en part à votre médecin, qui pourra, dans la plupart des cas, vous proposer des solutions de rechange.

Éviter de prendre les médicaments des autres. Bien que les symptômes puissent se ressembler d'une personne à une autre, il peut être dangereux d'utiliser des médicaments qui ne vous ont pas été spécialement prescrits.

QUAND CONSULTER ?

- Vos pulsations sont inférieures à 50 battements par minute et sont accompagnées d'étourdissements et de faiblesse, surtout quand vous passez de la position assise ou couchée à la position debout.
- Vous avez perdu connaissance ou vous avez l'impression que vous allez perdre connaissance ; vous souffrez de fatigue extrême, parfois même d'épisodes de confusion, ou vous êtes beaucoup plus essoufflé depuis quelque temps.

QUE SE PASSE-T-IL LORS DE L'EXAMEN ?

Les questions que pose le médecin peuvent parfois révéler les raisons d'un ralentissement symptomatique de la fréquence cardiaque (la prise d'un médicament, par exemple). Il prendra soin, toutefois, de faire un examen physique pour vérifier l'état du cœur. Il pourra aussi demander un électrocardiogramme (test qui consiste à enregistrer l'activité électrique du cœur) au repos et à l'effort en faisant marcher le patient sur un tapis roulant.

Le médecin pourra aussi recourir à d'autres tests s'il le juge opportun. La méthode de Holter consiste en un enregistrement ambulatoire continu, pendant 24 heures, de l'activité cardiaque. L'épreuve d'inclinaison sert à rechercher des variations de pouls et de tension artérielle en plaçant le patient dans différentes positions sur une table à bascule. De plus, on peut vérifier directement l'activité cardiaque au moyen d'une sonde introduite dans le bras ou la veine fémorale (au niveau de la cuisse) sous anesthésie locale. Cet examen s'appelle l'« exploration électrophysiologique endocavitaire ».

QUEL EST LE TRAITEMENT ?

Réaction due à des situations déplaisantes

En général, le traitement consiste à prévenir les situations désagréables, lorsque cela est possible, bien sûr. Sur le plan pharmacologique, plusieurs classes de médicaments peuvent être utilisées pour empêcher le pouls de trop ralentir, en particulier si ce problème risque de provoquer des situations dangereuses (p. ex. : perte de connaissance au volant de sa voiture). Cependant, les résultats sont controversés et il reste encore beaucoup de recherches à faire dans ce domaine. Dans certains cas, un stimulateur cardiaque peut être une solution.

Médicaments

Au besoin, le médecin pourra changer la prescription.

Anomalies congénitales du système de conduction cardiaque

Comme la bradycardie est la plupart du temps sans conséquences cliniques, il n'y a pas lieu de la traiter. On peut vivre tout à fait normalement en dépit de ce type d'anomalie.

Maladie du sinus

Ce trouble de la conduction électrique nécessite l'implantation d'un stimulateur cardiaque (pacemaker) pour éviter la bradycardie potentiellement dangereuse (perte de connaissance au volant, chute sur le trottoir, etc.) ainsi que la prescription d'un médicament antiarythmique pendant les périodes où le cœur bat trop rapidement.

Crise cardiaque (infarctus du myocarde)

Dès son arrivée à l'urgence, le malade reçoit de l'oxygène, de la nitroglycérine (en comprimés à laisser fondre sous la langue, en aérosol buccal ou par voie intraveineuse) et on lui fait croquer de l'aspirine, qui est un agent antiplaquettaire empêchant la formation des caillots sanguins. Il recevra aussi d'autres médicaments spécifiques par voie intraveineuse ou orale. Selon la gravité de l'infarctus, différentes interventions peuvent être pratiquées, comme l'angioplastie coronarienne, qui consiste à dilater un vaisseau pour rétablir son calibre, ou le pontage aortocoronarien. Cette dernière technique chirurgicale permet la revascularisation du muscle cardiaque en dérivant le sang en aval de l'obstruction à l'aide d'un greffon (une artère provenant du thorax du patient ou encore une veine prélevée sur l'une de ses jambes).

Hypothyroïdie

Elle se traite à l'aide de médicaments qui sont des extraits thyroïdiens.

Hypothermie et malnutrition grave (anorexie)

Dans ces deux cas, le pouls lent n'est qu'un des symptômes qui indiquent un état critique. Le médecin s'efforcera donc avant tout de sauver la vie de son patient.

Pouls rapide

Au repos, un cœur normal bat entre 60 et 80 fois par minute. Lorsque le pouls dépasse 100 battements par minute, on appelle ce phénomène « tachycardie ». Cette accélération du rythme cardiaque est normale ou pathologique, selon le cas. La personne qui fait de la tachycardie peut ne pas s'en apercevoir ou, au contraire, sentir son cœur battre fortement à l'intérieur de son thorax (ce sont des palpitations).

Il est important de savoir qu'un pouls rapide ne veut pas automatiquement dire qu'on a une pression artérielle élevée. En cas d'anémie ou de crise cardiaque, par exemple, le cœur bat plus vite pour compenser une baisse de pression afin de la ramener à la normale.

QUELLES SONT LES CAUSES ?

- ***Pratique d'exercices physiques.*** Il est normal que le pouls s'accélère proportionnellement à l'intensité de l'activité physique pratiquée. Il revient progressivement à la normale une fois l'activité terminée ;
- ***Sédentarité.*** Au moindre effort, le cœur d'une personne inactive doit battre plus vite pour répondre à une consommation accrue d'oxygène, ce qui se traduit par un essoufflement désagréable ;
- ***Consommation de thé, de café, de cola ou de chocolat.*** Tous les produits qui contiennent des dérivés de la caféine ont la propriété d'accélérer la fréquence cardiaque ;
- ***Stress physiologique (maladie grave, blessure, chirurgie) ou psychologique (problèmes familiaux ou financiers, changement d'emploi) et nervosité ;***
- ***Cigarettes et autres produits du tabac.*** Leur action est double. D'une part, ils forcent le cœur à battre plus rapidement et, donc, à utiliser plus d'oxygène, d'autre part, ils diminuent la quantité d'oxygène transportée jusqu'au cœur par le sang ;
- ***Certains médicaments,*** tels que les décongestifs et les bronchodilatateurs, comme le salbutamol (Ventolin) ou la théophylline, utilisés dans le traitement de l'asthme ou d'autres affections bronchiques ;

- ***Alcool et drogues*** telles que les stimulants et les dérivés de l'amphétamine (substance qui excite le système nerveux central);
- ***Syndrome de Wolff-Parkinson-White.*** Il s'agit d'une anomalie congénitale du circuit électrique du cœur (comme si le système électrique était mal branché). Peu fréquente et en général bénigne, elle peut être découverte chez un adolescent ou chez un jeune adulte qui se plaint de faiblesse subite, de syncope durant des activités physiques intenses et de crises de tachycardie;
- ***Tachycardie paroxystique.*** Elle peut être auriculaire ou ventriculaire, selon que ce sont les oreillettes ou les ventricules qui accélèrent le rythme cardiaque. Si elle est auriculaire, les battements seront de 95 à 150 à la minute. Si elle est ventriculaire, ils seront de 160 à 190. Cette anomalie du circuit électrique du cœur se rencontre le plus souvent chez les jeunes à cause d'une hypersensibilité émotive et elle se traduit par l'apparition soudaine d'un pouls très rapide (de 160 à 190 battements par minute) et régulier, pouvant durer de quelques minutes à quelques heures et revenant à la normale tout aussi soudainement. La tachycardie paroxystique peut être déclenchée par un effort anodin (comme se pencher pour lacer ses chaussures), par un choc (être témoin d'un accident) ou sans aucune raison;
- ***Fibrillation auriculaire.*** Ce trouble du rythme cardiaque se manifeste par un pouls irrégulier, le plus souvent rapide à cause de contractions désordonnées des oreillettes. Il peut entraîner une embolie cérébrale (AVC) ou une embolie pulmonaire (blocage brusque d'un vaisseau par un caillot de sang). La fibrillation auriculaire survient généralement à cause d'un problème cardiaque, mais elle peut aussi être due à un dysfonctionnement de la glande thyroïde, à des problèmes pulmonaires ou à un excès d'alcool. Elle est plus fréquente chez les personnes âgées.
- ***Tachycardie ventriculaire.*** Cette accélération très grave du rythme cardiaque (de 140 à 220 battements par minute) apparaît souvent au moment d'un infarctus en raison d'un court-circuit dans un ventricule (cavité inférieure du cœur). La tachycardie ventriculaire peut aussi se manifester chez des sujets souffrant de diverses maladies du cœur et d'insuffisance cardiaque;

- ***Anémie.*** Une baisse assez marquée de la quantité de globules rouges dans le sang entraîne un pouls rapide du fait du manque de transporteurs d'oxygène ;
- ***Troubles respiratoires,*** tels que l'asthme, la pneumonie, la bronchite ou l'emphysème chronique (dilatation des alvéoles pulmonaires). Ces affections perturbent les échanges d'oxygène dans les alvéoles des poumons. Par conséquent, le cœur bat plus vite pour essayer de pallier le déficit en oxygène ;
- ***Glande thyroïde trop active (hyperthyroïdie) ou, plus rarement, d'autres problèmes endocriniens.*** Une trop grande sécrétion d'hormones thyroïdiennes augmente le métabolisme, tout comme un thermostat programmé à une température élevée fera consommer plus d'énergie. Il en résulte diverses formes de tachycardie.

CONSEILS PRATIQUES

Savoir dire : « Non, merci ! » Réduisez ou, encore mieux, éliminez les produits qui contiennent de la caféine (café, thé, cola, chocolat) ainsi que l'alcool et les drogues illicites.

Cesser de fumer. Dans les jours qui suivront l'arrêt de la consommation de tabac, vous remarquerez que votre cœur bat moins vite. Avec le temps, vous serez moins essoufflé et vous aurez une meilleure tolérance à l'effort et à l'exercice. Par ailleurs, des études scientifiques montrent que cesser de fumer est l'un des facteurs les plus importants pour réduire le risque de souffrir d'une maladie cardiovasculaire.

Maintenir un poids santé. La plupart des personnes qui ont des kilos en trop souffrent de tachycardie au moindre effort, car le surplus de poids oblige le cœur à pomper du sang plus rapidement pour assurer l'oxygénation de l'organisme. Un poids idéal est un atout très important pour la santé du cœur, mais faites attention aux régimes amaigrissants draconiens qui peuvent entraîner des effets indésirables, dont la tachycardie. Optez plutôt pour les régimes alimentaires supervisés par un médecin.

Améliorer l'endurance. La seule façon d'améliorer votre santé cardiovasculaire et d'avoir plus d'énergie consiste à pratiquer des activités exigeant de l'endurance plusieurs fois par semaine: promenades à pied, travaux de jardinage, programme de conditionnement physique, sports de loisirs, etc.

Maintenir le stress à un niveau raisonnable. Le stress fait partie de la vie quotidienne et il est utile pour rester dynamique. Toutefois, trop de stress devient nuisible pour la santé. Sachez donc maintenir le stress dans des limites raisonnables en vous initiant à des techniques de relaxation, en vous accordant des moments de loisir, en faisant régulièrement de l'exercice, en planifiant votre travail, etc.

Consulter un médecin. Il existe plusieurs médicaments sur ordonnance pour traiter la tachycardie persistante (bêtabloquants, certains inhibiteurs des canaux calciques et agents antiarythmiques). Votre médecin est le mieux placé pour évaluer si vous pouvez tirer des bienfaits de l'un d'entre eux.

Tenter des manœuvres vagales. Si vous faites de la tachycardie paroxystique, c'est-à-dire une accélération subite du pouls, et que vous vous sentez mal, vous pouvez essayer d'enrayer la crise par des manœuvres vagales, techniques qui envoient de faux messages au nerf vague (nerf qui ralentit le système cardiaque et qui se trouve dans le thorax) de façon à faire baisser la fréquence du cœur. Il s'agit tout simplement de tousser plusieurs fois, de vous pincer le nez en tentant en même temps d'expirer par celui-ci, ou bien de forcer comme si vous étiez constipé. Vous pouvez aussi vous masser les carotides (artères du cou) une à la fois jusqu'à ce que vous vous sentiez mieux ou appuyer assez fortement sur les yeux avec les doigts. Pour éviter de tomber, faites toutes ces manœuvres en position assise. Faites l'un de ces exercices pendant une dizaine de secondes en le répétant deux ou trois fois.

QUAND CONSULTER ?

- Votre pouls s'accélère au-delà du seuil de 100 battements par minute ou vous avez l'impression que votre cœur s'emballe alors que vous êtes au repos et que vous n'êtes soumis à aucun stress.

- Votre pouls ne se stabilise pas à un niveau normal dans les cinq minutes qui suivent l'arrêt de vos activités physiques.

QUE SE PASSE-T-IL LORS DE L'EXAMEN ?

Les questions que pose le médecin peuvent parfois révéler les raisons d'une accélération de la fréquence cardiaque (la prise d'un médicament, par exemple). Il prendra soin, toutefois, de faire un examen physique pour vérifier l'état du cœur. Il pourra aussi demander des prises de sang, un électrocardiogramme (un test qui consiste à enregistrer l'activité électrique du cœur) au repos et à l'effort, en faisant marcher ou courir le patient sur un tapis roulant.

Le médecin pourra aussi recourir à d'autres tests s'il le juge opportun. La méthode de Holter consiste à faire un enregistrement ambulatoire continu, pendant 24 heures, de l'activité cardiaque (l'appareil ressemble à un petit baladeur). En actionnant un bouton, le patient informera l'appareil sur les symptômes perçus. Il devra ensuite les noter pour en faire part à son médecin. L'épreuve d'inclinaison sert à rechercher des variations de pouls et de tension artérielle en plaçant le patient dans différentes positions sur une table à bascule. De plus, on peut vérifier directement l'activité cardiaque au moyen d'une sonde introduite, sous anesthésie locale, dans le bras ou dans la veine fémorale (au niveau de la cuisse). Cet examen s'appelle l'« exploration électrophysiologique endocavitaire ».

En ce qui concerne la tachycardie paroxystique, elle n'est pas toujours facile à identifier et elle doit parfois se faire à l'aide d'un cathéter introduit dans le cœur par des voies telles que les veines pour y mesurer l'activité électrique et tenter de déclencher le stimulus afin de découvrir ce qui provoque ce trouble du rythme.

QUEL EST LE TRAITEMENT ?

Sédentarité, consommation d'excitants, stress physiologique, cigarettes et autres produits du tabac, alcool et drogues

Le respect des conseils d'usage permet de régler ou d'améliorer la situation.

Certains médicaments

Le médecin pourra changer la prescription.

Syndrome de Wolff-Parkinson-White

Le médecin suivra le patient pour s'assurer que son état est bien maîtrisé. Il existe plusieurs traitements curatifs possibles, de la simple prescription de médicaments antiarythmiques (médicaments qui s'opposent aux irrégularités du rythme cardiaque) à l'ablation chirurgicale de la région où se produit le court-circuit, en passant par l'implantation d'un stimulateur cardiaque (*voir Pouls lent*).

Tachycardie paroxystique (auriculaire ou ventriculaire)

Puisque cette maladie survient chez des personnes jeunes chez qui le cœur est le plus souvent sain, ce trouble du rythme est généralement bénin, à l'exception de l'inconfort créé par la crise. Des médicaments antiarythmiques peuvent être prescrits pour prévenir les palpitations ou pour les faire avorter dès leur apparition. Un traitement définitif est maintenant possible grâce à des techniques de fulguration ayant recours à une onde de choc (radiofréquence) ou à l'application de froid (cryothérapie). Ces méthodes consistent à détruire le site responsable des courts-circuits à l'aide de cathéters introduits à l'intérieur des cavités cardiaques.

Fibrillation auriculaire

Le médecin aura recours à des agents permettant de maîtriser la fréquence cardiaque, tels que les antiarythmiques. Pour prévenir les embolies, il prescrira aussi fréquemment des anticoagulants.

Tachycardie ventriculaire

Outre le traitement classique de l'infarctus du myocarde (*voir Pouls lent*), le traitement spécifique de la tachycardie ventriculaire qui l'accompagne peut comprendre des médicaments antiarythmiques, la pose d'un défibrillateur interne capable de donner un choc électrique destiné à arrêter les battements inappropriés, des techniques de fulguration ou, encore, une chirurgie cardiaque.

Anémie

Le traitement consiste à corriger la cause sous-jacente. Parmi les causes d'anémie les plus courantes, on trouve la malnutrition, l'insuffisance rénale chronique et les saignements gastro-intestinaux.

Troubles respiratoires

Le traitement d'un trouble respiratoire réversible réglera le problème de pouls rapide. Mais s'il s'agit d'une maladie chronique, le patient devra s'adapter à son handicap en modifiant son mode de vie et, avant toute chose, en arrêtant de fumer.

Glande thyroïde trop active (Hyperthyroïdie) et problèmes endocriniens

Des médicaments (bêtabloquants) seront administrés pour juguler les manifestations cardiaques dues à l'excès de sécrétion d'hormones thyroïdiennes. L'iode radioactif est aussi utilisé pour rendre inactive la portion de la glande thyroïde qui est responsable de cette production exagérée.

Présence de sang dans le sperme

Il est normal que les hommes qui constatent la présence de sang dans leur sperme s'inquiètent. Mais ils doivent se rassurer: ce problème (appelé « hémospermie ») est rarement grave. Cela dit, il vaut toujours mieux consulter son médecin.

L'hémospermie est plus redoutable chez les patients souffrant d'une infection de la prostate et chez ceux ayant des troubles de la coagulation ou qui prennent des médicaments visant à éclaircir le sang (victimes de phlébite, d'embolie pulmonaire ou de troubles cardiaques). En effet, dans leur cas, les saignements pourraient être plus importants et plus difficiles à maîtriser.

Les symptômes de l'hémospermie sont les suivants:

- présence de sang rouge clair ou noirâtre;
- douleur lors de l'éjaculation, éventuellement.

QUELLES SONT LES CAUSES ?

- ***Présence de sang*** dans les vésicules séminales qui peuvent se déchirer un peu au moment où les elles se contractent pour expulser le sperme. (Les vésicules séminales sont deux réservoirs situés derrière la prostate et contenant la plus grande partie du sperme.) C'est la cause la plus fréquente. C'est sans gravité et il n'y a pas d'autres symptômes;
- ***Infection de la prostate (prostatite).*** Elle peut être due à une bactérie provenant d'une infection urinaire ou d'une infection transmissible sexuellement. Outre le sang qu'il y a parfois dans le sperme, elle se présente avec de la fièvre, des frissons, des douleurs dans le bas du ventre et du dos, une fréquente envie d'uriner, des difficultés et des brûlures à la miction et à l'éjaculation. Non traitée, la prostatite peut devenir chronique. Lorsqu'elle est chronique, les symptômes sont de même nature que pour la prostatite aiguë, mais beaucoup moins intenses et il n'y a pas de fièvre;

- ***Troubles de la coagulation.*** Ils entraînent une fragilité de tous les vaisseaux sanguins, qui peuvent facilement éclater. Pendant l'éjaculation, c'est ce qui se produit avec les vaisseaux des vésicules séminales. Les saignements risquent d'être abondants et difficiles à maîtriser;
- ***Médicaments pour éclaircir le sang.*** L'aspirine prise sur une longue période, les produits antiplaquettaires et les anticoagulants entraînent une fragilité des vaisseaux sanguins du corps. Ils éclatent alors facilement. Les saignements risquent d'être abondants et difficiles à maîtriser;
- ***Inflammation de l'épididyme (épididymite).*** En plus du sang qu'on retrouve parfois dans le sperme, cette infection s'accompagne d'une douleur lancinante, de fièvre, de rougeur dans la région génitale et de gonflement des testicules. Chez les moins de 40 ans, elle est en général causée par la gonorrhée ou une infection à Chlamydia. Chez les plus de 40 ans, elle est habituellement associée à une infection urinaire.
- ***Cancer de la prostate*** dans de rares cas.

CONSEILS PRATIQUES

Ne pas prendre d'aspirine. Sauf si on vous l'a prescrite pour une longue période (pour des troubles cardiaques, par exemple), évitez de prendre de l'aspirine ou tout autre médicament ayant pour effet d'éclaircir le sang et qui pourrait accentuer le saignement. Parlez-en avec votre médecin. S'assurer que le problème ne provient pas de la partenaire. Pour vérifier votre sperme, masturbez-vous ou utilisez un préservatif. Demeurez serein. L'hémospermie est bénigne dans la très grande majorité des cas. Aucune restriction ne s'impose quant à la fréquence des relations sexuelles.

QUAND CONSULTER ?

- Vous constatez que votre sperme contient du sang.
- Ce symptôme s'accompagne de douleur lors de l'éjaculation ou de la miction, d'une douleur dans la région génito-anale, d'un urgent besoin d'uriner, de fièvre ou de rougeur dans la région génitale.
- Vous éprouvez un ou plusieurs de ces symptômes et vous avez plus de 50 ans.

QUE SE PASSE-T-IL LORS DE L'EXAMEN ?

Le médecin procédera d'abord à un examen des organes génitaux, puis de la région de la prostate en effectuant un toucher rectal. Au besoin, il demandera une analyse et une culture d'urine ainsi qu'une analyse sanguine ayant pour but de dépister un cancer de la prostate – précaution à prendre si le sujet a plus de 50 ans (le cancer de la prostate est rarissime avant cet âge). D'autres cultures, comme celle du sperme, peuvent être indiquées. Parfois, une échographie de la prostate par voie rectale et un test de l'antigène prostatique spécifique (APS) sont nécessaires pour exclure un cancer de la prostate.

Dans certains cas, le médecin peut juger opportun de procéder à une cystoscopie. Effectué sous anesthésie locale, cet examen consiste à insérer dans l'urètre une minicaméra permettant de visualiser l'intérieur de l'urètre ainsi que les parois de la prostate et de la vessie.

QUEL EST LE TRAITEMENT ?

L'hémospermie est habituellement bénigne. S'il y a infection de la prostate ou de l'épididyme, des antibiotiques et des anti-inflammatoires régleront le problème la plupart du temps.

En cas de troubles de la coagulation, le médecin vérifiera l'efficacité de l'anticoagulothérapie de son patient. Au besoin, il modifiera le traitement.

Si ce sont les médicaments pour éclaircir le sang qui sont responsables de la présence de sang dans le sperme, le médecin en vérifiera le dosage et s'assurera que le patient respecte bien le traitement. Au pire, il pourra changer de médicament.

En cas de cancer de la prostate, on entreprendra le traitement requis.

S'il n'y a aucun signe d'infection ou de cancer de la prostate, le médecin ne prescrira aucun traitement particulier puisque tout rentre dans l'ordre en quelques semaines, voire quelques mois. Si cela incommode vraiment, on peut s'abstenir de relations sexuelles pendant deux semaines. D'habitude, cela permet aux vaisseaux sanguins des vésicules séminales de guérir tout seuls.

Problèmes avec les verres de contact

Les verres de contact ou lentilles cornéennes, quoique parfaitement adaptés à l'œil, demeurent un corps étranger. C'est pourquoi ils doivent être bien ajustés à la vue, soigneusement nettoyés et manipulés avec soin. En général, les affections liées au port de lentilles cornéennes sont causées par des contaminations lors de la manipulation, un ajustement inadéquat ou une lentille abîmée.

Les problèmes suivants peuvent survenir:

Conjonctivite

- inflammation de la membrane transparente (la conjonctive) qui tapisse le pourtour de la cornée (la cornée est la membrane courbe et transparente qui recouvre l'iris, ce cercle coloré de l'œil) et l'intérieur des paupières;
- se manifeste par une rougeur, une irritation, une sensation de brûlure et une augmentation des sécrétions.

Kératite

- inflammation de la cornée;
- occasionne douleur et sensibilité à la lumière.

Ulcère de la cornée

- infection bactérienne aiguë et douloureuse de la cornée;
- peut entraîner une cicatrice permanente de la cornée et une diminution de l'acuité visuelle.

QUELLES SONT LES CAUSES ?

Conjonctivite

- ***Erreurs ou accidents dans l'utilisation de solutions nettoyantes, désinfectantes ou hydratantes (conjonctivite chimique).*** Le cas classique, c'est de mettre une goutte du mauvais produit d'entretien dans l'œil. Cela arrive souvent chez les myopes, qui ne voient pas très bien les produits qu'ils utilisent. Il peut aussi arriver que les produits soient contaminés parce qu'on les a laissés traîner sans bouchon sur le comptoir, parce qu'on les a prêtés à quelqu'un, etc. ;

- ***Bris de lentille (conjonctivite irritative)*** ;
- ***Dépôts entraînant une réaction allergique (conjonctivite allergique).*** Les dépôts en question peuvent être des protéines dénaturées qui se créent dans les solutions nettoyantes lorsqu'elles sont trop vieilles (elles forment des grumeaux), des saletés, des dépôts lipidiques si on manipule les lentilles avec les mains sales, par exemple, etc. Ces dépôts créent une réaction inflammatoire qui va augmenter la production des sécrétions de l'œil, ce qui aggravera le problème.

Kératite

- ***Utilisation de solutions nettoyantes, désinfectantes ou hydratantes infectées (kératite chimique)*** ;
- ***Bris de lentille (kératite irritative)*** ;
- ***Usage prolongé, port de lentilles non désinfectées, utilisation de lentilles à port prolongé, mauvais ajustement (kératite hypoxique, c'est-à-dire par manque d'oxygène).*** Cette forme de kératite se rencontre surtout chez les personnes qui ont des lentilles à port prolongé. Elle commence par un œdème matinal de l'œil et elle se caractérise par l'apparition de vaisseaux en périphérie de la cornée ;
- ***Herpès buccal (kératite herpétique).*** Le fait d'avoir un « feu sauvage », de le gratter et de se frotter ensuite les yeux risque d'entraîner une kératite herpétique, qui est très douloureuse. Comme le virus de l'herpès est capable d'atteindre les trois couches de la cornée et de causer des dommages permanents, il faut consulter un médecin sans délai.

Ulcère de la cornée

- ***Bactérie qui pénètre dans la cornée à la suite d'une lésion de l'épithélium (couche superficielle protectrice de la cornée).*** Les irritations et l'hypoxie sont les causes des lésions de l'épithélium cornéen.

CONSEILS PRATIQUES

Retirer les lentilles au moindre inconfort. Si la douleur disparaît, c'est que les lentilles en sont la cause et qu'il vous faut les remplacer ou porter des lunettes. Si elle persiste après quelques heures, consultez un médecin.

Ne pas attendre pour consulter un médecin. Au moindre doute, consultez un médecin afin d'éviter qu'avec le temps le problème ne s'aggrave. Il vous adressera à un ophtalmologiste, si nécessaire.

Ne jamais mettre de gouttes de cortisone dans l'œil pour soulager la douleur. Ces gouttes, en vente libre en pharmacie, stimuleront la prolifération du virus de l'herpès si vous souffrez (sans le savoir) de kératite herpétique. Consultez d'abord un médecin.

Retirer ses lentilles avant de se mettre au lit. Même si ce sont des lentilles à port prolongé, il est toujours plus prudent de les retirer avant de dormir.

Respecter la durée de vie des lentilles. Les lentilles doivent être remplacées régulièrement, soit après un an ou deux d'utilisation. Au bout d'un certain temps, elles peuvent se fendiller. Ces légères altérations, qui peuvent être invisibles à l'œil nu, risquent de causer des irritations. Toutefois, les lentilles perméables au gaz peuvent être portées pendant environ cinq ans.

Porter des lentilles jetables. Ainsi, elles seront toujours propres.

Avoir une hygiène rigoureuse. Lavez-vous les mains à l'eau savonneuse, puis lavez chaque lentille en la frottant à l'aide de la solution nettoyante. Nettoyez fréquemment votre étui. Une fois par semaine, utilisez les comprimés recommandés par le professionnel de la vue pour dissoudre les protéines.

Prendre et garder de bonnes habitudes. Éliminez les risques de problèmes en plaçant toujours vos lentilles, votre produit de nettoyage et votre étui au même endroit. Procédez toujours au nettoyage dans le même ordre.

Ne pas se baigner avec ses lentilles. Retirez-les pour vous baigner dans les lacs, l'eau pouvant y être contaminée. À la piscine et à la mer, portez des lunettes de natation hermétiques.

Utiliser uniquement la solution recommandée. Si vous désirez humidifier ou nettoyer vos lentilles, n'utilisez surtout pas votre salive, car elle contient des bactéries et peut être source de contamination. Même chose avec l'eau du robinet, surtout lorsque vous êtes en vacances ; elle peut être contaminée.

Vérifier si la solution est adéquate. Certaines solutions peuvent être plus irritantes que d'autres. Celle que vous utilisez est peut-être incompatible avec votre type de lentilles. Renseignez-vous auprès d'un professionnel de la vue afin qu'il vous conseille une solution adéquate.

Ne pas s'improviser « chimiste ». Ne mélangez pas les solutions. N'essayez pas non plus de concocter une recette maison en préparant vous-même une solution saline avec des comprimés de sel et de l'eau ; vous risqueriez de vous contaminer.

En cas de sensation de brûlure. Si, par inadvertance, vous oubliez de neutraliser la solution au peroxyde lorsque vous nettoyez vos lentilles, vous éprouverez une sensation de brûlure quand vous mettrez les lentilles. Retirez-les, puis rincez-vous abondamment les yeux avec la solution saline ou encore à grande eau.

Attention à l'environnement. Certains facteurs comme les tapis, la lumière des néons, la fumée de cigarette ou l'air climatisé peuvent dessécher vos yeux. Si vos lentilles sont inconfortables lorsque vous êtes à l'intérieur, alors qu'elles ne vous gênent pas lorsque vous êtes à l'extérieur, peut-être s'agit-il d'un dessèchement des yeux. Buvez beaucoup de liquides et utilisez un humidificateur, cela vous permettra d'éviter la déshydratation.

Cligner souvent des yeux. Le fait de rester plusieurs heures à fixer l'écran d'un ordinateur, par exemple, peut dessécher les yeux. Il est important de cligner des yeux régulièrement afin de les réhydrater.

Coiffure et maquillage. Pour éviter de salir vos lentilles, appliquez fond de teint, ombre à paupières et mascara après les avoir mises. Utilisez un mascara résistant à l'eau. En revanche, il est préférable d'appliquer le fixatif avant de mettre les lentilles. Sinon, fermez bien vos yeux pour éviter que le produit ne se dépose sur vos lentilles.

Porter ses lunettes pour faire des travaux ménagers. Vous éviterez ainsi que les produits nettoyants ne viennent en contact avec vos lentilles.

Lunettes et étui à lentilles. Ayez-les toujours à portée de la main, ils vous dépanneront en cas d'ennui.

Ne jamais prêter ses solutions de nettoyage ni ses verres de contact. Vous réduirez ainsi les risques de contamination.

QUAND CONSULTER ?

- Vos lentilles vous incommodent depuis plus d'une journée, alors que vous avez respecté les conseils d'usage.
- Vous ressentez de la douleur aux yeux.
- Vous craignez de souffrir de kératite herpétique.

QUE SE PASSE-T-IL LORS DE L'EXAMEN ?

Le médecin reconstituera l'histoire du patient en posant un certain nombre de questions. Quel type de lentilles porte-t-il ? Depuis combien de temps ? Quel type de solution nettoyante utilise-t-il ? Comment procède-t-il pour le nettoyage ? Le médecin vérifiera s'il y a un bris dans la lentille ou encore si des dépôts s'y sont accumulés. Il procédera à un examen de l'œil à l'aide d'une lampe à fente et d'un microscope afin d'éliminer tout risque de conjonctivite, d'ulcère, etc.

QUEL EST LE TRAITEMENT ?

Conjonctivite

- Conjonctivite chimique : changer de solution nettoyante.
- Conjonctivite irritative : remplacer les lentilles.
- Conjonctivite allergique : procéder à un nettoyage en profondeur des lentilles, diminuer le port des lentilles et utiliser des lentilles jetables à port quotidien. À cela, le médecin peut ajouter la prescription d'un anti-inflammatoire non stéroïdien sous forme de gouttes.

Kératite

- Kératite chimique : changer de solution nettoyante.
- Kératite irritative : remplacer les lentilles.
- Kératite hypoxique : changer pour des lentilles qui laissent passer plus d'oxygène, diminuer le port des lentilles. Si elles sont à port prolongé, toujours les retirer avant d'aller dormir.
- Herpès buccal (kératite herpétique): administrer des médicaments antiviraux pour maîtriser l'herpès. Si le virus a eu le temps d'atteindre les trois couches de la cornée, cela peut laisser des cicatrices assez importantes pour nuire à la vision. Dans certains cas graves, il faut recourir à une greffe de la cornée.

Ulcère de la cornée

L'ulcère de la cornée est traité par des antibiotiques à fortes doses. Dans les cas extrêmes, en l'absence de traitement, il peut nécessiter une greffe de la cornée.

Opération au laser

Dans les cas d'intolérance aux lentilles cornéennes, l'intervention au laser peut être la solution aux troubles de la vision.

Problèmes causés par le décalage horaire

En principe, «être en décalage horaire», c'est perdre sa sensation de bien-être du fait du transport rapide à travers plusieurs fuseaux horaires. Il s'agit d'une réaction normale de l'organisme. Les fonctions de l'être humain sont désynchronisées par rapport au nouvel environnement.

La perturbation du sommeil est l'effet le plus marqué de cette désynchronisation de l'horloge interne. Les effets du décalage horaire ne sont pas un mythe, il s'agit d'un phénomène reconnu par la science. Tout le monde peut en être affecté. Certaines personnes sont naturellement plus résistantes et n'éprouvent que de légers symptômes, alors que d'autres, plus fragiles, seront perturbées pendant plusieurs jours.

Les effets du décalage horaire peuvent se manifester de diverses façons:

- perturbation du sommeil (difficulté à s'endormir ou à rester endormi);
- augmentation de la somnolence durant la période d'éveil;
- diminution de la performance physique ou mentale;
- augmentation de la fatigue;
- troubles gastro-intestinaux;
- malaises généraux.

QUELLES SONT LES CAUSES ?

- ***Voyages transméridiens fréquents.*** Le personnel des compagnies aériennes, pilotes et agents de bord, ainsi que les gens d'affaires sont parmi ceux qui sont fréquemment incommodés par le décalage horaire puisque, de par la nature de leur travail, ils traversent souvent plusieurs fuseaux horaires;
- ***Horaires de travail rotatifs.*** Les employés qui travaillent de jour et de nuit en alternance sont également sujets à un phénomène qui s'apparente aux effets du décalage horaire;
- ***L'âge.*** Plus on est âgé, plus les effets du décalage horaire se font sentir;

- ***Sensibilité au changement d'habitudes.*** Les personnes qui ne tolèrent pas de modifier leurs habitudes, celles qui ne peuvent dormir que dans leur lit, par exemple, ont davantage de difficulté que les autres à surmonter les effets du décalage horaire ;
- ***Voyages vers l'est.*** Il semble qu'il soit plus facile de s'adapter à un nouveau fuseau horaire si l'on voyage vers l'ouest que vers l'est : vers l'ouest, on allonge la journée, on gagne des heures et l'organisme a plus de facilité à allonger sa journée qu'à la réduire.

CONSEILS PRATIQUES

Essayer de s'adapter le plus rapidement possible à l'heure locale. C'est la première chose à faire. Il faut éviter de vivre au rythme de la région que l'on vient de quitter. Hâtez-vous de prendre le pouls de la vie locale, sortez s'il fait jour, mangez s'il est l'heure de manger et réglez votre montre à l'heure du pays où vous êtes. Cela facilitera la resynchronisation de votre horloge interne.

Faire une sieste si on en ressent le besoin. Mais faites votre choix : 30 minutes ou 2 heures. Pendant les 30 premières minutes, on dort d'un sommeil léger. Il vous sera plus facile de sortir de votre torpeur si on vous réveille à ce stade et vous aurez l'impression de vous être reposé. Par la suite, on entre dans la phase de sommeil profond. Il est alors plus sage d'attendre que le cycle de sommeil soit terminé, ce qui prend d'une heure et demie à deux heures. À ce stade, le sommeil redevient léger et il est plus facile de se lever.

Minimiser les stimuli. Dans la mesure du possible, choisissez, pour dormir, une pièce fraîche, silencieuse et sans lumière.

Manger légèrement et bien s'hydrater. Évitez les repas lourds et riches en graisses, et buvez beaucoup d'eau. Si vous suivez ces conseils, vous éviterez l'apparition de symptômes désagréables. Mais rappelez-vous que ce n'est pas ce que l'on mange qui facilite la resynchronisation de l'horloge interne, c'est plutôt l'heure à laquelle on mange.

Avant le départ

Prendre l'avion en étant reposé. Si vous êtes fatigué au départ, vous le serez davantage à l'arrivée. Les soirs précédant la date du départ, couchez-vous plus tôt. Si vous devez voyager de nuit, faites une sieste l'après-midi si vous le pouvez. Vous rattraperez ainsi votre manque de sommeil et vous serez mieux armé pour affronter les effets du décalage horaire.

Et la mélatonine ?

On trouve, sur les tablettes de certains magasins d'aliments naturels, des flacons de comprimés de mélatonine, une hormone fabriquée par l'organisme. Appelée aussi hormone du sommeil ou hormone de l'obscurité, la mélatonine est sécrétée par la glande pinéale et régularise le sommeil en informant le cerveau des durées relatives des heures d'obscurité et d'éclairage.

Au milieu des années 1990, la mélatonine a fait naître les plus folles espérances. Tous les magazines populaires lui ont consacré des articles. Elle pouvait, croyait-on, restaurer le système immunitaire, contrer les méfaits des radicaux libres, prévenir de nombreuses maladies, lutter contre le vieillissement et le déclin de l'activité sexuelle, etc. Aujourd'hui, le ton est plus modéré, mais plusieurs chercheurs croient qu'elle possède de nombreuses propriétés thérapeutiques, y compris dans le traitement du cancer.

En outre, certains prétendent que la mélatonine peut contribuer à la resynchronisation rapide de l'organisme et qu'elle aide les voyageurs aux prises avec le décalage horaire. Malgré les preuves scientifiques qui semblent aller dans ce sens, l'évaluation n'est toujours pas terminée. De plus, comme la mélatonine n'est pas encore réglementée, on ne sait pas très bien ce que contiennent les comprimés que l'on prend. Il faut savoir que les suppléments de mélatonine dite « naturelle » sont des extraits de glandes pinéales animales. Leur usage est très controversé en raison des possibilités de contamination (on peut penser à la maladie de la vache folle, par exemple). Pour l'instant, il vaut donc mieux s'abstenir d'utiliser ce produit.

Planifier des périodes de repos. Comme les effets du décalage horaire sont de plus en plus éprouvants avec l'âge, les personnes âgées qui voyagent doivent se réserver des périodes de repos. Elles ne doivent pas chercher à visiter 10 villes en 10 jours. Elles ne profiteraient pas de leur voyage.

Pendant le vol

Manger légèrement. On recommande aux voyageurs de manger légèrement pendant le vol. La possibilité de mouvement étant limitée, trop manger serait source d'inconfort pour le reste du vol.

Boire abondamment. Comme l'air est sec à bord des avions, buvez fréquemment de l'eau ou des jus de fruits pour garder l'organisme bien hydraté.

Ne pas abuser de l'alcool ou du café. Ce ne sont pas de bons choix pour garder l'organisme bien hydraté pendant le vol. Contrairement à l'eau ou au jus de fruits, l'alcool et le café déshydratent l'organisme. Buvez-en le moins possible.

Dormir, dormir, dormir. Si vous en êtes capable. Le fait de dormir pendant le vol permet d'arriver à destination plus reposé. Toutefois, le sommeil ne modifie en rien la physiologie de l'organisme et ne peut donc prévenir les effets du décalage horaire.

Recourir ou non aux somnifères? Certains voyageurs sont peut-être tentés de prendre un somnifère pour favoriser leur sommeil pendant le vol. Les médecins ne recommandent généralement pas de prendre des somnifères. Ils évaluent plutôt le cas de chaque patient individuellement en tenant compte de ses habitudes en ce qui concerne la consommation de nourriture et d'alcool. Le fait de prendre un somnifère (prescrit sur ordonnance, rappelons-le) après avoir mangé copieusement et consommé de l'alcool n'améliorera pas nécessairement votre état au réveil. Par ailleurs, si vous avez peur de prendre l'avion, si vous êtes anxieux, si vous souffrez d'insomnie, le médecin, s'il le juge approprié, pourra vous prescrire un léger sédatif pour vous donner la chance de vous reposer un peu.

QUAND CONSULTER ?

- Votre état de santé vous inquiète et vous envisagez de faire un voyage prochainement.
- Vous souffrez de troubles du sommeil, d'anxiété et vous envisagez de faire un long voyage en avion.

QUE SE PASSE-T-IL LORS DE L'EXAMEN ?

Les principales contre-indications d'un voyage en avion sont d'ordre cardiaque ou respiratoire. Le patient présentant l'un ou l'autre de ces troubles devrait s'assurer auprès d'un médecin qu'il peut partir sans risque. Le voyage en avion sera autorisé si le médecin considère que l'état du patient est bien stabilisé par ses médicaments.

QUEL EST LE TRAITEMENT ?

En général, pour récupérer complètement d'un décalage horaire (c'est-à-dire rétablir la synchronisation complète avec le nouvel environnement), il faut compter une journée par fuseau horaire traversé. Ce qui ne signifie cependant pas qu'on ne puisse rien faire !

Il n'existe rien sur le marché à l'heure actuelle pour enrayer les effets du décalage horaire. Les produits ou comprimés qui prétendraient soulager ou prévenir les effets du décalage horaire sont proposés par des charlatans.

Problèmes d'audition

La surdité se manifeste par une baisse de l'acuité auditive ou de la qualité de l'audition, c'est-à-dire par une perte de la perception ou de la compréhension des sons. La baisse auditive irréversible concerne plus fréquemment les sons aigus ou de haute fréquence (par exemple, les sons produits par une flûte ou un moteur à réaction). Les sons normaux sont ceux de moyenne fréquence (comme la voix), alors que les sons graves sont ceux de basse fréquence (le tonnerre en est un bon exemple).

Les troubles de l'audition sont souvent détectés par les proches de la personne atteinte, qui aura tendance à faire répéter ou à parler fort.

La surdité peut être unilatérale (une seule oreille est atteinte) ou bilatérale (les deux oreilles sont atteintes), réversible ou irréversible, à évolution rapide ou lente, ou elle peut demeurer stationnaire.

Il existe divers types de surdité :

Surdité de conduction

- Atteinte du conduit auditif externe, du tympan ou de l'oreille moyenne ;
- Autophonie (impression d'entendre sa voix plus fort dans l'oreille atteinte) ;
- Le plus souvent réversible.

Surdité cochléaire

- Atteinte de la cochlée, l'organe de l'oreille moyenne qui perçoit les sons ;
- Peut entraîner une baisse bilatérale de la perception des sons aigus dans le cas du vieillissement ou d'une exposition prolongée à des bruits intenses ;
- Peut entraîner une baisse unilatérale de la perception des sons graves dans le cas de la maladie de Ménière ;
- Peut entraîner une baisse de la perception de tous les sons dans le cas d'une surdité héréditaire ou infectieuse ;
- Atteinte rare de certaines fréquences moyennes correspondant

aux fréquences de la voix. Cela signifie une baisse de la perception des sons normaux ;

- Évolution lente et irréversible dans la plupart des cas ;
- Rares cas de surdité subite ;
- Indolore.

Surdité par atteinte du nerf auditif

- Baisse unilatérale ou bilatérale de la perception de tous les sons ;
- Se manifeste surtout par de la difficulté à suivre une conversation (baisse de la compréhension de la parole). On entend mal ce que disent les gens ;
- Lésions le plus souvent irréversibles ;
- Habituellement progressive, subite dans de rares cas ;
- Indolore.

QUELLES SONT LES CAUSES ?

Surdité de conduction

- ***Présence de cire ou d'un corps étranger dans le conduit externe de l'oreille*** ;
- ***Otite externe.*** Cette forme d'otite (l'otite du baigneur, par exemple) se manifeste par une douleur aiguë, l'enflure du conduit auditif externe et un écoulement de pus ;
- ***Otite moyenne.*** Cette infection de l'oreille moyenne se traduit par une accumulation de liquide derrière le tympan, accompagnée d'une douleur aiguë dans l'oreille malade, de fièvre et, parfois, d'écoulement de pus ;
- ***Traumatismes de l'oreille moyenne.*** Ils sont dus à la différence entre la pression qui existe dans l'oreille moyenne et la pression extérieure. Par exemple, on peut se perforer le tympan en pratiquant des sports comme la plongée en apnée et le parachutisme ou à la suite d'un traumatisme extérieur, comme un coup sur l'oreille ou dans l'oreille (introduction d'un objet ou d'un coton-tige, par exemple). Dans certains cas, il peut y avoir un écoulement de sang ;
- ***Otosclérose.*** Il s'agit d'une maladie héréditaire entraînant la diminution de la mobilité d'un osselet, l'étrier, qui se manifeste chez 0,4 % de la population, surtout chez les femmes ;

- ***Tympanosclérose.*** L'épaississement important du tympan peut être héréditaire ou lié à des infections répétées de l'oreille moyenne. Il entraîne une surdité irréversible.

Surdité cochléaire

- ***Vieillissement de l'oreille*** dans la plupart des cas;
- ***Origine familiale ou congénitale***, comme pour les sourds-muets;
- ***Exposition répétée à des bruits de haute intensité.*** Des bruits d'usine, des coups de feu, de la musique forte ou même un cri perçant peuvent entraîner une baisse auditive progressive (*voir encadré*);
- ***Mauvaise utilisation d'un baladeur*** (*voir encadré*);
- ***Infection virale.*** Une infection virale comme le zona (qui est la réactivation du virus de la varicelle) ou l'herpès produit des vésicules ou des plaies autour de l'oreille et provoque une surdité rarement réversible;
- ***Maladie de Ménière.*** Cette maladie chronique se manifeste par des accès brusques et réguliers de vertiges, accompagnés de bourdonnements d'oreille, de surdité et, parfois même, de nausées et de vomissements. Cela résulte d'une augmentation de la pression de l'endolymphe, le liquide naturel qui se trouve dans l'oreille interne;
- ***Maladies infectieuses.*** Dans de très rares cas, la syphilis, la rougeole,

Le danger des baladeurs

Quand on utilise un baladeur, on devrait toujours être capable d'entendre la personne qui parle à côté de soi. Sinon, cela signifie que le niveau sonore est trop élevé. Il est très facile d'atteindre 95 ou 100 décibels avec ce type d'appareil, alors que le niveau sonore ne devrait jamais dépasser 85 décibels. L'utilisation abusive du baladeur peut développer une surdité cochléaire. Les dommages sont irréversibles. Qui plus est, l'utilisation du baladeur à vélo, en patins à roulettes ou même à pied est dangereuse, car on n'entend pas ce qui se passe autour de soi et on est moins attentif.

la rubéole et même la chlamydiose entraînent une surdité lorsque l'infection généralisée atteint l'oreille moyenne ;

- ***L'otosclérose cochléaire.*** Cette maladie, qui se traduit par une croissance anormale d'os dans l'oreille interne, affecte surtout les jeunes adultes ;
- ***Certains antibiotiques de la famille des aminoglycosides***, comme la gentamicine et la tobramycine, qui sont utilisés dans le traitement de graves infections ;
- ***Infection bactérienne.*** La surdité peut être causée par la présence de bactéries dans l'oreille interne ou, simplement, par la diffusion, à partir de l'oreille moyenne, de substances toxiques produites par les bactéries ;
- ***Traumatismes, tumeurs, bruits extrêmement forts.*** La surdité subite est habituellement causée par des saignements de l'oreille à la suite d'un traumatisme, comme un coup de poing sur l'oreille. Elle peut aussi se produire s'il y a une tumeur dans l'oreille (la masse se développe et envahit la cochlée) ou s'il y a eu exposition à des bruits de haute intensité. Des coups de canon, une bombe qui explose sont des exemples de bruits assez forts pour entraîner une surdité cochléaire subite ;
- ***Causes inconnues.*** Certains cas de surdité subite n'ont pas de cause précise (ils ont vraisemblablement une origine vasculaire ou infectieuse) ; ils sont réversibles dans 50 % à 75 % des cas.

Surdité par atteinte du nerf auditif

- ***Sectionnement du nerf auditif associé à une fracture du crâne***, surdité parfois irréversible ;
- ***Tumeurs bénignes qui compriment le nerf auditif***, surdité souvent réversible ;
- ***Vieillissement,*** qui entraîne une surdité progressive et irréversible ;
- ***Cause inconnue***, dans certains cas.

CONSEILS PRATIQUES

Prendre soin des oreilles en douceur. Si vous avez du cérumen dans une oreille et si votre tympan n'est pas perforé, vous pouvez déposer, à l'aide d'un compte-gouttes, trois à quatre gouttes d'huile minérale (vendue en pharmacie) à la température du corps. Les huiles d'olive ou d'amande douce, ou du Baby's Own peuvent aussi faire l'affaire. Au bout de 15 minutes, laissez sortir la cire ramollie et nettoyez l'oreille sans vous servir d'un applicateur ou d'un coton-tige, car ceux-ci repoussent le cérumen dans le fond du conduit et peuvent irriter ou laisser des dépôts d'ouate. Répétez ce geste tous les jours pour déloger un bouchon de cire ou une fois par mois à titre de prévention si vous êtes sujet à ce problème.

Réchauffer l'oreille. Si vous pensez que votre enfant souffre d'une otite moyenne, vous pouvez, en plus de lui donner des analgésiques, appliquer de la chaleur sur son oreille pour soulager la douleur. Il suffit de poser une serviette chaude, mais non brûlante, sur l'oreille ou d'appuyer simplement sa tête contre votre poitrine. Consultez un médecin.

Faire de l'exercice pour diminuer les vertiges. Si vous souffrez de la maladie de Ménière, des exercices comportant des mouvements lents de la tête réduiront l'intensité des vertiges.

Se protéger du bruit. Si vous travaillez dans le bruit, vous pouvez vous protéger les oreilles en portant des bouchons qui diminuent le niveau sonore de 30 à 40 décibels. Vous pouvez aussi porter des protège-oreilles qui recouvrent entièrement les oreilles. Les protège-oreilles permettent d'entendre, mais coupent les sons trop forts.

Les sons que l'oreille ne peut supporter

Une personne qui travaille en usine ou dans un lieu bruyant ne doit pas être exposée à plus de 85 décibels pendant huit heures. Chaque fois que le bruit augmente de trois décibels, il faut diminuer le temps d'exposition maximum de moitié. Ainsi, pour 88 décibels, le temps d'exposition maximum sera de quatre heures dans une même journée de travail; pour 91 décibels, il ne devra pas excéder deux heures et il devra être suivi de 16 heures de repos. Au-dessus de 120 décibels, l'oreille donne un signal d'alarme: on commence à ressentir de la douleur.

Attention à la quinine! La quinine, qui est prescrite à l'occasion de certains voyages pour la prévention de la malaria, de même que l'aspirine peuvent provoquer des acouphènes et, dans de rares cas, affecter l'audition. Avant d'en prendre, parlez-en à votre médecin.

Surveiller attentivement l'ouïe des enfants. Si vous craignez que votre enfant n'entende mal, faites-le examiner par un médecin. Un dépistage précoce et un traitement immédiat peuvent éviter des troubles d'apprentissage.

Éviter les situations dangereuses. La surdité peut empêcher d'entendre une alarme ou de prendre conscience d'un danger immédiat. Si vous souffrez de la maladie de Ménière, il est conseillé de ne pas faire de travaux exigeant d'avoir de l'équilibre pendant la durée de la crise. Même si vous n'avez pas eu de vertiges lors des crises précédentes, cela pourrait se produire subitement.

QUAND CONSULTER ?

- Vous pensez que vous avez une otite ou votre enfant souffre d'une oreille.
- Vous constatez une baisse rapide de votre audition dans une seule oreille.
- Vous faites répéter vos proches ou ceux-ci vous disent que vous parlez fort.
- La baisse de votre audition nuit à vos activités.
- Vous éprouvez des nausées et vous avez des vertiges.
- Vous craignez que votre enfant n'entende mal.
- Même dans les cas qui semblent moins urgents, il faut consulter un médecin.

QUE SE PASSE-T-IL LORS DE L'EXAMEN ?

Le médecin notera les symptômes et soumettra le patient à un examen physique, incluant un examen des oreilles. S'il note des problèmes d'équilibre, il recherchera des mouvements anormaux des yeux, comme des mouvements saccadés, qui peuvent se produire lorsque le centre de l'équilibre est affecté par une maladie. Il évaluera aussi le fonctionnement des nerfs crâniens en demandant au patient de faire certains mouvements spécifiques afin d'exclure tout risque d'affection cérébrale (p. ex. : une tumeur).

Dans le cas d'un bouchon de cérumen ou d'un problème simple, le médecin pourra traiter le patient immédiatement. Pour un problème plus complexe, il pourra demander une investigation plus poussée : test d'audition, évaluation du système d'équilibre, radiographies, consultation en neurologie.

QUEL EST LE TRAITEMENT ?

Surdité de conduction

Présence de cire ou d'un corps étranger

Un corps étranger ou un bouchon de cérumen doivent être enlevés. Le médecin peut enlever le bouchon de cire en introduisant un peu d'eau tiède dans le conduit de l'oreille ou en utilisant une curette.

Otites externe et moyenne

L'otite externe se traite par un antibiotique local et l'otite moyenne, par un antibiotique oral. Dans certains cas, le médecin pratique une petite incision du tympan. Lorsque la personne fait des otites à répétition ou que le liquide ne s'élimine pas avec la prise de médicaments, on place parfois un tube dans l'oreille, à travers le tympan.

Traumatisme de l'oreille moyenne

Si un tympan est perforé, le médecin traite l'infection s'il y a du pus dans l'oreille ou si le milieu dans lequel s'est produite la perforation est contaminé (p. ex. : à la suite d'une plongée sous-marine). Dans le cas où l'audition est menacée ou s'il y a risque d'infection grave, on peut réparer le tympan en pratiquant une tympanoplastie (greffe sur la perforation du tympan). Si les osselets sont endommagés et si la perte auditive est importante, on réparera les osselets.

Otosclérose

Dans un cas d'otosclérose, il faudra procéder à une intervention chirurgicale qui consiste à remplacer l'étrier par un piston de métal ou de plastique.

Tympanosclérose
Le seul traitement possible pour cette affection est la tympanoplastie, une intervention chirurgicale qui consiste à reconstruire le tympan et les osselets. Mais cette intervention est rarement pratiquée, car les chances de retrouver l'audition sont faibles.

Surdité cochléaire
Vieillissement et origine congénitale
La surdité cochléaire congénitale ou due au vieillissement ne se traite pas. Si la personne ne peut plus comprendre une conversation normale, on lui recommandera de porter un appareil auditif pour amplifier les sons.

Infection virale
Un agent antiviral peut être prescrit lorsqu'une infection virale est responsable du problème.

Maladie de Ménière
Quelques traitements parviennent parfois à limiter les sensations auditives. Un régime faible en sel et des diurétiques peuvent être recommandés pour régulariser la pression de l'endolymphe. Au besoin, le médecin peut pratiquer une injection de gentamicine à travers la membrane du tympan. En drainant l'endolymphe, cet antibiotique réussit parfois à diminuer les symptômes. Ce traitement très courant se fait sous anesthésie locale et il est bien toléré par les patients. On peut aussi procéder à une chirurgie pour sectionner le nerf vestibulaire, ce qui aura sensiblement les mêmes résultats.

Maladies infectieuses
Il n'existe pas de traitement curatif pour la surdité cochléaire causée par ces maladies.

Otosclérose cochléaire
On peut arrêter la progression de l'otosclérose cochléaire grâce à un traitement à base de fluor.

Certains antibiotiques

Il n'existe aucun traitement pour enrayer l'effet des antibiotiques sur l'audition. Dans la plupart des cas, les problèmes d'audition seront permanents.

Infection bactérienne

Le médecin prescrira un antibiotique dont la durée d'utilisation dépendra de la gravité de l'infection. Dans certains cas, on pourra demander un prélèvement de l'oreille ou une culture sanguine afin d'identifier la bactérie responsable de l'infection.

Traumatismes, tumeurs, bruits extrêmement forts

La surdité pourra être réversible, selon l'importance des dommages et les traitements possibles.

Causes inconnues

Dans les cas de cause incertaine, le médecin peut prescrire un vasodilatateur à fortes doses, de la cortisone et certains anti-inflammatoires. C'est parfois efficace.

Surdité par atteinte du nerf auditif

Sectionnement du nerf auditif

Aucune chirurgie ne permet de réparer un nerf auditif sectionné. Il faut savoir que si le sectionnement est franc et net, la surdité est sans doute irréversible.

Tumeurs bénignes

La présence d'une tumeur ne nécessite pas toujours un traitement. La tumeur peut cesser spontanément de grossir, ce qui ne signifie toutefois pas que le problème d'audition va s'améliorer. Il peut rester stationnaire. Dans d'autres cas, la croissance de la tumeur peut être stoppée par une radiothérapie localisée ou bien le chirurgien pourra enlever la tumeur. L'ablation de la tumeur est la meilleure façon de retrouver son audition.

Problèmes de mâchoire

L'articulation de la mâchoire, appelée plus précisément « articulation temporo-mandibulaire », est située juste devant l'oreille. Elle est composée de deux structures principales : le condyle articulaire (partie de la mâchoire inférieure) et la fosse glénoïde (partie du crâne). Entre les deux se trouve un ménisque, petit coussin de fibrocartilage, qui bouge avec les mouvements de la mâchoire.

Les problèmes de dysfonctionnement temporo-mandibulaire sont assez courants, mais les causes exactes restent encore souvent méconnues. Toutefois, ils sont liés à certains facteurs comme le bruxisme (le fait de grincer les dents et de les serrer), un facteur de risque extrêmement important, les mauvaises habitudes (mâcher un crayon ou de la gomme, se ronger les ongles, etc.), le stress, la malocclusion (mauvais alignement des dents ou des mâchoires), les traumatismes (coups à la mâchoire ou fractures), l'arthrose et l'arthrite rhumatoïde.

Les manifestations possibles des problèmes d'articulation de la mâchoire sont les suivantes :

- Craquement avec ou sans douleur dans la région de l'articulation de la mâchoire ;
- Déviation de la mâchoire à l'ouverture de la bouche ;
- Blocage de la mâchoire en position semi-fermée ;
- Blocage de la mâchoire en position ouverte ;
- Douleurs à la mâchoire, à l'oreille et aux tempes.

QUELLES SONT LES CAUSES ?

Douleur articulaire

- ***Inflammation.*** La douleur se manifeste au niveau de l'articulation de la mâchoire, c'est-à-dire devant l'oreille, et elle peut ou non être associée à un craquement de la mâchoire. L'inflammation de l'articulation peut apparaître à la suite d'un traumatisme, d'une malocclusion, de bruxisme, etc.

Douleur musculaire

- ***Bruxisme (grincement des dents).*** Il ne s'agit pas d'un dysfonctionnement de l'articulation de la mâchoire, mais plutôt d'une douleur due à une inflammation, à une tension ou même à des spasmes des muscles qui interviennent dans la mastication. Elle se traduit par des élancements diffus au niveau des tempes et de la mâchoire. Le bruxisme est le principal responsable de cette douleur musculaire.

Douleur irradiante

- ***Sinusite, mal de dents ou d'oreille.*** Ces maux provoquent une douleur qui peut irradier jusqu'à la mâchoire. Ce n'est donc pas l'articulation de la mâchoire qui est en cause ici.

Craquement

- ***Déplacement du ménisque.*** Lors de mouvements, il arrive que le ménisque se déplace hors de sa position normale et se replace spontanément, provoquant un craquement parfois douloureux. C'est un problème bénin qui, habituellement, ne nécessite pas de traitement médical, à moins d'une douleur forte et persistante.

Blocage de la mâchoire en position semi-fermée

- ***Déplacement non réductible du ménisque.*** À force de se déplacer, il arrive parfois que le ménisque ne retrouve pas sa position normale, ce qui entraîne un blocage en position semi-fermée. La mâchoire risque alors de dévier à l'ouverture ou même de ne plus s'ouvrir complètement. Ce blocage peut s'accompagner de douleur.

Blocage de la mâchoire en position ouverte

- ***Dislocation du condyle articulaire (partie de la mâchoire inférieure).*** Dans certains cas, sans qu'on puisse vraiment expliquer pourquoi, l'articulation de la mâchoire est lâche et distendue. Le condyle articulaire risque alors de se déplacer, causant une déviation ou un blocage de la mâchoire en position ouverte, parfois accompagnés de douleur.

CONSEILS PRATIQUES

Douleurs

Prendre certains médicaments. L'aspirine, l'acétaminophène, l'ibuprofène vendus sans ordonnance aideront à réduire la douleur. Suivez la posologie recommandée.

Modifier l'alimentation. Pour un temps, oubliez les aliments durs ou à mastiquer (bonbons, bifteck, pain croûté, etc.). Évitez aussi de mâcher de la gomme et de manger de trop gros sandwichs, car vous infligez ainsi des microtraumatismes à l'articulation. Privilégiez le poisson, la volaille, les légumes bien cuits, la soupe, les produits laitiers et autres aliments de consistance plutôt molle ou en purée. Coupez les crudités et les fruits durs en petits morceaux.

Limiter les mouvements de la mâchoire. Si vous avez envie de bâiller, retenez votre mâchoire en mettant votre poing sous le menton. Vous pouvez aussi plaquer la langue contre le palais pour diminuer l'amplitude de l'ouverture de la bouche.

Ne pas serrer les dents. Sachez que les dents ne se touchent que dans deux situations : quand on avale et quand on mastique. Autrement, même quand les lèvres sont fermées, les dents ne devraient jamais être serrées. Veillez à conserver cette position naturelle des mâchoires.

Se détendre. Comme le stress est un des grands responsables des douleurs de l'articulation de la mâchoire, prévoyez un moment de détente chaque jour : musique, bain chaud, yoga, lecture, technique de relaxation, massage, etc.

Appliquer de la chaleur. Réchauffer un muscle tendu par le bruxisme ou le serrement des dents constitue une bonne façon de le détendre. Appliquez un « sac magique », une bouillotte ou une serviette chaude sur la région douloureuse.

Éviter les mauvaises postures. Par exemple, se coucher sur le ventre la tête tournée sur le côté ou, encore, appuyer le menton sur la main risquent d'entraîner des douleurs à l'articulation ou de les intensifier du fait de la pression exercée sur la mâchoire ou sur le menton.

Craquement

Inutile de s'inquiéter! Le craquement n'est pas synonyme de problème grave. S'il n'y a ni douleur ni blocage, il n'est pas nécessaire de consulter un médecin. Le craquement de la mâchoire n'entraînera pas automatiquement un blocage en position semi-fermée et, dans certains cas, surtout chez les jeunes, ce problème est temporaire.

Blocage de la mâchoire en position semi-fermée

Voir un médecin ou un dentiste. Ce type de blocage nécessite une consultation, car il ne disparaîtra pas tout seul.

Blocage de la mâchoire en position ouverte

Replacer la mâchoire. Vous pouvez y arriver en mettant vos deux index dans la bouche, de chaque côté de la mâchoire et le plus profond possible. Exercez une légère pression vers le bas. Si cette manœuvre ne fonctionne pas, consultez un médecin ou un dentiste.

QUAND CONSULTER ?

- Vous avez reçu un coup sur la mâchoire.
- La douleur persiste.
- Votre mâchoire dévie lorsque vous ouvrez la bouche.
- Votre mâchoire est bloquée en position ouverte ou semi-fermée.
- Les blocages se repètent souvent.
- Les craquements sont devenus douloureux ou vraiment incommodants.
- Vous présentez un mauvais alignement des dents ou des mâchoires.

QUE SE PASSE-T-IL LORS DE L'EXAMEN ?

Votre médecin ou votre dentiste pourra vous adresser, s'il le juge nécessaire, à un spécialiste en chirurgie buccale et maxillo-faciale. Celui-ci procédera à un examen complet de la bouche et des mâchoires, qui consiste notamment à prendre des mesures de la mâchoire, de son ouverture et de l'amplitude des mouvements. Des radiographies de l'articulation de la mâchoire ou un examen du ménisque par résonance magnétique (technique de radiologie utilisant un champ magnétique) peuvent parfois être nécessaires. Si vous présentez une malocclusion, on pourra prendre une empreinte de vos dents pour l'étudier.

QUEL EST LE TRAITEMENT ?

Douleurs

Pour des douleurs violentes, le médecin prescrira des anti-inflammatoires et, dans certains cas, il fera des injections de cortisone dans l'articulation. S'il s'agit de douleurs irradiantes, il traitera la maladie responsable.

Si les douleurs proviennent du serrement des dents, le dentiste pourra fabriquer une plaque occlusale pour maîtriser les crispations durant la nuit. Il s'agit d'une petite pièce d'acrylique à peine visible, faite sur mesure, que la personne place sur ses dents avant de se coucher. Le dentiste suggérera parfois de la porter toute la journée.

Blocage de la mâchoire en position semi-fermée

Le spécialiste pourra prescrire des exercices de physiothérapie à faire à la maison. De plus, il est quelquefois nécessaire de faire une ou plusieurs infiltrations dans l'articulation de la mâchoire. Cette injection, pratiquée sous anesthésie locale, sert à gonfler la capsule articulaire afin de créer un espace pour que le ménisque puisse se remettre en place. En dernier recours, lorsque les blocages deviennent trop difficiles à traiter, une intervention chirurgicale permettra de replacer et de stabiliser l'articulation de la mâchoire.

Blocage de la mâchoire en position ouverte

Si la mâchoire est bloquée en position ouverte, le médecin ou le dentiste pourra la replacer manuellement. En cas de blocages répétitifs, l'opération de l'articulation de la mâchoire peut être envisagée pour régler définitivement le problème.

Problèmes de prostate

La prostate est une glande de la taille d'une noix. Située sous la vessie, elle est traversée par un canal – l'urètre – qui achemine l'urine de la vessie jusqu'à l'extrémité du pénis. La prostate est aussi le point où débouchent les canaux spermatiques dans l'urètre.

La prostate joue un rôle essentiel pour la fertilité de l'homme en sécrétant un liquide nécessaire à la mobilité et à la nutrition des spermatozoïdes. Toutefois, elle n'intervient pas dans l'acte sexuel ni dans le mécanisme d'érection ou d'éjaculation.

Des signes d'infection de la prostate peuvent se présenter (fièvre, frissons, difficultés et brûlures à la miction, etc.), de même que d'autres problèmes réunis sous le nom de « prostatisme » :

- difficultés à démarrer la miction ;
- faible jet urinaire ;
- impossibilité de vider complètement la vessie ;
- besoin constant d'uriner ;
- perte d'urine sans qu'on puisse la retenir (incontinence urinaire) ;
- augmentation de la fréquence urinaire ;
- parfois, maux de ventre lors de la miction.

QUELLES SONT LES CAUSES ?

- ***Hypertrophie bénigne de la prostate (adénome de la prostate).*** À partir de 30 ans, la prostate augmente peu à peu de volume. C'est un phénomène naturel encore peu connu, mais on sait que la testostérone (hormone sexuelle masculine) influe sur cette hypertrophie. En grossissant, la prostate peut comprimer le canal urinaire qui la traverse et entraîner du prostatisme. De 25 % à 30 % des hommes en souffriront à un moment ou à un autre, mais seulement 10 % d'entre eux auront besoin d'un traitement médical.
- ***Cancer de la prostate.*** On estime que 9 % des hommes de 50 ans et plus risquent de développer ce type de cancer ; 3 % en décèdent. Les hommes qui ont des antécédents familiaux de cancer de la prostate et les sujets de race noire sont davantage à risque, sans

qu'on sache vraiment pourquoi. Outre le prostatisme, on constate quelquefois la présence de sang dans l'urine.

- ***Prostatite.*** C'est une inflammation de la prostate, le plus souvent d'origine infectieuse. Elle peut être due à une bactérie provenant d'une infection urinaire ou d'une infection transmissible sexuellement (ITS). L'infection présente les signes suivants: forte fièvre (39 °C-40 °C), frissons, douleurs dans le bas du ventre et du dos, fréquente envie d'uriner, difficultés et brûlures à la miction et à l'éjaculation et même, parfois, du sang dans le sperme.

CONSEILS PRATIQUES

Éviter de boire après le souper. Souvent, le plus désagréable lorsqu'on souffre de prostatisme, c'est de devoir se lever plusieurs fois par nuit pour aller aux toilettes. Afin de prévenir cet inconvénient, réduisez votre consommation de liquides après le souper.

Ne pas trop s'inquiéter, cependant. Avec l'âge, chez l'homme comme chez la femme, les reins ont tendance à produire un peu plus d'urine pendant la nuit. Toutes les personnes de 50 ans et plus peuvent avoir à se rendre aux toilettes durant la nuit, alors qu'elles n'avaient pas besoin de le faire auparavant.

Faire attention aux aliments irritants. Parce qu'ils irritent et stimulent la vessie, certains aliments (café, thé, cola, chocolat, nourriture épicée) risquent d'augmenter les symptômes du prostatisme.

Adopter une vie sexuelle sécuritaire. La meilleure façon de prévenir les ITS est d'adopter une conduite sexuelle sécuritaire, notamment en portant un préservatif.

Mieux vaut prévenir. À partir de 50 ans, tous les hommes devraient consulter leur médecin pour subir un dépistage annuel du cancer de la prostate, qui consiste simplement en un toucher rectal et, dans certains cas, en une prise de sang pour évaluer le dosage de l'antigène prostatique spécifique (APS). Les hommes les plus à risque (antécédents familiaux et sujets de race noire) devraient s'en préoccuper dès l'âge de 40 ans.

QUAND CONSULTER ?

- Vous présentez des symptômes de prostatisme.
- Vous remarquez la présence de sang dans vos urines.
- Vous présentez les symptômes d'une infection.

QUE SE PASSE-T-IL LORS DE L'EXAMEN ?

Le médecin notera les informations importantes et procédera à un examen clinique (y compris à un toucher rectal). Une formule sanguine, une analyse d'urine, une débitmétrie (pour mesurer électroniquement le débit urinaire) et une échographie abdominale peuvent s'avérer nécessaires. Dans certains cas, on prescrira une biopsie sous échographie.

Parfois, une échographie de la prostate par voie rectale et un test de l'antigène prostatique spécifique (APS) sont nécessaires pour vérifier la prolifération cellulaire de la prostate.

QUEL EST LE TRAITEMENT ?

Hypertrophie de la prostate (adénome de la prostate)

Le choix du traitement est fonction de l'importance des symptômes. Lorsqu'ils sont très modérés, une simple surveillance peut être proposée.

S'ils sont incommodants, nombreux sont les médicaments qui peuvent être prescrits: alphabloquants, inhibiteurs de la 5-alpha-réductase ou finastéride. Ils permettent de diminuer les symptômes efficacement et rapidement, avec peu d'effets secondaires.

Lorsque les troubles persistent, une intervention chirurgicale peut s'imposer. Il s'agit de faire l'ablation de la région hypertrophiée de la glande. Cette intervention n'a aucune conséquence sur la virilité et les rapports sexuels restent parfaitement possibles. Cependant, l'éjaculation peut devenir défaillante, car le sperme va en partie ou en totalité dans la vessie; c'est un phénomène tout à fait inoffensif qui n'empêche pas nécessairement la conception.

Une nouvelle technique est proposée depuis peu dans certains hôpitaux: la vaporisation au laser de la partie hypertrophiée de la prostate. Il s'agit de chauffer les cellules hypertrophiées à haute température, ce qui les fait passer de l'état solide à l'état de vapeur. C'est une intervention qui permet un retour rapide aux activités quotidiennes.

Cancer de la prostate

Plusieurs types de traitement peuvent être envisagés, selon le volume de la tumeur, l'âge du patient, son état physique général et ses préférences.

La prostatectomie totale est une opération qui consiste à enlever la totalité de la prostate. Cependant, cette intervention peut entraîner des troubles de la fonction sexuelle (difficultés d'érection, absence d'éjaculation) et de rares incontinences urinaires.

La radiothérapie externe consiste à détruire les foyers cancéreux par l'exposition de la région atteinte à des rayons. La prostate est laissée en place. Une irritation du rectum provoquant des diarrhées peut apparaître, mais ces signes disparaissent dès l'arrêt du traitement.

Pour croître, le cancer de la prostate a besoin d'une hormone appelée « testostérone », qui est produite par les testicules. Plusieurs médicaments peuvent bloquer la formation de cette hormone ; des injections de ces substances privent le cancer de facteurs de croissance. À noter que ce traitement est réservé aux cas plus avancés et qu'il ne vise pas à enrayer la maladie, mais à prolonger la vie.

Dans certains cas avancés, l'ablation des testicules doit être envisagée. En enlevant la source de production de la testostérone, le cancer ne peut plus croître ; il a même tendance à régresser et à rester stable durant plusieurs années.

Prostatite

Un traitement à base d'antibiotiques et d'anti-inflammatoires par voie veineuse sera nécessaire pour enrayer l'infection. Par la suite, un traitement antibiotique par voie orale sera prescrit sur une période plus longue.

Problèmes du vagin

Tous les symptômes touchant les organes génitaux de la femme, tels qu'écoulements, pertes anormales, rougeurs, irritations, démangeaisons, odeurs nauséabondes, qui sont souvent accompagnés de douleur lors des relations sexuelles, sont classés à tort sous l'appellation de « vaginite». C'est un terme commun qui signifie simplement «inflammation du vagin». Pourtant, les symptômes qui affectent la vulve et le vagin ne sont pas toujours attribuables à une vaginite à champignons, surtout s'ils sont récidivants.

QUELLES SONT LES CAUSES ?

Infections

- ***Vaginite à champignons ou à Candida (infection dite «à levures»).*** Caractérisée par une irritation et une rougeur de la vulve, avec démangeaisons et pertes anormales, généralement épaisses et collantes, parfois accompagnées d'odeurs. Fréquente chez les femmes qui prennent des antibiotiques et chez celles qui souffrent de diabète mal maîtrisé, elle est de cause inconnue chez la majorité des femmes. Cette infection n'est pas considérée comme une infection transmissible sexuellement (ITS) et traiter le partenaire ne changera pas le taux de récidive chez les femmes. Lorsque la vaginite est récidivante, il s'agit plutot d'un trouble immunitaire local; cela indique que le système immunitaire du vagin (seulement du vagin et pas du reste du corps) est défaillant.
- ***Vaginose bactérienne (infection du vagin la plus fréquente).*** Caractérisée par une odeur de poisson qui devient encore plus nauséabonde après les rapports sexuels. Une irritation survient également lors des rapports sexuels. La vaginose bactérienne n'est pas non plus une ITS et elle n'est pas contagieuse. Traiter le partenaire ne changera pas le taux de récidive.

Autres causes possibles

- ***Absence de lubrification du vagin lors de la pénétration***;
- ***Excès de propreté et emploi de savons irritants ou asséchants***;
- ***Maladies de la peau (lichen scléreux, lichen plan, eczéma, etc.).***

Elles entraînent notamment de la rougeur, des démangeaisons et une sensation de brûlure en urinant ;

- ***Fissure à l'entrée du vagin.*** On ne sait pas vraiment à quoi elle est due, mais on soupçonne qu'il s'est produit une blessure à cet endroit et que la peau, au lieu de s'étirer, se déchire ;
- ***Lésions localisées,*** telles que celles qui sont causées par l'herpès, le cancer et certaines ITS, comme les condylomes et le molluscum contagiosum, petite tumeur cutanée bénigne ;
- ***Vulvodynie*** (brûlure, irritation de la vulve, sensation de peau râpée). On n'en connaît pas l'origine, mais les chercheurs pensent qu'une racine nerveuse abîmée en serait la cause. Les relations sexuelles sont souvent pénibles, voire impossibles. Une sensation de douleur en urinant peut y être associée ;
- ***Vestibulite.*** Cette affection complexe, qui pourrait être causée par une trop grande quantité d'acide oxalique (contenue dans certains aliments comme la rhubarbe, les prunes et les pêches) dans les sécrétions vaginales, se caractérise par une sensation de brûlure lorsqu'on touche l'entrée du vagin ;
- ***Vaginite inflammatoire desquamative.*** Maladie rare, où la flore du vagin est perturbée et où l'inflammation est majeure. Cela entraîne des pertes très abondantes (jaunâtres ou verdâtres), sans odeur

Pertes normales ou anormales ?

Des pertes normales sont de teinte crème ou ivoire. Elles n'entraînent pas de démangeaisons, ne brûlent pas et sont inodores. Chez la femme qui a un cycle naturel, les pertes deviendront claires et blanches, un peu comme du blanc d'œuf, au milieu du cycle. Chez la femme qui prend des contraceptifs oraux, les pertes gardent la même apparence pendant tout le mois. Des pertes sont considérées comme anormales si, en sortant du vagin, elles sont jaunâtres, verdâtres, teintées de sang ou si elles sentent le poisson (surtout si l'odeur est accentuée par les rapports sexuels). Le fait que les pertes apparaissent jaunes dans le sous-vêtement n'a pas de signification particulière.

particulière, de même qu'une démangeaison importante et constante. La démangeaison est amplifiée lorsqu'on va uriner. Il arrive que cette maladie devienne chronique et très handicapante : les femmes ont de la difficulté à avoir des relations sexuelles et même à vaquer à leurs occupations quotidiennes. La cause exacte n'est pas encore vraiment connue, mais on croit que c'est le système immunitaire de l'organisme qui attaque les tissus du vagin comme s'ils étaient des tissus étrangers.

CONSEILS PRATIQUES

Obtenir le bon diagnostic. Il existe de nombreuses maladies de la vulve et du vagin, qui se manifestent sensiblement par les mêmes signes et symptômes, mais dont le traitement diffère de l'une à l'autre. Consultez un médecin afin d'obtenir un diagnostic clair.

Apaiser les démangeaisons. Appliquez des compresses d'eau froide sur les organes génitaux ou prenez des bains auxquels vous ajouterez du bicarbonate de soude. Ce sont des moyens qui peuvent calmer les démangeaisons et les irritations en attendant que le médecin pose son diagnostic. Évitez les savons, les produits irritants, les miniserviettes et les vêtements serrés.

Employer un lubrifiant si nécessaire. Le vagin doit être bien lubrifié avant la pénétration. Les lubrifiants classiques en gelée, le K-Y par exemple, vendus en pharmacie, sont efficaces, mais si la relation sexuelle se prolonge, ils finissent par dessécher davantage la paroi vaginale. Des lubrifiants, tels que l'Astroglide (que l'on trouve surtout dans les boutiques d'érotisme) ou le K-Y liquide, ne produisent pas cet effet indésirable. Vous pouvez aussi utiliser, au besoin, un hydratant vaginal avec applicateur, qui dure de 48 à 72 heures (Replens ou K-Y longue action).

Éviter d'expérimenter toutes sortes de produits et de médicaments. N'utilisez pas des fonds de pots, des restants de crème ou d'antibiotiques qui risquent de rendre la tâche difficile au médecin qui tentera de poser le diagnostic. N'ayez pas recours non plus aux crèmes médicamenteuses en vente libre, car elles pourraient ne pas convenir au traitement des symptômes que vous présentez. La meilleure chose à faire, c'est d'obtenir le diagnostic clair d'un médecin expérimenté.

Ne pas utiliser de savons irritants et ne pas faire de douches vaginales. Bien que cela soulage à court terme, les douches vaginales (qui contiennent souvent des produits chimiques qui empirent les démangeaisons) ne permettent pas à la flore microbienne du vagin de se reconstituer. Cela peut occasionner ou entretenir des symptômes à la vulve et au vagin. Même les savons réputés doux sont irritants. Choisissez plutôt des nettoyants doux et non parfumés, tels que le Cetaphil ou le SpectroJel, ou tout simplement de l'eau.

Ne pas craindre la pilule contraceptive. Nombreuses sont les femmes qui associent à tort vaginite et pilule anticonceptionnelle à cause d'anciennes études peu rigoureuses qui laissaient soupçonner un lien entre les deux. Selon des études sérieuses, ce lien est inexistant.

Le préservatif prévient les infections transmissibles sexuellement (ITS), mais il ne guérit pas de la vaginite. Des femmes souffrant de vaginite, croyant qu'il s'agit d'une ITS, demandent à leur partenaire d'utiliser des préservatifs. Le préservatif masculin peut aggraver les symptômes exacerbés par les relations sexuelles. Par contre, il semble que le préservatif féminin puisse les réduire. Une ITS occasionnera rarement les mêmes symptômes qu'une vaginite. Si vous avez un nouveau partenaire, utilisez des préservatifs et passez un test de dépistage d'ITS.

Les spermicides, le pour et le contre. De nombreux couples ont l'habitude d'utiliser un préservatif en association avec un gel ou une mousse spermicide, une substance qui, lorsqu'elle est introduite dans le vagin, détruit les spermatozoïdes. C'est un choix de contraception (taux maximal d'efficacité de 80 % lorsqu'il est utilisé seul). Toutefois, il faut savoir que les spermicides peuvent altérer l'équilibre bactérien du vagin et provoquer une vaginite ou une vaginose, ou causer des irritations. De plus, sans préservatif, ils ne préviennent pas les infections transmissibles sexuellement (ITS) et ils peuvent même faciliter le VIH (sida). En effet, le virus du VIH se loge plus facilement dans une muqueuse vaginale irritée.

Et les ampoules de lactobacilles? Vous êtes peut-être tentée d'utiliser des ovules ou des ampoules de lactobacilles? Ces produits contiennent une bactérie, *Lactobacillus acidophilus* (que l'on trouve également dans certains yogourts), qui n'est pas la même que celle de la flore vaginale. Certaines femmes pensent que ces ampoules peuvent contribuer à rétablir l'équilibre de la flore vaginale. Il n'en est rien.

Ne pas croire qu'il n'y a rien à faire. En général, les femmes se sentent coupables ou honteuses d'être aux prises avec des symptômes qui affectent la région génitale. Elles finissent par appréhender les relations sexuelles, au point de devenir parfois anxieuses, dépressives et de perdre le désir. Ces femmes sont susceptibles de développer du vaginisme, un réflexe involontaire qui se traduit par des contractions douloureuses des muscles du vagin lors de la pénétration. Rappelez-vous que vos symptômes sont médicalement curables.

QUAND CONSULTER ?

- Votre vagin est irrité et rouge au point de vous incommoder sérieusement.
- Des pertes anormales en sortent.
- Les pertes vaginales dégagent une odeur anormale, ont une apparence anormale ou sont abondantes.
- Vous éprouvez des douleurs pendant les rapports sexuels.
- Vous remarquez des fissures, des lésions au niveau de vos organes génitaux.
- Les traitements ne font que diminuer les symptômes sans les faire disparaître.
- Les traitements ne vous guérissent que pendant quelques jours et les symptômes apparaissent plus de trois fois par an.

QUE SE PASSE-T-IL LORS DE L'EXAMEN ?

Après avoir pris note des éléments importants, le médecin procédera à un examen clinique complet pour définir les caractéristiques des différents symptômes affectant la vulve et le vagin. L'interrogatoire portera aussi sur l'activité sexuelle, le mode de contraception utilisé et l'utilisation de produits irritants dans le vagin ou sur la vulve. L'examen clinique général est suivi d'un examen de la vulve, du vagin et du col de l'utérus. Le médecin examinera les sécrétions vaginales au microscope et effectuera certains prélèvements microbiologiques.

QUEL EST LE TRAITEMENT ?

Vaginite à champignons ou à Candida

Le traitement consiste en une dose d'antichampignons ou d'antifongiques, qui se présente sous la forme d'un applicateur vaginal, de suppositoires vaginaux ou de comprimés à prendre par voie orale. En cas de récidive, le médecin pourra recommander à la patiente de poursuivre un traitement par comprimés aussi longtemps qu'elle le désirera. Il faut savoir qu'il n'existe pas de médicaments qui permettent une guérison totale et définitive.

Vaginose bactérienne

Le médecin prescrira des antibiotiques en comprimés, en gel ou en crème, selon le cas. Comme pour la vaginite à champignons ou à Candida, il n'existe pas de traitement qui pourrait assurer l'équilibre permanent de la flore vaginale.

Maladies de la peau (lichen scléreux, lichen plan, eczéma, etc.)

Le traitement dépendra de la maladie. Le médecin prescrit généralement un antihistaminique en comprimés pour soulager la démangeaison et de la cortisone en applications locales pour faire disparaître les lésions.

Fissure à l'entrée du vagin

Le traitement initial consiste à utiliser des techniques de désensibilisation en physiothérapie ou en sexologie. L'utilisation du préservatif féminin peut permettre à certaines femmes d'avoir des rapports sexuels sans douleur. Il s'agit d'une sorte de petite poche à insérer dans le vagin et dont les rebords recouvrent bien la vulve. Les préservatif féminins se trouvent en pharmacie et dans certaines boutiques spécialisées dans la vente de préservatifs. Si la fissure ne guérit pas, certains médecins recommanderont une intervention chirurgicale appelée « vestibuloplastie » (une intervention qui consiste à refaire le vestibule, c'est-à-dire l'entrée du vagin).

Lésions localisées

Pour enlever les lésions, comme les condylomes et le molluscum contagiosum, le médecin peut recourir à l'azote liquide, au laser ou encore à la vestibuloplastie. Dans les cas de lésions attribuables à l'herpès, il prescrira des médicaments antiviraux oraux (et non en crème ou en gel).

Vulvodynie

La patiente peut appliquer un sac réfrigérant (*ice pack*) froid (et non gelé) sur la vulve. Le médecin pourra lui prescrire de l'amitriptyline (Elavil), un antidépresseur utilisé ici comme antidouleur. Il pourra également lui conseiller la physiothérapie, l'acupuncture ou d'autres moyens utilisés dans le traitement de la douleur chronique.

Vestibulite

Anomalie complexe, la vestibulite fait l'objet de différents traitements. Le médecin peut proposer des suppléments de citrate de calcium (jusqu'à six comprimés par jour) et un régime faible en oxalate, c'est-à-dire évitant les aliments suivants : rhubarbe, prunes, pêches, epinards, cacao, arachides, poivrons, haricots, betteraves, céleri, persil, fraises, courgettes, raisin et thé. Le médecin peut également recommander de prendre un antidépresseur ainsi que d'avoir recours à la physiothérapie ou à l'acupuncture. Une thérapie sexuelle par un sexologue expérimenté complétera éventuellement l'approche médicale. Si ces traitements demeurent infructueux après six mois, on suggérera parfois une vestibuloplastie.

Vaginite inflammatoire desquamative

Il s'agit d'une maladie qui nécessite un traitement à long terme à l'aide d'antibiotiques ou de médicaments à base de cortisone.

Rages alimentaires

On sait que les femmes enceintes sont parfois saisies de fringales soudaines, mais elles ne sont pas les seules : qui n'a pas eu de temps en temps une envie impérieuse de consommer tel ou tel aliment ? Banales lorsqu'elles sont occasionnelles, les rages d'aliments peuvent néanmoins devenir problématiques si elles se multiplient. Parfois, elles sont le symptôme d'une maladie. Notez qu'il s'agit uniquement ici de fringales, pas de troubles alimentaires sérieux comme les accès de boulimie avec vomissements induits.

Les rages d'aliments se caractérisent de la manière suivante :

- envie impérieuse de consommer un aliment, habituellement riche en sucres et en graisses ;
- peuvent être précédées de sensations d'étourdissement ou de faiblesse ;
- peuvent survenir après un repas (hypoglycémie postprandiale).

QUELLES SONT LES CAUSES ?

Causes organiques

- ***Maladies entraînant une hypoglycémie,*** c'est-à-dire une chute du taux de sucre dans le sang (diabète, tumeur au pancréas, maladie du foie, troubles de l'hypophyse ou des glandes surrénales, etc.). Les personnes souffrant d'hypoglycémie postprandiale (leur taux de sucre sanguin diminue après un repas) se sentent mieux si elles consomment du sucre ;
- ***Parasite intestinal*** (le ténia, par exemple) dans des cas très rares.

Causes psychologiques

- ***Ennui ;***
- ***Stress ;***
- ***Joie ;***
- ***Tristesse ;***
- ***Dépression.*** Une théorie récente associe la dépression saisonnière aux modifications des habitudes alimentaires. L'humeur est réglée par les neurotransmetteurs – on parle ici surtout de la sérotonine –, et certains aliments ont un effet sur ces neurotransmetteurs.

Par exemple, la caféine contenue dans le café et le chocolat rend euphorique, ce qui explique pourquoi, en période de dépression saisonnière, où l'humeur est au plus bas, certaines personnes ont des rages pour ces aliments. Cela dit, la dépression grave s'accompagne habituellement d'une perte d'appétit.

Causes hormonales

- ***Grossesse, syndrome prémenstruel, contraceptifs oraux.*** En général, les œstrogènes stimulent l'appétit. On croit qu'ils produiraient une diminution de la sérotonine, qui met fin au désir de consommer des sucres. Les causes hormonales expliqueraient pourquoi les femmes sont davantage sujettes aux fringales que les hommes.

Autre cause

- ***Alimentation déséquilibrée.*** Une alimentation équilibrée se compose de protéines, de lipides et de glucides (ou hydrates de carbone). Une alimentation excluant un groupe d'aliments (les hydrates de carbone, souvent) laisse l'organisme insatisfait, même si le nombre de calories ingérées est adéquat.

CONSEILS PRATIQUES

Adopter une alimentation équilibrée. Mélangez des aliments des trois familles : protéines, graisses et hydrates de carbone. Cela vous évitera d'avoir des rages d'aliments sucrés.

Eviter de consommer trop de sucre raffiné. Privilégiez les sucres qui se digèrent plus lentement (comme les pâtes alimentaires ou le pain).

Ne pas créer les occasions. Si vous savez que vous êtes porté à grignoter devant la télévision, par exemple, changez vos habitudes ou gardez des crudités à portée de la main.

Faire de l'exercice. Il aide à contrôler l'appétit.

Demander de l'aide. Ne craignez pas de demander l'aide d'un thérapeute ou d'une diététicienne si vos fringales prennent des proportions inquiétantes.

Ne pas vous inquiéter si vous êtes enceinte. Dites-vous que vos fringales sont passagères.

Succomber… de temps à autre ! Manger est un des grands plaisirs de la vie et céder à la tentation une fois de temps en temps est bon pour le moral.

QUAND CONSULTER ?

- Vos fringales deviennent une habitude.

QUE SE PASSE-T-IL LORS DE L'EXAMEN ?

Le médecin notera les informations essentielles et pourra demander au patient de tenir un journal permettant de noter si les rages d'aliments sont liées à des causes organiques, à la prise des repas ou à des causes psychologiques. S'il soupçonne des causes organiques, le médecin demandera les tests appropriés.

QUEL EST LE TRAITEMENT ?

Causes organiques

On traitera le mal à la source (maîtrise du diabète, extirpation de la tumeur au pancréas, traitement hormonal pour corriger l'insuffisance hypophysaire ou surrénalienne, etc.).

Causes psychologiques

Si les conseils d'usage ne suffisent pas, on pourra recourir à la psychothérapie, avec ou sans médicaments, ou à la photothérapie (dans les cas de dépression saisonnière). Les thérapies comportementales tenteront de modifier l'association entre les émotions et l'ingestion des aliments.

Causes hormonales

Les rages d'aliments qui surviennent pendant la grossesse disparaissent généralement après l'accouchement. Celles qui sont associées au syndrome prémenstruel sont habituellement sans conséquence, mais on peut traiter le syndrome s'il s'accompagne de symptômes plus sérieux. Si les contraceptifs oraux sont en cause, on peut modifier l'ordonnance.

Rétention d'eau ou œdème

On définit la rétention d'eau ou l'œdème (terme médical) comme une accumulation excessive de liquide dans l'organisme ou une partie de l'organisme. Ce dernier tente continuellement de faire l'équilibre entre les liquides que nous perdons (dans l'urine, les selles, par la transpiration) et ceux que nous absorbons (eau de boisson et eau contenue dans les aliments eux-mêmes). Cet ajustement très fin est assuré notamment par les reins. La rétention d'eau se produit lorsque l'organisme emmagasine plus d'eau qu'il n'en élimine. La dilatation des vaisseaux sanguins favorise l'œdème, car l'eau quitte les vaisseaux pour aller dans les tissus. À cause du phénomène de la gravité, la rétention d'eau est plus apparente aux chevilles et aux pieds. C'est pourquoi les chevilles et les pieds sont plus enflés en fin de journée que le matin.

QUELLES SONT LES CAUSES ?

- ***Position debout prolongée et fréquente***;
- ***Chaleur.*** Elle dilate les vaisseaux sanguins;
- ***Fluctuations hormonales (œstrogènes, aldostérone).*** Durant la période périmenstruelle, plusieurs femmes notent une sensation de rétention d'eau dans les seins et l'abdomen;
- ***Grossesse.*** Au cours des dernières semaines de la grossesse, le ventre exerce une forte pression sur le système veineux qui retourne le sang vers le cœur. Cette pression nuit à la circulation du sang et entraîne la dilatation des vaisseaux;
- ***Alimentation riche en sel.*** Le sel a la propriété de retenir l'eau dans l'organisme;
- ***Médicaments.*** Certains médicaments contre l'hypertension (inhibiteurs calciques), les corticostéroïdes ainsi que l'hormonothérapie substitutive peuvent être associés à l'apparition d'un œdème;
- ***Varices.*** Ces veines bleuâtres et dilatées sont associées à un ralentissement du retour veineux;
- ***Thrombophlébite aiguë.*** Inflammation d'une veine avec formation d'un caillot. Elle se manifeste notamment par des douleurs et par un gonflement du membre inférieur où se situe l'inflammation;

- ***Insuffisance rénale.*** L'une des fonctions du rein étant d'assurer l'évacuation de l'eau, il va de soi qu'un rein qui fonctionne moins bien empêche l'organisme de se débarrasser des liquides en excès. De plus, certaines maladies rénales sont associées à un déficit en protéines, celui-ci étant lié à l'apparition d'un œdème ;
- ***Affections du foie, cirrhose.*** Parce que le foie est un filtre du système sanguin, tout dysfonctionnement entraîne une augmentation de la pression dans le circuit veineux. Ce qui se traduit par une dilatation des vaisseaux et un œdème ;
- ***Insuffisance cardiaque.*** Le cœur est comparable à une pompe hydraulique. Lorsque le ventricule gauche n'est plus capable de pomper le sang vers l'organisme, le sang s'accumule et cela surcharge le ventricule droit, qui, lui, n'est plus capable de pomper le sang arrivant de la périphérie. Toute cette accumulation de sang cause une très forte pression dans les vaisseaux sanguins, lesquels se dilatent et entraînent un œdème ;
- ***Hypothyroïdie importante.*** L'organisme au complet subit un ralentissement : le cœur bat moins vite, il parvient mal à pomper le sang, la circulation se fait moins bien et cela favorise la dilatation des vaisseaux.

CONSEILS PRATIQUES

Consulter un médecin. Il est préférable de toujours consulter un médecin quand la cause de l'œdème nous échappe. Faire de la rétention d'eau n'est pas une situation normale. Certaines causes peuvent être très sérieuses et demander une intervention médicale.

Boire en quantité appropriée. Selon la cause de l'œdème, votre médecin pourrait vous demander de réduire la quantité de liquide que vous ingérez chaque jour. On inclut dans les liquides, en plus de l'eau, les jus, les soupes, le café, etc. Certains aliments contiennent aussi beaucoup d'eau (laitue, céleri, etc.).

Les diurétiques, des médicaments à ne pas prendre à la légère. Selon la cause de l'œdème que vous avez, le médecin peut être amené à vous prescrire des diurétiques, des médicaments qui agissent sur les reins pour favoriser l'élimination de l'eau et du sel par les urines. Les diurétiques ne sont pas des médicaments dont le but est de faire perdre du poids. Ils doivent être utilisés uniquement sous la recommandation du médecin.

Surélever les jambes au repos. Faites reposer vos jambes sur une chaise ou sur des coussins en vous assurant qu'elles sont au-dessus du niveau des hanches. Adoptez cette position plusieurs fois par jour pendant une période suffisamment prolongée (au moins cinq minutes chaque fois).

Discuter de ses médicaments avec le médecin. Parlez-lui des médicaments sur ordonnance et en vente libre que vous prenez. Vous apprendrez peut-être qu'ils sont la cause de vos œdèmes.

Adopter une alimentation pauvre en sel. Une alimentation à forte teneur en sel aggrave la rétention d'eau. Il peut être important de consulter une diététicienne pour connaître les aliments riches en sel. Réduisez votre consommation de frites salées, de charcuterie et d'aliments préparés avec des quantités importantes de sel. Lisez bien les étiquettes des produits prêts à manger sur les étalages des supermarchés. Si le sel apparaît tout en haut de la liste des ingrédients, c'est que la teneur en sel du produit est élevée.

Diminuer son exposition à la chaleur. Si vous êtes sujet à la rétention d'eau et aux œdèmes, sachez que l'exposition à la chaleur aggrave ces symptômes. Si cela vous ennuie, restez plutôt au frais.

Faire preuve de patience. En appliquant les conseils donnés ici et ceux du médecin, vous apprendrez à connaître les causes de la rétention d'eau et à mieux la maîtriser. La rétention d'eau peut dès lors mettre plusieurs jours à plusieurs semaines à se résorber.

QUAND CONSULTER ?

- Vous avez des œdèmes persistants et inexpliqués. Une peau qui reste marquée quand vous appuyez dessus est un signe que vous ne devez pas négliger.

QUE SE PASSE-T-IL LORS DE L'EXAMEN ?

Le médecin notera les détails pertinents et procédera à un examen clinique complet comprenant la mesure de votre tension artérielle. Il pourra demander que vous vous soumettiez à certains examens de laboratoire (prise de sang, analyse d'urine, etc.).

QUEL EST LE TRAITEMENT ?

Varices

Le médecin recommandera le port de bas élastiques. Le port de ces bas particuliers, que l'on peut se procurer en pharmacie ou dans les magasins de fournitures médicales, apporte un soulagement en empêchant le sang de s'accumuler dans les petits vaisseaux sanguins à la surface de la peau. Le sang est plutôt poussé dans les veines plus profondes, où il est plus facilement pompé vers le cœur.

Thrombophlébite aiguë

Le médecin prescrira des médicaments anticoagulants et recommandera le port de bas élastiques.

Insuffisance rénale

Le traitement repose sur les diurétiques et sur un régime sans sel.

Affections du foie

Le traitement variera selon le type d'affection du foie. Il comprendra presque toujours des médicaments spécifiques, l'abstention d'alcool et un régime sans sel.

Insuffisance cardiaque

Le médecin prescrira des médicaments cardiotoniques et des diurétiques. Il recommandera aussi de suivre un régime sans sel.

Ronflement

Le ronflement est un bruit respiratoire survenant pendant le sommeil, dont l'intensité varie d'une personne à l'autre et chez une même personne selon les circonstances. Le ronflement est produit par la vibration de la luette et du voile du palais au moment du passage de l'air. La luette, qu'on peut observer dans le fond de la bouche, est un petit muscle de forme pointue attaché au palais.

L'air qu'on inspire se rend à l'arrière de la gorge, doit traverser un passage étroit et prendre de la vitesse avant d'atteindre la trachée et les poumons. L'accélération de la vitesse crée une pression négative, attirant la luette et le palais mou vers l'arrière. Ce mouvement de va-et-vient, rapide comme une vibration, produit le ronflement. Ce phénomène, généralement bénin, ne dérange pas le ronfleur, mais peut devenir une source de tension conjugale ou sociale. Les hommes sont plus nombreux à ronfler que les femmes, sans que l'on sache exactement pourquoi.

QUELLES SONT LES CAUSES ?

- ***Excès de poids.*** La graisse qui s'accumule dans la gorge réduit un espace déjà étroit, ce qui augmente le risque de ronflement ;
- ***Anatomie de la gorge.*** Chez certaines personnes, le rétrécissement de l'espace à l'arrière de la luette est plus marqué, la base de la langue est parfois plus volumineuse, le pharynx peut également être plus long et plus étroit ;
- ***Ménopause.*** La ménopause s'accompagne de la perte de tonus des tissus et des muscles, y compris ceux de la gorge. Ce relâchement augmente les risques de vibration et cela, ajouté au gain de poids associé à cette période, peut entraîner du ronflement ;
- ***Obstruction du nez.*** Elle peut être causée par la congestion nasale, une déviation de la cloison nasale, la présence de polypes, une hypertrophie des cornets du nez. Ces derniers sont formés d'os et de muqueuse, et servent à humidifier et à filtrer l'air. S'ils sont hypertrophiés, si la cloison nasale est déviée ou s'il y a des polypes dans le nez (petites boules de chair molles), l'air entre plus difficilement ;

- ***Végétations adénoïdes.*** Les jeunes enfants de deux à trois ans qui respirent par la bouche ont parfois de grosses végétations adénoïdes, qui sont situées en arrière du palais et bloquent le passage de l'air ;
- ***Tabagisme.*** La muqueuse du nez et de la gorge d'un fumeur est plus enflée et plus irritée, ce qui augmente la résistance à l'air inspiré ;
- ***Le fait de dormir sur le dos.*** Dans cette position, la langue et les autres tissus glissent vers l'arrière de la bouche et dans la gorge, et obstruent le conduit aérien ;
- ***Tranquillisants, somnifères et autres médicaments.*** Tous les médicaments qui causent de la somnolence et un relâchement musculaire augmentent les risques de vibration ;
- ***Repas copieux arrosé de vin ou de tout autre alcool.*** Les muscles relâchés vibrent davantage ;
- ***Vieillissement.*** Les tissus se relâchent légèrement avec l'âge ;
- ***Certaines maladies, comme l'hypothyroïdie ou une allergie respiratoire importante.***

CONSEILS PRATIQUES

Éviter de consommer de l'alcool. Surtout en soirée ou avant de vous coucher.

Ne pas abuser de médicaments qui peuvent causer de la somnolence. Si vous êtes sujet au ronflement, évitez de prendre des médicaments tels que des somnifères et certains antihistaminiques, qui favoriseraient un relâchement musculaire encore plus prononcé. Au besoin, parlez-en à votre médecin.

Perdre du poids s'il est excessif. Même si cet objectif est difficile à atteindre, maigrir pourrait faire disparaître votre problème de ronflement.

Dormir sur le côté. Afin de demeurer dans cette position, vous pouvez revêtir un chandail et vous installer des balles de tennis dans le dos. Cependant, votre sommeil sera perturbé puisque vous vous réveillerez chaque fois que vous voudrez dormir sur le dos.

Soigner la congestion nasale. Si votre nez est décongestionné et que vous respirez mieux, il y a moins de risques que vous ronfliez.

Cesser de fumer. Si vous ne réussissez pas à cesser complètement, une diminution pourrait être bénéfique.

Porter un Breathe Right. Il s'agit d'un petit morceau de métal recouvert d'une bande adhésive que l'on applique sur les narines au moment de se coucher. En tirant sur les parois du nez, il ouvre les fosses nasales et aide à mieux respirer. On le trouve en vente libre dans les pharmacies.

QUAND CONSULTER ?

- Vous avez l'impression de ne pas être bien reposé au réveil. Si vous ronflez beaucoup, vous faites probablement un effort continuel en respirant, ce qui peut perturber votre sommeil.
- Vous souffrez de somnolence diurne. Il est parfois difficile de distinguer le simple ronflement de l'apnée du sommeil.
- Le ronflement devient intolérable pour votre entourage.

QUE SE PASSE-T-IL LORS DE L'EXAMEN ?

Le médecin vérifiera s'il y a une obstruction nasale. Il vous examinera pour vérifier si le septum – la cloison qui normalement sépare le nez en deux parties égales – est bien droit. Il pourra faire un examen à l'aide d'un endoscope, un petit tube souple muni de fibres optiques qu'on insère dans le nez pour observer le pharynx. Il permettra de vérifier s'il y a des polypes et de s'assurer que les cornets ne sont pas hypertrophiés. Si le ronflement semble secondaire à une maladie, comme l'hypothyroïdie ou une allergie importante, le médecin vous adressera à un autre médecin spécialiste.

QUEL EST LE TRAITEMENT ?

Le fait de changer vos habitudes de vie en perdant du poids, en cessant de fumer, en diminuant la consommation d'alcool et en dormant sur le côté peut diminuer le ronflement. Si la cloison nasale n'est pas droite, cela peut être corrigé. Les végétations adénoïdes peuvent être retirées chirurgicalement.

Il existe un petit appareil (CPAC) pour augmenter la pression positive dans le nez et diminuer le ronflement. L'appareil s'ajuste selon les besoins de chacun et envoie de l'air sous pression au moyen d'un masque que vous devez porter toute la nuit.

Il est également possible de faire une résection partielle du voile du palais et de la luette à l'aide d'un rayon laser. Ce traitement ambulatoire, qui dure de 15 à 20 minutes, est effectué sous anesthésie locale par un oto-rhino-laryngologiste. Une disparition complète ou quasi complète du ronflement est notée par 70 % des conjoints de ronfleurs, tandis qu'il demeure une gêne persistante pour le conjoint dans 5 % des cas. La Société canadienne d'oto-rhino-laryngologie ne recommande pas le traitement au laser dans les cas d'apnée du sommeil.

Saignement vaginal anormal

Les femmes ne devraient pas avoir de saignements vaginaux en dehors de la période des menstruations, bien que certaines constatent la présence de quelques gouttes de sang au moment de l'ovulation. Un saignement intermenstruel peut être sans conséquence, mais il peut aussi révéler toute une variété de problèmes sous-jacents et justifier une investigation approfondie.

QUELLES SONT LES CAUSES ?

- ***Contraceptifs à faible dose (minipilule).*** Chez certaines femmes, la faible teneur en œstrogènes amincit et fragilise l'endomètre (couche interne de l'utérus) ;
- ***Oubli de prendre un comprimé pendant plus de 24 heures.*** Cela peut causer un léger saignement, inoffensif, mais augmente le risque de grossesse non désirée ;
- ***Saignement ovulatoire.*** Environ 5 % des femmes ont un léger saignement au moment de l'ovulation ; ce saignement peut s'accompagner d'une légère douleur au côté droit ou gauche de l'abdomen ;
- ***Dysfonctionnement ovarien.*** L'ovaire peut commencer à fonctionner irrégulièrement au moins 10 ans avant la ménopause, ce qui entraîne un épaississement de l'endomètre, avec expulsion de fragments, d'où les saignements ;
- ***Complications liées à une grossesse*** : signes avant-coureurs d'un avortement spontané, avortement spontané, grossesse ectopique (grossesse hors de l'utérus) ;
- ***Polypes.*** Ces tumeurs bénignes sont situées sur le col et saignent souvent facilement au contact ;
- ***Fibromes.*** Tout à fait bénignes, ces tumeurs sont situées dans la paroi de l'utérus ; elles peuvent causer des saignements irréguliers et, à l'occasion, des douleurs, selon leur localisation dans l'utérus ;
- ***Cellules atypiques (dysplasie cervicale).*** Ces cellules anormales, situées sur le col de l'utérus, ne sont pas dangereuses en soi, mais elles ont cependant le potentiel de se transformer en cellules cancéreuses ;

- ***Infection du col de l'utérus (cervicite).*** Le saignement peut survenir avec ou sans relations sexuelles ; la chlamydia, une infection transmissible sexuellement, est le plus souvent en cause ;
- ***Endométrite (infection de la couche interne de l'utérus).*** Elle est le plus souvent causée par des bactéries et s'accompagne généralement de fièvre, de douleurs et de pertes vaginales jaunâtres nauséabondes ;
- ***Cancers du col de l'utérus, de l'utérus ou du vagin*** ;
- ***Rapports sexuels.*** Ils peuvent être à l'origine de microabrasions ou même de lacérations de la paroi vaginale ou du col de l'utérus. Le problème sera amplifié si les rapports sont trop énergiques ou s'il y a lubrification inadéquate du vagin, ce qui fragilise la muqueuse. L'absence de lubrification adéquate peut être attribuable à des facteurs psychologiques, comme le stress, ou à des facteurs hormonaux liés à la ménopause ;
- ***Corps étranger.*** Le stérilet peut entraîner comme effet secondaire des saignements intermenstruels. Chez l'enfant, un corps étranger dans le vagin (gomme à effacer, brique Lego, etc.) peut être une cause de saignement vaginal ;
- ***Traumatismes.*** Les relations sexuelles violentes, les viols ou les chutes (sur une clôture ou une barre de bicyclette, par exemple) peuvent causer des saignements abondants ;
- ***Médicaments prédisposant aux saignements (aspirine, anticoagulants)*** ;
- ***Maladies généralisées (maladies de la glande thyroïde, maladies du sang et troubles de la coagulation)*** ;
- ***Saignement d'autre origine (vessie, rectum).*** Il n'est pas toujours facile d'identifier l'origine d'un saignement étant donné la proximité du vagin, de l'urètre (conduit pour uriner) et de l'anus. Un examen médical est nécessaire.

CONSEILS PRATIQUES

Ne pas ignorer le saignement. Vous devez consulter un médecin.

Ne pas se donner de douche vaginale après un saignement. Cette intervention est inutile. De manière générale, les douches vaginales sont déconseillées, car elles altèrent le pH (taux d'acidité) du vagin.

Faire un test de grossesse. Toute femme en âge de procréer qui remarque un saignement anormal malgré l'utilisation d'un moyen de contraception devrait faire un test de grossesse.

Passer un Pap test régulièrement. Ce test de routine, qui permet de détecter des cellules anormales à un stade précoce, peut vous sauver la vie. Il est fortement recommandé de le passer une fois par an. Le médecin le complétera par un examen gynécologique complet.

Opter pour des pratiques sexuelles douces. Une friction excessive peut être à l'origine du saignement.

Utiliser un lubrifiant lors de relations sexuelles. Si vos sécrétions vaginales sont insuffisantes, utilisez des gels stériles vendus en pharmacie (K-Y, etc.).

QUAND CONSULTER ?

- Vous notez un saignement en dehors des menstruations.
- Vous notez un saignement au cours de la grossesse.
- Vous avez un cycle menstruel irrégulier.
- Vous avez un saignement anormalement abondant exigeant plus d'une serviette hygiénique à l'heure.

QUE SE PASSE-T-IL LORS DE L'EXAMEN ?

Le médecin procédera d'abord à un examen de l'état du vagin et du col de l'utérus. Il effectuera ensuite un prélèvement de cellules du col pour faire un test de Papanicolaou (Pap test) : ce test de routine, annuel ou plus fréquent selon le cas, vise à dépister une éventuelle dysplasie cervicale ou un cancer. Si une inflammation ou une infection semble être en cause, le médecin effectuera des prélèvements de sécrétions, qui seront acheminés au laboratoire pour être analysés. L'échographie est parfois utilisée pour un examen plus approfondi. Les examens effectués à la suite de traumatismes sont le plus souvent faits sous anesthésie générale.

QUEL EST LE TRAITEMENT ?

Contraceptifs, saignement ovulatoire, dysfonctionnement ovarien

Pour les contraceptifs à faible dose (minipilule), il s'agira de modifier l'ordonnance.

Dans les cas de saignement ovulatoire et de dysfonctionnement ovarien, on demandera une évaluation gynécologique. On procédera au besoin à une biopsie de l'endomètre (curetage). Le médecin pourra également soumettre la patiente à un traitement hormonal ou lui prescrire des contraceptifs à faible dose.

Complications liées à une grossesse

Si on soupçonne une grossesse ou si celle-ci est confirmée, une évaluation médicale s'impose. Il s'agit d'une urgence.

Polypes

Ils feront l'objet d'une biopsie (prélèvement de tissus pour analyse) ou ils seront enlevés par excision chirurgicale au cabinet du médecin.

Fibromes

Il n'est pas toujours nécessaire de les enlever. Un traitement hormonal peut parfois corriger la situation. Les fibromes se résorbent souvent d'eux-mêmes à partir de la ménopause.

Cellules atypiques (dysplasie cervicale)

Ce problème est fréquent et souvent bénin. Mais il importe de s'en occuper, car il peut être un signe annonciateur de cancer. Les cellules anormales sont détruites par le froid (cryothérapie) ou à l'aide du laser, des traitements simples qui sont effectués en clinique de colposcopie. Dans le cas de lésions suspectes ou, encore, pour préciser le diagnostic, le médecin pratiquera, sous anesthésie générale, une petite intervention chirurgicale sur le col de l'utérus appelée « conisation ».

Infection du col de l'utérus (cervicite) et endométrite (infection de la couche interne de l'utérus)

Un traitement à l'aide d'antibiotiques sera prescrit à la patiente et, au besoin, au partenaire.

Cancers

Dépistés tôt, ces cancers présentent un excellent pronostic (95 % de guérisons). Ils exigent une intervention chirurgicale, suivie ou non de chimiothérapie ou de radiothérapie.

Rapports sexuels

Si le saignement est attribuable à une lubrification inadéquate et que les gels vendus en pharmacie ne suffisent pas, le médecin pourra prescrire un traitement hormonal, soit sous la forme de comprimés (hormonothérapie de substitution), soit sous la forme de crème à appliquer localement. Si le problème est d'origine psychologique, un traitement approprié pourra être nécessaire.

Corps étranger

Si les saignements irréguliers sont causés par un stérilet, il faudra le retirer. La présence d'un corps étranger dans le vagin exigera un examen sous anesthésie générale dans la plupart des cas.

Traumatismes

Ils exigent un examen approfondi, le plus souvent sous anesthésie générale, suivi de la réparation des lacérations, s'il y a lieu.

Médicaments prédisposant aux saignements (aspirine, anticoagulants)

Il faudra réviser l'ordonnance.

Maladies généralisées

Une évaluation médicale est nécessaire. L'identification de la cause à l'aide d'analyses de laboratoire s'impose pour traiter les saignements.

Saignements après la ménopause

La ménopause, qui se caractérise par l'arrêt définitif des menstruations et la fin de la période de fécondité, est un processus qui s'étale sur plusieurs années. La préménopause s'installe vers la fin de la quarantaine et il est alors normal d'avoir des règles irrégulières (tous les deux, trois, voire six mois). Il n'y a pas lieu de s'inquiéter. La définition classique de la ménopause est l'absence de menstruations pendant une année entière.

Les saignements qui se produisent un an ou plus après la dernière menstruation sont anormaux. Ces pertes de sang peuvent survenir aussi bien chez la femme qui suit une hormonothérapie que chez celle qui ne prend pas d'hormones.

Les saignements peuvent se présenter sous différentes formes :

- pertes de sang qui durent un jour ou plus ;
- quantité de sang variable (de quelques gouttes rosées à un flux très abondant) ;
- saignements qui se produisent une seule fois ou qui se répètent, comme de vraies menstruations ;
- généralement sans autres symptômes.

QUELLES SONT LES CAUSES ?

- ***Dosage de l'hormonothérapie.*** Les hormones ne sont pas bien dosées ou ne conviennent pas à la patiente ;
- ***Polypes.*** Il s'agit de boules de chair qui se forment sur l'endomètre, la muqueuse qui tapisse la cavité utérine. Habituellement, ce problème est bénin ;
- ***Fibromes.*** Le myomètre (tissu musculaire de l'utérus) se gonfle jusqu'à faire de petites excroissances (ou bosses) autour de l'utérus ou à l'intérieur de celui-ci. Il s'agit aussi d'un problème bénin la plupart du temps ;
- ***Sécheresse ou atrophie de la muqueuse vaginale.*** Si les saignements se produisent à la suite des relations sexuelles, qui peuvent être douloureuses, il s'agit de sécheresse ou d'amincissement de la muqueuse vaginale ;

- ***Tumeurs.*** Les cas de tumeurs au col de l'utérus ou de tumeurs intra-utérines sont rares. Toutefois, la femme ménopausée qui souffre d'hypertension, de diabète ou d'obésité est plus à risque de développer un cancer de l'utérus;
- ***Cystite.*** Cette infection cause parfois des saignements de la vessie, qui peuvent être confondus avec des saignements vaginaux. Une cystite s'accompagne souvent de brûlures à la miction;
- ***Problèmes au rectum.*** Il arrive que les saignements soient dus à des hémorroïdes ou à des fissures anales.

CONSEILS PRATIQUES

Prendre des notes. Notez la date à laquelle ont commencé vos saignements, le temps qu'ils ont duré ainsi que leur apparence (flux abondant, moyennement important ou faible). Apportez vos observations chez le médecin.

Éviter de sous-estimer un saignement. Lorsqu'elles perdent peu de sang ou que le saignement ne se produit pas souvent, nombre de femmes ont tendance à ne pas s'en préoccuper. Elles mettent cela sur le compte du stress et ne vont pas voir le médecin. Pourtant, même si les saignements indiquent rarement un problème sérieux, le stress ne peut en être responsable.

QUAND CONSULTER ?

- Vous avez un saignement, même léger, un an et plus après votre dernière menstruation.
- Le saignement vous inquiète.

QUE SE PASSE-T-IL LORS DE L'EXAMEN ?

Après avoir pris note des informations importantes, le médecin procédera à un examen physique et gynécologique. Par un test sanguin qui mesure le taux d'hormones, il pourra vérifier si sa patiente est réellement en ménopause. Si cela est nécessaire, il pratiquera une biopsie de l'endomètre. Cette technique remplace aujourd'hui le curetage, autrefois systématique dans les cas de saignements postménopausiques. L'échographie endovaginale (examen de l'appareil reproducteur avec une sonde à ultrasons) et l'hystéroscopie (examen de l'utérus au moyen d'un tube optique muni d'une petite lumière) pourront également être utiles pour compléter l'investigation.

QUEL EST LE TRAITEMENT ?

Dosage de l'hormonothérapie

Si le dosage de l'hormonothérapie est responsable des saignements, le médecin pourra le modifier.

Polypes et fibromes

Les polypes et les fibromes peuvent être enlevés, par curetage ou ablation de l'endomètre, s'ils deviennent très gros ou s'ils causent des hémorragies. Le curetage consiste à gratter la couche superficielle de la paroi utérine avec un instrument chirurgical. L'ablation de l'endomètre entraîne la destruction complète de la paroi interne de l'utérus et met fin à la fonction reproductrice (cela est cependant sans conséquence pour l'organisme). Les polypes et certains fibromes peuvent disparaître définitivement.

Sécheresse ou atrophie de la muqueuse vaginale

Les cas de sécheresse ou d'atrophie du vagin sont traités par des médicaments à base d'hormones: crème vaginale, comprimés ou dispositif intravaginal (un petit anneau qu'on insère dans le vagin et qui diffuse les hormones dans la paroi; il faut le changer de temps en temps). De plus, ces traitements peuvent être associés à une hormonothérapie systémique lorsqu'une plus grande quantité d'hormones est nécessaire.

Tumeurs

En présence de cancer de l'utérus, les médecins se tournent vers l'hystérectomie, c'est-à-dire l'ablation complète de l'utérus, associée au retrait des ovaires.

Cystite

La cystite se traite par des antibiotiques, parfois accompagnés d'une hormonothérapie pour renforcer les muqueuses de la vessie ou de l'urètre.

Problèmes au rectum

Les hémorroïdes et les fissures anales se soignent bien avec des crèmes à base de cortisone. Mais il faut prendre en plus des suppléments de fibres pour éviter la constipation. Dans certains cas, une intervention chirurgicale sera nécessaire pour enlever les hémorroïdes.

Autres saignements

Si les saignements persistent et s'il n'y a pas trace de tumeur, de polype ou de fibrome, le médecin pourra suggérer une hormonothérapie afin d'essayer de régler le problème. Outre la prise d'hormones, l'ablation globale de l'endomètre gagne en popularité pour faire cesser les saignements anormaux. Il y a plusieurs façons de faire : la thérapie du ballonnet, la cryothérapie, le laser et les micro-ondes. Le principe reste le même quelle que soit la méthode : on coagule les tissus de l'endomètre. Ces nouvelles techniques donnent d'excellents résultats ; elles sont effectuées sous anesthésie locale et elles permettent un retour rapide aux activités habituelles. Elles permettent aussi d'éviter l'hystérectomie dans plus de 80 % des cas. L'hystérectomie reste donc le traitement de dernier recours.

Sang dans l'urine

Une urine teintée de rouge dénote habituellement – mais pas toujours – la présence de sang. S'il s'agit véritablement de sang (hématurie), il est possible qu'une anomalie touche une partie de l'appareil urinaire, qui comprend les reins, les uretères, la vessie et l'urètre.

L'urine est sécrétée par les reins. De là, elle emprunte deux conduits appelés « uretères » pour atteindre la vessie. Par la suite, elle passera par un autre conduit (l'urètre) avant d'être expulsée.

L'hématurie peut donner à l'urine toutes les teintes du rouge au brun. Selon la cause, il peut y avoir de la douleur au niveau de l'appareil urinaire (lire aussi *Changement de couleur de l'urine* pour connaître les causes d'une urine rouge sans présence de sang).

QUELLES SONT LES CAUSES ?

- ***Médicaments antiplaquettaires*** (de l'aspirine, par exemple) ou anticoagulants, c'est-à-dire des médicaments qui peuvent prévenir la formation de caillots sanguins. Ces médicaments en eux-mêmes n'entrainent pas de saignement, mais ils peuvent y contribuer chez une personne présentant une lésion à risque de saignement ;
- ***Pratique de sports d'endurance, d'exercices violents.*** De telles activités peuvent provoquer le saignement d'un petit vaisseau sanguin au niveau de l'arbre urinaire ou la destruction de quelques cellules musculaires corporelles. Ce dernier phénomène est sans gravité, car les cellules ont la capacité de se régénérer. Lors de leur destruction, toutefois, les cellules musculaires libèrent dans la circulation de la myoglosine, une substance qui teinte l'urine de rouge ou de brun ;
- ***Infection urinaire.*** Causée par une bactérie ou un virus, l'infection urinaire entraîne une inflammation et une irritation de la paroi de la vessie, ce qui provoque des saignements qui se retrouvent dans l'urine. Le fait d'uriner cause de la douleur ou une sensation de brûlure. On peut noter la présence dans l'urine de caillots, de petits amas de sang aggloméré qui ressemblent à de

petites peaux. De plus, il arrive parfois que l'infection atteigne les reins (c'est une pyélonéphrite); en plus du sang dans les urines, elle se manifeste par de la fièvre, des frissons et des douleurs dans le dos;

- ***Pierres au rein (calculs rénaux).*** Il s'agit de dépôts de calcium ou d'acide urique dans les reins qui ont formé des agglomérats ressemblant à de véritables petites pierres. Cela peut se produire notamment lorsqu'on ne boit pas assez (le calcium et l'acide urique s'éliminent mal) ou lorsqu'il y en a trop dans notre alimentation (par exemple, les grands mangeurs de viande absorbent beaucoup d'acide urique). Quand les pierres se détachent pour passer des reins à la vessie, cela fait saigner les parois internes. Outre la présence de sang dans l'urine, une douleur violente à l'abdomen et irradiant vers les organes génitaux constitue le principal symptôme. Cette douleur est comparable à celle de l'accouchement. Lorsque le calcul passe finalement dans l'urètre pour être expulsé, le fait d'uriner peut causer de la douleur et une sensation de brûlure;
- ***Hyperplasie bénigne de la prostate.*** Il s'agit de l'augmentation non cancéreuse du volume de la prostate, qui se produit chez 80 % des hommes entre 55 et 70 ans. Cette augmentation peut causer de petites déchirures des tissus de la prostate, donc des saignements. À l'hématurie s'ajoutent une difficulté à expulser facilement les urines et une diminution du jet urinaire;
- ***Traumatisme*** (tel qu'une lésion à un rein causée par une chute ou un accident);
- ***Inflammation du rein (glomérulonéphrite ou néphrite).*** C'est une affection des reins qui est généralement provoquée par une exposition à un antigène (bactérie, virus, etc.). Dans le cas de cette anomalie plus rare, l'urine prend la teinte brune du coca-cola. On peut éprouver des malaises, avoir mal à la tête ou présenter de l'enflure. La tension artérielle pourrait être élevée lors de la visite médicale. Le sang provenant du rein ne fait généralement pas de caillots;
- ***Présence d'une tumeur dans l'appareil urinaire, rare également.*** Le saignement est généralement intermittent.

CONSEILS PRATIQUES

Consulter un médecin. Constater que son urine apparaît rouge est plutôt paniquant, mais, en général, il s'agit d'un symptôme sans gravité. Il est tout de même important de consulter un médecin pour obtenir un diagnostic. Mentionnez-lui la présence ou non de caillots, la teinte de l'urine (rouge brillant ou plutôt brune) et le moment d'apparition de cette teinte (au début, à la fin, ou pendant tout le temps que vous urinez).

Faire vérifier ses médicaments. Demandez au médecin si les médicaments que vous prenez peuvent être la cause de la présence de sang dans l'urine. Dans l'affirmative, il pourra soit vous rassurer sur le fait que cela est sans danger, soit interrompre le traitement et vous proposer un médicament de substitution. Attention : il ne faut jamais cesser de prendre un médicament sans en parler à son médecin d'abord.

QUAND CONSULTER ?

- Votre urine est teintée de rouge et l'épisode se répète.
- La consultation devient urgente si une urine rouge s'accompagne de fièvre ou de douleur.

QUE SE PASSE-T-IL LORS DE L'EXAMEN ?

Après avoir noté les informations pertinentes, le médecin procédera à un examen physique complet. Il demandera au patient de se soumettre à des analyses d'urine, qui confirmeront ou infirmeront la présence de sang. De plus, le patient peut subir un examen spécifique des reins et de l'arbre urinaire, que l'on appelle « urographie » ou « échographie rénale ». On pourrait aussi procéder à un examen de la vessie à l'aide d'un scope, un petit tuyau flexible muni d'une lumière à l'une de ses extrémités qui est introduit par l'urètre.

QUEL EST LE TRAITEMENT ?

Infection urinaire

Le médecin prescrira généralement des antibiotiques en comprimés. Plus rarement, des antibiotiques par voie intraveineuse peuvent être nécessaires, surtout si on pense que les reins sont touchés (pyélonéphrite) ou que le patient est très symptomatique (très malade).

Pierres aux reins (calculs rénaux)

Si elles sont petites, on peut espérer une expulsion naturelle par une hydratation abondante. Sinon, une technique spécifique (extraction avec instrumentation par voie naturelle, éclatement par laser, exérèse chirurgicale) devra être utilisée pour évacuer la pierre.

Hyperplasie bénigne de la prostate

Le médecin recommandera des médicaments en comprimés ayant pour but de réduire le volume de la prostate et de maîtriser l'ensemble des symptômes. Pour les cas importants, on pourra proposer une intervention chirurgicale.

Traumatisme

Selon le traumatisme subi, le médecin prescrira un traitement de soutien (repos et analgésiques) jusqu'à la guérison ou il recommandera une chirurgie.

Inflammation du rein (glomérulonéphrite ou néphrite)

Dans la plupart des cas, le traitement de soutien (repos et analgésiques) est suffisant. Parfois, on proposera une biopsie rénale pour préciser la cause de la néphrite et ainsi la traiter plus spécifiquement.

Tumeur dans l'appareil urinaire

Le médecin proposera une chirurgie d'exérèse (ablation), qui varie selon la localisation de la tumeur.

Sécheresse de la peau et prurit hivernal

Quand la peau est sèche, les plis cutanés sont plus visibles et la peau, à ces endroits, est plus fragile. Ce phénomène est plus fréquent au niveau des bras ou des jambes, où les glandes sébacées sont moins nombreuses qu'au niveau du visage, par exemple. Le risque de desquamation, de démangeaisons, d'eczéma, de craquelures, de fissures ou d'infection augmente avec le degré de sécheresse de la peau.

L'eczéma, souvent accompagné de rougeurs, peut être une aggravation de la sécheresse de la peau, qui, alors, se desquame et démange beaucoup et peut même se fissurer, surtout aux pieds et aux mains. En hiver, la sécheresse excessive de la peau est souvent accompagnée de démangeaisons déclenchées par les changements de température, par exemple au moment de quitter la chaleur de ses vêtements pour la fraîcheur de son pyjama : c'est le prurit hivernal.

QUELLES SONT LES CAUSES ?

- ***Sécheresse de l'air ambiant***, particulièrement en hiver à cause du peu d'humidité à l'extérieur et de l'air surchauffé des appartements ;
- ***Hygiène excessive*** (fréquence élevée de bains et de douches, et utilisation abusive de savons) ;
- ***Utilisation de savons trop forts (antiseptiques et antibactériens)*** ;
- ***Certains médicaments***, comme l'Accutane (isotrétinoïne), prescrit dans les cas d'acné ;
- ***Le fait de se laisser sécher à l'air libre en sortant du bain ou de la douche*** ;
- ***Abus de détergents et d'assouplisseurs.*** Le produit reste dans les fibres et peut se déposer sur la peau en cas de transpiration excessive ;
- ***Utilisation répétée de produits chimiques***, comme le Varsol, ou de produits nettoyants. Les coiffeurs, les personnes qui font des ménages ou les plongeurs dans les restaurants peuvent avoir la peau des mains très abîmée, avec de l'eczéma, ou des fissures parfois très douloureuses ;

- ***Prédisposition.*** La quantité de lipides présents sur la peau varie d'une personne à l'autre. De plus, en vieillissant, on a tendance à avoir la peau plus sèche parce que les glandes sont moins efficaces ;
- ***Réactions allergiques.*** On peut développer un eczéma allergique à un métal, comme le nickel, présent dans certaines boucles d'oreilles, ou à certains produits de maquillage ;
- ***Maladies généralisées, telles que le diabète, l'insuffisance rénale, la malnutrition et, surtout, les problèmes thyroïdiens.*** Dans ces cas, la sécheresse de la peau n'est pas le symptôme prédominant.

CONSEILS PRATIQUES

Prendre un bain plutôt qu'une douche. Laissez-vous tremper dans l'eau tiède pendant 20 à 30 minutes ou jusqu'à ce que la peau des orteils plisse. À l'occasion, ajoutez de l'huile à l'eau du bain ou de la farine d'avoine. Lavez-vous seulement à la fin pour ne pas rester à tremper dans l'eau savonneuse.

Ne pas se laver trop souvent ni avec de l'eau chaude. Bien que les critères de propreté varient d'une personne à l'autre et d'une culture à l'autre, un bain ou une douche par jour suffit amplement. Quant aux nouveau-nés, ils n'ont pas besoin d'être lavés tous les jours.

Éviter de frotter la peau. Le but du lavage consiste à enlever la poussière et la saleté sur la peau et non le gras.

Ne pas ajouter de mousse à l'eau du bain. Tous les produits qui font des bulles sont à base de savon. Il est déconseillé de rester à tremper dans de l'eau savonneuse, surtout si on a une peau qui a tendance à être sèche.

Utiliser un savon doux. Le savon Dove, par exemple, est tout à fait recommandé, contrairement aux savons antibactériens, antiseptiques ou déodorants, qui sont trop forts.

Appliquer une crème hydratante immédiatement après le bain ou la douche. Cela évite l'évaporation de l'eau et permet d'enfermer l'humidité dans la peau, et de compenser l'effet du savon ou du chauffage. Il n'est pas suffisant de boire beaucoup, la peau doit être hydratée de l'extérieur. Il est encore plus important d'utiliser une crème hydratante si vous utilisez de l'Accutane.

Choisir une crème plutôt qu'une lotion. Parce qu'elles contiennent plus de gras et sont plus consistantes, les crèmes sont plus efficaces que les lotions. Donc, recherchez les crèmes plutôt que les lotions. En outre, les crèmes qui contiennent de l'urée ou de l'acide lactique pénètrent mieux et sont plus hydratantes. Si votre peau est irritée, appliquez une crème hydratante non parfumée.

Éviter la calamine. L'utilisation de la calamine pour calmer vos démangeaisons est à proscrire si vous avez déjà la peau sèche. N'utilisez surtout pas du Caladryl, un mélange de calamine et d'antihistaminique. De fait, il est difficile de contrôler la quantité d'antihistaminique absorbé par la peau, ce qui risque d'entraîner divers effets secondaires, comme la somnolence.

Humidifier l'air de la maison. La sécheresse de l'air ambiant est une des causes importantes de la sécheresse de la peau. L'utilisation d'un humidificateur remédiera à ce problème.

Porter des gants. Vous protégerez ainsi vos mains contre les produits toxiques, comme l'eau de Javel, le savon à vaisselle et les produits nettoyants.

Porter des vêtements de coton de préférence et évitez la laine. Le coton permet à la peau de respirer. Vous supporterez difficilement la laine si vous avez la peau sèche ou qui démange.

Pour hydrater la peau du visage. Malgré les assertions de la très rentable industrie des cosmétiques, il n'est pas nécessaire de choisir la crème la plus chère ni d'avoir une crème différente pour le jour et pour la nuit. Choisissez de préférence une crème non parfumée, non comédogène, c'est-à-dire qui ne provoque pas d'acné, et hypoallergène si vous avez la peau sensible. Les jeunes femmes préfèrent les crèmes à base d'eau parce qu'elles ne laissent pas de film gras sur la peau, tandis que les femmes plus âgées préfèrent des crèmes plus grasses.

QUAND CONSULTER ?

- Vous avez des démangeaisons intenses qui persistent malgré les améliorations que vous avez apportées à l'hydratation de votre peau.
- Les symptômes vous empêchent de dormir la nuit.
- Vous constatez l'apparition de rougeurs ou de plaies sur votre peau.
- Les lésions cutanées se sont infectées ou enflammées.

QUE SE PASSE-T-IL LORS DE L'EXAMEN ?

Le médecin examinera la peau pour évaluer son intégrité et pour vérifier s'il y a une infestation, de l'eczéma ou une infection. Il s'informera des habitudes d'hygiène et d'hydratation du patient. Il vérifiera s'il y a d'autres causes expliquant la sécheresse de la peau.

QUEL EST LE TRAITEMENT ?

Une meilleure hydratation de la peau et une diminution de l'exposition à des produits irritants sont souvent suffisantes pour régler les problèmes de sécheresse de la peau et de prurit hivernal. Pour un soulagement plus rapide, on peut prescrire des crèmes au menthol, qui procurent un effet rafraîchissant. Si nécessaire, des crèmes à base de stéroïdes ou des antihistaminiques peuvent être prescrits pour diminuer l'irritation ou l'inflammation secondaire à la sécheresse.

Selles noires ou rouges

Un changement de couleur des selles qui va du rouge clair au noir (méléna) résulte généralement d'une perte de sang au niveau gastro-intestinal. Il peut s'agir de sang qui s'écoule directement de l'anus ou de sang mélangé aux selles. La rapidité avec laquelle le sang s'écoule aura une influence sur la couleur. Lorsque l'écoulement est rapide (ou qu'il provient d'une zone située près de la sortie de l'anus), le sang est rouge clair parce qu'il n'a pas été digéré par les intestins; si l'écoulement est lent, le sang est rouge foncé ou noir. La coloration noire du sang résulte d'une transformation chimique due à un séjour prolongé dans le tube digestif.

Les selles rouges ou noires peuvent être accompagnées de différents symptômes, tels que des douleurs abdominales, des brûlures d'estomac, de la fatigue, une faiblesse générale, une accélération des battements du cœur, des étourdissements, des évanouissements ainsi qu'une perte de poids importante et injustifiée. Parfois, un changement dans le calibre des selles peut se produire. Les selles seront plus petites ou de la taille d'un crayon. Dans ce cas, il peut s'agir d'une tumeur du rectum ou du côlon ou, encore, de toute lésion inflammatoire qui a entraîné un rétrécissement de l'intérieur de l'intestin (comme la maladie de Crohn, par exemple)

QUELLES SONT LES CAUSES ?

- ***Sang avalé lors d'un saignement de nez important*;**
- ***Rupture d'une varice œsophagienne.*** La varice œsophagienne est la dilatation d'une veine dans l'œsophage. Toute pathologie qui augmente la pression dans le système veineux du foie peut causer une dilatation des veines au niveau de l'œsophage, donc la formation de varices. La cirrhose du foie est la plus courante de ces maladies. Les varices ne causent pas de problèmes et ne saignent pas tant qu'elles ne se rompent pas. Outre le sang dans les selles, une faiblesse peut se manifester si la perte de sang est importante et rapide. Il faut alors consulter d'urgence un médecin. Non soignée, la rupture d'une varice œsophagienne risque d'entraîner le décès;

- ***Ulcère d'estomac ou du duodénum*** ;
- ***Cancer de l'intestin.*** À mesure que le cancer progresse, le tissu de l'intestin se fragilise et se déchire facilement ;
- ***Érosion d'un diverticule du côlon.*** Petites poches semblables à des grains de raisin, les diverticules sont des hernies qui se développent le long de la paroi externe du côlon. L'érosion d'un diverticule entraîne un saignement parce qu'il y a des vaisseaux sanguins qui le traversent. Cela est rare et plutôt bénin, mais il faut quand même consulter un médecin pour confirmer le diagnostic ;
- ***Maladies inflammatoires de l'intestin*** (maladie de Crohn, colite ulcéreuse). Ces maladies s'accompagnent souvent de diarrhées et de douleurs abdominales ;
- ***Hémorroïdes ou fissures anales.***

CONSEILS PRATIQUES

Ne pas tarder à consulter un médecin. Le temps qui passe risque d'aggraver votre état.

Préparer un petit questionnaire prédiagnostic. Réfléchissez et demandez-vous si vous avez commencé un nouveau traitement avec du fer ou, encore, si vous avez mangé des betteraves ou du boudin au cours des derniers jours. Si vous êtes ménopausée, peut-être ce sang provient-il d'un saignement vaginal occasionnel. S'il vous est impossible de déterminer une cause logique et anodine, consultez un médecin.

QUAND CONSULTER ?

- Vous constatez la présence de sang dans vos selles.
- Les saignements sont accompagnés d'une perte de conscience, d'étourdissements, d'une grande fatigue ou encore de douleurs abdominales (consultez rapidement, c'est une urgence).
- Vous vomissez du sang. C'est une urgence.

QUE SE PASSE-T-IL LORS DE L'EXAMEN ?

Le médecin recueillera les informations importantes et cherchera à savoir s'il y a eu perte de poids récente. Il effectuera ensuite un examen physique, y compris un examen de l'abdomen et un toucher rectal. Il pourra également demander des analyses sanguines afin de vérifier l'importance du saignement. Selon la vitesse du saignement et l'état du patient, on pourra pratiquer une gastroscopie, une colofibroscopie ou un lavement baryté (radiographie du côlon).

QUEL EST LE TRAITEMENT ?

Rupture d'une varice œsophagienne

À l'aide d'une minuscule caméra, le médecin ira vérifier l'état de l'œsophage. Il pourra appliquer un produit qui cicatrisera la varice ou encore insérer dans l'œsophage un ballonnet qu'il gonflera pour comprimer la varice contre la paroi (le ballonnet sera ensuite retiré).

Ulcère d'estomac ou du duodénum

Il existe plusieurs types de médicaments qui empêchent la sécrétion d'acide gastrique, tels que des inhibiteurs de pompes à proton comme le Prevacid, le Pantaloc, le Losec, le Pariet ou le Nexium, ou, encore, des anti-H_2 comme la ranitidine (Zantac).

Cancer de l'intestin

Une intervention chirurgicale sera nécessaire.

Attention aux erreurs de jugement !

Étant donné que les selles rouges sont souvent associées à la présence d'hémorroïdes, certaines personnes évitent d'aller consulter un médecin. Cette « erreur » d'évaluation peut entraîner de graves conséquences. Les hémorroïdes laissent surtout des traces de sang sur le papier hygiénique ou du sang dans la cuvette. Cependant, il arrive parfois que le sang soit mélangé aux selles. Il est donc préférable, avant de tirer des conclusions hâtives, de consulter un médecin afin d'éliminer toute autre cause possible. En revanche, de « fausses » selles noires ou rouges peuvent aussi faire leur apparition. Elles résultent généralement de l'ingestion récente de betteraves, de boudin ou de comprimés de fer.

Érosion d'un diverticule du côlon

L'érosion peut parfois rentrer dans l'ordre d'elle-même, sans nécessiter de traitement. Dans les cas de récidive, une résection chirurgicale pourra être pratiquée pour enlever la partie de l'intestin où se trouve le diverticule.

Maladies inflammatoires de l'intestin

La maladie de Crohn et la colite ulcéreuse se traitent à l'aide de la cortisone ou d'anti-inflammatoires. Si les médicaments ne donnent pas les résultats escomptés, une intervention chirurgicale sera pratiquée.

Hémorroïdes ou fissures anales

Le traitement consiste surtout à éviter la constipation en augmentant la consommation de fibres alimentaires et en buvant beaucoup d'eau. Dans certains cas, on devra avoir recours à l'ablation chirurgicale.

Sensibilité à la lumière

Nous éprouvons tous une certaine sensibilité à la lumière, en sortant du cinéma lorsqu'il fait soleil, par exemple. L'œil doit alors s'adapter au changement de luminosité, provoquant quelquefois un certain inconfort. Tout cela est naturel. Les gens qui ont le teint pâle et les yeux bleus sont particulièrement sensibles à la lumière.

Mais il existe un phénomène qui nécessite une attention médicale, c'est la photophobie. Elle se définit comme étant une sensibilité à la lumière qui va jusqu'à provoquer de la douleur.

D'autres symptômes peuvent l'accompagner:

- maux de tête;
- éblouissement;
- sensation d'irritation des yeux.

QUELLES SONT LES CAUSES ?

- ***Affections de l'œil*** telles que: conjonctivite, blépharite (infection de la paupière), uvéite (inflammation des tissus à l'intérieur de l'œil), glaucome, corps étrangers, abrasion (irritation de la surface de l'œil avec un objet), etc. En fait, presque toutes les maladies oculaires peuvent, à un degré plus ou moins marqué, causer de la photophobie;
- ***Maladies généralisées.*** La rougeole provoque une petite kératite (inflammation de la cornée). L'arthrite et d'autres maladies inflammatoires peuvent s'accompagner d'une uvéite et, conséquemment, de photophobie;
- ***Certains médicaments.*** La plupart des médicaments instillés dans l'œil provoquent une photophobie plus ou moins marquée. En outre, des produits comme les bêtabloquants (pour l'hypertension artérielle) peuvent entraîner une photophobie chez certaines personnes;
- ***Verres de contact.*** Ils peuvent causer des microtraumatismes dans les yeux qui, à la longue, risquent d'entraîner de la photophobie;
- ***Facteurs externes.*** Mentionnons, par exemple, un vent particulièrement chaud et sec, certains gaz (bombes lacrymogènes) et le poivre

de Cayenne. Sans oublier le smog: quand l'air est beau et sec, les rayons du soleil descendent en ligne droite pour être immédiatement absorbés par la terre. Mais les jours où il y a beaucoup d'humidité et de poussière dans l'atmosphère, les rayons frappent ces particules et sont déviés directement dans les yeux. D'où la douleur plus ou moins intense, même si le soleil semble tamisé;

- ***Cataractes.*** Sans nécessairement parler de photophobie (car il n'y a pas de douleur), certains types de cataractes se manifestent par un éblouissement marqué.

CONSEILS PRATIQUES

Éviter de se frotter les yeux. Cela aggrave la situation.

Identifier la cause et la corriger. Par exemple, si c'est le cas, vous devrez enlever le corps étranger ou vos lentilles cornéennes.

Soulager la douleur. Appliquez des compresses d'eau froide sur les yeux. Des analgésiques pourront également vous aider. N'utilisez pas de médicaments sans en connaître les indications et les effets. Demandez toujours l'avis du spécialiste.

Porter des lunettes de soleil. Il existe d'excellents verres anti-UV. Choisissez ceux qui offrent une protection sur le côté des yeux. La couleur a une importance très relative; cependant, pour les sports de neige, la couleur orange est recommandée, car elle accentue les accidents de terrain (on voit mieux les bosses). Les verres polarisés coupent les reflets du soleil et sont très utiles pour le nautisme, le ski et autres sports de neige.

QUAND CONSULTER ?

- Les symptômes sont apparus brusquement.
- Les symptômes se manifestent de façon modérée depuis deux ou trois jours.
- Vous êtes traité pour une maladie des yeux et vous ressentez des douleurs.
- Vous portez des lentilles cornéennes et souffrez de photophobie.

- Vous êtes sujet au glaucome et vous ressentez une douleur aux yeux et une baisse de la vision.
- Vous souffrez d'arthrite ou d'une maladie inflammatoire et un malaise oculaire apparaît.
- Vous êtes diabétique et vous remarquez une modification visuelle ou un inconfort oculaire. Par ailleurs, un examen ophtalmologique annuel est systématiquement recommandé à tous les diabétiques.

QUE SE PASSE-T-IL LORS DE L'EXAMEN ?

Le médecin procédera à un examen oculaire complet. Dans la plupart des cas, il sera en mesure d'identifier la cause et de suggérer un traitement adéquat.

QUEL EST LE TRAITEMENT ?

Affections de l'œil

Des antibiotiques seront nécessaires s'il y a une infection. En cas d'inflammation, on pourra utiliser des anti-inflammatoires. Quant au glaucome, il est traité par des médicaments qui font diminuer la pression dans l'œil.

Maladies généralisées

Le médecin tentera de maîtriser la maladie qui provoque la kératite, l'uvéite ou la photophobie. Il arrive parfois que les dommages aux yeux soient irréversibles. Il s'agira alors de protéger les yeux, notamment en recommandant le port de verres fumés.

Certains médicaments

Si les médicaments causent une photophobie trop marquée, le médecin pourra modifier l'ordonnance.

Verres de contact

Si les verres de contact sont responsables du problème, il faut les enlever tant qu'il persiste. Dans la plupart des cas, il n'y a pas de récidive.

Cataractes

Une intervention chirurgicale est nécessaire pour remplacer le cristallin par une lentille intraoculaire (cristallin artificiel).

Soif

Le corps humain est composé à 60 % d'eau. Lorsque le volume des liquides descend au-dessous d'un certain seuil, le cerveau libère une hormone appelée « vasopressine ». Comme son rôle est de contribuer à garder l'équilibre des volumes liquidiens dans l'organisme, elle envoie un signal d'alarme – la soif – lorsque le corps a besoin d'eau.

QUELLES SONT LES CAUSES ?

- ***Déshydratation.*** La chaleur, un coup de soleil, l'activité physique excessive, la fièvre, la diarrhée et les vomissements risquent de déshydrater l'organisme. L'assèchement de la bouche, des lèvres et du pharynx indique que l'organisme se déshydrate. Si on ne boit pas à cette étape, on peut ressentir une soif plus intense, une fatigue, une faiblesse et, parfois même, des évanouissements ;
- ***Médicaments.*** Les diurétiques conçus pour augmenter la sécrétion urinaire créent une élimination d'eau qui entraîne de la soif;
- ***Diabète.*** L'organisme du diabétique (de type 1 ou 2) fabrique trop de glucose (sucre) et il cherche à l'éliminer en urinant fréquemment. L'abondante perte d'urine entraîne une soif permanente ;
- ***Diabète insipide.*** C'est un trouble qui résulte d'un dysfonctionnement ou de l'absence de vasopressine. Parce que l'organisme n'est plus capable de garder son équilibre en eau, il envoie un signal d'alarme, qui est une soif constante ;
- ***Troubles psychiatriques.*** Certains problèmes de santé mentale (comme la schizophrénie) peuvent causer un dérèglement du centre nerveux de la soif (potomanie). Les personnes atteintes éprouvent le besoin de boire abondamment, surtout de l'eau.

CONSEILS PRATIQUES

S'assurer de boire assez. Pour un organisme bien hydraté, les diététistes recommandent de boire de six à huit verres de liquides par jour, dont au moins quatre verres d'eau.

Se réhydrater. Si vous souffrez de fièvre, de diarrhée ou de vomissements et que vous êtes déshydraté, il vous faut remplacer les liquides perdus. Eau, jus, 7Up dégazéifié ou une préparation commerciale d'électrolytes (Pédialyte ou Gastrolyte) sont conseillés. Sinon, vous pouvez la préparer vous-même :

1 litre d'eau bouillie
5 ml de sel
5 ml de bicarbonate de soude
20 ml de sucre
120 ml de jus de pomme ou d'orange

Les boissons de type Gatorade, destinées aux sportifs, peuvent aider à compenser la perte énergétique. Attention : elles ne sont pas recommandées aux diabétiques et aux hypertendus à cause de leur teneur en sucre et en sel. Parlez-en à votre médecin.

S'hydrater pendant l'activité physique. Votre corps a besoin d'être alimenté en eau avant que des signaux d'alarme ne se produisent. Pensez à boire fréquemment pendant votre activité physique. D'abord, un verre d'eau 15 minutes avant l'exercice, puis un autre toutes les 15 minutes pendant l'exercice et, finalement, un dernier verre pendant la période de relaxation.

Pour les personnes âgées. Installez des repères visuels (comme des notes) à divers endroits, notamment sur la porte du réfrigérateur afin de vous rappeler de boire souvent et davantage s'il fait chaud. Ou, plus simplement, gardez une bouteille d'eau fraîche à portée de la main. La sensation de soif a tendance à diminuer avec l'âge ; il est donc encore plus important de boire régulièrement si l'on est une personne âgée.

Se fier à la teinte de son urine. Une urine claire indique une bonne hydratation (sauf le matin, où il est normal qu'elle soit plus concentrée. L'urine est également plus concentrée chez les femmes enceintes).

QUAND CONSULTER ?

- Vous avez toujours soif, même la nuit.
- Quelle que soit la quantité d'eau ingurgitée, vous urinez beaucoup et avez toujours faim.

- Votre peau, votre bouche et vos lèvres sont anormalement sèches.
- Vous avez des plaies qui ne guérissent pas et des infections à répétition.
- Vous n'arrivez pas à découvrir pourquoi vous avez si soif.
- Vous vomissez, faites de la fièvre ou avez la diarrhée sans arrêt depuis plus de 24 heures.

QUE SE PASSE-T-IL LORS DE L'EXAMEN ?

Le médecin fera votre bilan de santé et il fera faire des analyses de sang et d'urine. D'autres examens pourraient être nécessaires.

QUEL EST LE TRAITEMENT ?

Déshydratation

Si la déshydratation est grave, le médecin pourra hospitaliser le patient pour le réhydrater. Mais, habituellement, boire de l'eau suffit pour régler le problème. Si on ressent aussi de la fatigue, un peu de repos sera suggéré.

Médicaments

Si ce sont les médicaments qui causent la soif, le médecin veillera à modifier la dose ou la prescription elle-même.

Diabète

Il faudra entreprendre un traitement spécifique, selon qu'il s'agit de diabète de type 1 ou 2. Habituellement, cela consiste à adopter un régime alimentaire équilibré, un programme d'activités physiques et, selon le cas, à prendre de l'insuline ou des hypoglycémiants oraux.

Diabète insipide

Le médecin pourra prescrire une hormone synthétique pour remplacer la vasopressine, ce qui permettra de contrôler le problème.

Troubles psychiatriques

Le traitement de la maladie devra être entrepris. La plupart du temps, les médicaments suffisent à faire disparaître le symptôme de la soif.

Somnolence

La somnolence est un besoin involontaire et incontrôlable de dormir qui survient pendant la journée et interfère avec les activités habituelles. La fatigue diurne n'est pas synonyme de somnolence.

QUELLES SONT LES CAUSES ?

- ***Privation de sommeil.*** Par exemple, lorsqu'on écourte ses heures de sommeil pour travailler davantage ;
- ***Surconsommation de stimulants***, tels que café, cigarette, cola et alcool ;
- ***Infections***, telles que rhume, grippe ou tout autre état provoquant de la fièvre ;
- ***Certains médicaments***, tels que les antihistaminiques, les relaxants musculaires, les somnifères et les antidouleurs ;
- ***Troubles d'adaptation du cycle veille-sommeil.*** Les travailleurs de nuit souffrent de somnolence au travail et ont des troubles du sommeil à la maison. Ils dorment généralement moins bien et moins longtemps que les travailleurs de jour ;
- ***Décalage horaire.*** L'adaptation à l'horaire du pays d'arrivée est difficile, car l'horloge biologique est réglée selon le fuseau horaire du pays de départ. Les pilotes d'avion sont soumis au décalage horaire en plus de travailler souvent la nuit ;
- ***Syndrome d'apnée ou d'hypopnée du sommeil.*** Il s'agit d'un arrêt (apnée) ou d'une diminution (hypopnée) de la respiration au cours du sommeil. C'est la cause la plus fréquente de somnolence diurne ;
- ***Impatiences musculaires.*** Cette affection neurologique nuit au sommeil. Les personnes qui en sont atteintes sont réveillées par des fourmillements parfois intenables dans les jambes et ressentent un besoin irrésistible de se lever et de bouger. Elles ont parfois du mal à s'endormir au début de la nuit ;
- ***Narcolepsie.*** Elle est caractérisée par des accès irrésistibles de sommeil survenant au cours de la journée et donnant lieu à environ six à huit courtes siestes involontaires et incontrôlables, même en pleine activité. Après une sieste de 5 à 10 minutes, ces personnes

se sentent fraîches et disposes jusqu'au prochain accès, deux à trois heures plus tard. Pendant la nuit, ces gens se réveillent souvent. La narcolepsie s'accompagne de cataplexie ou relâchement soudain du tonus des muscles posturaux, déclenchée par une émotion forte, comme le rire ou la colère. La personne peut s'effondrer et être paralysée pendant quelques secondes, tout en étant consciente. La narcolepsie débute en bas âge et dure presque toute la vie, tandis que la cataplexie a tendance à disparaître;

- ***Hypersomnie idiopathique.*** Elle est caractérisée par des accès irrésistibles de sommeil se manifestant comme dans la narcolepsie, mais sans cataplexie.

CONSEILS PRATIQUES

Dormir suffisamment la nuit. Respectez vos besoins de sommeil: de sept à neuf heures par nuit, pour récupérer de la fatigue du jour.

Éviter la surconsommation de stimulants. Un excès de stimulants, non seulement en soirée, mais tout au long de la journée, peut perturber votre sommeil.

Éviter de se tenir éveillé à tout prix. Prendre une douche froide, écouter de la musique rock, vous «fouetter le sang», en quelque sorte, peut augmenter de façon passagère le niveau d'éveil. Cela ne change en rien la fatigue sous-jacente; une bonne hygiène de sommeil est préférable.

Faire de courtes siestes dans la journée. Planifiez de courtes siestes diurnes, particulièrement si vous souffrez de narcolepsie. La sieste doit être brève afin d'éviter des troubles d'endormissement la nuit suivante.

Maintenir une régularité dans les heures d'éveil et de sommeil. Essayez de vous mettre au lit et de vous lever à heures fixes toute la semaine. Maintenez ce rythme la fin de semaine, car, si vous vous couchez et vous levez plus tard, il sera plus difficile de vous endormir le dimanche soir et de vous lever le lundi matin. C'est ce qu'on appelle le «décalage horaire» du lundi matin.

Pour contrer le décalage horaire. Si vous faites un voyage qui vous fait traverser jusqu'à sept fuseaux horaires, essayez de dormir dans l'avion. Exposez-vous à la lumière et vivez selon l'horaire de votre destination. Si vous traversez plus de sept fuseaux horaires, mieux vaut vérifier avec votre médecin les conseils à suivre.

Éviter la surconsommation d'alcool. Bien que l'alcool entraîne un endormissement rapide, il nuit à la qualité du sommeil, provoque de nombreux éveils au cours de la nuit et raccourcit la durée du sommeil. Pris en grande quantité, il a un effet dépresseur.

Le sommeil

Au cours de la nuit, des cycles de sommeil, qui durent en moyenne 90 minutes chacun, se succèdent. Pendant ces cycles, le sommeil peut être léger, lent-profond ou paradoxal. Le sommeil paradoxal – au cours duquel surviennent les rêves – est caractérisé à la fois par une paralysie des muscles posturaux et par des mouvements oculaires rapides, des contractions de l'oreille et des sursauts musculaires, d'où son nom. Les périodes de sommeil lent-profond sont plus nombreuses au début de la nuit, tandis que les périodes de rêve sont plus fréquentes à la fin de la nuit. Le sommeil est réglé par le « phénomène du sablier » ainsi que par l'horloge biologique interne, qui interagissent de façon harmonieuse pour produire un bon sommeil et un éveil graduel. Selon le phénomène du sablier, plus on a été éveillé longtemps (le sablier s'est rempli), plus le besoin de dormir est grand (le sablier doit être retourné), et ce, quelle que soit l'heure de la journée ou de la nuit à laquelle on se couche. L'horloge biologique interne fait varier le besoin de sommeil selon l'heure du jour et influence la rapidité d'endormissement, l'efficacité et la durée totale du sommeil. L'horloge biologique interne est adaptée à son environnement principalement par l'alternance de lumière et d'obscurité.

Ne pas se coucher une heure ou deux plus tôt, à moins d'être très fatigué. Il est très difficile de s'endormir si l'on se couche moins de deux heures avant l'heure habituelle. Si vous devez absolument dormir (avant un quart de nuit, par exemple), couchez-vous beaucoup plus tôt.

Ne pas attendre le prochain cycle de sommeil. Si vous avez dépassé votre heure habituelle, il n'est pas nécessaire d'attendre deux heures avant de vous mettre au lit. Si vous attendez la durée d'un cycle, vous perdez tout simplement de précieux moments de sommeil.

QUAND CONSULTER ?

- La somnolence interfère avec vos activités quotidiennes.
- Vous avez des accès de cataplexie.
- Vous ronflez fort.
- Vous n'arrivez pas à distinguer si vous souffrez de fatigue, d'insomnie ou de somnolence.

QUE SE PASSE-T-IL LORS DE L'EXAMEN ?

Le médecin procédera à un examen physique. Il fera le point sur vos habitudes de sommeil, identifiera les caractéristiques de la somnolence et recherchera la présence de troubles spécifiques du sommeil. Il est important de consulter le médecin avec votre conjoint afin qu'il puisse témoigner de l'état de votre sommeil, particulièrement si c'est un cas d'apnée du sommeil ou d'impatiences musculaires. Une consultation auprès d'un spécialiste des troubles du sommeil peut être demandée. Un enregistrement polysomnographique permet de connaître l'activité du cerveau lors de périodes de sommeil et d'éveil. Cet examen peut se faire à l'hôpital ou à domicile.

QUEL EST LE TRAITEMENT ?

Dans certains cas, le fait de changer les habitudes de vie et la passer la médication en revue peut suffire à faire disparaître la somnolence. Dans les cas d'apnée ou d'hypopnée du sommeil, le traitement de choix consiste à utiliser un appareil de pression aérienne positive continue. Il s'agit tout simplement d'un masque pour le nez, alimenté par un petit compresseur qui pousse de l'air pendant la nuit. Cela force le fond de la gorge à rester ouvert pour que la respiration ne s'interrompe pas. Il s'agit d'un appareil que l'on peut se procurer sur ordonnance médicale.

Il existe des médicaments pour traiter les symptômes de chacune des affections du sommeil. Éventuellement, une exposition à la lumière intérieure vive pourrait aider les travailleurs de nuit à améliorer leurs conditions de travail et accélérer l'adaptation à un nouveau fuseau horaire.

Stress

Le stress exprime l'état réactionnel d'un organisme soumis à l'action d'un excitant ou d'une pression quelconque. Il s'agit le plus souvent d'une réaction nerveuse ou psychologique à une émotion désagréable et intense. Le stress peut parfois être utile, en mobilisant les énergies et les efforts de l'individu. Par exemple, le stress de passer un examen forcera l'élève à étudier davantage.

Que l'agent stressant soit d'origine physique, chimique, organique ou nerveuse, il peut entraîner des malaises somatiques multiples, comme des problèmes digestifs, des maux de tête, des douleurs lombaires, ou encore accentuer des symptômes physiques déjà existants. Certaines personnes sont plus tolérantes au stress que d'autres.

Il existe différents types de stress:

Stress lié à une crise psychologique

- tristesse, insomnie, perte d'appétit ou boulimie;
- difficulté à penser de façon rationnelle;
- tendance à vouloir se retirer de la société;
- ne dure pas plus de trois mois.

Stress associé à un trouble d'adaptation

- perturbation des émotions, anxiété, dépression;
- perturbation du comportement, irritabilité au travail ou en famille;
- survient dans les trois mois qui suivent une circonstance stressante identifiée;
- peut durer plus de trois mois, si un facteur stressant est continuellement présent;
- au-delà de six mois, il peut s'agir d'une dépression majeure, si les symptômes sont suffisamment marqués;
- après un an, il peut être question d'une dépression chronique, si les symptômes sont moins prononcés, mais qu'ils fluctuent selon les circonstances.

Stress post-traumatique

- crises de panique caractérisées par une anxiété intense, des palpitations, de la transpiration et des tremblements, parfois accompagnées d'une sensation d'étouffement ou d'étranglement et de nausées, lorsque la personne se trouve en présence de situations rappelant le traumatisme ;
- peut se manifester par un état dépressif avec des troubles du sommeil, une perte d'appétit et de poids, un manque de concentration et un ralentissement psychomoteur ;
- survient dans les semaines et les mois qui suivent un fort traumatisme ;
- réaction d'évitement ou réaction vive de peur ou d'impuissance face à la situation stressante ;
- réminiscence de l'événement traumatique sous forme de cauchemars, de souvenirs envahissants et de flash-back ;
- entre 10 % et 15 % des gens développent un stress post-traumatique dans les semaines et les mois qui suivent un fort traumatisme.

QUELLES SONT LES CAUSES ?

Stress lié à une crise psychologique

- ***Étapes de vie difficiles à franchir*** (p. ex. : l'adolescence, la ménopause) ;
- ***Bouleversements émotif ou psychologique***, tels que la perte d'un emploi, une réorientation professionnelle, une instabilité dans la relation de couple ;
- ***Deuil ou perte d'un être cher*** à la suite d'une séparation ;
- ***Facteurs sociaux et familiaux*** qui influencent la vulnérabilité individuelle au stress.

Stress associé à un trouble d'adaptation

- ***Situation à laquelle une personne croit ne pas pouvoir s'adapter dans son milieu de travail ou dans le quotidien*** (p. ex. : parents devant s'occuper d'un enfant atteint d'une maladie chronique) ;
- ***Facteurs sociaux négatifs*** (p. ex. : subir un rejet pour des raisons d'orientation sexuelle ou religieuse).

Stress post-traumatique

- ***Agression ou choc considéré comme inhabituel*** (viol, attaque physique, accident d'automobile, menaces de mort, etc.).

CONSEILS PRATIQUES

Analyser la situation. Les études montrent que si les personnes sont capables d'analyser la situation stressante, plutôt que de s'affoler ou de réagir par instinct, elles contrôlent davantage leur stress.

Rester en contact avec le monde. Parler ouvertement de vos problèmes vous aidera à diminuer votre tension nerveuse. Ne vous isolez surtout pas ; la solitude ne ferait qu'augmenter votre anxiété. Si votre stress est trop intense, n'hésitez pas à chercher l'aide d'un parent, d'un ami ou d'un professionnel de la santé.

Adopter une attitude positive et flexible. Gardez espoir en vous disant que tous les problèmes finissent par se résoudre tôt ou tard et voyez les difficultés comme des occasions de croissance personnelle. Par contre, n'essayez pas de franchir tous les obstacles en même temps. Fixez-vous plutôt des objectifs quotidiens pour venir à bout des situations difficiles. De plus, ne vous mettez pas de limites en vous faisant des réflexions comme : « Je n'aurai jamais ce genre d'emploi... », et restez toujours prêt à faire des compromis.

Privilégier la détente. En période de stress, il est primordial que vous vous détendiez davantage. Accordez-vous une fin de semaine à l'extérieur chez vous pour décrocher vraiment de vos problèmes et les résoudre plus facilement à votre retour. Si vous ne pouvez pas vous évader, réservez-vous une demi-heure au cours de la journée pour écouter de la musique douce, faire du yoga ou méditer, en imaginant que vous êtes sur une plage et que vous entendez le bruit apaisant des vagues. Ces moments de détente permettront à votre organisme de récupérer.

Exploiter les techniques de relaxation. Pour diminuer l'anxiété et la nervosité, respirez lentement et profondément. Les grandes respirations, qui consistent à gonfler le ventre en inspirant et à le relâcher complètement en expirant, régularisent le pouls, qui s'accélère sous l'effet du stress. Pour relâcher la tension musculaire provoquée par la sécrétion d'adrénaline en présence d'une situation stressante, faites-vous masser les muscles du cou et du dos pendant quelques minutes.

Faire de l'exercice. La marche peut diminuer la tension suscitée par une réunion de bureau tendue ou une dispute dans votre couple. Le corps est porté à bouger lorsqu'il est stressé ; c'est le réflexe de fuite ou de lutte hérité de nos ancêtres. L'exercice physique brûle les composés chimiques générés par la tension et la fatigue détend les muscles.

Garder une saine hygiène de vie. Faites attention à l'abus de café et d'alcool. Toutefois, une tasse ou deux de café par jour ne semblent pas dommageablse pour la plupart des gens. Ne prenez ni drogues ni médicaments qui ne sont indispensables à votre santé.

QUAND CONSULTER ?

- Depuis un mois, vous êtes devenu irritable, agressif ou taciturne. Ce changement de caractère peut être accompagné de troubles digestifs, d'insomnie, de douleurs musculaires, d'étourdissements ou de maux de tête.
- Vous vous sentez déprimé depuis au moins un mois.
- Malgré la relaxation et l'extériorisation de vos sensations, votre angoisse persiste.
- Vous revivez, dans votre tête, les images pénibles du traumatisme que vous avez subi il y a plus de trois mois.

QUE SE PASSE-T-IL LORS DE L'EXAMEN ?

Le médecin recherchera les causes du stress et il évaluera les mécanismes de défense dans les situations hostiles. Il évaluera également le niveau de détresse (sommeil, appétit, déprime, perte d'appétit, perte d'intérêt, fatigue, agitation, concentration, baisse d'estime de soi, idées suicidaires). Il prescrira aussi parfois une prise de sang afin de vérifier qu'aucune maladie, telle l'hyperthyroïdie, n'est responsable de l'anxiété. S'il le faut, il pourra adresser son patient à un psychologue ou à un psychiatre.

QUEL EST LE TRAITEMENT ?

Quel que soit le type de stress, le traitement habituel consiste à élaborer une stratégie pour le soulager, comme se fixer des objectifs pour trouver un autre emploi, affronter un divorce ou traverser un deuil.

Stress lié à une crise psychologique

Le stress lié à une crise psychologique peut parfois nécessiter une psychothérapie de soutien. Cette forme de thérapie utilise les mécanismes de défense présents chez le patient et les stratégies qu'il a déjà utilisées lors de périodes de stress antérieures. Par exemple, si un voyage de pêche vous a été bénéfique par le passé à la suite d'un trouble similaire, on vous suggérera cette solution pour aider à résoudre votre problème actuel.

Le médecin peut aussi recourir à la stratégie cognitivo-comportementale, qui permet de modifier la façon de penser et de réagir devant les événements imprévus. Enfin, dans certains cas, il pourra prescrire des anxiolytiques pour diminuer l'anxiété ou des antidépresseurs pour aider à recouvrer le sommeil et améliorer la concentration.

Stress associé à un trouble d'adaptation

En présence d'un trouble d'adaptation qui persiste, le médecin peut recommander du repos pendant un certain temps, prescrire des médicaments pour abaisser temporairement le niveau d'anxiété ou recourir à l'aide d'un psychologue ou d'un psychiatre.

Stress post-traumatique

Une personne qui a vécu un fort traumatisme a souvent avantage à suivre une thérapie d'exposition progressive, à l'aide de stratégies de renforcement positif, qui lui permettra d'apprivoiser la situation qui cause le stress.

Le traitement pharmacologique n'est requis que lorsque les mécanismes de défense ne parviennent plus à surmonter les difficultés – le sommeil n'est plus réparateur, l'anxiété est envahissante, l'évitement nuit au fonctionnement de l'individu – ou que les mesures psychothérapeutiques n'ont pas donné de résultat. Le médecin prescrira alors des anxiolytiques, tels que les benzodiazépines, pour diminuer le niveau d'anxiété, mais seulement pour une durée limitée afin d'éviter la dépendance. La prescription d'hypnotiques est parfois nécessaire pour aider le patient à dormir. En présence d'une perte d'appétit ou de poids, d'un manque de concentration et d'un ralentissement psychomoteur, il faut envisager de prescrire des antidépresseurs.

Sueurs nocturnes et sueurs froides

La sudation excessive, qu'il s'agisse de sueurs nocturnes ou de sueurs froides, peut être la manifestation d'une maladie sous-jacente (elle indique que l'organisme ne va pas bien), comme elle peut être la conséquence d'un état émotionnel ou de certaines habitudes de vie. On parle de sueurs nocturnes lorsque la sudation se produit la nuit et que la personne se réveille ruisselante de sueur de la tête aux pieds. Les vêtements, les draps et même les couvertures peuvent être trempés. On parle de sueurs froides lorsque les épisodes de sudation s'accompagnent de grelottements et que la peau est moite, tout en étant froide. La sueur froide peut aussi se produire la nuit.

QUELLES SONT LES CAUSES ?

Sueurs nocturnes

- ***Température trop élevée de la chambre à coucher, cauchemars, somnambulisme ou apnée du sommeil;***
- ***Rhume ou grippe.*** Des sueurs nocturnes récidivantes peuvent être le signe que le corps combat une infection virale, accompagnée ou non de fièvre, telle que rhume, grippe ou mononucléose.

Sueurs froides

- ***Déficience en œstrogènes.*** Elle peut s'accompagner, à la ménopause, non seulement de bouffées de chaleur, mais également de sueurs froides, surtout la nuit;
- ***Peur, anxiété ou stress.*** La décharge d'adrénaline causée par une vive émotion ou par la douleur peut ouvrir les glandes sudoripares et entraîner la contraction des vaisseaux sanguins, provoquant à la fois des sueurs et une sensation de froid;
- ***Hypoglycémie.*** La diminution du taux de sucre dans le sang peut s'accompagner de sueurs froides. Cela peut se rencontrer chez le diabétique, chez le sujet ayant subi une gastrectomie ou chez la personne ayant tendance à faire de l'hypoglycémie;
- ***Migraine.*** Les sueurs froides s'ajoutent parfois à la douleur et aux autres symptômes de la migraine;

- ***Certaines maladies graves.*** La tuberculose, le sida, l'hépatite, la malaria, l'hyperthyroïdie, la leucémie, les lymphomes (p. ex. : maladie de Hodgkin) s'accompagnent souvent d'une sudation importante et récidivante ;
- ***Infarctus du myocarde.*** Les sueurs froides peuvent être le premier signe d'une crise cardiaque, bien que la douleur thoracique les précède généralement ;
- ***Hémorragie interne.*** Elle entraîne une baisse de la tension artérielle, ce qui cause, entre autres symptômes, des sueurs froides ;
- ***Épuisement par la chaleur.*** Il provoque des sueurs froides et peut entraîner une élévation de la température du corps (hyperthermie).

CONSEILS PRATIQUES

Pour tous les types de sueurs

Éviter les boissons alcoolisées, le café, la cigarette avant de se coucher. Ceux-ci accélèrent le rythme cardiaque, élèvent la tension artérielle ainsi que la température corporelle.

Éviter les exercices avant de se coucher. Les exercices, tout comme les saunas et les bains tourbillons, juste avant de se coucher, font augmenter la température corporelle.

Éviter de manger avant d'aller au lit. Ne consommez surtout pas d'aliments épicés et gare aux boissons chaudes !

Boire beaucoup d'eau. Si vous transpirez abondamment, refaites-vous des réserves hydriques en buvant 12 verres d'eau par jour, quatre de plus que la moyenne requise. Prenez également un verre d'eau juste avant d'aller au lit.

Régler le thermostat à la baisse. Une température de 15 °C à 18 °C est idéale pour bien dormir. Au besoin, utilisez un ventilateur ou un climatiseur et ne vous couvrez que d'une couverture légère.

Utiliser une poudre. À l'occasion, vous pouvez utiliser une poudre de corps (talc, par exemple) avant de vous coucher pour limiter la moiteur. Ce conseil est particulièrement utile si vous avez de la fièvre.

Se doucher avant de se mettre au lit. Prenez une douche à l'eau tiède ou aspergez-vous d'eau fraîche (à une température confortable, plutôt que carrément froide) afin de vous rafraîchir.

Prendre de l'aspirine ou de l'acétaminophène au besoin. Si vous avez de la fièvre, comme dans le cas d'une grippe, ou si vous ressentez de la douleur, comme dans le cas d'une migraine, ces médicaments peuvent vous être utiles. Pour l'aspirine, suivez la posologie indiquée par le fabricant. Pour l'acétaminophène, prenez un ou deux comprimés (325 mg ou 500 mg) quatre fois par jour jusqu'à un maximum de 4 g par jour. Les anti-inflammatoires de type ibuprofène ne sont pas recommandés puisqu'il ne s'agit pas ici de problèmes dus à une inflammation.

Se reposer. Si vous avez une mononucléose, un rhume ou une grippe, vous devez vous reposer, boire beaucoup d'eau et vous alimenter sainement.

Tenir un journal. Notez vos activités diurnes et nocturnes pendant quelque temps (environ deux semaines) pour déterminer si vos crises de sueur sont associées à des événements spécifiques. Vous pourriez éventuellement montrer ce journal à votre médecin.

QUAND CONSULTER ?

- Vous avez des sueurs froides et ressentez un malaise général à la suite d'un effort physique intense fourni par des températures chaudes et humides (voyez un médecin de toute urgence).
- Vous avez des sueurs froides accompagnées de douleurs thoraciques ou encore d'une chute de tension.
- La sudation excessive perdure et votre état se détériore.
- Vous avez déjà une maladie qui affecte votre système immunitaire, comme le sida ou un lymphome, ou vous souffrez d'anxiété.

QUE SE PASSE-T-IL LORS DE L'EXAMEN ?

Le médecin posera des questions détaillées afin d'identifier la cause de cette sudation exagérée. Il procédera à un examen physique complet et demandera des analyses de sang ainsi que d'autres analyses de laboratoire s'il soupçonne une maladie sous-jacente comme l'hyperthyroïdie, la tuberculose, une maladie cardiaque ou le sida.

QUEL EST LE TRAITEMENT ?

À une femme en période de ménopause, le médecin pourrait proposer une hormonothérapie de substitution pour atténuer les symptômes. Il réévaluera le besoin de l'hormonothérapie après quatre ou cinq ans. Divers médicaments peuvent être prescrits selon la cause de la sudation : un antibiotique en cas d'infection bactérienne, un anxiolytique ou une psychothérapie pour un patient angoissé, un antimigraineux si les sueurs sont relatives à la migraine, etc. En somme, le traitement de la sudation variera en fonction de ce qui la cause.

Tension basse (hypotension artérielle)

Il y a tension basse ou hypotension lorsque le volume de sang circulant dans l'organisme est inférieur à la normale, de sorte qu'une quantité de sang insuffisante atteint le cerveau. La pression sanguine dépend de trois facteurs : du travail de la pompe (le cœur); du volume du sang circulant dans les tuyaux (les vaisseaux) et, enfin, de la qualité des vaisseaux. La fraction 120/80 désigne une tension normale ; 140/90, indique la limite à partir de laquelle la tension est trop élevée ; moins de 100/x (n'importe quelle valeur) est le signe d'une tension trop faible.

L'hypotension est sous-diagnostiquée pour plusieurs raisons. La tension artérielle est souvent mesurée lorsque le patient est assis, alors qu'une tension basse se manifeste le plus souvent en position debout. Ensuite, pour des raisons d'ordre psychologique, la tension a tendance à grimper dans le cabinet du médecin – raison pour laquelle l'hypertension est surdiagnostiquée. De plus, les symptômes de l'hypotension peuvent ressembler à ceux de la fatigue chronique, de l'anxiété ou de l'hypoglycémie.

L'hypotension peut se manifester par les symptômes suivants :

- nausées, vomissements ;
- vertiges ;
- sueurs ;
- troubles de la vue ;
- maux de tête ;
- somnolence ;
- angoisse, confusion mentale ;
- évanouissement dans les cas extrêmes ;
- battements rapides du cœur ou tachycardie (l'organisme réagit pour faire remonter la tension artérielle et maintenir une alimentation sanguine adéquate dans les organes vitaux. Ce travail de compensation est fait par les glandes surrénales).

QUELLES SONT LES CAUSES ?

- ***Perte sanguine à la suite d'une hémorragie aiguë ou chronique.*** C'est la cause la plus fréquente, qui explique pourquoi une personne anémique s'évanouit souvent;
- ***Déshydratation par vomissement, diarrhée, chaleur excessive ou pratique intensive d'un sport sans hydratation adéquate (marathon)***;
- ***Varices.*** Il s'agit d'une cause relativement fréquente. Chez une personne ayant des varices, le volume sanguin est réduit, car les parois des vaisseaux sont distendues et de mauvaise qualité. En une demi-heure de station debout, on peut «perdre» un litre de sang, qui s'accumule dans la partie inférieure du corps (ce sang est «perdu» parce qu'il reste dans les varices et il ne sert plus à la circulation);
- ***Certains médicaments.*** On pense notamment à ceux qui entraînent une chute de la tension artérielle, ceux contre l'hypertension, les diurétiques et les médicaments vasodilatateurs;
- ***Vieillissement.*** Si les vaisseaux sont rigides, comme ils le sont en général chez les personnes âgées, le volume sanguin sera moindre après les repas puisque le processus de digestion attire une quantité importante de sang dans l'estomac;
- ***Facteur héréditaire probable***;
- ***Diabète de longue durée.*** Il entraîne une atteinte des nerfs qui contrôlent la tonicité des vaisseaux sanguins et, par conséquent, perturbe la circulation du sang dans l'organisme;

Surtout les femmes

On ne dispose pas de chiffres sur l'hypotension, mais on pense qu'elle touche 1 adulte sur 20. Elle affecte surtout les femmes: pour 60 femmes qui en souffrent, on compte seulement deux hommes. Les pertes menstruelles seraient un des facteurs de risque. Il est à noter qu'une tension artérielle basse est normale chez les enfants, notamment parce qu'ils ont de plus petites artères, que leurs tissus veineux sont plus élastiques et que leurs vaisseaux ne souffrent d'aucune obstruction susceptible de faire grimper la tension artérielle.

- ***Certaines maladies du système nerveux,*** telles que la maladie de Parkinson et le syndrome de Guillain-Barré.

CONSEILS PRATIQUES

Manger salé. Le sel est déconseillé aux personnes souffrant d'hypertension, mais une consommation suffisante de sel est primordiale si votre problème est l'hypotension. En effet, le sel a la propriété de retenir l'eau dans les artères, ce qui aide à faire remonter la pression artérielle. L'eau minérale vous est bénéfique, notamment les eaux qui sont riches en sodium.

Boire beaucoup. Les liquides augmentent le volume sanguin.

Ne pas consommer d'alcool. Les boissons alcoolisées dilatent les vaisseaux, ce qui entraîne une baisse de pression. De plus, la bière est un diurétique. On urine donc plus que ce qu'on a bu. Cette perte de liquide aggrave encore l'hypotension.

Ne pas se lever brusquement. Si vous souffrez d'hypotension, le fait de vous lever brusquement peut provoquer une chute excessive de la tension artérielle, appelée « hypotension orthostatique », et entraîner une chute et une perte de connaissance. Étirez-vous avant de vous lever et asseyez-vous quelques secondes sur le bord du lit, puis levez-vous lentement. Les étirements et les contractions des muscles feront monter votre pression. Le fait de laisser à l'organisme le temps de s'adapter à la position debout pourra vous éviter la sensation d'étourdissement.

Porter des bas de soutien si on a des varices. N'oubliez pas de les enfiler les jours où vous prévoyez rester longtemps debout.

Faire une sieste après les repas si vous avez plus de 60 ans. La digestion monopolisant une grande partie de l'afflux sanguin, si vous faites une activité physique à ce moment, l'apport sanguin au cerveau risque d'être insuffisant et d'entraîner le symptôme d'hypotension.

Faire bouger les orteils et contracter les muscles du mollet. Ceci vous sera bénéfique si vous devez rester debout immobile un certain temps.

Prévenir. Si vous avez tendance à avoir une tension artérielle faible, même sans être malade, veillez à bien vous hydrater et à consommer suffisamment de sel lorsqu'il fait chaud, surtout si vous faites de l'exercice. Même si l'exercice physique régulier est recommandé en général, il n'y a aucune preuve qu'il combatte l'hypotension, alors qu'il est conseillé d'en faire si on souffre d'hypertension.

Savoir que faire si un hypotendu s'évanouit. La plupart des gens ont la réaction de soulever la tête d'une personne évanouie. C'est une grave erreur : il faut au contraire lui lever les pieds, ce qui enverra le sang au cerveau. Si la personne ne reprend pas immédiatement connaissance, c'est qu'il ne s'agit pas d'hypotension et il faut alors appeler une ambulance.

QUAND CONSULTER ?

- Vous vous sentez étourdi ou faible lorsque vous êtes debout, ou vous éprouvez ces symptômes en passant de la position assise ou couchée à la position debout.
- Vous ressentez ces malaises après un repas.
- Vous perdez connaissance après être resté un certain temps debout ou immobile.

QUE SE PASSE-T-IL LORS DE L'EXAMEN ?

Le médecin mesurera la tension artérielle du patient alors que ce dernier est en position debout. Ensuite, il choisira parmi plusieurs examens pour établir le diagnostic. Il placera sur le patient un appareil qu'il devra porter sur lui pendant quelques jours, qui permettra de mesurer sa tension artérielle 24 heures sur 24. Le médecin vérifiera le fonctionnement du cœur, ainsi que le volume sanguin et le taux de certaines hormones dans le sang. Il fera passer ensuite l'examen de la table de bascule qui consiste à attacher le patient sur une table que l'on maintient en position debout. Les personnes hypotendues s'évanouiront au bout de cinq minutes.

QUEL EST LE TRAITEMENT ?

À l'opposé de l'hypertension, une tension basse ne diminue pas l'espérance de vie, mais elle peut considérablement en affecter la qualité . Si la situation l'exige, le médecin pourra vous prescrire des médicaments qui augmentent le volume sanguin en retenant le sel, contractent les vaisseaux ou les empêchent de se dilater. Les cas complexes nécessiteront plusieurs médicaments.

Tension haute (hypertension artérielle)

La tension haute ou hypertension artérielle se traduit par une élévation de la pression sanguine dans le réseau artériel. Cette pression se mesure d'après deux variables : la tension systolique, qui correspond à la pression qui s'établit dans les vaisseaux lorsque le cœur se contracte, et la tension diastolique, qui correspond à la pression lors de la période de repos entre deux contractions cardiaques. On parle d'hypertension lorsqu'il se produit une élévation de l'une de ces valeurs ou encore des deux à la fois.

Une tension artérielle normale se situe à environ 120 mm Hg (millimètres de mercure) pour la tension systolique et à 80 mm Hg pour la tension diastolique (120/80). À partir de 140/90 mm Hg, la tention est trop élevée.

Pour que l'on puisse poser un diagnostic d'hypertension artérielle, l'élévation anormale de la tension doit être notée à environ trois reprises, à quelques semaines ou quelques mois d'intervalle. Il est à noter que, en général, aucun symptôme n'accompagne l'hypertension artérielle. Toutefois, des maux de tête localisés au niveau de la nuque et se manifestant très tôt le matin peuvent parfois être les signes indicateurs d'une hypertension.

L'hypertension se divise en deux catégories : l'hypertension essentielle ou primaire, qui n'a généralement pas de cause clairement identifiée (85 % des cas), et l'hypertension secondaire, dont la cause est habituellement bien définie.

QUELLES SONT LES CAUSES ?

Hypertension essentielle ou primaire

- ***Facteurs héréditaires*** souvent présents, auxquels s'ajoutent des facteurs aggravants, tels que le stress et l'obésité. De fait, le stress entraîne une surproduction d'adrénaline qui provoque une contraction des vaisseaux sanguins, ce qui augmente encore la pression artérielle. Quant à l'obésité, elle augmente souvent la tension artérielle, mais on en ignore encore le mécanisme exact ;

Hypertension secondaire

- ***Atteinte rénale*** (blocage d'une artère rénale ou toute autre maladie rénale) ;
- ***Atteinte endocrinienne*** (glande surrénale, thyroïde) ;
- ***Prise de certains médicaments*** (anti-inflammatoires, décongestifs).

CONSEILS PRATIQUES

Ne pas pratiquer d'exercices obligeant à lever des poids. L'haltérophilie, par exemple, peut faire augmenter votre tension artérielle. Pratiquez plutôt des exercices de type aérobique.

Éviter les excès de sel. Éliminez les aliments à haute teneur en sel, tels que la charcuterie, les croustilles, de même que certaines conserves, comme les soupes. Le fait d'éviter ces aliments constitue un moyen de restreindre l'apport en sel sans vous imposer trop de sacrifices. De plus, si vous prenez des médicaments pour abaisser votre tension artérielle, leur efficacité s'en trouvera augmentée. Il ne faut pas oublier que le sel a la propriété de retenir l'eau dans les artères, ce qui contribue à une tension artérielle élevée.

Éviter de prendre du poids. Maintenez un poids santé. Informez-vous auprès de votre médecin pour qu'il vous prescrive un régime alimentaire qui vous permettra de perdre les kilos en trop.

Ne pas consommer plus de 60 mL (2 oz) d'alcool par jour. Une trop grande quantité (plus de 90 mL [3 oz] par jour) d'alcool peut avoir un effet nocif sur votre tension. À titre indicatif, 30 mL (1 oz) d'alcool correspond à environ deux bières ou à deux grands verres de vin.

Cesser de fumer. Le tabagisme peut aggraver les problèmes liés à la tension artérielle et entraîner des troubles cardiaques graves. Le tabac provoque une contraction des artères et, à long terme, diminue l'élasticité des parois artérielles, ce qui fait monter la pression.

Ne pas vérifier sa tension artérielle trop souvent. Même s'il est recommandé de surveiller sa tension artérielle, la vérifier trop fréquemment n'apporte rien de plus. Cela risque de vous angoisser davantage, de faire monter votre tension ou encore de devenir une véritable obsession. Vérifiez votre tension une fois toutes les deux semaines environ ou faites-le lorsque vous ressentez un malaise.

Ne pas faire fi du diagnostic. Il n'est jamais agréable d'apprendre qu'on est atteint d'une maladie. Le fait d'ignorer les symptômes ou de ne pas suivre le traitement prescrit peut avoir de graves conséquences. Si vous croyez faire de l'hypertension, parlez-en à votre médecin. Vous pouvez très bien maîtriser votre tension artérielle tout en menant une vie normale.

Se procurer un appareil pour prendre sa tension artérielle à domicile. Faites d'abord vérifier l'appareil dans une clinique afin de vous assurer de l'exactitude des valeurs qui seront obtenues par la suite. Toutefois, la plupart des pharmacies ont sur place un appareil permettant de mesurer la tension artérielle. Si vous optez pour cette solution, assurez-vous de bien suivre les directives pour ne pas fausser les valeurs. Vérifiez votre tension régulièrement, environ une fois par semaine ou toutes les deux semaines. À chaque lecture de la tension, notez les valeurs afin de ne pas les oublier (une tension systolique supérieure à 140 mm Hg et une tension diastolique supérieure à 90 mm Hg sont au-dessus de la normale). Vous pourrez ainsi en faire part à votre médecin lors de votre prochaine visite. Et n'oubliez pas que, à titre préventif, vous devez faire vérifier votre tension artérielle par un médecin au moins une fois par an.

Consommer davantage de fruits. Le potassium contenu dans les fruits a un effet bénéfique et aide à abaisser la tension artérielle.

Manger de l'ail. Sans que cela soit prouvé de façon rigoureusement scientifique, on reconnaît que l'ail a des vertus pouvant contribuer à une certaine vasodilatation. Néanmoins, ne perdez jamais de vue le fait de manger de l'ail n'est pas reconnu comme un traitement de l'hypertension.

Éviter toute situation de stress. Évitez autant que possible de vous tracasser pour ce qui n'en vaut pas la peine. Sans être un facteur causal, le stress peut contribuer à l'élévation de votre tension artérielle.

Pratiquer une méthode de relaxation. Pour certaines personnes, la méditation transcendantale ou le yoga sont d'excellentes méthodes. Toutefois, pour pouvoir en apprécier les effets bénéfiques, il faut que la méthode choisie soit pratiquée régulièrement, au moins deux ou trois fois par semaine.

Faire de l'exercice physique. La marche rapide pratiquée pendant environ 45 minutes trois à quatre fois par semaine peut aider à abaisser la tension.

QUAND CONSULTER ?

- Votre tension systolique est de 200 mm Hg et votre tension diastolique, de 120 mm Hg et plus. Consultez un médecin immédiatement.
- Votre tension systolique est supérieure à 140 mm Hg et votre tension diastolique, supérieure à 90 mm Hg.
- Vous avez des maux de tête localisés au niveau de la nuque le matin quand vous vous levez.
- Vous êtes essoufflé après un léger effort.

QUE SE PASSE-T-IL LORS DE L'EXAMEN ?

Le médecin vérifiera la tension artérielle. Si elle est élevée, il pourra la vérifier à plusieurs reprises à différents intervalles. Il prendra note des informations importantes, cherchant, par exemple, à savoir s'il y a des antécédents familiaux d'hypertension, de maladie cardiovasculaire ou de maladie rénale, puis il procédera à un examen physique complet. Des analyses de sang et d'urines pourront être demandées. Un électrocardiogramme pourra également être pratiqué, de même qu'un bilan lipidique (cholestérol, triglycérides).

QUEL EST LE TRAITEMENT ?

De façon générale, l'hypertension ne se guérit pas, mais il est possible de la maîtriser à l'aide d'un traitement médicamenteux. Le patient ne doit pas interrompre le traitement, car il risque de se retrouver rapidement au stade initial. Il est normal que l'on soit obligé de prendre plusieurs types de médicaments en même temps pour en arriver à une maîtrise efficace de la tension artérielle.

Hypertension essentielle ou primaire

Lorsque la tension n'est que légèrement élevée, le médecin recommandera au patient d'avoir une meilleure hygiène alimentaire et de faire de l'exercice physique. Il pourra également lui suggérer de perdre du poids, s'il juge que c'est nécessaire. Si la tension reste élevée, il aura recours à un traitement médicamenteux, qui pourra être augmenté ou diminué, selon le cas. Dans les cas d'hypertension marquée, le médecin instaurera un traitement médicamenteux d'emblée.

Hypertension secondaire

En traitant l'affection causale, l'hypertension sera, par le fait même, maîtrisée.

Tics et tremblements

Les tics et les tremblements sont des mouvements incontrôlables du corps. Cependant, il ne faut pas les confondre.

Les tics sont des gestes brefs, automatiques et répétés, sans but fonctionnel. Ils apparaissent souvent au cours de l'enfance et sont héréditaires dans 30 % à 50 % des cas. Ils peuvent consister à cligner des yeux, à tourner la tête, à lever les épaules, etc. Quant aux tremblements, il s'agit d'une agitation musculaire anormale du corps ou d'une partie du corps, par petites oscillations rapides, continues et involontaires. Ils se développent davantage chez les adultes de plus de 40 ans et ils peuvent affecter autant les mains et les doigts que la tête et le tronc.

Il existe plusieurs types de tics et de tremblements.

Tics

Tics normaux ou iatrogéniques (provoqués par la prise d'un médicament)

- ils sont temporaires et reliés à une période de la vie ;
- ils touchent environ 10 % des enfants au cours de leur développement. Ces tics peuvent augmenter à la puberté, mais, en général, ils diminuent progressivement jusqu'à l'âge adulte ;
- ils peuvent se manifester chez certains adultes à la suite d'une forte charge émotive ou de situations de stress, de la prise de stimulants ou de médicaments.

Tics pathologiques

- tics provoqués par une maladie (p. ex. : syndrome de Gilles de la Tourette) ;
- caractérisé par le nombre et la gravité des tics ;
- débute dans l'enfance et touche principalement les garçons ;
- peut se manifester par des mouvements complexes comme sauter, pousser sans cesse les bras vers l'avant ou toucher de façon répétée. La personne atteinte pourra aussi émettre des sifflements, dire des mots orduriers et faire des gestes obscènes ;

- tendance obsessionnelle à répéter un geste ou des mots entendus ;
- souvent accompagné d'un trouble de l'attention avec hyperactivité.

Tremblements

Tremblement normal ou iatrogénique (provoqué par la prise d'un médicament)

- léger et intermittent.

Tremblement pathologique

- provoqué par une maladie.

Tremblement familial ou essentiel

- se manifeste à l'âge adulte, vers la trentaine ou la quarantaine ;
- caractérisé par un mouvement léger et assez rapide des mains, qui peut prédominer d'un côté du corps (tremblements d'une seule main, d'un seul bras). Les tremblements se manifestent parfois des deux côtés du corps ;
- bien que bénin, il peut devenir un handicap pour porter un verre à la bouche ou pour écrire ;
- augmente avec l'âge et, éventuellement, se retrouve au niveau du cou et de la tête, et affecte la voix.

Maladie de Parkinson

- survient entre 50 et 60 ans et atteint 1 % de la population après 55 ans ;
- plus ample et plus lent que le tremblement familial ;
- n'affecte souvent qu'un seul côté du corps et ne se produit que lorsque le muscle est relâché, c'est-à-dire au repos ;
- se caractérise au début par un tremblement incontrôlable en « émiettement » (comme si on émiettait du pain) ou en « décompte de monnaie » (comme si on roulait des boulettes) ;
- en cas de raideur et de perte de dextérité pour les mouvements rapides ou de ralentissement de l'exécution des mouvements, on parlera de maladie de Parkinson idiopathique ;
- dans les cas très graves, il peut même y avoir des troubles de l'élocution.

QUELLES SONT LES CAUSES ?

Tics

Tics normaux ou iatrogéniques

- ***Stress et anxiété, surcharge émotive et fatigue.*** Les tics réapparaîtront chez certains sujets à l'âge adulte, dans des situations de stress ou de déprime ;
- ***Excès de stimulants ou de médicaments.*** Les excitants, tels que le café, le thé ou le tabac, peuvent déclencher une hyperactivité de certains neurotransmetteurs (l'adrénaline et la dopamine) et provoquer des tics chez les gens qui y sont plus prédisposés. Il peut se produire la même chose lorsqu'on consomme trop certains médicaments : les dérivés d'amphétamines que l'on trouve notamment dans certains décongestifs et bronchodilatateurs (pour l'asthme). Le Ritalin, médicament utilisé dans le traitement des troubles d'hyperactivité, peut donner des tics temporaires chez les enfants ;

Tics pathologiques

- ***Certaines affections endocriniennes.*** L'hyperthyroïdie et le phéochromocytome sont quelques-unes des maladies qui augmentent la libération de dopamine et d'adrénaline, entraînant parfois des tics ;
- ***Certaines maladies rares du système nerveux central***, comme la chorée de Huntingdon et la schizophrénie.

Syndrome de Gilles de la Tourette

- ***Maladie neurologique*** de cause encore inconnue ;
- ***Problèmes socio-affectifs*** pouvant amplifier les tics ;
- ***À la puberté***, ces tics sont souvent déclenchés par la production d'hormones, particulièrement chez le garçon.

Tremblements

Tremblement normal ou iatrogénique

- ***Réaction physiologique au stress et à la fatigue extrême***, à certains stimulants, tels que le café, le thé, le tabac ou les drogues (comme la cocaïne et l'ecstasy) ;
- ***Certains médicaments.*** On parle surtout ici des bronchodilatateurs et des décongestifs. Certains psychotropes – médicaments

agissant sur le psychisme –, tels que les antidépresseurs, le lithium et les neuroleptiques, peuvent causer un tremblement semblable au tremblement dit « familial ». Certains antihypertenseurs peuvent aussi provoquer des tremblements légers et très rapides. Les médicaments favorisent la libération de dopamine et d'adrénaline, des neurotransmetteurs qui peuvent provoquer des tremblements chez les personnes prédisposées ;

Tremblement pathologique

- ***Certaines maladies.*** Les troubles endocriniens, comme l'hyperthyroïdie, ou des affections neurologiques, comme la schizophrénie, peuvent s'accompagner de tremblements. Il s'agit ici encore d'une trop grande augmentation de la dopamine et de l'adrénaline.

Tremblement familial ou essentiel

- ***Hérédité.*** Il se retrouve fréquemment dans une même famille. Il n'est associé à aucun autre symptôme neurologique.

Maladie de Parkinson

- ***Affection neurologique et chronique fréquente (de 1 % à 2 % de la population).*** La dégénérescence des cellules nerveuses entraîne une insuffisance de sécrétion de dopamine, hormone du cerveau responsable de la régulation des mouvements.

CONSEILS PRATIQUES

Tics

Éviter les stimulants. Ne consommez le café et le thé qu'en quantité raisonnable ou abstenez-vous.

Éviter le sucre raffiné. Il semble aggraver les tics, surtout chez les enfants. Il faut le bannir de la collation.

Éviter les décongestifs nasaux. Les médicaments contre la congestion nasale et le rhume sont des stimulants.

Pratiquer la relaxation. C'est ce que vous recommandera votre médecin avant de prescrire tout médicament. Toute technique de relaxation – yoga et autres méthodes antistress – peut aider à maîtriser les tics.

Adopter un programme d'exercices. Nagez, courez, marchez ou entraînez-vous régulièrement. Le fait d'adopter un programme d'exercices physiques d'au moins 20 minutes par séance, à raison de trois fois par semaine, diminuera la fréquence des tics.

Tremblements

Attention à l'alcool. Même si l'alcool peut faire diminuer le tremblement essentiel, cet effet n'est que temporaire et il est suivi d'une augmentation des tremblements.

Détendre ses muscles. Si vous êtes tendu, le fait de se détendre peut atténuer les tremblements. La technique du biofeedback, couplée à d'autres méthodes de relaxation, vous apprendra à relâcher vos muscles. Demandez à votre médecin de vous recommander quelqu'un qui peut vous l'enseigner.

Dormir suffisamment. Cela reposera vos muscles. La plupart des gens ont besoin d'au moins sept à huit heures de sommeil par nuit à des heures régulières.

Faire une liste de ses médicaments. Les médicaments en vente libre contre le rhume ou la grippe qui contiennent des décongestifs, comme la pseudoéphédrine, ainsi que les médicaments d'ordonnance contre l'asthme peuvent causer des tremblements. Demandez à votre médecin ou pharmacien si ceux que vous prenez risquent de faire augmenter les tremblements.

Essayer des couverts adaptés. L'utilisation de couverts lourds (couteaux, fourchettes et cuillères) peut vous faciliter la tâche au moment des repas, car leur poids aide à maîtriser les tremblements. Il existe également des assiettes dont le rebord plus élevé sur l'un des côtés empêche la nourriture de glisser et de se renverser si on tremble. Vous pouvez les commander auprès de tout fournisseur de matériel médical ou chirurgical. Un autre truc : prenez l'habitude de ne remplir vos verres et vos tasses qu'à moitié. Vous risquerez moins d'en renverser le contenu si vous vous mettez à trembler.

Fatiguer ses muscles. Avant d'exécuter un travail, asseyez-vous sur une chaise ou un fauteuil en laissant pendre les mains le long du corps. Saisissez alors le siège de la chaise ou les accoudoirs du fauteuil avec les paumes des mains dirigées vers le bas. Puis, les épaules bien droites, poussez doucement les mains contre la chaise ou le fauteuil pendant une à deux minutes. Cet exercice permettra de fatiguer vos muscles et provoquera un court arrêt des tremblements.

QUAND CONSULTER ?

- Vous avez des tics depuis plus de six mois.
- La gravité et le nombre de tics ont un retentissement sur votre mode de vie et votre vie professionnelle.
- Vous avez des tremblements.
- Vous avez plus de 50 ans et l'une de vos mains tremble, même lorsque votre bras est au repos.
- Vous souffrez de la maladie de Parkinson.

QUE SE PASSE-T-IL LORS DE L'EXAMEN ?

Dans les cas de tics comme dans les cas de tremblements, le diagnostic est simple et basé sur les antécédents personnels et familiaux du malade. L'examen minimal comprend des analyses de sang afin de vérifier certains paramètres biologiques, notamment la fonction thyroïdienne, et exclure certaines maladies héréditaires.

Il est très rare de devoir procéder à un examen radiologique du cerveau, c'est-à-dire une tomographie axiale assistée par ordinateur. Par contre, si les tics et les tremblements sont associés à des symptômes qui peuvent laisser croire à la présence d'un trouble neurologique, on aura recours à des examens plus approfondis.

QUEL EST LE TRAITEMENT ?

Tics

Tics normaux ou iatrogéniques (provoqués par la prise d'un médicament)

Les tics bénins de l'enfant ainsi que ceux associés à une période de nervosité et de fatigue ne nécessitent aucun traitement. Dans la plupart des cas, il y a régression ou contrôle des tics à l'âge adulte. Au besoin, le médecin pourra prescrire des benzodiazépines, comme le Valium ou le Rivotril.

Les tics provoqués par les excès de stimulants ou de médicaments disparaissent si on en réduit la consommation ou si le médecin change l'ordonnance. Les tics causés par la prise de Ritalin chez l'enfant disparaissent dès qu'on diminue la dose du médicament.

Tics pathologiques

Le traitement ou la maîtrise des maladies qui peuvent provoquer des tics suffisent habituellement à régler le problème.

Syndrome de Gilles de la Tourette

Le traitement comprend des techniques de relaxation et des médicaments de la famille des neuroleptiques, surtout ceux de la nouvelle génération, comme la rispéridone, qui ont moins d'effets indésirables.

Tremblements

Tremblement normal ou iatrogénique (provoqué par la prise d'un médicament)

Si ce sont des médicaments qui les causent, les tremblements disparaissent dès qu'on arrête de les prendre.

Tremblement pathologique

Lorsqu'une maladie en est responsable, le traitement de la maladie aide souvent à régler le problème.

Tremblement familial

Deux types de médicaments sont habituellement prescrits, mais ils n'empêchent pas la maladie de progresser et ils ont des effets indésirables. Le propanolol (Indéral), qui peut causer des étourdissements lors du passage de la position couchée à la position debout, mais qui maîtrise relativement bien les tremblements, et la primidone (Mysoline), un sédatif qui peut affaiblir en début de traitement.

Maladie de Parkinson

Le traitement consiste à remplacer la dopamine qui est déficiente en donnant un précurseur de l'hormone, soit la lévodopa. On a alors recours à des médicaments comme le Sinemet ou le Prolopa. Le médecin peut également prescrire un médicament qui va remplacer l'action de la dopamine sur les récepteurs de celle-ci (qu'on appelle des agonistes dopaminergiques), comme le Parlodel, le Permax, le Requip ou le Mirapex.

Ces médicaments peuvent avoir des effets indésirables, tels que des étourdissements au réveil, des nausées et des vomissements. Pris à forte dose, ils peuvent surexciter et entraîner des hallucinations et même des états de paranoïa.

Pour les tremblements parkinsoniens unilatéraux (qui se produisent d'un seul côté du corps), il existe un traitement chirurgical qui consiste à détruire ou à stimuler, à l'aide d'une électrode, la région du cerveau responsable des tremblements.

Toux

La toux est un mécanisme de défense contre une agression extérieure. La gorge, la trachée et les voies respiratoires sont munies de récepteurs qui, lorsqu'ils sont stimulés, envoient un message au cerveau. Celui-ci réagit en commandant aux muscles de se contracter pour tousser. C'est ce qui arrive si on s'étouffe avec un aliment, si on s'expose au grand froid (c'est une irritation directe au niveau de la trachée) ou si on inspire un produit irritant.

QUELLES SONT LES CAUSES ?

Toux aiguë

- ***Infections virales ou bactériennes.*** Le rhume, la grippe, une bronchite et une pneumonie causent une inflammation de la gorge et des bronches. Fièvre et courbatures, congestion nasale et expectorations (crachats) y sont souvent associées;
- ***Faux croup.*** Il s'agit d'une inflammation bénigne du larynx due à un virus ou à une bactérie (présents dans l'air, surtout pendant les saisons froides). Le faux croup se manifeste par une toux aboyante, des sifflements à l'inspiration (stridor), une voix rauque, de la fièvre et de la difficulté à respirer. Ce sont surtout les enfants de cinq ans et moins qui sont touchés, parce que leur système immunitaire est moins développé et que leur larynx est plus petit (les sécrétions l'obstruent facilement). Comme on peut confondre le faux croup et l'épiglottite, qui est beaucoup plus grave, mieux vaut consulter immédiatement un médecin;
- ***Épiglottite.*** Très sérieuse infection bactérienne de l'épiglotte et de la gorge qui peut entraîner l'asphyxie si on ne la traite pas à temps. Elle touche les jeunes enfants et se caractérise par une toux aboyante, un stridor, une voix éteinte, des maux de gorge et de la fièvre. L'enfant présente une respiration sifflante, difficile et il a tendance à s'asseoir pour mieux pouvoir respirer. C'est une urgence médicale;
- ***Coqueluche.*** C'est une infection contagieuse due à une bactérie, le bacille de Bordet-Gengou. Elle se caractérise par des quintes de toux sèche entrecoupées par une inspiration longue et sifflante,

appelée « chant du coq ». C'est une maladie relativement peu fréquente, car l'immunisation se fait en bas âge. Elle est grave pour les enfants de moins de six mois et les personnes âgées. Elle constitue une urgence médicale.

Toux chronique (qui dure plus d'un mois)

- ***Rhinorrhée postérieure.*** Il s'agit d'un écoulement des sécrétions nasales dans le fond de la gorge, souvent dû à une sinusite ou à une rhinite chronique (inflammation de la muqueuse nasale). À noter que la rhinite peut être causée par des allergies (animaux, pollens, acariens de la poussière) ;
- ***Asthme.*** C'est une maladie inflammatoire des bronches qui provoque un épaississement des sécrétions et la contraction des bronches. Elle se manifeste par de la toux, avec ou sans crachats, des sifflements respiratoires et de l'essoufflement. La toux est habituellement déclenchée par des irritants bronchiques (froid, fumée, odeurs fortes, rire). Elle réveillera parfois les gens la nuit. Notons que l'asthme peut être causé par une réaction allergique (aux poils d'animaux, par exemple). La toux est parfois la seule manifestation de l'asthme, surtout chez les enfants ;
- ***Bronchite chronique.*** Il s'agit d'une maladie habituellement causée par le tabagisme. Elle est caractérisée par une toux grasse et des crachats dus à l'inflammation des voies respiratoires, qui sécrètent davantage, surtout le matin. Quand la maladie évolue, des sifflements et de l'essoufflement peuvent se manifester. Les fumeurs passifs peuvent parfois, dans de rares cas, développer une bronchite chronique ;
- ***Emphysème pulmonaire.*** Il correspond au stade avancé de la bronchite chronique. Il est caractérisé par une toux sèche, une difficulté à cracher et un essoufflement ;
- ***Reflux gastro-œsophagien (RGO).*** L'acide gastrique remonte dans l'œsophage et vient irriter la trachée, occasionnant une toux sèche. Le RGO peut s'accompagner de brûlures gastriques et d'un goût amer dans la bouche ;
- ***Certains médicaments.*** Par exemple, les inhibiteurs de l'enzyme de conversion de l'angiotensine utilisés dans le traitement de

l'hypertension artérielle entraînent quelquefois une toux sèche. Tout comme les bêtabloquants utilisés dans les cas d'angine de poitrine et d'hypertension artérielle, qui peuvent exacerber l'asthme. Dans certains cas, la toux continue même après la fin du traitement médicamenteux ;

- ***Cancer pulmonaire et tumeur.*** Le cancer du poumon se traduit parfois par de la toux et des crachats (pouvant contenir du sang), de l'essoufflement et de la fatigue. Les fumeurs doivent prêter une attention particulière à ces symptômes. En outre, des tumeurs qui obstruent la trachée et les voies respiratoires, un cancer de la gorge par exemple, peuvent entraîner une toux chronique avec ou sans crachats ;
- ***Insuffisance cardiaque.*** Elle entraîne de l'essoufflement ainsi qu'une toux à l'effort et pendant la nuit ;
- ***Pneumonie d'hypersensibilité.*** Le contact avec certains oiseaux (perruches, pigeons), avec du foin moisi ou avec des produits chimiques peut provoquer une réaction de défense du poumon. Celle-ci se manifeste par de la toux, de l'essoufflement, de la fatigue, une perte de poids et, souvent, de la fièvre.
- ***Tics.*** Il arrive que certaines personnes prennent la mauvaise habitude de tousser dans certaines circonstances (quand elles sont nerveuses, enbarrassées, anxieuses, stressées, etc.). C'est un peu comme le gens qui ne peuvent s'empêcher de se racler la gorge.

CONSEILS PRATIQUES

Toux aiguë

Boire beaucoup de liquides. L'eau, les jus et les boissons chaudes contribuent à éclaircir les sécrétions et à favoriser l'expectoration. Quatre à six verres de liquide par jour vous aideront à être moins congestionné si vous avez une infection.

Prendre des antitussifs. Ils sont surtout recommandés dans les cas de toux sèche aiguë. Les meilleurs antitussifs sont ceux qui contiennent de la codéine ou de ses dérivés. Le dextrométhorphane est également efficace.

En cas de sécrétions. Le mieux, c'est de tousser pour les cracher afin d'en débarrasser l'organisme. Les sirops expectorants sont généralement peu utiles.

Toux chronique

Cesser de fumer. Le tabac est le grand responsable des problèmes de toux. La toux liée au tabagisme diminue de façon importante une à deux semaines après qu'on a cessé de fumer. Dans plus de 50 % des cas, la toux aura disparu après quatre semaines d'abstinence. Ne vous inquiétez pas si la toux augmente les premiers jours. En fait, il faut savoir que, quand on fume une cigarette, on paralyse les cils vibratiles qui ont pour fonction de ramener les sécrétions vers l'extérieur. De plus, fumer provoque une augmentation de l'épaississement des sécrétions des bronches. Donc, lorsqu'on cesse de fumer, les sécrétions deviennent plus liquides et les cils recommencent à pouvoir les expulser. La toux et les crachats cessent au fur et à mesure que l'organisme se débarrasse de ses sécrétions.

Pour les fumeurs passifs. N'acceptez plus que l'on fume en votre présence.

QUAND CONSULTER ?

- Votre toux dure depuis plus d'une semaine ou s'aggrave de jour en jour.
- La toux vous réveille la nuit.
- Votre toux s'accompagne de sifflements dans la poitrine ou d'un essoufflement.
- La fièvre persiste au-delà de trois ou quatre jours.
- Vous crachez du sang.
- Vous craignez une allergie.
- Vous soupçonnez que vos médicaments sont la cause de votre toux.
- Votre état général se détériore.
- Vous craignez une coqueluche ou une épiglottite chez votre enfant.

QUE SE PASSE-T-IL LORS DE L'EXAMEN ?

Le médecin notera les informations pertinentes et procédera à un examen clinique complet. Il pourra demander certains examens complémentaires, dont une radiographie pulmonaire, des tests cutanés d'allergie, des tests respiratoires, des analyses sanguines ou, plus rarement, une bronchoscopie (examen des bronches à l'aide d'un instrument produisant des faisceaux lumineux qui permettent de voir l'intérieur des bronches).

QUEL EST LE TRAITEMENT ?

Toux aiguë

Infections

Dans les cas d'infections virales, comme le rhume ou la grippe, il est suggéré de prendre son mal en patience en traitant les symptômes. On prescrira très rarement des médicaments.

S'il s'agit d'une infection bactérienne, comme la bronchite aiguë ou la pneumonie, elle sera traitée à l'aide d'antibiotiques, alors qu'on pourra utiliser temporairement la codéine ou ses dérivés pour soulager la toux.

Faux croup

Dans certains cas, des vasoconstricteurs seront prescrits pour faciliter la respiration et des anti-inflammatoires pour diminuer l'inflammation du larynx.

Épiglottite

Le patient sera hospitalisé et recevra un antibiotique afin d'enrayer l'infection. Dans certains cas, il faut recourir à une intubation (tubage du larynx) pour lui permettre de mieux respirer.

Coqueluche

Les cas de coqueluche sont traités par des antibiotiques, surtout pour enrayer la contagion.

Toux chronique

Rhinorrhée postérieure

Elle se traite au moyen d'antihistaminiques et, au besoin, de corticostéroïdes en vaporisateur. Si elle résulte d'une allergie, il faudra tenter d'éliminer l'agent allergène.

Asthme

Il sera maîtrisé en éliminant d'abord la cause (s'il y a allergie), puis avec des bronchodilatateurs et des anti-inflammatoires.

Bronchite chronique et emphysème pulmonaire

Leurs symptômes seront atténués par l'arrêt du tabac ainsi que l'utilisation de bronchodilatateurs et d'antibiotiques, si nécessaire.

Reflux gastro-œsophagien

Il est généralement dû à de mauvaises habitudes alimentaires et à l'obésité. Il se réglera donc par un changement d'habitudes de vie. Dans les cas graves, le médecin pourra prescrire des antiacides.

Certains médicaments

Le médecin les remplacera. Attention : il ne faut pas cesser le traitement sans un avis médical.

Cancer du poumon et tumeurs

Le traitement requis sera immédiatement entrepris (chimiothérapie, radiothérapie ou chirurgie).

Insuffisance cardiaque

Elle se traite en limitant l'apport de liquides, en contrôlant la tension artérielle et en administrant un traitement approprié.

Pneumonie d'hypersensibilité

Elle se soigne en éliminant la cause et, parfois, avec la prescription de cortisone.

Tics

Il n'existe pas de traitement pour faire cesser les tics. La personne doit tenter elle-même de perdre cette mauvaise habitude.

Transpiration excessive

La transpiration est un phénomène normal et nécessaire pour maintenir le corps à une température constante.

Deux types de glandes sudoripares sécrètent de la sueur: les glandes eccrines (partout sur la peau mais en plus grand nombre aux aisselles, sur les mains, les pieds et le front) et les glandes apocrines (à l'aine et aux aisselles). La sueur eccrine est composée en grande partie d'eau et de sels, tandis que la sueur apocrine est riche en produits organiques (vitamine C, anticorps, urée, acide urique, ammoniac et acide lactique). C'est la combinaison transpiration-bactéries, lesquelles se trouvent sur la peau, qui cause les odeurs désagréables.

La transpiration excessive ou hyperhidrose peut être généralisée ou localisée, surtout aux mains, aux pieds ou aux aisselles. L'intensité de la transpiration diminue avec l'âge. Environ 2,8 % de la population souffre d'hyperhidrose.

Outre l'odeur, les signes de transpiration excessive sont les suivants:

- les mains sont continuellement moites;
- la sueur des mains tache le papier;
- la sueur des aisselles tache les vêtements;
- les vêtements et les chaussures s'usent rapidement;
- par temps froid, des engelures aux pieds peuvent survenir;
- pied d'athlète, eczéma, ampoules, verrues et même ongles incarnés.

QUELLES SONT LES CAUSES ?

- ***Facteurs extérieurs.*** L'exercice physique, la chaleur, l'alcool, le tabagisme, les mets épicés et les aliments contenant de la caféine dilatent les vaisseaux sanguins et stimulent l'action des glandes eccrines et apocrines;
- ***Émotions.*** La peur, le stress et l'anxiété peuvent déclencher une transpiration excessive, surtout au niveau des paumes des mains, des pieds et des aisselles;
- ***Certaines maladies.*** Le diabète, les maladies cardiaques, la maladie de Parkinson, le cancer, la pneumonie, les dérèglements de la

glande thyroïde, l'insuffisance hépatique ou rénale, entre autres, entraînent une transpiration excessive généralisée. Si cela se produit surtout la nuit, la maladie de Hodgkin ou la tuberculose peuvent en être la cause;

- ***Déséquilibre hormonal.*** Pendant la puberté, les menstruations et la ménopause, les hormones stimulent davantage les glandes sudoripares;
- ***Intoxications.*** Les empoisonnements par insecticide, herbicide ou au mercure causent, entre autres symptômes, une transpiration abondante et généralisée. Le sevrage de médicaments, d'alcool ou de drogue en est également une des causes.

CONSEILS PRATIQUES

Avoir une bonne hygiène corporelle. Prenez un bain ou une douche tous les jours, voire deux fois par jour. Savonnez-vous en accordant une attention particulière aux mains, aux pieds, aux aisselles, à l'aine et au front. Rasez-vous les aisselles, il y aura moins de bactéries qui se multiplieront sur les poils. Cela est aussi recommandé aux hommes qui souffrent beaucoup de leur transpiration excessive.

S'abstenir de consommer certains aliments. Évitez les mets épicés, le saumon (augmente la vasodilatation et stimule l'action des glandes sudoripares), le café, le thé, le cola ou le chocolat.

La miliaire rouge

La miliaire rouge est une éruption cutanée caractérisée par l'apparition de boutons rouges de la grosseur d'une tête d'épingle sur le visage, le cou et le thorax. Elle est le résultat de l'obstruction momentanée des orifices des glandes sudoripares. La cause: une élévation de la température du corps (fièvre ou température ambiante). Les lésions disparaissent dès que la température diminue. C'est tout à fait bénin et aucun traitement n'est requis.

Ne pas se promener pieds nus. Vous courez le risque d'attraper des verrues, des champignons ou des bactéries, ce qui augmentera votre problème de transpiration des pieds. Évitez de vous promener pieds nus, surtout dans les endroits publics et surtout quand il faut chaud et humide (les champignons et les bactéries se développent davantage dans ces conditions).

Quel savon choisir? Le meilleur, dans votre cas, c'est le savon déodorant, qui freinera l'action des bactéries. Demandez l'avis de votre pharmacien. Si votre problème de transpiration et d'odeur persiste, un produit nettoyant antibactérien, tel que le Tersaseptic ou le Physohex (sur ordonnance), pourra sûrement vous aider.

Se sécher correctement. La transpiration et l'humidité sont un milieu rêvé pour les bactéries et les champignons. Au sortir de l'eau, apportez une attention particulière aux orteils et aux différents replis de la peau. Séchez-les bien.

Prévenir les odeurs. Quand la peau est bien sèche, appliquez de la poudre pour bébé, du bicarbonate de soude ou de la fécule de maïs sous les aisselles et entre les orteils. Notez que des aisselles rasées retiennent moins la sueur.

Un déodorant ou un antisudorifique? Les déodorants servent à masquer les odeurs de transpiration des aisselles. Ils laissent sur la peau des agents antibactériens qui détruisent les bactéries responsables des odeurs. Si votre problème d'odeur est très prononcé, un antisudorifique conviendra mieux: il contient un produit (le chlorhydrate d'aluminium) qui parvient à bloquer le processus de transpiration. Il existe également des produits qui combinent les deux substances.

Préférer les produits en bâton applicateur ou à bille. Les vaporisateurs sont moins efficaces, car ils font effet moins longtemps.

Essayer d'autres produits. Si les produits mentionnés ci-dessus vous causent des irritations, essayez une crème antibiotique topique, vendue sans ordonnance. Cette crème agit contre les odeurs par son effet antibactérien. Dans les magasins d'aliments naturels et certaines pharmacies, vous trouverez également des morceaux de sels minéraux, sous forme de cristaux, qui aident à contrôler les bactéries sans irriter la peau.

Un bain d'eau froide. Pris pendant 30 minutes, il ralentira le processus de transpiration durant environ trois heures. Cette méthode peut être utile dans les périodes de stress.

Éviter le stress. Si le stress vous fait transpirer, apprenez à le gérer par des techniques de relaxation ou des moments de repos.

Les vêtements. Sachez que le coton absorbe mieux la sueur que les matières synthétiques. Ayez soin de toujours porter des sous-vêtements et des vêtements propres, car ils absorbent mieux la transpiration. Quand il fait très chaud, changez-vous pendant la journée et portez des vêtements amples.

Les chaussures. Choisissez des chaussures en cuir, matière qui favorise l'évaporation de la sueur. Portez aussi souvent que possible des sandales ouvertes au bout. Ne portez pas les mêmes souliers deux jours de suite ; alternez vos paires pour leur laisser le temps de bien sécher.

QUAND CONSULTER ?

- La transpiration vous cause des problèmes dans votre vie quotidienne.
- Votre problème d'odeur est perçu par votre entourage.
- Vous avez un problème de santé concomitant.

QUE SE PASSE-T-IL LORS DE L'EXAMEN ?

Les examens et diagnostics éventuels se basent sur les antécédents du patient, l'observation de l'apparition des gouttes de sueur, des traces d'humidité laissées sur les vêtements et de l'usure des chaussures. Des examens plus poussés ne sont habituellement pas nécessaires.

QUEL EST LE TRAITEMENT ?

Le médecin pourra prescrire des antisudorifiques spéciaux.

Dans les cas graves, des produits à base de chlorure d'aluminium dissous dans l'alcool ou en combinaison avec l'acide salicylique en gel donnent de très bons résultats. La plupart des patients n'ont plus besoin d'utiliser ces produits après 18 mois d'usage.

Le Drionic est un appareil qui transmet des ions et qui semble avoir la propriété de bloquer les orifices des glandes sudoripares. Il existe un appareil pour les mains ou les pieds et un autre pour les aisselles. Il est vendu sur prescription du médecin.

En outre, des injections de la toxine butolinique de type A (Botox) peuvent être suggérées aux endroits affectés, tels que les aisselles, les mains, les pieds ou le front. La transpiration excessive cesse alors pour environ six mois.

Troubles de l'élocution ou du langage

Le langage (la compréhension verbale et l'expression verbale de la pensée) a son centre au cerveau, tout comme les autres fonctions dites supérieures (intelligence, mémoire, etc.). Le langage peut être atteint au niveau de la compréhension, de l'expression ou encore des deux. L'élocution relève des diverses structures qui sont responsables de la prononciation. Les troubles du langage et de l'élocution trouvent donc, le plus souvent, leur origine dans des causes neurologiques. Si le trouble du langage ou de l'élocution survient soudainement, il est le plus souvent la conséquence d'une affection vasculaire. Si le processus est apparu graduellement, une maladie neurodégénérative en est probablement à l'origine.

QUELLES SONT LES CAUSES ?

- ***Accident vasculaire cérébral (AVC).*** Il est généralement attribuable au blocage d'un vaisseau sanguin intracrânien ou, plus rarement, à une hémorragie. L'AVC peut entraîner un seul ou l'ensemble des symptômes suivants : troubles de l'élocution, paralysie, engourdissement d'une moitié du corps et perte de vision subite ;
- ***Ischémie cérébrale transitoire (ICT).*** La survenue d'une ICT peut être le fait d'une embolie causée par un morceau de caillot ou une diminution de la circulation sanguine qui passe par les carotides (artères du cou qui nourrissent le cerveau). C'est souvent une plaque de cholestérol qui obstrue la carotide. Les symptômes sont les mêmes que ceux de l'AVC, mais ils sont temporaires (moins de 24 heures et généralement moins d'une heure). Ils ne laissent pas de séquelles ;
- ***Maladies neurodégénératives*** (telles que maladie d'Alzheimer et autres formes de démence) ;
- ***Traumatisme crânien ;***
- ***Migraine.*** Certaines personnes migraineuses peuvent éprouver des symptômes comme la paralysie ou des problèmes de langage. Ces symptômes sont angoissants, mais ils disparaissent avec la migraine ;

- ***Tumeur cérébrale***;
- ***Maladies neurologiques inflammatoires ou infectieuses.*** La sclérose en plaques, l'encéphalite et les abcès cérébraux peuvent, entre autres, provoquer une atteinte d'une ou des régions responsables du langage ou de l'élocution;
- ***Tumeur de la langue et de la gorge.*** Dans ce cas, l'atteinte est mécanique et non neurologique.

CONSEILS PRATIQUES

Garder son calme tout en étant vigilant. Les troubles de la parole ne sont pas toujours causés par des états graves. Tout le monde a de la difficulté à trouver un mot de temps en temps. Il ne faut pas voir dans ce trou de mémoire occasionnel une anomalie d'ordre neurologique. Devenez toutefois vigilant si ce petit problème prend soudain de l'ampleur et dépasse la simple anecdote. Posez-vous certaines questions. Est-ce que cela se produit souvent? À ces moments-là, suis-je absolument incapable d'exprimer ma pensée? Dans l'affirmative, consultez sans tarder un médecin.

S'assurer que son état de santé est bien contrôlé. Des problèmes de santé comme l'hypertension, le diabète, le tabagisme et l'hypercholestérolémie peuvent augmenter les risques que l'on soit victime d'un AVC. Voyez le médecin régulièrement, prenez vos médicaments selon ses indications et respectez ses recommandations d'hygiène de vie.

Contacter immédiatement le service d'urgence. La plupart des victimes d'AVC ou d'un épisode d'ICT arrivent à l'urgence plus de trois heures après l'événement. Plus vous recevrez des soins rapidement, plus vous serez susceptible de ne garder aucune séquelle. Consultez aussi très rapidement un médecin même si les troubles de l'élocution se sont résorbés, car l'épisode risque de se répéter avec des conséquences plus sérieuses.

L'aspirine en prévention. Il est prouvé scientifiquement que le fait de prendre de l'aspirine pendant une période prolongée diminue l'incidence des récidives des problèmes vasculaires. Parlez avec votre médecin des bienfaits de l'aspirine et voyez avec lui si vous devriez en prendre.

QUAND CONSULTER ?

- Vous souffrez subitement de troubles de l'élocution, de paralysie, d'engourdissement de la moitié du corps ou de perte de vision subite. Contactez immédiatement le service d'urgence médicale.
- Vos problèmes d'élocution sont apparus après un traumatisme à la tête.
- Vous avez éprouvé des problèmes de langage ou d'élocution pendant plusieurs minutes, mais ils se sont résorbés.
- Vous éprouvez des problèmes croissants du langage ou de l'élocution.

QUE SE PASSE-T-IL LORS DE L'EXAMEN ?

Le médecin prendra note des informations importantes et procédera à un examen physique. Il pourra recommander que le patient soit soumis à divers examens, tels qu'une tomodensitométrie cérébrale (*scanner*), une échographie au Doppler, un électrocardiogramme, un électroencéphalogramme, un examen de résonance magnétique ainsi que des analyses de laboratoire (prélèvement sanguin).

QUEL EST LE TRAITEMENT ?

Accident vasculaire cérébral (AVC)

À son arrivée à l'urgence, le patient recevra un médicament antiplaquettaire tel que l'aspirine pour prévenir les récidives. S'il a été conduit à l'urgence très tôt après le début des symptômes (dans les trois heures), il pourrait recevoir des thrombolytiques, des médicaments qui agissent en faisant fondre le caillot qui a provoqué le blocage du vaisseau sanguin.

Si l'AVC a laissé des séquelles sur le plan du langage ou de l'élocution, on adressera le patient en orthophonie. Dans de nombreux cas, les exercices d'orthophonie favorisent grandement le retour de la parole et une bonne élocution.

Ischémie cérébrale transitoire (ICT)

Le traitement repose sur un médicament antiplaquettaire tel que l'aspirine, dans le but de prévenir les récidives, et, parfois, sur les anticoagulants. Une intervention chirurgicale peut être réalisée chez des patients dont la carotide est presque entièrement obstruée (à plus de 70 %).

Maladies neurodégénératives

Il n'y a pas de traitement curatif pour les maladies neurodégénératives (telles que la maladie d'Alzheimer). Toutefois, selon la nature de la maladie, il existe des médicaments qui peuvent, dans certains cas, retarder ou prévenir pour quelque temps la détérioration de l'état du patient.

Traumatisme crânien

Selon la nature du traumatisme, le médecin peut procéder à une chirurgie (poser un drain pour évacuer l'excès de sang dans le cerveau, par exemple) ou envoyer le patient en réadaptation.

Tumeur cérébrale

Une chirurgie consistant à retirer la tumeur et la radiothérapie sont les traitements possibles.

Migraine

Le traitement médical est individualisé et basé sur le diagnostic ainsi que sur la fréquence et la gravité des crises. (*Voir Maux de tête.*)

Tumeur de la langue et de la gorge

Le médecin recommandera l'ablation de la tumeur par voie chirurgicale ou soumettra son patient à des traitements de radiothérapie.

Maladies neurologiques inflammatoires ou infectieuses

Lorsqu'ils s'agit de maladies inflammatoires, le traitement variera selon la nature des maladies. Les maladies infectieuses, pour leur part, sont traitées à l'aide d'antibiotiques ou d'antiviraux.

Troubles de la vision

Il est normal que la vue change avec l'âge. À partir de la quarantaine, la plupart des gens commencent à moins bien voir de près ou à avoir la vue embrouillée. Leur vision dans l'obscurité devient plus incertaine. C'est souvent à cet âge que l'on commence à porter des lunettes.

La myopie (mauvaise vision de loin), la presbytie (mauvaise vision de près) et l'hypermétropie (mauvaise vision de loin et de près) ne sont pas des maladies de l'œil à proprement parler. Ce sont des anomalies dues à l'hérédité ou au vieillissement.

Il existe toutefois des maladies qui affectent la vision en entraînant une diminution graduelle ou brutale, partielle ou totale de la vue, accompagnée ou non de douleurs aux yeux ou de maux de tête.

QUELLES SONT LES CAUSES ?

Diminution graduelle de la vision

- ***Cataractes.*** Le cristallin, petite lentille à l'intérieur de l'œil, devient graduellement opaque, ce qui donne l'impression d'être dans le brouillard. Les personnes de plus de 70 ans, les personnes diabétiques et celles qui s'exposent au soleil depuis des années sont particulièrement touchées. Mais une cataracte peut se développer en tout temps, même à la naissance ;
- ***Rétinopathie diabétique.*** Chez les diabétiques, de petits vaisseaux éclatent dans le fond de l'œil et ne nourrissent plus la rétine, ce qui diminue progressivement la vision ;
- ***Glaucomes.*** Pour une raison encore inconnue, les conduits qui drainent les liquides aqueux à l'intérieur de l'œil peuvent se rétrécir et s'obstruer. Il en résulte donc une pression interne qui risque de détruire les fibres optiques, endommageant graduellement la vision. Il existe divers types de glaucomes. Le glaucome chronique entraîne une diminution très subtile de la vue. Au début, seule la vision périphérique (sur les côtés) est touchée, de sorte que bien des gens ne s'en rendent pas compte. Selon les statistiques, le glaucome chronique touche 4 % des plus de 40 ans. Il est souvent d'origine héréditaire. Le glaucome aigu, beaucoup plus rare, cause

des douleurs intenses à l'œil et une impression de halo autour des lumières. Il existe une forme de glaucome congénital, mais elle est extrêmement rare au Québec ;

- ***Dégénérescence maculaire.*** La macula, communément appelée tache jaune, est un petit point de quelques millimètres sur la rétine. C'est elle qui assure l'acuité visuelle maximale (elle permet aussi la vision des couleurs). Elle peut dégénérer graduellement avec l'âge. C'est l'acuité visuelle qui se perd, celle qui permet de lire, d'enfiler une aiguille et de voir les détails. Elle se traduit par une vision floue, entrecoupée de lignes ondulées. Chez les plus de 70 ans, une personne sur trois est touchée par cette maladie à divers degrés. À cause de la brûlure, la dégénérescence peut être brutale et totale chez les personnes qui ont regardé le soleil ou une éclipse solaire partielle.

Diminution brutale de la vision

- ***Maladies vasculaires.*** L'œil est nourri de minuscules vaisseaux (capillaires) qui peuvent se bloquer s'il survient une thrombose veineuse ou artérielle. Les deux yeux sont rarement touchés simultanément par cette perte de vision brutale, partielle ou totale ;
- ***Décollement de la rétine.*** Cela survient surtout chez les personnes myopes (la rétine colle moins bien sur la courbe de l'œil, qui est trop long), les diabétiques (le diabète entraîne des troubles de la vascularisation de l'œil), les personnes âgées (le vieillissement entraîne une perte de tonus des parois de l'œil) ou celles qui ont été opérées de cataractes (il y a eu atteinte des structures de l'œil). Le décollement provoque une perte brutale et partielle de la vue ;
- ***Traumatismes.*** Les blessures à l'œil peuvent, entre autres, causer des cataractes, des glaucomes ou un décollement de la rétine. La perte de vision peut alors être graduelle ou brutale, partielle ou totale.

CONSEILS PRATIQUES

Chercher le confort. Après que votre problème a été identifié chez le médecin, vous pouvez recourir aux moyens suivants pour améliorer votre qualité de vie : lunettes, loupe ou feuille de plastique jaune pour lire (le jaune nous permet de voir plus clairement, plus précisément), livres à gros caractères, téléphone à touches grossies et éclairage supplémentaire. N'ayez pas peur non plus de vous asseoir à une distance confortable pour regarder la télévision. La télévision n'émet aucune radiation et elle n'endommage pas les yeux, contrairement à la croyance populaire.

Attention au soleil. Pour prévenir les troubles de la vision, portez des lunettes de soleil anti-UV et anti-infrarouge. Choisissez un modèle qui protège aussi le côté des yeux. N'oubliez pas la casquette ou le chapeau à rebord, qui protègent contre le reflet des rayons.

Faire faire un examen préventif aux enfants. On recommande de faire un examen à l'âge préscolaire et ensuite, au besoin, tout au long de la vie. S'il y a des cas de glaucome dans la famille, cette précaution est encore plus nécessaire.

Porter des verres protecteurs. À la maison, lorsque vous effectuez des tâches de menuiserie ou de réparation, portez toujours des lunettes protectrices. Évidemment, faites de même si vous exercez un métier dangereux pour les yeux (charpentier, mécanicien, soudeur, etc.).

Ne pas fumer. Le tabagisme augmente les risques d'accident vasculaire.

Un test facile. Pour savoir si vous avez des troubles de la vision, fermez un œil ou couvrez-le avec la main et essayez de lire les petits caractères de l'annuaire téléphonique. À refaire avec l'autre œil.

QUAND CONSULTER ?

- Vous constatez un trouble visuel inhabituel.
- Vous venez de perdre brutalement la vue.

QUE SE PASSE-T-IL LORS DE L'EXAMEN ?

Le médecin procédera à un examen complet de l'œil et prescrira les tests supplémentaires qui lui sembleront nécessaires.

Plus le problème sera évalué tôt, meilleures seront les chances de recouvrer une vue parfaite ou, du moins, de conserver la vision actuelle.

QUEL EST LE TRAITEMENT ?

Diminution graduelle de la vision

Cataractes

Elles exigent une intervention chirurgicale nommée phacoémulsification. Il s'agit de pratiquer une très petite incision dans l'œil, de broyer le cristallin malade, de l'aspirer et de le remplacer par une lentille artificielle. Il s'agit habituellement d'une chirurgie d'un jour, qui permet de reprendre rapidement les activités quotidiennes. Il faut noter qu'il ne s'agit pas d'une opération au laser, contrairement à la croyance populaire. Des gouttes anti-inflammatoires et antibiotiques sont prescrites pendant trois à six semaines afin de favoriser la guérison. La vue redevient pratiquement normale, mais les couleurs semblent alors plus vives.

Rétinopathie diabétique

La chirurgie au laser est le traitement par excellence. Elle permet de détruire les vaisseaux endommagés pour faire cesser le saignement. On ne recouvre pas le degré de vision perdu (car les tissus nerveux ne se régénèrent pas), mais on arrête l'évolution de la maladie.

Glaucomes

Il existe plusieurs types de médicaments pour traiter le glaucome chronique : des gouttes d'hypotenseurs, de bêtabloquants, etc. Ils servent tous à diminuer la pression interne de l'œil et ils doivent être utilisés en permanence. En cas d'échec, une opération au laser permettra d'ouvrir les conduits obstrués et de faciliter l'évacuation des liquides aqueux. Ces traitements permettent d'arrêter l'évolution de la maladie, mais pas de récupérer ce qui est perdu. Dans le cas du glaucome aigu, la chirurgie au laser permet souvent de rétablir une vision parfaite, car la pression interne n'a pas eu le temps de détruire les fibres optiques.

Dégénérescence maculaire

Il est aujourd'hui possible de traiter certains types de dégénérescences (les dégénérescences maculaires exsudatives, dites *wet*) à l'aide d'un médicament appelé Visudyne. Cependant, il n'existe pas encore de traitement spécifique pour les autres formes de dégénérescence. Des suppléments vitaminiques (vitamine A, sélénium, cuivre et zinc) peuvent toutefois être recommandés, car certaines études tendent à démontrer qu'ils ralentissent le processus de dégénérescence. Ce sont des traitements expérimentaux et controversés. Si la perte de vision survient après qu'on a regardé directement le soleil ou une éclipse, il est possible que la vue revienne après quelque temps si la brûlure n'est pas trop profonde.

Diminution brutale de la vision

Atteinte vasculaire

La chirurgie permet parfois de retrouver un certain degré de vision.

Décollement de la rétine

Le décollement de la rétine se répare par une intervention chirurgicale. La qualité de la vue retrouvée dépend essentiellement du délai qui s'est écoulé entre le décollement et la visite chez le médecin.

Troubles du rythme cardiaque (arythmie)

L'arythmie, qui peut être bénigne ou maligne, est un trouble du rythme cardiaque, c'est-à-dire une irrégularité des contractions du cœur.

Au repos, le cœur effectue normalement entre 60 et 80 battements à la minute (c'est ce qu'on appelle le pouls ou les pulsations cardiaques). Une accélération (tachycardie), un ralentissement (bradycardie) ou un changement du rythme cardiaque sont les formes d'arythmie.

L'arythmie s'accompagne parfois de palpitations. Les palpitations ne sont pas un trouble du rythme cardiaque, mais tout simplement le fait de sentir les battements du cœur. Cela se produit le plus souvent lorsque le pouls bat trop vite ou de façon irrégulière. Par ailleurs, on peut faire de l'arythmie sans faire de palpitations (on ne sait donc pas que le cœur bat de façon anormale). Il est à noter que les palpitations peuvent également se manifester chez les personnes qui présentent une très grande sensibilité psychologique ou qui souffrent d'anxiété, sans pour autant faire de l'arythmie.

Il existe différentes formes d'arythmie, dont voici les principales:

- L'extrasystole. L'extrasystole est un battement cardiaque prématuré ou en surplus qui est ressenti comme un battement erratique ou manquant, comme si le cœur sautait un tour. Cela peut faire tousser légèrement et donner l'impression que le cœur se trouve soudain dans la gorge. C'est l'arythmie la plus fréquente. Nombreuses sont les personnes qui ont des extrasystoles qu'elles ne perçoivent même pas. Si celles-ci ne s'accompagnent pas d'autres symptômes, ce qui constitue la majorité des cas, cette anomalie est bénigne et peut se produire dans un cœur sain. Il arrive parfois que l'extrasystole s'accompagne d'un bref étourdissement, mais c'est sans gravité.
- La bradycardie. Ce terme médical signifie littéralement «cœur lent». La bradycardie est une diminution du rythme cardiaque, qui descend sous les 60 battements à la minute. Différentes raisons

peuvent la causer. Bien que cela puisse parfois exiger l'intervention d'un médecin, un pouls lent sans autre symptôme est considéré comme normal. Il arrive cependant que certaines personnes se sentent parfois rapidement fatiguées, essoufflées ou étourdies.

- La fibrillation auriculaire. Il s'agit de contractions rapides et désordonnées des oreillettes. Les oreillettes sont les deux cavités supérieures du cœur. Leur rôle est de pousser le sang vers les ventricules, les deux parties inférieures du cœur. L'oreillette droite envoie le sang dans le ventricule droit qui, lui, le pousse vers les poumons. L'oreillette gauche envoie le sang dans le ventricule gauche, qui le propulse dans le reste de l'organisme. En état de fibrillation, les oreillettes n'arrivent plus à se contracter adéquatement, ce qui peut entraîner un rythme irrégulier du pouls, mais pas nécessairement des palpitations. On peut donc présenter des fibrillations auriculaires sans s'en rendre compte, car il est possible qu'il n'y ait aucun autre symptôme. Même si le sang continue à circuler et à se rendre jusqu'aux ventricules, le flux sanguin stagne dans certaines parties de l'oreillette et cela peut entraîner la formation de petits caillots. Ces caillots, se retrouvant dans la circulation, peuvent obstruer une artère et causer un accident vasculaire cérébral si le caillot va au cerveau.
- La tachycardie ventriculaire. C'est un rythme cardiaque rapide, régulier ou non, et qui prend son origine dans les ventricules (au-delà de 100 battements à la minute). Cette forme d'arythmie ne représente que la minorité des cas d'arythmie et reflète en général un mauvais fonctionnement des ventricules. Une personne atteinte de tachycardie ventriculaire se sentira mal, sera pâle, aura la peau moite et des palpitations. Si la fréquence cardiaque est très rapide, elle peut même souffrir d'étourdissements et d'évanouissement.
- La tachycardie paroxystique (c'est-à-dire qui arrive par crise). Moins fréquente, cette anomalie du circuit électrique du cœur survient surtout chez les jeunes à cause d'une hypersensibilité émotive. Elle se traduit par une accélération soudaine de la fréquence cardiaque, qui varie alors entre 150 et 200 battements à la minute et qui peut durer quelques minutes ou même quelques

heures, pour ensuite revenir à la normale tout aussi subitement. La tachycardie paroxystique peut être déclenchée par un effort anodin (se pencher pour atteindre un objet), par un stress émotif, par une simple extrasystole ou même, parfois, sans aucune raison. Elle s'accompagne habituellement de palpitations.

- La fibrillation ventriculaire. C'est la forme extrême et aiguë de l'arythmie, caractérisée par de multiples petites contractions ventriculaires complètement désordonnées et inefficaces entraînant rapidement une perte de conscience. Les ventricules n'arrivent plus à se contracter et à chasser le sang dans les artères pour le distribuer dans les poumons et le reste de l'organisme. Cette arythmie survient d'habitude dans les premières phases d'un infarctus du myocarde et peut en être sa première manifestation.

QUELLES SONT LES CAUSES ?

Extrasystole

- ***Stress de situation, fièvre et anémie ;***
- ***Excitants***, tels que la caféine, l'alcool, le tabac et la cocaïne ;
- ***Surdosage de certains médicaments***, tels que les agents thyroïdiens ou les diurétiques ;
- ***Repas très copieux***, surtout s'il est accompagné d'alcool.

Bradycardie

- ***Sérénité, repos, grande forme physique ;***
- ***Réactions de l'organisme à des situations déplaisantes (réactions vagales) ;***
- ***Certains médicaments*** prescrits pour les troubles coronariens ou l'hypertension ;
- ***Hypothyroïdie.*** Tout l'organisme fonctionne au ralenti ;
- ***Maladies graves.*** Les cas critiques d'hypothermie et d'anorexie provoquent un important ralentissement des battements cardiaques ;
- ***Anomalies congénitales*** ;
- ***Maladies du nœud sinusal.*** Situé dans l'oreillette, le nœud sinusal a pour fonction d'entraîner le rythme cardiaque et il peut mal fonctionner ;

- ***Crise cardiaque.*** Au cours des premières phases de certains types d'infarctus du myocarde, le cœur ralentit passablement.

Fibrillation auriculaire

- ***Maladie coronarienne.*** La fibrillation auriculaire est souvent le résultat d'un infarctus ancien ;
- ***Hypertension artérielle*** ;
- ***Problèmes valvulaires (surtout reliés à la valve mitrale)*** ;
- ***Problèmes pulmonaires (emphysème et bronchite chronique***) ;
- ***Hyperthyroïdie.*** Un fonctionnement exagéré de la glande thyroïde entraîne une accélération de la fréquence cardiaque et peut causer de l'arythmie, dont la fibrillation auriculaire ;
- ***Excès d'alcool.*** Boire une grande quantité d'alcool dans un court laps de temps ;
- ***Vieillissement.*** La fibrillation auriculaire est plus fréquente chez les personnes âgées et elle augmente progressivement avec l'âge, surtout après 65 ans.

Tachycardie ventriculaire

- ***Crise cardiaque.*** La tachycardie ventriculaire survient chez une personne ayant une anomalie du muscle cardiaque, le plus souvent la cicatrice d'un ancien infarctus ;
- ***Insuffisance cardiaque.*** La tachycardie ventriculaire survient presque toujours chez des gens qui ont un cœur déjà affaibli, quelle qu'en soit la cause (maladie coronarienne, hypertensive, valvulaire ou autre) ;
- ***Malformation congénitale.*** La tachycardie ventriculaire peut survenir chez des sujets jeunes, qui ont une malformation cardiaque ;
- ***Excitants***, comme l'alcool, le tabac, le café et les drogues ;
- ***Médicaments***, tels que les diurétiques et la pseudoéphédrine contenue dans les décongestifs.

Tachycardie paroxystique

- ***Survient chez des personnes qui ont une sorte de «fil électrique en plus» au niveau du cœur.*** Il peut se produire un court-circuit électrique entre les voies normales d'activation du cœur et celles qui sont en surplus.

- ***Hypersensibilité émotive*** ;
- ***Hyperthyroïdie*** ;
- ***Problèmes pulmonaires.***

Fibrillation ventriculaire

- ***Infarctus aigu du myocarde (crise cardiaque).*** La fibrillation ventriculaire est le plus souvent causée par l'infarctus aigu du myocarde à la suite de l'obstruction soudaine d'une artère par un caillot. Ce genre d'arythmie survient également chez des personnes très malades, qui ont déjà eu un infarctus. C'est la principale cause de décès soudain en Amérique du Nord.

CONSEILS PRATIQUES

Prendre certaines précautions d'urgence. Si vous avez des palpitations sans étourdissements, comme si le cœur « vous montait dans la gorge », levez-vous et marchez lentement. S'il s'agit d'une extrasystole, cela peut suffire pour l'arrêter. En cas de palpitations soudaines et rapides, asseyez-vous et prenez de profondes inspirations. Par contre, si vous avez des palpitations accompagnées d'étourdissements et d'une sensation de faiblesse, allongez-vous et appelez à l'aide. Il faut absolument éviter de vous lever, car cela risque d'abaisser davantage votre tension artérielle et de vous faire perdre connaissance.

Réanimer la personne. Si quelqu'un perd connaissance et qu'aucune pulsation n'est perceptible au niveau du poignet, une réanimation est essentielle pour que cesse l'arythmie. Pratiquez la respiration artificielle ainsi qu'un massage cardiaque afin de maintenir la personne en vie en attendant l'arrivée des ambulanciers.

Ne pas prendre de nitroglycérine en l'absence de douleurs à la poitrine. La nitroglycérine entraîne une baisse de la tension artérielle, ce qui peut vous faire perdre connaissance.

Ne pas pratiquer de sport violent sans faire au préalable des exer-

cices d'échauffement. Surtout si vous savez que vous êtes sujet à l'arythmie.

Éviter l'excès de stimulants. Caféine (café, thé, coca-cola, chocolat), tabac, alcool (en particulier certains alcools forts, comme le cognac), drogues (surtout la cocaïne).

QUAND CONSULTER ?

- Vous avez des palpitations accompagnées soit d'étourdissements, d'une perte de connaissance ou de douleurs thoraciques, soit d'une aggravation de l'essoufflement (ne tardez pas à consulter un médecin).
- Vous ressentez des palpitations et vous souffrez d'une maladie du cœur (si vous souffrez d'hypertension ou si vous avez subi un infarctus par le passé).
- Vous ressentez des palpitations et vous avez des facteurs de risque de maladies cardiovasculaires, tels qu'une hypercholestérolémie familiale, le tabagisme, etc.
- Vos battements de cœur au repos sont irréguliers et supérieurs à 100 pulsations à la minute.

QUE SE PASSE-T-IL LORS DE L'EXAMEN ?

Le médecin demandera au patient de décrire ses symptômes et il voudra connaître ses habitudes de vie et ses antécédents familiaux. Différentes méthodes d'investigation peuvent être utilisées pour identifier l'arythmie et vérifier si elle est bénigne ou maligne. D'abord, un électrocardiogramme permettra de constater ce qui se passe au moment présent. Ensuite, les battements cardiaques pourront être enregistrés pendant 24 heures à l'aide d'un appareil (Holter) relié à la peau par des électrodes (cela ressemble à un petit baladeur). En actionnant un bouton, le patient informera l'appareil des symptômes perçus. Il devra ensuite les noter pour en faire part à son médecin. Le médecin pourra aussi demander un électrocardiogramme à l'effort pour vérifier l'état du cœur pendant l'exercice. Enfin, pour les arythmies très occasionnelles, il existe un appareil de monitoring transtéléphonique que le patient porte pendant quelques jours ou quelques semaines, et qu'il active au moment où il ressent ses symptômes. L'appareil enregistre le rythme cardiaque pendant une minute et l'information est ensuite recueillie. On peut également demander d'autres examens, tels que des analyses de sang et une échographie cardiaque.

QUEL EST LE TRAITEMENT ?

Extrasystole

La majorité des extrasystoles sont des anomalies bénignes, qui peuvent souvent être améliorées par un changement d'habitudes de vie et qui ne nécessitent aucun traitement.

Bradycardie

Si des médicaments ou une maladie en sont responsables, le médecin changera la prescription ou traitera la maladie. Dans certains cas graves, on peut recourir à l'installation d'un stimulateur cardiaque («pacemaker») afin de garantir un rythme cardiaque minimum, ce qui empêchera l'apparition de symptômes.

Fibrillation auriculaire

Pour régulariser un rythme cardiaque trop variable, on aura recours à des médicaments afin de ralentir la fréquence cardiaque et de tenter de maintenir un rythme cardiaque normal. Pour retrouver le rythme normal, on devra parfois recourir à une méthode de cardioversion électrique pratiquée sous une brève anesthésie générale. La fibrillation auriculaire nécessite la prise quotidienne d'anticoagulants pour empêcher la formation de caillots.

Tachycardie ventriculaire

Pour stabiliser la fréquence cardiaque dans les cas d'arythmie importante, on pourra prescrire des antiarythmiques et, dans certains cas rebelles, on utilisera la cardioversion (application d'un courant électrique sous anesthésie générale). C'est la défibrillation cardiaque – les chocs électriques –, mais à une dose inférieure que lors d'une réanimation cardiaque. De nos jours, un patient présentant ce type d'arythmie sera possiblement traité par l'implantation d'un appareil de type défibrillateur (une sorte de pacemaker sophistiqué, capable de donner des chocs électriques internes et ainsi de maîtriser l'arythmie).

Tachycardie paroxystique

Un traitement spécial de fulguration par cathétérisme cardiaque pourra être proposé : il s'agit d'introduire dans le cœur, en passant par un vaisseau sanguin, une sonde munie d'un filament électrique afin de « brûler » par radio-fréquence le foyer d'origine de l'arythmie (un principe qui est en gros semblable à celui du four à micro-ondes).

Fibrillation ventriculaire

Comme elle entraîne un décès imminent si l'on n'intervient pas, il faut commencer les manœuvres de réanimation, puis procéder à une défibrillation cardiaque, c'est-à-dire à des chocs électriques, pour réanimer le patient.

Vertige

Il n'est pas nécessairement facile de faire la différence entre un vertige et un étourdissement. Le vertige est la sensation d'un mouvement circulaire, l'impression que l'on tourne ou que notre environnement tourne autour de nous, (comme si on était dans un manège). Par contre, l'étourdissement est l'impression que le plancher est instable et que l'on va tomber (comme si on était debout dans une chaloupe).

Les vertiges peuvent être un des symptômes de plusieurs maladies, mais ils sont habituellement causés par un dommage bénin au niveau de l'oreille interne, là où se trouve le circuit de l'équilibre. Et dans 80 % à 90 % des cas, ce dommage résulte de maladies de l'oreille interne.

En général, les vertiges sont soudains, peuvent se répéter plusieurs fois par jour et s'accompagnent de nausées, parfois de vomissements, de pertes d'équilibre et de chutes. Dans les cas de maladies de l'oreille, une diminution de l'ouïe, une douleur ou des bourdonnements dans l'oreille peuvent aussi se manifester.

QUELLES SONT LES CAUSES ?

Maladies de l'oreille

- ***Vertige paroxystique positionnel bénin.*** Il s'agit de la maladie de l'oreille la plus fréquente. Ce trouble survient lorsque les liquides qui se trouvent dans les canaux de l'oreille interne et qui font partie du circuit de l'équilibre ne circulent plus correctement à cause d'une pression anormale. C'est un problème bénin qui se déclenche après certaines activités, comme la plongée sous-marine, les tours de manège, la balançoire, etc. ;
- ***Infections virales.*** La labyrinthite (inflammation du labyrinthe) et la névrite vestibulaire (inflammation du nerf de l'oreille interne) causent en plus de la fièvre et des maux de gorge. La labyrinthite entraîne parfois une baisse de la vision ;
- ***Maladie de Ménière.*** Il s'agit d'une congestion et d'une rétention d'eau au niveau de l'oreille interne. Cette rare maladie chronique provoque trois principaux symptômes : vertiges répétitifs et

importants (durant jusqu'à une heure) qui arrivent sans que l'on bouge la tête, début de surdité et acouphène (bruit ou bourdonnement dans les oreilles). Cela peut aussi s'accompagner de nausées et de vomissements.

Autres causes

- ***Troubles cérébraux.*** Accident vasculaire cérébral (AVC), sclérose en plaques, certaines formes d'épilepsie, malformations ou tumeurs au cerveau provoquent une interruption du système électrique qui transmet l'information de l'oreille au cerveau ;
- ***Maladies.*** Infections virales (mononucléose, grippe, etc.), rhume, problèmes de tension artérielle, hypoglycémie, diabète, malnutrition, allergies et troubles cardiaques sont des affections qui peuvent provoquer des vertiges. Les raisons n'en sont pas très bien connues ;
- ***Troubles psychologiques.*** Anxiété, panique, hyperventilation, dépression nerveuse majeure. Il est probable que les gens ayant des troubles psychologiques perçoivent davantage l'oscillation normale du corps et qu'ils l'interprètent comme un vertige ou un étourdissement ;
- ***Médicaments.*** Somnifères, antidépresseurs, anxiolytiques, médicaments pour l'arthrose semblent affecter le travail du système nerveux autonome (partie du cerveau qui entretient les fonctions vitales de base) ;
- ***Vieillissement.*** Les personnes âgées qui ont des problèmes visuels (une vision qui n'est pas claire entraîne une fausse perception de l'environnement) et de l'arthrose cervicale (dégénérescence des articulations) ont souvent des vertiges, accompagnés d'étourdissements et de perte d'équilibre. Chez cette clientèle, les vertiges s'aggraveront en cas de consommation d'antihypertenseurs ou d'anti-inflammatoires. En effet, ces médicaments risquent de causer une baisse de la pression artérielle. De plus, à cause du vieillissement, les antihypertenseurs dérangent particulièrement le système nerveux autonome, tandis que les anti-inflammatoires affectent davantage le circuit de l'équilibre ;
- ***Alcool.*** L'alcool est absorbé dans les liquides du circuit de l'équilibre de l'oreille, ce qui peut entraîner une pression anormale, d'où les vertiges et les pertes d'équilibre ;

- ***Allergies.*** Même si cela est assez rare, les vertiges peuvent signifier une allergie au pollen, au poil d'animaux ou à certains aliments. D'autres symptômes peuvent se manifester: yeux rouges et brûlants, nez qui coule, sensation de lourdeur et de chaleur au niveau des oreilles.

CONSEILS PRATIQUES

Ne pas trop s'inquiéter. Il arrive souvent que des vertiges surviennent subitement et qu'ils disparaissent comme ils sont venus. S'ils ne sont pas accompagnés d'autres malaises, vous n'avez pas à vous inquiéter.

Ralentir le pas. Il est très important de marcher lentement et d'éviter les mouvements brusques au moment des vertiges pour ne pas les aggraver et entraîner des vomissements. Ralentissez votre pas et, si possible, assoyez-vous ou étendez-vous. Fermez les yeux, car diminuer les mouvements oculaires aide à maîtriser les vertiges.

Être confortablement installé. Installez-vous dans une position confortable qui vous aidera à diminuer l'anxiété que vous procurent vos vertiges.

Boire de l'eau. Sans qu'on puisse bien l'expliquer, il semble qu'une hydratation insuffisante augmente le nombre et l'intensité des vertiges. Assurez-vous de boire de six à huit verres d'eau par jour. Si vous avez des nausées, buvez de petites quantités à la fois, pour ne pas trop stimuler l'estomac et vomir.

Se lever lentement. Si vous êtes sujet aux vertiges, apprenez à vous lever lentement. Par exemple, le matin, demeurez assis quelques instants au bord du lit, puis redressez-vous doucement.

Pratiquer certains exercices. Si vous éprouvez des vertiges au simple fait de vous lever et de marcher, l'exercice suivant peut vous aider à les maîtriser: quatre ou cinq fois par jour, levez-vous lentement, faites quelques pas et rasseyez-vous dès que les vertiges apparaissent. Les premières fois, vous ne pourrez peut-être faire que trois ou quatre pas avant d'avoir des vertiges. Mais graduellement, vous arriverez sans doute à les maîtriser.

Ne pas conduire son automobile. Si vous avez eu un vertige passager, il vaut mieux attendre deux ou trois heures avant de conduire pour vous assurer qu'il ne se reproduira pas. Et si vous souffrez de vertiges réguliers, comme dans une maladie de l'oreille par exemple, demandez l'avis de votre médecin avant de prendre le volant.

Éviter de marcher en terrain instable. C'est évidemment pour prévenir les chutes.

Changer quelques habitudes de vie. Diminuez votre consommation de tabac, d'alcool et de caféine (thé, café, boissons gazeuses, chocolat). Ces stimulants augmentent les épisodes de vertiges. Aussi, coupez ou diminuez le sel, car il cause de la rétention d'eau, ce qui peut perturber le travail d'équilibre de l'oreille interne. Par conséquent, évitez les aliments très salés.

Adopter des techniques de relaxation. Si c'est votre anxiété qui cause vos vertiges, vous devriez adopter des techniques de relaxation, comme le yoga ou la méditation. Ou apprenez tout simplement à relâcher votre stress en faisant une activité que vous aimez, par exemple.

En cas de grippe. La grippe peut causer des vertiges. Si cela se produit, reposez-vous, prenez de l'acétaminophène et beaucoup de jus sucré. Un ou deux comprimés d'acétaminophène (325 mg ou 500 mg) quatre fois par jour, jusqu'à un maximum de 4 g par jour, aideront à soulager la douleur. Vos vertiges devraient rapidement disparaître.

Attention aux régimes stricts. Les régimes très pauvres en calories (500 calories par jour) entraînent une perte de poids rapide, qui peut s'accompagner de vertiges, d'étourdissements et, parfois même, d'évanouissements. Si vous désirez entreprendre un régime, consultez d'abord votre médecin.

Garder une bonne forme physique. Cela aide à maintenir l'appareil locomoteur en bon état, à stimuler l'équilibre et à éviter certaines maladies (infections, diabète, etc.).

QUAND CONSULTER ?

- Les vertiges sont importants ou ils durent depuis deux ou trois semaines.
- Ils sont accompagnés de fièvre, de maux de tête ou de surdité (partielle ou complète).
- Votre vision a changé.
- Vous avez de la difficulté à parler ou à marcher.
- Vous constatez des engourdissements aux membres et à la bouche.
- Il y a des cas de vertiges dans votre famille.

QUE SE PASSE-T-IL LORS DE L'EXAMEN ?

Le médecin procédera à un examen complet à la recherche de certains signes: arythmie, chute de la pression artérielle, transpiration, pâleur du teint, inflammation de l'arrière-gorge, fièvre, raideur de la nuque. Ces signes trahissent la présence d'une maladie autre que de l'oreille.

S'il n'y a aucun de ces signes, le médecin procédera à des examens auditifs et visuels, de même qu'à des manœuvres oculo-vestibulaires (destinées à provoquer les vertiges). Des tests neurologiques peuvent parfois être nécessaires.

QUEL EST LE TRAITEMENT ?

Maladies de l'oreille

Vertige paroxystique positionnel bénin

Il est recommandé d'éviter les activités qui provoquent les vertiges. Le médecin peut également prescrire des médicaments contre la nausée, le cas échéant, et des antivertigineux si les symptômes sont importants.

Infections virales

Elles se traitent tout simplement par de l'acétaminophène, du repos et une bonne hydratation. Des antivertigineux peuvent également être prescrits. Dans la très grande majorité des cas, les symptômes disparaissent d'eux-mêmes après une dizaine de jours. Dans certains cas, il faut procéder ensuite à des exercices de reconditionnement de l'oreille, qui sont des exercices simples et faciles à faire à la maison.

Maladie de Ménière

Lorsque le médecin prescrit un médicament contre la maladie de Ménière, il en explique le mécanisme d'action et les effets secondaires. Cette maladie nécessite un suivi médical régulier.

Autres causes

Pour soigner les vertiges, il faut traiter la maladie ou le problème qui en est responsable. Et comme les causes sont légion, les traitements sont aussi très nombreux.

Il peut s'agir de changer les médicaments qui causent les vertiges, modifier l'alimentation, traiter les allergies, prescrire des anxiolytiques aux personnes angoissées, suggérer des thérapies en cas de dépression nerveuse, soigner la grippe, etc.

Troubles cérébraux et vieillissement

Si un patient souffre de vertiges et présente des facteurs de risque de troubles vasculaires cérébraux (plus de 60 ans, diabète, tabagisme, obésité, maladies cardiaques, hypertension), le médecin pourra lui suggérer de prendre une aspirine par jour, en plus de lui prescrire des antivertigineux.

Aux personnes âgées qui souffrent de vertiges, le médecin recommandera une légère activité physique afin d'augmenter la souplesse articulaire et de renforcer le système musculaire.

Voir double (diplopie)

Le trouble de la vision dans lequel le sujet perçoit deux images d'un seul et même objet s'appelle la « diplopie ». Cela se produit lorsque les images perçues par chaque œil n'arrivent plus à se superposer normalement.

La diplopie peut être verticale – les deux images sont l'une au-dessus de l'autre – ou horizontale – l'une à côté de l'autre. Dans 99 % des cas, la diplopie touche les deux yeux; on parle alors de « diplopie binoculaire »; si elle ne touche qu'un œil, il s'agit d'une « diplopie monoculaire ». Si l'on couvre l'un des deux yeux, la diplopie disparaît.

Elle peut être accompagnée de plusieurs symptômes, dont les principaux sont une douleur en bougeant les yeux et une rougeur de l'œil. L'enfant atteint de diplopie aura tendance à loucher ou à garder un œil fermé, car il n'a pas encore appris à faire abstraction d'une des deux images.

QUELLES SONT LES CAUSES ?

Diplopie binoculaire

- ***Consommation exagérée d'alcool;***
- ***Présence d'un kyste ou d'une tumeur derrière l'œil,*** l'empêchant de bouger normalement. Cela entraîne un désalignement du regard. La diplopie peut être associée à de l'exophtalmie (quand l'œil semble être sorti de l'orbite), à de la douleur en bougeant les yeux, à une rougeur des yeux et, plus rarement, à un affaissement de la paupière;
- ***Traumatisme à la tête ou au visage;***
- ***Atteinte neurologique.*** Chez les personnes de plus de 55 ans, la diplopie est habituellement due à la paralysie d'un nerf crânien secondaire à une thrombose. Les diabétiques, les hypertendus, les fumeurs et les individus dont le taux de cholestérol est élevé y sont davantage sujets. Chez les individus plus jeunes, cette atteinte résulte de la compression d'un nerf par une tumeur cérébrale. Les personnes qui en sont affligées peuvent être prises de vertiges, éprouver de la faiblesse ou des engourdissements dans les bras ou les jambes, avoir une pupille dilatée et une paupière tombante;

- ***Inflammation d'un muscle de l'œil (myosite).*** Elle s'accompagne le plus souvent de douleur en faisant bouger les yeux, de rougeur et d'exophtalmie ;
- ***Maladie d'un muscle de l'œil (myasthénie, par exemple).*** Une paupière tombante y est souvent associée ;
- ***Dysfonctionnement de la glande thyroïde (maladie de Basedow).*** Elle survient généralement entre 20 et 50 ans et provoque, dans la plupart des cas, une diplopie verticale accompagnée d'exophtalmie et de rougeur.

Diplopie monoculaire

- ***Astigmatisme.*** Il s'agit d'un défaut optique empêchant le sujet de bien voir à distance ou de près, ce qui entraîne parfois une diplopie ;
- ***Cataracte.*** Elle peut être accompagnée d'une vision trouble ;
- ***Tache de la cornée*** (taie). Une vision embrouillée et un éblouissement à la lumière (photophobie) en constituent les symptômes.

CONSEILS PRATIQUES

Consulter un médecin. Le fait de voir double indique la présence d'une affection sous-jacente qui peut être grave. Il est encore plus urgent de consulter un médecin quand il s'agit d'un enfant.

Couvrir un côté des lunettes. Obstruez un côté de vos lunettes à l'aide d'un morceau de papier collant ou de carton ; vous obtiendrez ainsi un certain soulagement. Si vous ne portez habituellement pas de lunettes, faites une exception et procurez-vous des verres neutres dont vous couvrirez un côté.

Ne pas recourir à l'« œil de pirate ». Bien qu'il soit plus facile de ne voir qu'une seule image, les couvre-œil retenus par un élastique exercent une pression sur l'œil et sont inconfortables. Ils peuvent parfois aggraver un problème de vision au lieu de le soulager. De plus, avec le temps, on perd de la capacité à voir des deux yeux.

Ne pas appliquer de pansement directement sur l'œil. Cela accroît les risques d'infection.

QUAND CONSULTER ?

- Vous pensez que votre enfant voit double (consultez rapidement).
- Vous voyez double depuis plus de 24 heures.
- Vous êtes pris de vertiges, d'étourdissements et de faiblesse.
- Vous avez subi un traumatisme à la tête.
- Vous éprouvez des maux de tête ou de la douleur en faisant bouger les yeux.

QUE SE PASSE-T-IL LORS DE L'EXAMEN ?

Le médecin procédera d'abord à l'évaluation de la diplopie à l'aide de prismes et de lumières. Il vérifiera ensuite les signes de rougeur, puis, à l'aide d'une règle à mesurer spéciale (exophtalmomètre), il s'assurera que l'œil ne présente pas de saillie anormale hors de l'orbite. Il recherchera également des signes d'atteinte neurologique en procédant à un examen physique, notamment des bras, des jambes et du visage.

QUEL EST LE TRAITEMENT ?

Diplopie binoculaire

Présence d'un kyste ou d'une tumeur derrière l'œil

Dans la plupart des cas, l'intervention chirurgicale s'impose.

Traumatisme à la tête (fracture ou hémorragie)

Le patient sera suivi jusqu'à la disparition complète de la diplopie. S'il persiste une diplopie résiduelle, celle-ci pourra être corrigée par l'ajout de prismes dans les verres correcteurs (les prismes sont des angles qui redirigent la vision) ou par une intervention chirurgicale.

Atteinte neurologique

Dans le cas d'une thrombose, le traitement pharmacologique repose essentiellement sur l'aspirine afin d'éviter la formation d'autres caillots. Si la diplopie ne disparaît pas spontanément, on pourra faire une intervention chirurgicale au niveau des muscles de l'œil ou ajouter des prismes dans les lunettes.

Inflammation d'un muscle de l'œil

Le médecin prescrira un traitement à base de cortisone.

Maladie d'un muscle de l'œil

Le traitement varie selon la cause. Dans les cas de myasthénie, on aura habituellement recours à un traitement prolongé par le Mestinon, un anticholinestérasique qui améliore la fonction musculaire et qui aide par conséquent les muscles des yeux à se contracter.

Dysfonctionnement de la glande thyroïde

Le médecin procédera à un examen approfondi de la fonction thyroïdienne. Le traitement peut être médicamenteux, à base d'iode radioactif et, dans de rares cas, chirurgical.

Diplopie monoculaire

Astigmatisme

Ce défaut optique est facilement corrigé par le port de lunettes ou de verres de contact.

Cataractes

L'intervention chirurgicale constitue le seul traitement.

Tache de la cornée

Selon le cas, des gouttes antibiotiques ou de cortisone, une intervention chirurgicale (greffe partielle ou complète de la cornée) ou le traitement au laser peuvent faire disparaître les opacités.

Vomissement

Le vomissement consiste en une expulsion, par la bouche, du contenu de l'estomac. Cette expulsion résulte de la stimulation d'une zone nommée « centre du vomissement » et située dans le bulbe rachidien.

Le centre du vomissement, une fois stimulé, déclenche un processus complexe qui vise à expulser le contenu de l'estomac. Lors de la mise en branle de ce processus, les muscles abdominaux et le diaphragme se contractent, écrasant ainsi l'estomac. L'un des deux orifices de l'estomac, celui qui ouvre le passage de la nourriture vers les intestins (le pylore), se ferme, tandis que l'autre, celui qui ouvre le passage de la nourriture vers la bouche (le cardia), s'ouvre. Le contenu de l'estomac ne peut alors qu'être expulsé par la bouche.

Le vomissement est généralement précédé de nausées, mais il peut aussi être accompagné de douleurs à l'estomac, de douleurs à l'abdomen, d'une hypersalivation, de palpitations cardiaques, plus rarement de migraines, d'une raideur dans la nuque, de fièvre, d'étourdissements et même d'évanouissement.

La durée et l'intensité de ces symptômes associés varient selon les cas et les individus. Cependant, ces symptômes sont à examiner beaucoup plus attentivement lorsqu'ils affectent une personne âgée ou un jeune enfant. De plus, il est à noter que des complications graves nécessitant une hospitalisation peuvent survenir lors du processus d'expulsion du contenu de l'estomac. Elles sont cependant rares et elles se produisent quand la glotte est mal fermée, laissant ainsi les vomissures entrer dans les voies respiratoires, entraînant par la suite une pneumonie d'aspiration.

QUELLES SONT LES CAUSES ?

- ***Infarctus du myocarde.*** Il commence souvent par des nausées et des douleurs à l'estomac pouvant aller jusqu'au vomissement;
- ***Grossesse.*** Elle est considérée comme une cause fréquente de nausées et de vomissements, surtout dans les 14 à 16 premières semaines de gestation (voir *Nausée et vomissement de la grossesse*) ;
- ***Mal des transports.*** Il résulte d'une stimulation du centre de l'équilibre qui se trouve dans l'oreille interne et il est lié aux

mécanismes d'équilibre du corps. Cette stimulation a pour effet de causer des troubles de la motilité de l'estomac, générant nausées et vomissements;

- ***Troubles digestifs,*** tels que l'ulcère gastro-duodénal, les maladies des voies biliaires (crise de foie) ou du pancréas, les calculs à la vésicule, l'appendicite, l'obstruction intestinale ou les troubles occasionnés par l'abus d'alcool, de nourriture ou même de tabac;
- ***Troubles psychiques,*** tels que l'anorexie, la boulimie, la peur, le stress;
- ***Virus,*** comme dans le cas d'une gastroentérite ou d'une hépatite virale;
- ***Bactéries,*** comme dans le cas d'une intoxication alimentaire ou d'une méningite;
- ***Certains médicaments et traitements,*** comme les antibiotiques (érythromycine), la chimiothérapie ou la morphine.

CONSEILS PRATIQUES

Faire de la prévention. Si vous souffrez d'une maladie pouvant provoquer des vomissements, discutez-en avec votre médecin. Cela vous permettra de mieux connaître votre maladie et d'éviter ainsi de déclencher les vomissements.

S'allonger et se reposer. Souvent, le simple fait de vomir enraye les autres symptômes. S'il n'y a pas d'autres épisodes de vomissements, il est possible que vous retrouviez votre forme dans les heures qui suivent.

Apaiser son estomac et s'hydrater adéquatement après avoir vomi. Prenez des repas légers et consommez uniquement des aliments liquides, comme des bouillons, de l'eau et des boissons gazeuses dégazéifiées. Introduisez les aliments solides dans votre alimentation de façon progressive. Tant que vous n'êtes pas parfaitement rétabli, évitez les repas gras, l'alcool, le café, les fritures et les viandes fumées, salées ou épicées. Nourrissez-vous plutôt de viande rouge, de riz, de pain, de biscottes et de céréales. Surtout, pensez à bien vous hydrater et buvez beaucoup d'eau, car les vomissements favorisent la déshydratation. On trouve des solutions réhydratantes en pharmacie.

Éviter les produits laitiers. Ces derniers ne facilitent pas la digestion et ne feront que retarder votre guérison.

Essayer de se souvenir du moment où sont survenus les vomissements. Vous pourrez ainsi mieux déterminer leur cause. Peut-être avez-vous fait un abus d'alcool ou de nourriture, ou avez-vous pris un nouveau médicament... Le lanoxin, pour l'insuffisance cardiaque, et la théophylline (Theodur), un bronchodilatateur pour l'asthme, par exemple, causent fréquemment des vomissements.

Prévenir le mal des transports. Si vous êtes sujet au mal des transports, n'attendez pas que les nausées se manifestent. Prenez, quelques heures avant le départ, un médicament pour lutter contre la nausée. On peut se procurer du Gravol ou des timbres de scopolamine en pharmacie sans ordonnance.

Procéder à une vérification. Vérifiez auprès de vos proches ou de vos collègues de travail s'ils souffrent des mêmes symptômes que vous. Il se pourrait alors que vous ayez contracté une infection. Même chose si vous revenez de voyage ou si vous avez fait un repas avec des amis; vérifiez si les personnes qui vous accompagnaient ont aussi des nausées et des vomissements. Il pourrait s'agir d'une intoxication alimentaire. Enfin, si vous prenez un nouveau médicament, vérifiez auprès de votre pharmacien si ce médicament ne pourrait pas être la cause de vos vomissements.

QUAND CONSULTER ?

Les manifestations suivantes nécessitent une consultation immédiate:

- vous soupçonnez qu'un problème cardiaque est à l'origine de vos vomissements.
- il s'agit d'un jeune enfant ou d'une personne âgée et vous constatez plus de cinq épisodes de vomissements dans une même journée.
- vous vomissez plus d'une dizaine de fois dans une seule journée ou la fréquence de vos vomissements augmente et se poursuit pendant plus de 48 heures.
- vous vomissez du sang.

- vos vomissures contiennent des matières ayant une couleur semblable à celle du café ou des matières fécales.

QUE SE PASSE-T-IL LORS DE L'EXAMEN ?

Après avoir noté les informations importantes, le médecin procédera à un examen physique complet afin de déterminer l'origine du problème. La prise de la tension artérielle, une analyse de sang, un examen abdominal et neurologique de base en font généralement partie. Le médecin pourra ensuite décider de faire des examens plus approfondis, tels que des radiographies, une échographie et une endoscopie.

QUEL EST LE TRAITEMENT ?

Si le vomissement est la manifestation d'une maladie sous-jacente, le médecin traitera d'abord la cause, puis les vomissements, s'il y a lieu.

Le Gravol, vendu sans ordonnance dans les pharmacies, peut enrayer les vomissements et les nausées qui y sont associées. Il sera efficace contre le mal des transports si on le prend quelques heures avant le départ. Il peut cependant entraîner de la somnolence. Il est donc préférable de ne pas le prendre si vous devez conduire. Les timbres de scopolamine sont aussi efficaces contre les nausées et les vomissements occasionnés par le mal des transports. On peut se les procurer en pharmacie sans ordonnance. Ces timbres peuvent provoquer des effets indésirables se traduisant par une sécheresse de la bouche, de la somnolence et une accélération du rythme cardiaque. Ils sont déconseillés aux enfants et aux personnes souffrant de prostatisme ou de glaucome. Enfin, le métoclopramide (Maxeran) est un médicament contre la nausée qui n'est vendu que sur ordonnance.

Les vomissements, lorsqu'ils sont aigus, peuvent nécessiter une hospitalisation afin de réhydrater la personne par voie intraveineuse. Une hospitalisation sera aussi nécessaire dans le cas d'une pneumonie d'aspiration.

Si les vomissements sont secondaires à une appendicite ou à une obstruction intestinale, une intervention chirurgicale devient nécessaire.

Dans le cas où les vomissements sont associés à un problème d'ordre psychologique, une psychothérapie combinée à une médication peut être utile.

Yeux exorbités (exophtalmie)

On définit l'exophtalmie, ou le fait d'avoir les yeux exorbités, comme une saillie anormale du globe oculaire hors de l'orbite. L'exophtalmie est souvent accompagnée de diplopie (vision double). Comme les paupières ne se ferment plus complètement lors du clignement, les yeux deviennent rouges et secs, sensibles à la lumière (photophobie) et parfois douloureux. Dans certains cas, ils sont déplacés vers le bas, vers le haut ou vers les côtés. L'exophtalmie peut donner l'impression d'un regard fixe.

L'exophtalmie peut toucher les deux yeux (surtout dans les cas de maladie ou si elle est d'origine congénitale) ou même un seul œil (lorsqu'il y a eu traumatisme, kyste ou tumeur).

QUELLES SONT LES CAUSES ?

- ***Dysfonctionnement thyroïdien (maladie de Basedow).*** Des troubles thyroïdiens peuvent avoir une répercussion sur les tissus et sur les muscles situés derrière les yeux, et causer leur inflammation. Il arrive parfois qu'un seul œil soit touché;
- ***Origine congénitale.*** Un seul œil ou les deux yeux sont naturellement plus grands ou, encore, les deux côtés du visage ne sont pas symétriques;
- ***Traumatisme de l'œil ou du visage (tel qu'une fracture de l'orbite ou de l'os de la joue).*** Cela provoque un hématome (épanchement de sang) à l'intérieur de l'orbite, ce qui fait saillir l'œil;
- ***Forte myopie.*** Les sujets atteints de myopie importante présentent une augmentation du volume des yeux;
- ***Inflammation des sinus (sinusite);***
- ***Présence d'un kyste ou d'une tumeur derrière l'œil.***

CONSEILS PRATIQUES

Ne pas utiliser de gouttes pour «blanchir» les yeux. Si vos yeux sont rouges, ce type de gouttes ne constitue pas toujours le traitement idéal à cause de ses effets indésirables sur la tension artérielle et le rythme cardiaque. L'emploi de tels produits risque de masquer un symptôme de vasodilatation.

Ne pas recourir aux diachylons pour maintenir les yeux clos. Les pansements risquent de céder et de se retrouver dans vos yeux.

Sortir des photos ! Extirpez de vos tiroirs des photos de vous prises récemment et d'autres qui ont été prises il y a quelques années. Leur examen permettra au médecin d'établir depuis combien de temps vous souffrez d'exophtalmie et de déterminer si le problème est congénital ou récent.

Appliquer des larmes artificielles et de l'onguent. Comme les yeux sont légèrement sortis de leur orbite, les paupières ne se ferment plus complètement et ne peuvent hydrater suffisamment les yeux. Comme solution palliative, les ophtalmologistes suggèrent l'emploi,

Le regard fixe

L'impression de regard fixe est généralement due au fait que l'un des deux yeux est plus ouvert ou plus exorbité que l'autre. Le regard fixe peut être attribuable à un trouble de la glande thyroïde ou à une paralysie faciale. Dans ce dernier cas, la paralysie empêche la fermeture complète de la paupière. Il ne se produit pas de clignement de ce côté, l'œil reste donc partiellement découvert. Au cours de l'examen médical, le médecin observera le mouvement des paupières pour vérifier si elles sont rétractées ou paralysées.

Dans le cas d'une paralysie faciale, on prescrira un traitement à base de cortisone sous la forme de comprimés afin de réduire l'inflammation du nerf facial (souvent d'origine virale). La paralysie est généralement transitoire. Elle disparaît dans 90 % des cas au bout de quelques mois si l'on consulte rapidement un médecin. Le patient devra assurer une bonne lubrification de son œil en attendant son complet rétablissement.

pendant la journée, de larmes artificielles ou d'un onguent (que l'on applique dans l'œil à l'aide du tube). Ces produits sont en vente libre dans les pharmacies. Avant de vous coucher pour la nuit, utilisez l'onguent de préférence. Il sera absorbé plus lentement et il aura donc un effet prolongé.

Porter des verres fumés. Ils protégeront vos yeux du vent et de la lumière éblouissante tout en camouflant leur saillie.

Ne pas recourir à l'« œil de pirate ». On peut être tenté de l'utiliser pour camoufler un œil exorbité, mais il faut savoir que les couvre-œil retenus par des bandes élastiques exercent une pression désagréable sur l'œil et sur le pourtour de l'œil. Utilisez plutôt des verres fumés.

Ajouter un second oreiller pour dormir. Si vos paupières sont gonflées, trouvez des moyens de dormir la tête surélevée. Placez deux oreillers sous votre tête ou relevez la tête de votre lit à l'aide de morceaux de bois ; cela peut réduire l'accumulation d'eau dans vos paupières pendant la nuit.

Réduire la consommation de certains aliments. Pour réduire l'accumulation d'eau dans vos paupières, éliminez de votre alimentation le sel et le sucre, qui ont pour effet d'augmenter la rétention d'eau. Faites la même chose avec les mets épicés, sucrés et salés.

QUAND CONSULTER ?

- Vos yeux sont rouges et douloureux.
- Vous notez une baisse de votre vision ou vous voyez double.
- Vous remarquez que vos yeux sont exorbités ou votre entourage vous le fait remarquer.
- Vos yeux sont exorbités, mais vous n'avez aucun autre symptôme (consultez un ophtalmologiste afin d'établir les causes de votre exophtalmie).

QUE SE PASSE-T-IL LORS DE L'EXAMEN ?

Le médecin tentera d'abord d'évaluer le degré de l'exophtalmie par la simple inspection, notamment en examinant la saillie du globe de profil et en constatant le changement qui en résulte dans le regard ou la physionomie. Si un seul œil semble atteint, il vérifiera, à l'aide d'une règle spéciale (exophtalmomètre), le degré d'exophtalmie de cet œil par rapport à l'autre. Puis il recherchera les signes oculaires caractéristiques des troubles thyroïdiens (rétraction des paupières, congestion des muscles) et il vérifiera l'état de sécheresse des yeux. Il palpera la région des yeux avec les mains à la recherche d'un kyste. Il demandera, dans la plupart des cas, un bilan radiologique afin de vérifier la présence d'une sinusite ou de tissu anormal derrière l'œil.

QUEL EST LE TRAITEMENT ?

Dysfonctionnement thyroïdien (maladie de Basedow)

Le médecin procédera à un examen plus poussé de la fonction thyroïdienne. Le traitement comprend des médicaments ou de l'iode radioactif, selon le cas. En attendant son complet rétablissement, le patient pourra faire usage de gouttes ou d'onguents pour soulager la sécheresse de ses yeux.

Origine congénitale et traumatisme de l'œil ou du visage

On pourra recourir à la chirurgie esthétique ou à des techniques de maquillage. La chirurgie permet d'obtenir de bons résultats en atténuant grandement l'exophtalmie. Le chirurgien peut pratiquer une décompression de l'orbite, c'est-à-dire qu'il enlève de l'os pour permettre aux yeux de reprendre leur place à l'intérieur de l'orbite, ou il peut procéder au relâchement de la rétraction des paupières. Si le patient souffre d'une vision double, cette anomalie est corrigée pendant la chirurgie et ne laisse pas de séquelles.

Forte myopie

Le port de certains types de verres correcteurs ainsi que des techniques de maquillage peuvent rendre l'exophtalmie moins apparente.

Inflammation des sinus (sinusite)
Le médecin prescrira des antibiotiques dans le cas d'une sinusite infectieuse et des antihistaminiques ou des corticoïdes par voie nasale s'il s'agit d'une sinusite allergique.

Présence d'un kyste ou d'une tumeur derrière l'œil
Le traitement consiste généralement à faire appel à la chirurgie pour enlever la masse. Parfois, la radiothérapie est indiquée (dans le cas d'un lymphome). Plus rarement, le médecin pourra prescrire un traitement oral à base de cortisone.

Index

E

P

Q

R

S